W9-BMS-991

Les bases de l'immunologie fondamentale et clinique

Les bases de l'immunologie fondamentale et clinique
Abul K. Abbas, Andrew H. Lichtman
Traduction de la 3e édition anglaise : Pierre L. Masson
ISBN : 978-2-8101-0023-1

Biochimie médicale. Physiopathologie et diagnostic
William J. Marshall, Stephen K. Bangert
Traduction et adaptation de l'anglais : Éric Raynaud
ISBN : 2-84299-674-7

Biologie cellulaire
Thomas D. Pollard, William C. Earnshaw
Coordination scientifique de l'édition française : Chantal Housset, Nour-Eddine Lomri, Joëlle Masliah
Traduction de l'anglais : Kraus Biomédical
ISBN : 2-84299-571-6

Génétique médicale
Lynn B. Jorde, John C. Carey, Michael J. Bamshad, Raymond L. White
Coordination scientifique de l'édition française : Patricia Fergelot
Traduction de l'anglais : Kraus Biomédical
ISBN : 2-84299-575-9

Histologie humaine
Alan Stevens, James Lowe
Traduction et adaptation de l'anglais : André Défossez, Claude-Alain Maurage
ISBN : 2-84299-751-4

Immunologie
David Male, Jonathan Brostoff, David B Roth, Ivan Roitt
Traduction de la 7e édition anglaise : Pierre L. Masson
ISBN : 978-2-84299-841-7

Neurosciences médicales
Stephen E. Nadeau et al.
Traduction et adaptation de l'anglais par Hélène Bastuji,
Michel Magnin et Max Grosclaude, coordonnée par Luis Garcia-Larrea
ISBN : 2-84299-750-6

Principes de biologie moléculaire en biologie clinique
Nedjma Ameziane, Marc Bogard, Jérôme Lamoril
ISBN : 2-84299-685-2

Les bases de l'immunologie fondamentale et clinique

Abul K. Abbas, MBBS

Andrew H. Lichtman, MD, PhD

Traduction de la 3e édition anglaise
Pr Pierre L. Masson

Illustrations
David L. Baker, MA, et Alexandra Baker, MS, CMI

ELSEVIER
MASSON

Abul K. Abbas, MBBS, Professor and Chair, Department of Pathology, University of California - San Francisco - School of Medicine, San Francisco, Californie, États-Unis
Andrew H. Lichtman, MD, PhD, Associate Professor of Pathology, Havard Medical School, Brigham and Women's Hospital Boston, Massachussets, États-Unis
Pierre L. Masson, Professeur émérite de l'Université Catholique de Louvain (UCL), Belgique

L'édition originale, *Basic Immunology, Functions and Disorders of the Immune System, 3rd edition* (ISBN 978-1-4160-4688-2), a été publiée par Saunders, une marque d'Elsevier.

Édition originale : *Basic Immunology, Functions and Disorders of the Immune System, 3rd edition*
Acquisitions Editor : William Schmitt
Developmental Editor : Rebecca Gruliow
Editorial Asistant : Laura Stingelin
Design Direction : Gene Harris

Édition française : *Les bases de l'immunologie fondamentale et clinique*
Responsable éditorial : Marie-José Rouquette
Éditeur : Dragos Bobu
Chef de projet : Benjamin Scias
Conception graphique et maquette de couverture : Véronique Lentaigne

---

© 2009 by Saunders, an imprint of Elsevier Inc. Previous editions copyrighted 2006, 2004, 2001. All rights reserved.
© 2009 Elsevier Masson SAS. Tous droits réservés pour la traduction française
62, rue Camille-Desmoulins, 92442 Issy-les-Moulineaux cedex
www. elsevier-masson.fr

L'éditeur ne pourra être tenu pour responsable de tout incident ou accident, tant aux personnes qu'aux biens, qui pourrait résulter soit de sa négligence, soit de l'utilisation de tous produits, méthodes, instructions ou idées décrits dans la publication. En raison de l'évolution rapide de la science médicale, l'éditeur recommande qu'une vérification extérieure intervienne pour les diagnostics et la posologie.

Tous droits de traduction, d'adaptation et de reproduction par tous procédés réservés pour tous pays. En application de la loi du 1er juillet 1992, il est interdit de reproduire, même partiellement, la présente publication sans l'autorisation de l'éditeur ou du Centre français d'exploitation du droit de copie (20, rue des Grands-Augustins, 75006 Paris).
All rights reserved. No part of this publication may be translated, reproduced, stored in a retrieval system or transmitted in any form or by any other electronic means, mechanical, photocopying, recording or otherwise, without prior permission of the publisher.

Photocomposition : SPI Publisher Services, Pondichéry, Inde
Imprimé en Chine (Hong-Kong) par 1010
Dépôt légal : Octobre 2008

ISBN : 978-2-81010-023-1
ISSN : 1768-2304

À

Ann, Jonathan, Rehana, Sheila, Eben, Ariella, Amos, Ezra

Sommaire

© 2009 Elsevier Masson SAS. Tous droits réservés

© 2009 Elsevier Masson SAS. Tous droits réservés

Avant-propos à l'édition française

Le bon enseignant se reconnaît à sa faculté d'extraire les éléments essentiels d'une matière et de les soumettre à la réflexion de l'étudiant tout en éveillant, ou en entretenant, sa curiosité. C'est précisément ce que les auteurs, A. K. Abbas et A. H Lichtman, ont réussi en rédigeant cet ouvrage remarquable par sa concision et son sens des priorités.

L'immunologie progresse rapidement et, dans cette troisième édition, les lecteurs feront connaissance avec ces notions nouvelles que sont les lymphocytes T auxiliaires dits T_H17 et les T régulateurs, et percevront mieux le rôle central des cellules dendritiques. Il importait dès lors d'offrir aux étudiants francophones cette nouvelle version, publiée quasi simultanément avec la troisième édition anglaise.

Avec les nouvelles thérapies basées sur les anticorps monoclonaux, les cytokines et les récepteurs solubles, les médecins spécialistes, particulièrement les rhumatologues, les gastro-entérologues et les dermatologues, sont amenés à rafraîchir leurs connaissances en immunologie. Or, la plupart des ouvrages consacrés à cette discipline sont en général trop fouillés et détaillés ; ils ne permettent pas une reprise de contact aisée et rapide. C'est pourquoi, le présent ouvrage devrait intéresser non seulement les étudiants, mais aussi tous les médecins qui vont devoir recourir de plus en plus aux multiples nouvelles immunothérapies que l'industrie pharmaceutique prépare. Ils trouveront dans le livre d'Abbas et Lichtman exactement ce qu'ils souhaitent : refaire connaissance avec les bases de l'immunologie fondamentale et clinique sans devoir recourir, à chaque page, à un dictionnaire scientifique spécialisé.

Pierre L. Masson
Professeur émérite de l'Université catholique
de Louvain (UCL), Belgique

© 2009 Elsevier Masson SAS. Tous droits réservés

Préface à l'édition originale

Cette troisième édition a été adaptée afin d'intégrer les progrès récents dans nos connaissances immunologiques, mais aussi afin que sa présentation de l'information soit encore améliorée et qu'elle devienne ainsi un outil didactique toujours plus efficace pour les étudiants et les enseignants. Nous avons été extrêmement satisfaits de la façon dont les deux premières éditions ont été reçues par les étudiants participant aux cours que nous donnons, et les principes directeurs sur lesquels se fonde le livre n'ont pas changé depuis la première édition. Comme enseignants d'immunologie, nous sommes de plus en plus conscients du fait qu'assimiler des données détaillées et les approches expérimentales est de plus en plus pénible dans de nombreux cours des études médicales et de premier cycle. Savoir jusqu'à quel degré il convient d'approfondir la matière devient très difficile en raison de l'accroissement rapide et continu de la quantité d'informations dans tous les domaines des sciences biomédicales. Ce problème est aggravé par le développement de programmes intégrés dans de nombreuses écoles de médecine, avec réduction du temps pour l'enseignement didactique et l'accent mis de plus en plus sur les sciences sociales et comportementales ainsi que les soins de santé primaires. C'est pourquoi nous avons compris combien il importait, pour de nombreux étudiants en médecine, de recevoir un enseignement de l'immunologie clair et concis.

Nous pensons que plusieurs faits nouveaux sont réunis pour rendre réaliste l'objectif d'une présentation concise de l'immunologie moderne. C'est surtout le fait que cette discipline a mûri ; elle a atteint à présent le stade où les composants essentiels du système immunitaire et les modalités de leurs interactions au cours de la réponse immunitaire sont assez bien compris. Il reste, bien sûr, beaucoup de détails à préciser, et l'application, espérée depuis longtemps, des principes de base aux maladies humaines, ne progresse que lentement. Nous pouvons néanmoins enseigner maintenant à nos étudiants, avec une certitude raisonnable, le fonctionnement du système immunitaire. Le deuxième fait important a été l'accent mis de plus en plus sur les racines de l'immunologie, c'est-à-dire sur son rôle de défense contre les infections. De ce fait, nous sommes mieux en mesure de relier les résultats expérimentaux obtenus dans des modèles simples aux problèmes plus complexes, mais physiologiquement pertinents, soulevés par la défense de l'individu contre les pathogènes infectieux.

Nous avons écrit ce livre pour répondre aux requis des études de médecine et des programmes d'études de premier cycle tout en profitant de la nouvelle perception de l'immunologie. Nous avons essayé d'atteindre plusieurs objectifs.

Tout d'abord, nous avons présenté les grands principes qui régissent le fonctionnement du système immunitaire. Notre objectif principal a été de faire la synthèse des concepts essentiels à partir des données expérimentales abondantes qui émergent de la discipline en plein développement qu'est l'immunologie. Le choix des priorités a été en grande partie fondé sur ce qui est établi le plus clairement par l'expérimentation, sur ce que nos étudiants trouvent particulièrement compliqué, et sur ce qui explique l'efficacité remarquable et le rendement du système immunitaire. Inévitablement, un tel choix est quelque peu partial, notre parti pris étant d'insister sur les interactions cellulaires au cours des réponses immunitaires et de limiter aux faits essentiels la description des nombreux mécanismes biochimiques et moléculaires sous-jacents. Nous avons également réalisé que, dans toute discussion concise de phénomènes complexes, on ne peut éviter d'écarter les exceptions et certaines mises en garde. Nous l'avons fait sans hésiter, mais nous

© 2009 Elsevier Masson SAS. Tous droits réservés

adaptons les conclusions au fur et à mesure de l'apport de nouvelles informations.

Deuxièmement, nous avons mis l'accent sur les réponses immunitaires contre les agents infectieux, et la plupart de nos discussions du système immunitaire se situent dans ce contexte.

Troisièmement, nous avons insisté sur les réponses immunitaires humaines (et non plus sur les modèles animaux), mais nous nous appuyons sur des observations expérimentales parallèles chaque fois que c'est nécessaire.

Quatrièmement, nous avons eu recours à de nombreuses illustrations pour éclairer des concepts importants, mais nous avons réduit les détails factuels, que l'on peut trouver dans des manuels plus complets.

Cinquièmement, nous avons abordé les maladies immunologiques également d'un point de vue conceptuel, en mettant l'accent sur leurs liens avec les réponses immunitaires normales et en évitant de décrire les syndromes cliniques et leurs traitements. Nous avons ajouté une sélection de cas cliniques dans une Annexe afin d'illustrer comment les principes de l'immunologie s'appliquent aux maladies humaines. Enfin, pour rendre chaque chapitre lisible indépendamment l'un de l'autre, nous avons répété les idées principales à différents endroits du livre. Nous pensons que de tels rappels aideront les étudiants à saisir les concepts les plus importants.

Notre espoir est que les étudiants trouveront ce livre clair, convaincant et facile à consulter. Plus important encore, nous espérons qu'il pourra faire partager notre curiosité pour le fonctionnement du système immunitaire et notre intérêt envers l'évolution de cette discipline et de ses liens avec la santé humaine et les maladies. Enfin, même si nous avons été encouragés à entreprendre ce projet en raison de notre implication dans les cours de l'école de médecine, nous espérons que cet ouvrage sera apprécié également par les étudiants en sciences paramédicales et en biologie. Nous aurons réussi s'il parvenait à répondre à une grande partie des questions que ces étudiants se posent à propos du système immunitaire et, en même temps, les incitait à se plonger davantage dans l'immunologie.

Plusieurs personnes ont joué un rôle capital dans la rédaction de cet ouvrage. Notre éditeur, Bill Schmitt, a été une source constante d'encouragement et de conseils. Nous avons eu la chance de travailler à nouveau avec les deux illustrateurs admirables, Alexandra et David Baker de DNA Illustrations, qui ont traduit les idées en images instructives et esthétiques. Ellen Sklar a piloté le livre à travers le processus de production avec une efficacité sereine et une organisation remarquable. Notre éditeur de développement, Rebecca Gruliow, a maintenu le projet sur la bonne voie malgré les pressions de temps et de logistique. Chacun d'eux doit être remercié chaleureusement.

Abul K. Abbas
Andrew H. Lichtman

© 2009 Elsevier Masson SAS. Tous droits réservés

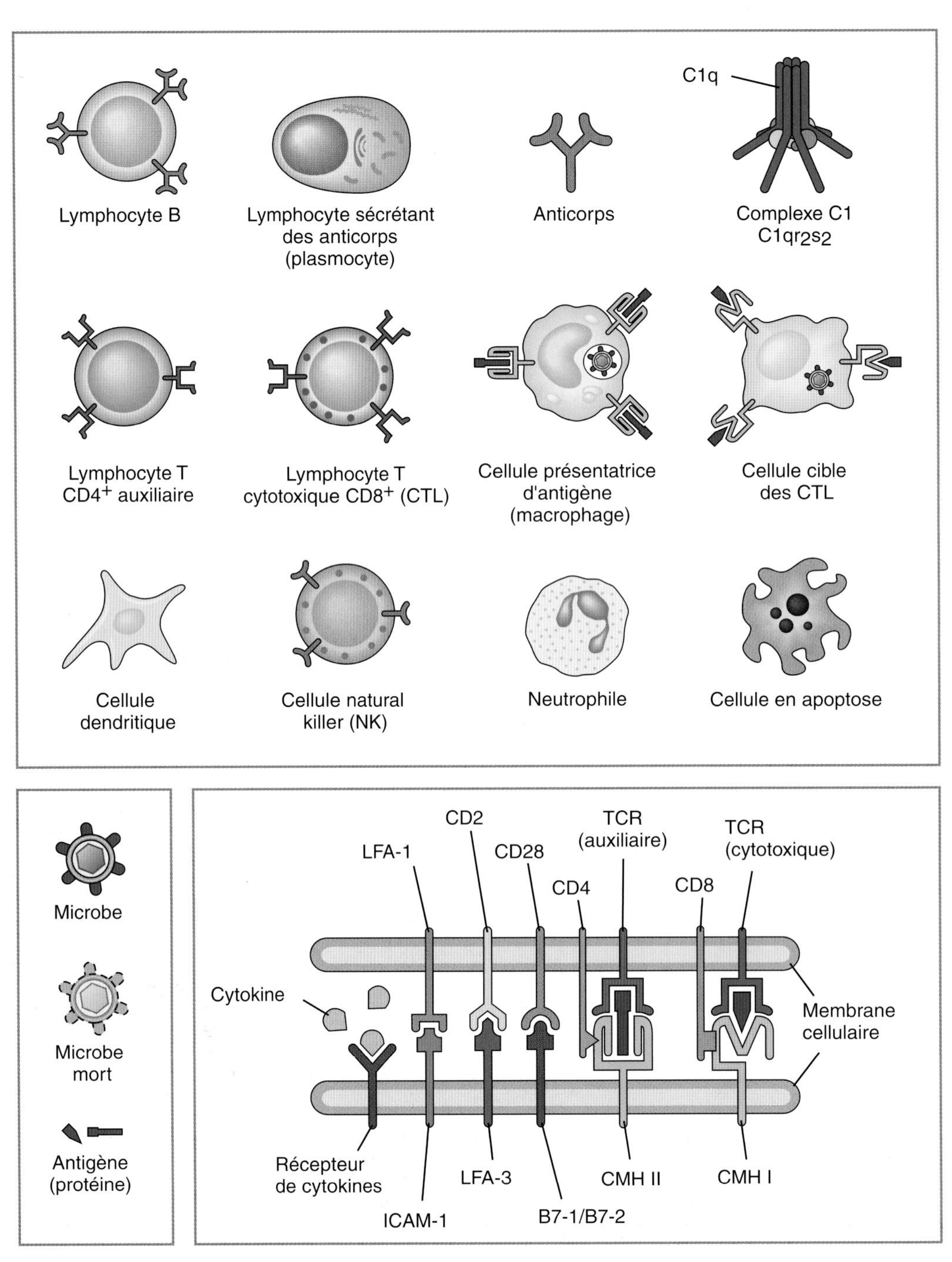

© 2009 Elsevier Masson SAS. Tous droits réservés

Liste des abréviations

Abréviation	Terme original	Terme traduit
ADA	*Adenosine deaminase*	Adénosine désaminase
ADCC	*Antibody-dependent cell-mediated cytotoxicity*	Cytotoxicité cellulaire dépendante des anticorps
AICD	*Activation-induced cell death*	Mort cellulaire induite par activation
AID	*Activation-induced deaminase*	Désaminase induite par activation
AIRE	*Autoimmune regulator*	Régulateur de l'auto-immunité
ALPS	*Autoimmune lymphoproliferative syndrome*	Syndrome lymphoprolifératif auto-immun
AP-1	*Activating protein-1*	Protéine activatrice-1
APC	*Antigen-presenting cell*	Cellule présentatrice d'antigène
BCG	*Bacillus Calmette-Guérin*	Bacille de Calmette-Guérin
BCR	*B cell receptor*	Récepteur des cellules B
Btk	*Bruton's tyrosine kinase*	Tyrosine kinase de Bruton
CAM	*Membrane attack complex*	Complexe d'attaque membranaire
CD	*Cluster of differentiation*	Molécules CD
CD40L	*CD40 ligand*	Ligand de CD40
CDF	*Follicular dendritic cell (FDC)*	Cellule dendritique folliculaire
CDR	*Complementary-determining region*	Région déterminant la complémentarité
CLIP	*Class II invariant chain peptide*	Peptide de la chaîne invariante de classe II
CMH	*Major histocompatibility complex*	Complexe majeur d'histocompatibilité
CPA	*Antigen-presenting cell (APC)*	Cellule présentatrice d'antigène
CR1	*Complement receptor type 1*	Récepteur du complément de type 1
CRP	*C-reactive protein*	Protéine C réactive

(*Suite*)

© 2009 Elsevier Masson SAS. Tous droits réservés

Abréviation	Terme original	Terme traduit
CTL	*Cytolytic T lymphocyte*	Lymphocyte T cytolytique
CTLA-4	*Cytotoxic T lymphocyte-associated protein-4*	Protéine 4 associée aux lymphocytes T cytotoxiques
CTLA4-Ig	*Cytotoxic T lymphocyte-associated protein-4-immunoglobulin*	Protéine de fusion entre CTLA-4 et la région constante des Ig
DAF	*Decay accelerating factor*	Facteur accélérant la dissociation
DICS	*Severe combined immunodeficiency*	Déficience immunitaire combinée sévère
DTH	*Delayed-type hypersensitivity*	Réaction d'hypersensibilité retardée
EBNA	*Epstein-Barr virus nuclear antigen*	Antigène nucléaire du virus d'Epstein-Barr
ERK	*Extracellular signal-regulated kinase*	Kinase régulée par un signal extracellulaire
Fab	*Fragment antigen binding*	Fragment liant l'antigène
Fc	*Fragment crystallizable*	Fragment cristallisable
FcRn	*Neonatal Fc receptor*	Récepteur de Fc néonatal
FDC	*Follicular dendritic cell*	Cellule dendritique folliculaire
GDP	*Guanosine diphosphate*	Guanosine diphosphate
gp120	*120 kD glycoprotein*	Glycoprotéine de 120 kD
GTP	*Guanosine triphosphate*	Guanosine triphosphate
HBV	*Hepatitis B virus*	Virus de l'hépatite B
HCV	*Hepatitis C virus*	Virus de l'hépatite C
HEV	*High endothelial venule*	Veinule à endothélium élevé
HLA	*Human leukocyte antigen*	Antigène leucocytaire humain
HSR	*Delayed type hypersensitivity (DTH)*	Réaction d'hypersensibilité retardée
ICAM	*Intercellular adhesion molecule*	Molécule d'adhérence intercellulaire
IFN	*Interferon*	Interféron
Ig	*Immunoglobulin*	Immunoglobuline
IL	*Interleukin*	Interleukine
IMID	*Immune mediated inflammatory disorder*	Maladie inflammatoire impliquant le système immunitaire
IP_3	*Inositol 1,4,5-triphosphate*	Inositol 1,4,5-triphosphate
IPEX	*Immuno-dysregulation-polyendocrinopathy-enteropathy X-linked syndrome*	Syndrome de dérégulation immunitaire avec polyendocrinopathie et entéropathie lié à l'X
IRF-3	*Interferon regulatory factor-3*	Facteur 3 de régulation de l'interféron
ITAM	*Immunoreceptor tyrosine-based activation motif*	Motif d'activation à base de tyrosine des immunorécepteurs
ITIM	*Immunoreceptor tyrosine-based inhibition motif*	Motif d'inhibition à base de tyrosine des immunorécepteurs
IVIG	*Intravenous immunoglobulin*	Immunoglobuline injectée par voie intraveineuse
JNK	*c-Jun N-terminal kinase*	Kinase de la partie N-terminale de c-Jun

© 2009 Elsevier Masson SAS. Tous droits réservés

KIR	*Killer cell immunoglobulin-like receptors*	Récepteur de type immunoglobuline des cellules tueuses
LFA	*Leukocyte function associated antigen*	Antigène associé à la fonction des lymphocytes
LPS	*Lipopolysaccharide*	Lipopolysaccharide
LTR	*Long terminal repeat*	Longue séquence répétée
MAP	*Mitogen-activated protein*	Protéine activée par un mitogène
MBL	*Mannose-binding lectin*	Lectine liant le mannose
MCP	*Membrane cofactor protein*	Cofacteur membranaire
MLR	*Mixed lymphocyte reaction*	Réaction lymphocytaire mixte
NFAT	*Nuclear factor of activated T cells*	Facteur nucléaire des lymphocytes T activés
NF-κB	*Nuclear factor κB*	Facteur nucléaire κB
NK	*Natural killer cell*	Cellule tueuse naturelle ou cellule NK
NOD	*Nucleotide-binding oligomerization domain-containing protein*	Protéine contenant un domaine d'oligomérisation et de liaison de nucléotides
PALS	*Periarteriolar lymphoid sheath*	Manchon lymphoïde périartériolaire
PAMP	*Pathogen associated molecular pattern*	Motif moléculaire associé aux pathogènes
PD	*Programmed [cell] death protein*	Protéine de mort cellulaire programmée
PDGF	*Platelet-derived growth factor*	Facteur de croissance dérivé des plaquettes
PHA	*Phytohemagglutinin*	Phytohémagglutinine
PI-3	*Phosphatidylinositol-3*	Phosphatidylinositol-3
PIP_2	*Phosphatidylinositol 4,5 biphosphate*	Phosphatidylinositol 4,5 bisphosphate
PKC	*Protein kinase C*	Protéine kinase C
PLC_γ	*Phospholipase Cγ*	Phospholipase Cγ
PNP	*Purine nucleoside phosphorylase*	Purine nucléoside phosphorylase
PPD	*Purified protein derivative*	Dérivé protéique purifié
PRR	*Pattern recognition receptors*	Récepteurs des motifs moléculaires
PTPN22	*Protein tyrosine phosphatase N22*	Protéine tyrosine phosphatase N22
RAG	*Recombination activating gene*	Gène d'activation de la recombinaison
RE	*Endoplasmic reticulum (ER)*	Réticulum endoplasmique
ROI	*Reactive oxygen intermediates*	Intermédiaires réactifs de l'oxygène
SCID	*Severe combined immunodeficiency*	Déficience immunitaire combinée sévère
SIDA	*Acquired immunodeficiency syndrome (AIDS)*	Syndrome d'immunodéficience acquise
TAP	*Transporter associated with antigen processing*	Transporteur associé à l'apprêtement de l'antigène
TCR	*T cell receptor*	Récepteur des cellules T
TdT	*Deoxyribonucleotidyl transferase*	Désoxyribonucléotidyl transférase
TGF	*Transforming growth factor*	Facteur de croissance transformant

(*Suite*)

© 2009 Elsevier Masson SAS. Tous droits réservés

Abréviation	Terme original	Terme traduit
TLR	*Toll-like receptor*	Récepteur de type Toll
TNF	*Tumor necrosis factor*	Facteur de nécrose des tumeurs
TSH	*Thyroid-stimulating hormone*	Hormone thyréotrope
VCAM	*Vascular cell adhesion molecule*	Molécule d'adhérence aux cellules vasculaires
VIH	*Human immunodeficiency virus*	Virus de l'immunodéficience humaine
VLA	*Very late antigen*	Antigène d'activation très tardif
ZAP-70	*Zeta chain-associated protein of 70 Kd*	Protéine de 70 Kd associée à la chaîne Zeta

© 2009 Elsevier Masson SAS. Tous droits réservés

Chapitre 1

Introduction au système immunitaire

Nomenclature, caractéristiques générales et composants du système immunitaire

L'*immunité* est définie comme la résistance aux maladies, et plus spécifiquement aux maladies infectieuses. L'ensemble des cellules, des tissus et des molécules qui concourent à opposer une résistance aux infections est appelé *système immunitaire*, et la réaction coordonnée de ces cellules et molécules contre les germes pathogènes porte le nom de *réponse immunitaire*. L'immunologie est l'étude du système immunitaire et de ses réponses contre les micro-organismes invasifs. **La fonction physiologique du système immunitaire est de prévenir les**

© 2009 Elsevier Masson SAS. Tous droits réservés

infections et d'éradiquer les infections déclarées, ce qui constitue le cadre principal dans lequel les réponses immunitaires seront abordées dans cet ouvrage.

L'importance du système immunitaire pour la santé apparaît de façon dramatique chez les personnes qui, présentant un déficit des réponses immunitaires, sont sensibles à des infections graves menaçant souvent le pronostic vital (figure 1.1). À l'inverse, la stimulation des réponses immunitaires contre les microbes par la vaccination constitue la méthode la plus efficace pour protéger les individus contre les infections, et c'est précisément cette approche qui a permis, par exemple, l'éradication mondiale de la variole (figure 1.2). L'apparition du syndrome d'immunodéficience acquise (sida) au cours des années 1980 a tragiquement mis en évidence l'importance du système immunitaire pour la défense des individus contre les infections. Toutefois, l'impact de l'immunologie s'étend bien au-delà des maladies infectieuses (figure 1.1). La réponse immunitaire constitue le principal obstacle au succès des transplantations d'organes, un mode de traitement utilisé de plus en plus souvent en cas de dysfonctionnements d'organes. Différentes tentatives pour traiter les cancers en stimulant les réponses immunitaires contre les cellules cancéreuses sont actuellement à l'étude pour de nombreuses pathologies malignes affectant l'homme. En outre, des réponses immunitaires anormales sont à l'origine d'un certain nombre de maladies présentant une morbidité et une mortalité importantes. Les anticorps, l'un des produits de la réponse immunitaire, sont des réactifs extrêmement spécifiques pour détecter une grande variété de molécules dans la circulation, les cellules et les tissus et sont donc devenus des réactifs précieux pour les tests de laboratoire en médecine clinique et en recherche. Des

Rôle du système immunitaire	Implications
Défense contre les infections	Un déficit immunitaire entraîne une aggravation de la sensibilité aux infections ; par exemple dans le sida La vaccination stimule les défenses immunitaires et protège contre les infections
Le système immunitaire reconnaît les greffons tissulaires et les protéines nouvellement introduites et y répond	Les réponses immunitaires sont des barrières importantes à la transplantation et à la thérapie génique
Défense contre les tumeurs	Possibilité d'une immunothérapie du cancer

Figure 1.1 Importance du système immunitaire chez le sujet sain ou malade. Ce tableau résume certaines fonctions physiologiques du système immunitaire. Notez que les réponses immunitaires sont également responsables de certaines maladies.

Figure 1.2 Efficacité de la vaccination pour certaines maladies infectieuses communes. Il existe une diminution considérable de l'incidence de certaines maladies infectieuses pour lesquelles des vaccins efficaces ont été développés. Dans certains cas, notamment pour l'hépatite B, un vaccin a été mis à disposition et l'incidence de la maladie ne cesse de décroître. D'après Orenstein WA, Hinman AR, Bart KJ, Hadler SC. Immunization. In : Mandel GL, Bennett JE, Dolin R, éds. Principles and practices of infectious diseases, 4e éd. New York : Churchill Linvingstone ; 1995 ; et Morbidity and Mortality Weekly Report 2005 ; 53 : 1213-21.

Maladie	Nombre annuel maximum de cas	Nombre de cas en 2000	Variation (%)
Diphtérie	206,939 (1921)	0	–99,99
Rougeole	894,134 (1941)	37	–99,99
Oreillons	152,209 (1968)	236	–99,90
Coqueluche	265,269 (1934)	18,957	–96,84
Poliomyélite (paralysante)	21,269 (1952)	0	–100,0
Rubéole	57,686 (1969)	12	–99,98
Tétanos	1,560 (1923)	26	–98,44
Haemophilus influenzae type B	~20,000 (1984)	16	–98,33
Hépatite B	26,611 (1985)	6,632	–99,32

© 2009 Elsevier Masson SAS. Tous droits réservés

anticorps capables de bloquer ou d'éliminer des molécules et des cellules potentiellement nocives sont largement utilisés dans le traitement de maladies immunitaires, de cancers, et d'autres types d'affections. Pour toutes ces raisons, le domaine de l'immunologie a capté l'attention des cliniciens, des scientifiques et du grand public.

Dans ce chapitre d'introduction, les sujets traités seront la nomenclature de l'immunologie, certaines des caractéristiques générales essentielles de toutes les réponses immunitaires, ainsi que les cellules et les tissus qui constituent les principaux composants du système immunitaire. En particulier, les questions suivantes seront abordées :

- Quels types de réponses immunitaires protègent les individus contre les infections ?
- Quelles sont les caractéristiques importantes de l'immunité, et quels mécanismes en sont responsables ?
- Comment les cellules et les tissus du système immunitaire sont-ils organisés pour être en mesure de trouver les microbes et d'exercer sur eux une réponse qui conduit à leur élimination ?

Nous concluons le chapitre par une brève revue des réponses immunitaires contre les microbes. Les principes de base présentés dans ce chapitre posent les bases de discussions plus détaillées des réponses immunitaires dont il sera question dans le reste de l'ouvrage. Un glossaire des termes principaux utilisés dans l'ouvrage constitue l'Annexe I.

Immunité naturelle et acquise

Les mécanismes de défense de l'hôte se composent d'une immunité naturelle, responsable de la protection initiale contre les infections, et de l'immunité adaptative, qui se développe plus lentement et met en œuvre une défense tardive et plus efficace contre les infections (figure 1.3). Le terme d'*immunité innée* (également appelée immunité naturelle ou native) fait référence au fait que ce type de défense développé par l'hôte est toujours présent chez les individus sains, prêt à bloquer l'entrée des microbes et à éliminer rapidement ceux qui ont réussi à pénétrer dans les tissus de l'hôte. L'*immunité adaptative* (également appelée immunité acquise ou spécifique) est le type de défense qui est stimulé par les microbes qui envahissent les tissus, c'est-à-dire qu'elle s'adapte à la présence des micro-organismes invasifs.

La première ligne de défense de l'immunité naturelle est constituée par les barrières épithéliales et par des cellules spécialisées ainsi que par des antibiotiques naturellement présents dans les épithéliums. La fonction de tous ces éléments est de bloquer la pénétration des microbes. Si les microbes réussissent à passer les épithéliums et à pénétrer dans les tissus ou dans la circulation, ils sont attaqués par les phagocytes, par des lymphocytes spécialisés appelés cellules tueuses ou NK (*natural killer*), et par plusieurs protéines plasmatiques, notamment les protéines du système du complément. Tous ces mécanismes de

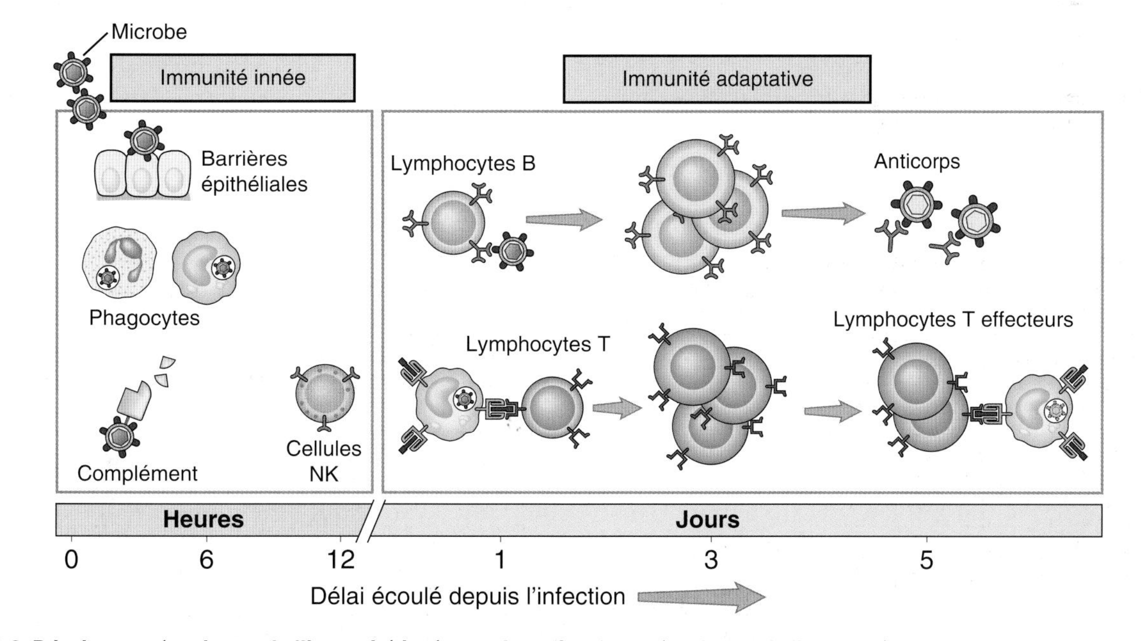

Figure 1.3 Principaux mécanismes de l'immunité innée et adaptative. Les mécanismes de l'immunité naturelle assurent la défense initiale contre les infections. Certains des mécanismes empêchent les infections (par exemple les barrières épithéliales) tandis que d'autres éliminent les microbes (par exemple les phagocytes, les cellules NK et le système du complément). Les réponses immunitaires adaptatives se développent plus tardivement et sont assurées par les lymphocytes et leurs produits. Les anticorps bloquent les infections et éliminent les microbes, et les lymphocytes T éliminent les microbes intracellulaires. Les cinétiques des réponses immunitaires naturelles et adaptatives sont des approximations et peuvent varier en fonction des infections.

© 2009 Elsevier Masson SAS. Tous droits réservés

l'immunité naturelle reconnaissent et réagissent contre les microbes, mais restent inactifs contre des substances étrangères non infectieuses. Différents mécanismes de l'immunité naturelle peuvent être spécifiques de certaines molécules produites par différentes classes de microbes. Outre la capacité d'assurer les défenses précoces contre les infections, les réponses immunitaires naturelles stimulent les réponses immunitaires adaptatives contre les agents infectieux. Les composants et les mécanismes de l'immunité naturelle sont décrits en détail dans le chapitre 2.

Bien que l'immunité naturelle soit en mesure de combattre de manière efficace un grand nombre d'infections, les microbes pathogènes pour l'homme (c'est-à-dire capables de provoquer des maladies) ont évolué de façon à résister à l'immunité naturelle. La défense contre ces agents infectieux incombe alors à la réponse immunitaire adaptative, et c'est la raison pour laquelle des déficits du système immunitaire adaptatif augmentent la sensibilité aux infections. **Le système immunitaire adaptatif se compose des lymphocytes et de leurs produits, notamment les anticorps.** Alors que les mécanismes de l'immunité naturelle reconnaissent des structures partagées par plusieurs classes de microbes, les cellules de l'immunité acquise, c'est-à-dire les lymphocytes, expriment des récepteurs qui reconnaissent, de manière spécifique, différentes substances produites par les microbes, ainsi que des molécules non infectieuses. Ces substances sont appelées *antigènes*. Les réponses immunitaires adaptatives ne seront déclenchées que si les microbes ou leurs antigènes traversent les barrières épithéliales et sont délivrés dans les organes lymphoïdes où ils peuvent être reconnus par les lymphocytes. Les réponses immunitaires acquises font intervenir des mécanismes spécialisés pour combattre différents types d'infections. Par exemple, la fonction des anticorps est d'éliminer les microbes se trouvant dans les liquides extracellulaires, tandis que les lymphocytes T activés détruisent les microbes qui vivent à l'intérieur des cellules. Ces mécanismes spécialisés de l'immunité adaptative seront décrits en détail dans cet ouvrage. Les réponses immunitaires adaptatives utilisent fréquemment les cellules et les molécules du système immunitaire inné pour éliminer les microbes, et l'immunité adaptative agit en stimulant davantage les mécanismes antimicrobiens de l'immunité naturelle. Par exemple, les anticorps (un élément de l'immunité acquise) se lient aux microbes, puis ces microbes enrobés se lient avec une grande facilité aux phagocytes (un élément de l'immunité naturelle), qui sont ainsi amenés à ingérer et à détruire les microbes. Il existe de nombreux exemples similaires de coopération entre immunité naturelle et immunité adaptative qui seront présentés dans les chapitres suivants. Par convention, les termes *système immunitaire* et *réponse immunitaire* font référence, sauf indication contraire, à l'immunité adaptative.

Types d'immunité adaptative

Il existe deux types d'immunité adaptative, appelés *immunité humorale et immunité cellulaire*, qui font intervenir différentes cellules et molécules, et sont destinés à opposer une défense respectivement aux microbes extracellulaires et intracellulaires (figure 1.4). L'immunité humorale s'exerce par l'intermédiaire de protéines appelées **anticorps**, qui sont produites par des cellules portant le nom de **lymphocytes B**. Les anticorps sont sécrétés dans la circulation et les fluides produits par les muqueuses. Ils neutralisent et éliminent ensuite les microbes et les toxines microbiennes présents dans le sang et dans la lumière des muqueuses, comme celle du tractus gastro-intestinal ou respiratoire. L'une des principales fonctions des anticorps est d'arrêter les microbes qui sont présents à la surface des muqueuses et dans le sang, afin de les empêcher d'accéder aux cellules et aux tissus conjonctifs de l'hôte et de les coloniser. De cette manière, les anticorps préviennent les infections avant même qu'elles ne se déclarent. Les anticorps ne peuvent pas atteindre les microbes qui vivent et se divisent à l'intérieur de cellules infectées. La défense mise en œuvre contre ces microbes intracellulaires porte le nom d'immunité cellulaire, car elle s'exerce par l'intermédiaire de cellules appelées **lymphocytes T**. Certains lymphocytes T stimulent les phagocytes à détruire les microbes qu'ils ont ingérés dans leurs vacuoles de phagocytose. D'autres lymphocytes T détruisent tous les types cellulaires de l'hôte qui hébergent des microbes infectieux dans leur cytoplasme. Comme cela sera présenté dans le chapitre 3 et dans les chapitres suivants, les anticorps produits par les lymphocytes B sont destinés à reconnaître de manière spécifique les antigènes microbiens extracellulaires, tandis que les lymphocytes T reconnaissent les antigènes produits par les microbes intracellulaires. Une autre différence importante entre les lymphocytes B et T est que la plupart des lymphocytes T ne reconnaissent que les antigènes protéiques microbiens, tandis que les anticorps sont capables de reconnaître un grand nombre de types différents de molécules microbiennes, notamment les protéines, les hydrates de carbone et les lipides.

L'immunité peut être induite chez un individu par une infection ou une vaccination (*immunité active*), ou conférée à un individu par transfert d'anticorps ou de lymphocytes (*immunité passive*) provenant d'un individu ayant subi une immunisation active. Un individu qui est exposé aux antigènes d'un microbe élabore une réponse active afin d'éradiquer l'infection et de développer une résistance à une infection ultérieure par ce microbe. Un tel individu est considéré comme *immunisé* contre ce microbe, contrairement à un individu *naïf* n'ayant jamais rencontré auparavant les antigènes de ce microbe. Un intérêt particulier sera porté aux mécanis-

© 2009 Elsevier Masson SAS. Tous droits réservés

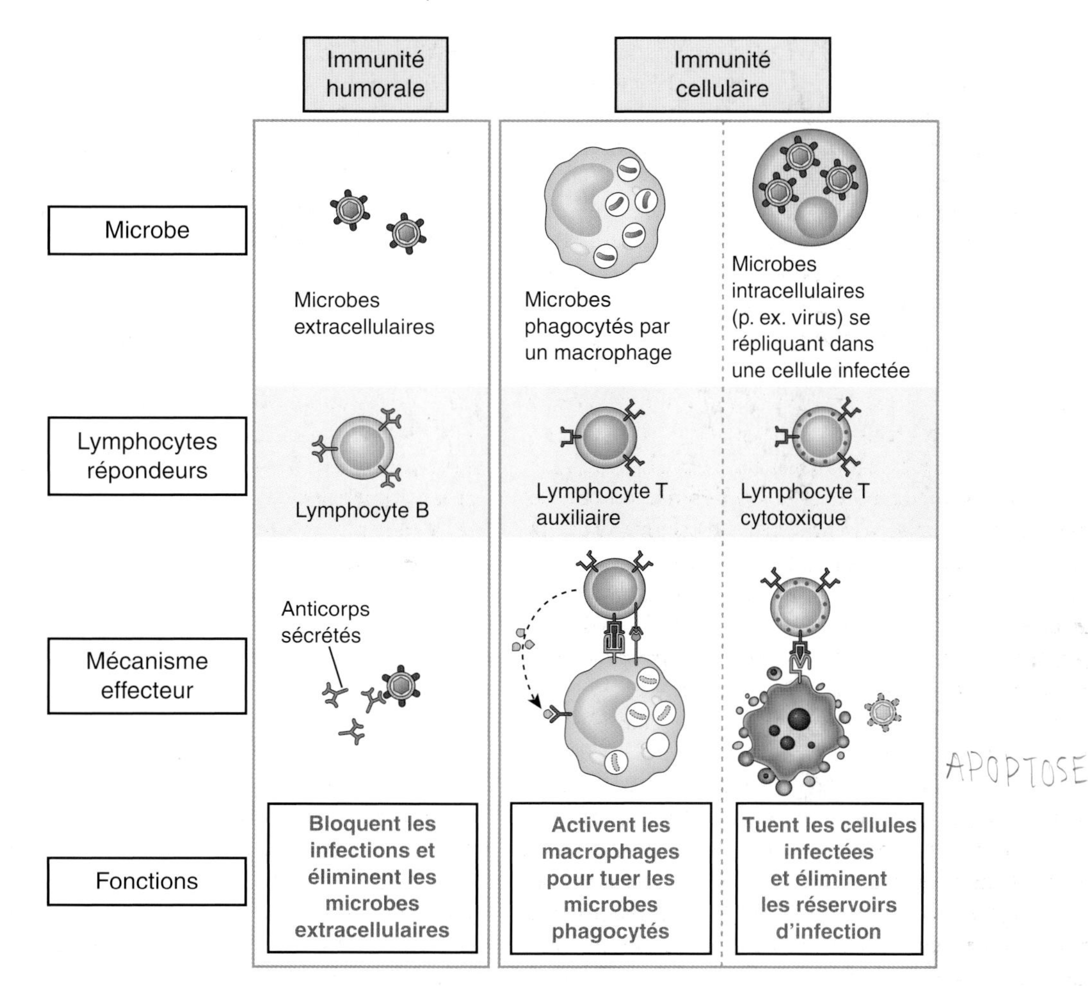

Figure 1.4 Types d'immunité adaptative. Dans l'immunité humorale, les lymphocytes B sécrètent des anticorps qui éliminent les microbes extracellulaires. Dans l'immunité cellulaire, les lymphocytes T soit activent les macrophages qui détruisent les microbes phagocytés, soit tuent les cellules infectées.

mes de l'immunité active. Dans l'immunité passive, un individu naïf reçoit des cellules (par exemple des lymphocytes) ou des molécules (par exemple des anticorps) provenant d'un autre individu ayant été immunisé contre une infection ; pendant la durée de vie limitée des anticorps ou des cellules transférées, l'individu qui les aura reçus sera capable de combattre l'infection. L'immunité passive est par conséquent utile pour conférer rapidement une immunité avant même que l'individu ne soit capable d'élaborer une réponse active, mais elle n'induit pas une résistance permanente à l'infection. Un excellent exemple d'immunité passive est observé chez les nouveau-nés, dont les systèmes immunitaires n'ont pas encore atteint une maturité suffisante pour répondre aux nombreux germes pathogènes auxquels ils sont confrontés, mais qui sont protégés contre les infections grâce aux anticorps transmis à travers le placenta ou par le lait maternel.

Caractéristiques des réponses immunitaires adaptatives

Plusieurs propriétés des réponses immunitaires adaptatives sont essentielles à l'efficacité de la lutte contre les infections (figure 1.5).

Spécificité et diversité

Le système immunitaire adaptatif est capable de distinguer des millions d'antigènes ou de parties d'antigènes différents. La spécificité pour un nombre considérable d'antigènes différents implique que l'ensemble de toutes les spécificités des lymphocytes, parfois appelé répertoire de lymphocytes, est extrêmement varié. Cette spécificité et cette diversité remarquables reposent sur le fait que les lymphocytes expriment des récepteurs de manière clonale

© 2009 Elsevier Masson SAS. Tous droits réservés

Propriété	Conséquence fonctionnelle
Spécificité	Permet à des antigènes distincts d'induire des réponses spécifiques
Diversité	Permet au système immunitaire de répondre à une grande variété d'antigènes
Mémoire	Amplifie les réponses lors de contacts répétés avec un même antigène
Expansion clonale	Augmente le nombre de lymphocytes spécifiques d'un antigène pour faire face aux microbes
Spécialisation	Induit des réponses optimales pour la défense contre différents types de microbes
Atténuation et homéostasie	Permet au système immunitaire de répondre à de nouveaux antigènes
Absence de réactivité contre le soi	Empêche des lésions contre l'hôte au cours des réponses à des antigènes étrangers

Figure 1.5 Propriétés des réponses immunitaires adaptatives. Résumé des propriétés importantes des réponses immunitaires adaptatives et des mécanismes par lesquels chacune des propriétés contribue à la défense de l'hôte contre les microbes.

(un clone est constitué par une cellule et sa descendance), chaque clone exprimant un récepteur d'antigène qui diffère des récepteurs des autres clones. L'hypothèse de la sélection clonale, formulée dans les années 1950, a prédit correctement que des clones de lymphocytes spécifiques de différents antigènes apparaissaient avant même la rencontre avec ces antigènes, et que chaque antigène déclenchait une réponse immunitaire en sélectionnant et en activant les lymphocytes d'un clone spécifique (figure 1.6). L'on sait aujourd'hui comment la spécificité et la diversité des lymphocytes sont générées (voir le chapitre 4).

Mémoire

Le système immunitaire élabore des réponses plus importantes et plus efficaces lors d'expositions répétées au même antigène. La réponse à la première exposition à l'antigène, appelée **réponse immunitaire primaire**, est le fait de lymphocytes, portant le nom de **lymphocytes naïfs**, qui rencontrent l'antigène pour la première fois (figure 1.7). L'adjectif *naïf* fait référence au fait que ces cellules n'ont aucune « expérience immunologique », n'ayant jamais reconnu et répondu auparavant à des antigènes. Les rencontres ultérieures avec le même antigène déclenchent des réponses, appelées **réponses immunitaires secondaires**, qui sont généralement plus rapides, plus importantes et plus efficaces pour éliminer l'antigène que les réponses primaires (voir figure 1.7). Les réponses secondaires résultent de l'activation des **lymphocytes mémoire**, qui sont des cellules à longue vie induites au cours de la réponse immunitaire primaire. La mémoire immunologique optimise la capacité du système immunitaire à combattre des infections persistantes et récurrentes, dans la mesure où chaque rencontre avec un microbe génère davantage de cellules mémoire et active les cellules mémoire induites antérieurement. La mémoire est également l'une des raisons pour lesquelles les vaccins confèrent une protection durable contre les infections.

Autres particularités de l'immunité adaptative

Les réponses immunitaires présentent d'autres caractéristiques qui sont importantes quant à leurs fonctions (voir figure 1.5). Lorsque les lymphocytes sont activés par des antigènes, ils se mettent à proliférer, générant plusieurs milliers de clones cellulaires, tous avec la même spécificité antigénique. Ce processus, appelé **expansion clonale**, permet à l'immunité adaptative de faire face à la prolifération rapide des microbes. Toutes les réponses immunitaires sont autolimitées et diminuent lorsque l'infection est éliminée, permettant au système de retourner à l'état de repos, prêt à répondre à une autre infection. Le système immunitaire est capable de réagir contre un nombre et une variété considérables de germes pathogènes et d'autres antigènes étrangers, mais il ne réagit normalement pas contre les substances potentiellement antigéniques propres à l'hôte, appelées pour cette raison antigènes du soi.

Cellules du système immunitaire

Les cellules du système immunitaire sont composées de lymphocytes, de cellules spécialisées qui capturent et présentent les antigènes microbiens, et de cellules effectrices

© 2009 Elsevier Masson SAS. Tous droits réservés

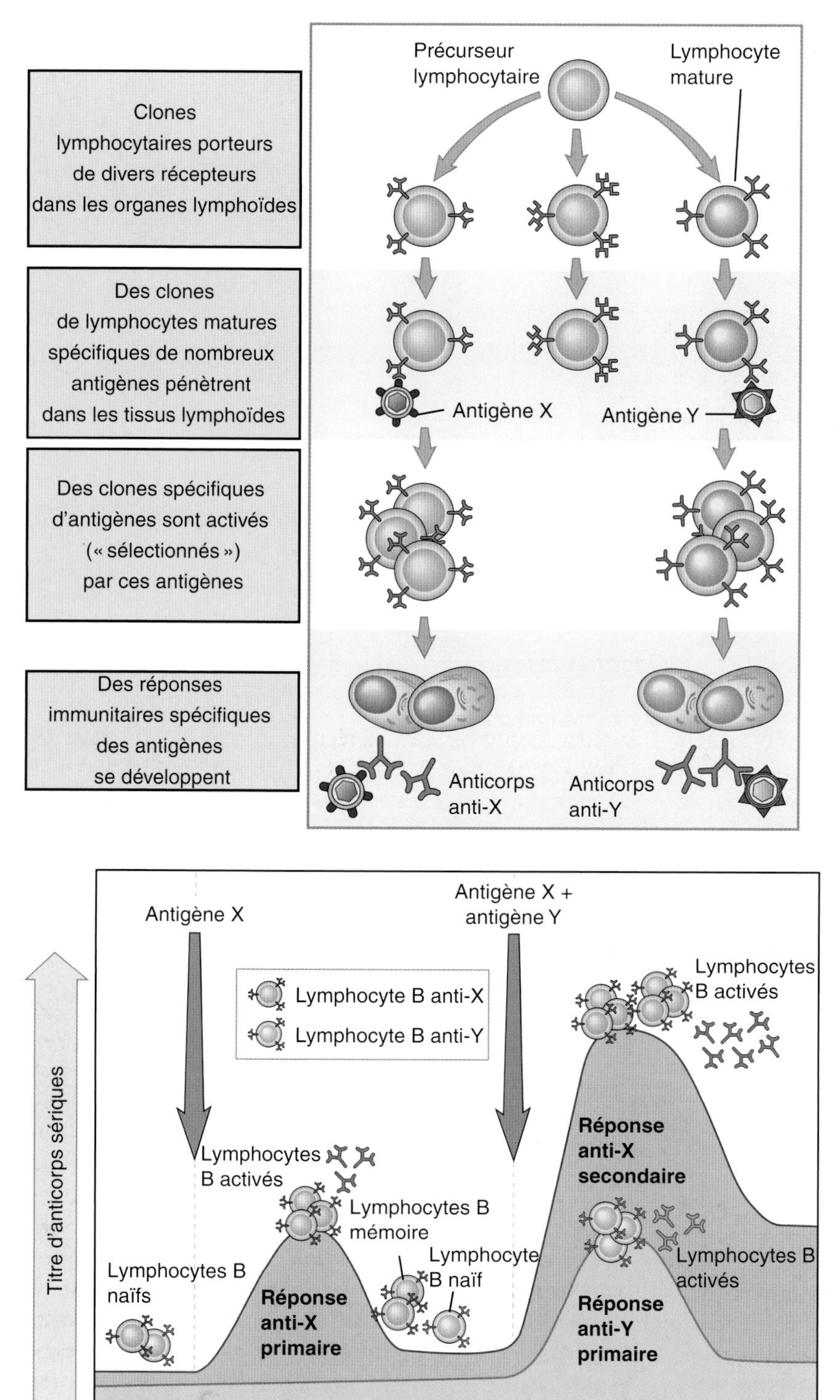

Figure 1.6 Sélection clonale. Les lymphocytes matures présentant des récepteurs pour de nombreux antigènes se développent avant la rencontre avec ces antigènes. Le terme « clone » désigne une population de lymphocytes porteurs de récepteurs d'antigène identiques et donc de spécificité identique ; toutes ces cellules provenant probablement d'un seul précurseur. Chaque antigène (p. ex. X et Y) sélectionne un clone préexistant de lymphocytes spécifiques et stimule la prolifération et la différenciation de ce clone. Le schéma ne montre que les lymphocytes B donnant naissance à des cellules effectrices sécrétant des anticorps, mais le même principe peut s'appliquer aux lymphocytes T. Les antigènes présentés sont des molécules de surface des microbes, mais l'hypothèse de la sélection clonale reste valable pour les antigènes solubles.

Figure 1.7 Réponses immunitaires primaire et secondaire. Les antigènes X et Y induisent la production de différents anticorps (spécificité). La réponse secondaire à l'antigène X est plus rapide et plus importante que la réponse primaire (mémoire), de plus elle est différente de la réponse primaire à l'antigène Y (reflétant à nouveau la spécificité). Les taux d'anticorps diminuent avec le temps après chaque immunisation.

qui éliminent les microbes (figure 1.8). Dans la section suivante, les propriétés fonctionnelles essentielles des principales populations cellulaires seront présentées ; la morphologie de ces cellules est décrite en détail dans les manuels d'histologie.

Lymphocytes

Les lymphocytes sont les seules cellules qui portent des récepteurs spécifiques d'antigènes, et sont par conséquent les médiateurs essentiels de l'immunité

© 2009 Elsevier Masson SAS. Tous droits réservés

Type cellulaire	Fonctions principales
Lymphocytes : lymphocytes B ; lymphocytes T, cellules NK 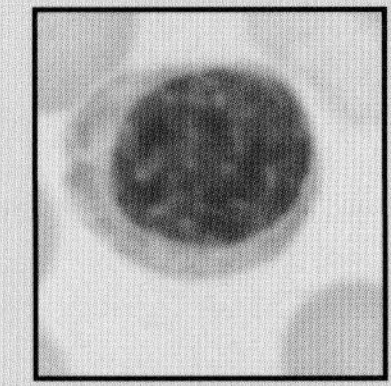 *Lymphocyte du sang*	Reconnaissance spécifique des antigènes Lymphocytes B : médiateurs de l'immunité humorale Lymphocytes T : médiateurs de l'immunité cellulaire Cellules NK : cellules de l'immunité innée
Cellules présentatrices d'antigène : cellules dendritiques ; macrophages ; cellules dendritiques folliculaires 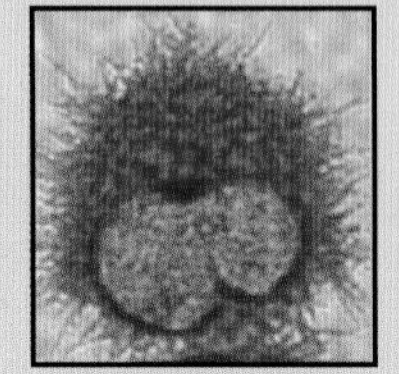 *Cellule dendritique* 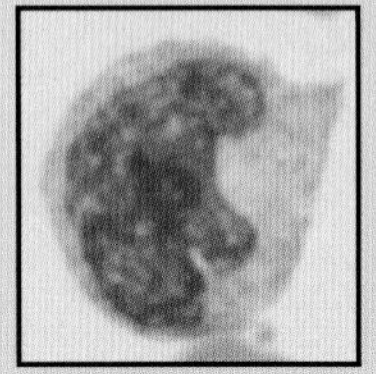 *Monocyte du sang*	Capture des antigènes pour la présentation aux lymphocytes Cellules dendritiques : amorçage des réponses assurées par les lymphocytes T Macrophages : phases inductrice et effectrice de l'immunité cellulaire Cellules dendritiques folliculaires : présentent les antigènes aux lymphocytes B lors des réponses immunitaires humorales
Cellules effectrices : lymphocytes T ; macrophages ; granulocytes 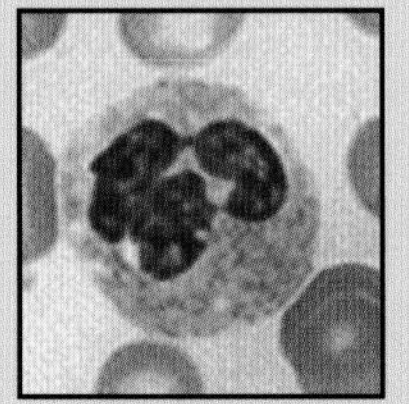 *Neutrophile*	Élimination des antigènes Lymphocytes T : lymphocytes T auxiliaires et lymphocytes T cytotoxiques Macrophages et monocytes : cellules du système des phagocytes mononucléaires Granulocytes : neutrophiles, éosinophiles

Figure 1.8 Principales cellules du système immunitaire. La figure présente les principaux types de cellules impliquées dans les réponses immunitaires ainsi que leurs fonctions. Les clichés dans les panneaux de gauche illustrent la morphologie de chaque type cellulaire. Notez que les macrophages tissulaires dérivent des monocytes du sang.

adaptative. Bien que tous les lymphocytes soient morphologiquement similaires et d'aspect relativement quelconque, leurs lignées, leurs fonctions et leurs phénotypes sont extrêmement hétérogènes et ils sont capables de réponses et d'actions biologiques complexes (figure 1.9). À l'heure actuelle, ces cellules sont souvent distinguées par leurs protéines de surface qui peuvent être identifiées par différents anticorps monoclonaux. La nomenclature standard pour ces protéines est la désignation numérique « CD » (*cluster of differentiation*), qui est utilisée pour définir les protéines de surface correspondant à un type cellulaire ou à un stade de différenciation cellulaire particulier, et sont reconnues par une classe (*cluster*) ou un groupe d'anticorps (l'Annexe I présente une liste des molécules CD).

Comme cela a été indiqué précédemment, les lymphocytes B sont les seules cellules capables de produire des anticorps ; par conséquent, elles constituent les cellules responsables de l'immunité humorale. Les lymphocytes B expriment des formes membranaires d'anticorps qui servent de récepteurs permettant de reconnaître les antigènes et de lancer le processus d'activation de ces cellules. Les antigènes solubles et les antigènes situés à la surface des microbes et d'autres cellules peuvent se lier à ces récepteurs d'antigènes des lymphocytes B et déclencher des réponses immunitaires humorales. Les lymphocytes T sont les cellules de l'immunité cellulaire. Les récepteurs d'antigène des lymphocytes T ne reconnaissent que des fragments peptidiques d'antigènes protéiques qui sont liés à des molécules spécialisées dans la présentation des peptides

© 2009 Elsevier Masson SAS. Tous droits réservés

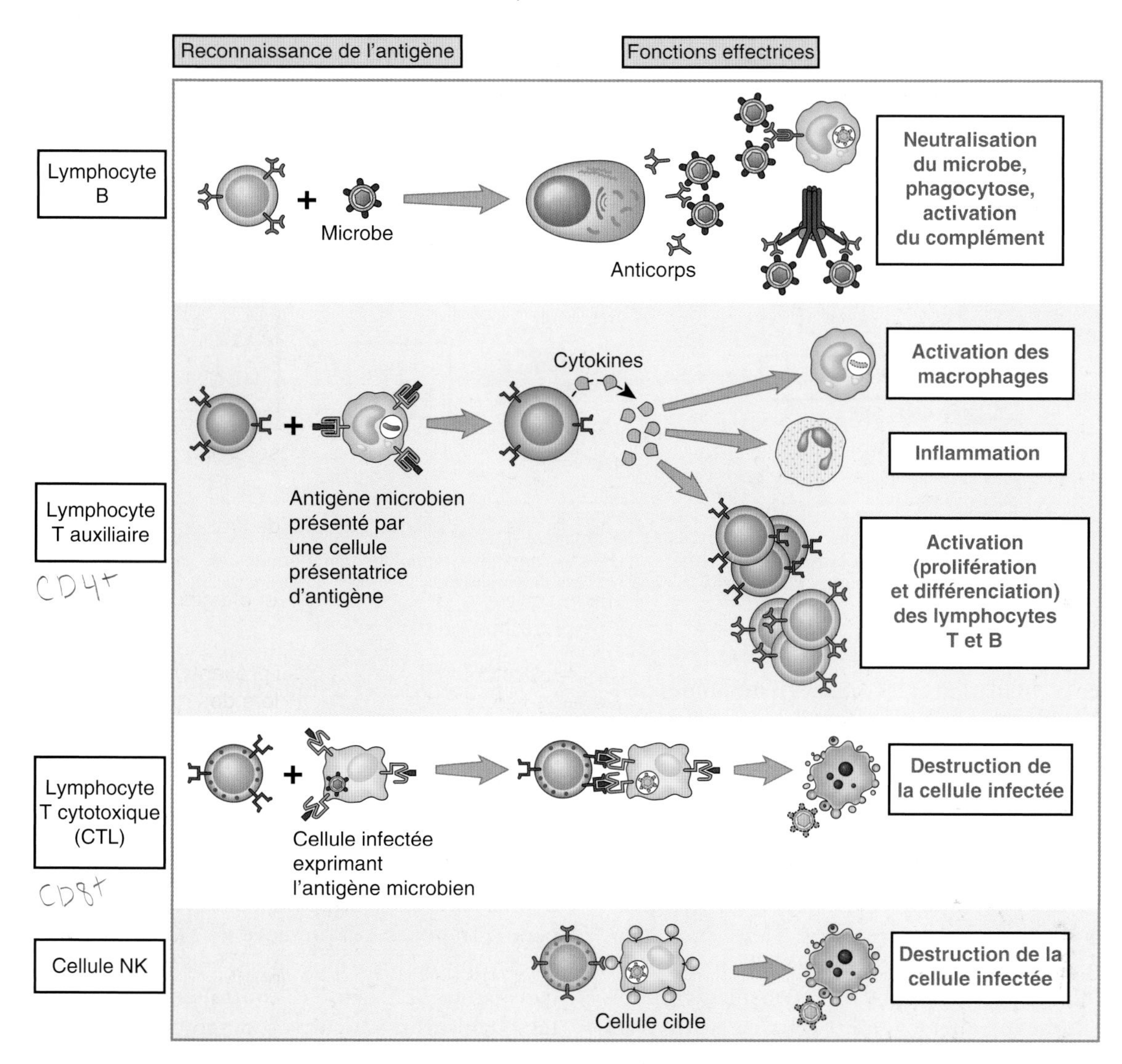

Figure 1.9 Classes de lymphocytes. Différentes classes de lymphocytes reconnaissent des types distincts d'antigènes et se différencient en cellules effectrices dont la fonction est d'éliminer les antigènes. Les lymphocytes B reconnaissent les antigènes solubles ou situés à la surface des cellules et se différencient en cellules sécrétant les anticorps. Les lymphocytes T auxiliaires reconnaissent les antigènes à la surface des cellules présentatrices d'antigènes et sécrètent des cytokines, qui stimulent différents mécanismes de l'immunité et de l'inflammation. Les lymphocytes T cytotoxiques reconnaissent les antigènes sur les cellules infectées et tuent ces cellules. Il est à noter que les lymphocytes T reconnaissent des peptides qui sont présentés par les molécules du CMH ; ce processus est présenté plus en détail dans le chapitre 3. Les cellules NK reconnaissent des changements à la surface de cellules infectées et tuent ces cellules. Les cellules T régulatrices ne sont pas montrées dans la figure.

appelées molécules du complexe majeur d'histocompatibilité (CMH), situées à la surface de cellules spécialisées portant le nom de cellules présentatrices d'antigène (APC : *antigen-presenting cells*) [voir le chapitre 3]. Parmi les lymphocytes T, les lymphocytes T CD4+ sont appelés **lymphocytes T auxiliaires** car ils aident les lymphocytes B à produire des anticorps et les phagocytes à détruire les microbes ingérés. Certaines cellules T CD4+ appartiennent à une sous-population spéciale dont la fonction est d'inhiber ou d'atténuer les réponses immunitaires ; ce sont les **lymphocytes T régulateurs**. Les lymphocytes CD8+ sont qualifiés de **cytotoxiques ou cytolytiques (CTL)** car ils tuent (lysent) les cellules hébergeant des microbes intracellulaires. Une troisième classe de lymphocytes porte le nom de **cellules NK** (*natural killer*) ou **cellules tueuses naturelles** ; ces cellules sont des médiateurs de l'immunité naturelle et n'expriment pas les types de récepteurs d'antigène à distribution clonale présents à la surface des lymphocytes B et T.

Tous les lymphocytes proviennent de cellules souches présentes dans la moelle osseuse (figure 1.10). **Les lymphocytes B arrivent à maturité dans la moelle osseuse, tandis que les lymphocytes T arrivent à maturité dans l'organe appelé thymus ;** ces organes dans lesquels les lymphocytes matures sont produits sont qualifiés de primaires ou centraux. Les lymphocytes matures les quittent

© 2009 Elsevier Masson SAS. Tous droits réservés

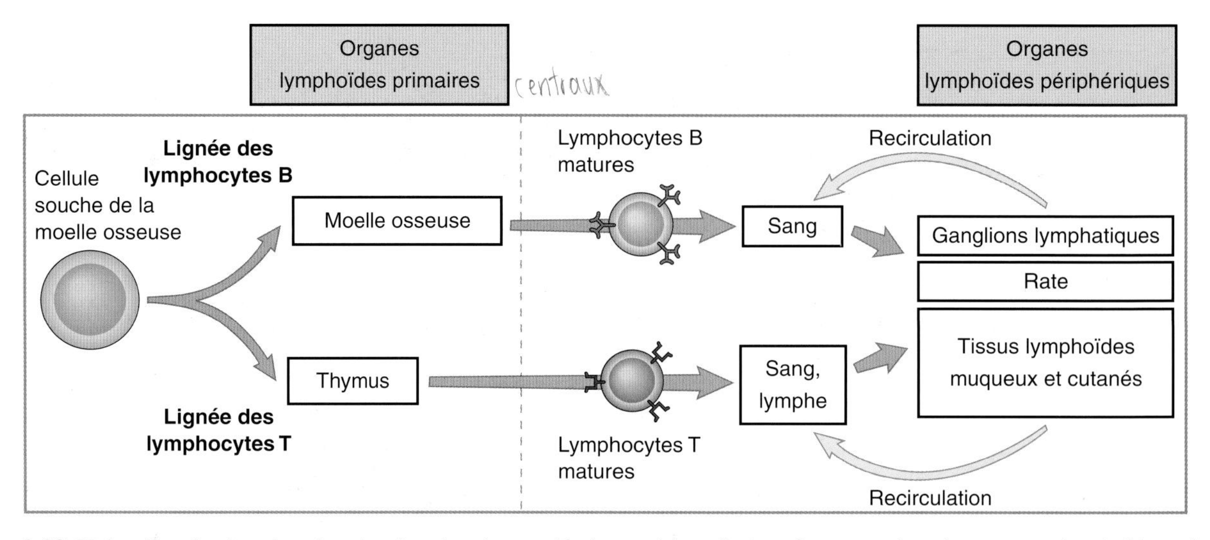

Figure 1.10 Maturation des lymphocytes. Les lymphocytes se développent à partir de précurseurs dans les organes lymphoïdes primaires (moelle osseuse et thymus). Les lymphocytes matures pénètrent dans les organes lymphoïdes périphériques, où ils répondent à la présence d'antigènes étrangers, et en sortent pour recirculer dans le sang et dans la lymphe.

pour gagner la circulation et les organes lymphoïdes périphériques, où ils peuvent rencontrer les antigènes pour lesquels ils expriment des récepteurs spécifiques.

Lorsque les lymphocytes naïfs reconnaissent des antigènes microbiens et reçoivent également les signaux complémentaires induits par les microbes, ils prolifèrent et se différencient en cellules effectrices et en cellules mémoire (figure 1.11). Les **lymphocytes naïfs** expriment des récepteurs d'antigènes, mais n'exercent pas les fonctions nécessaires à l'élimination des antigènes. Ces cellules résident dans les organes lymphoïdes périphériques ou circulent entre ceux-ci, et survivent pendant plusieurs jours ou plusieurs mois en attendant de trouver l'antigène et d'y répondre. S'ils ne sont pas activés par un antigène, les lymphocytes naïfs meurent par le processus d'apoptose et sont remplacés par de nouvelles cellules qui se sont développées dans les organes lymphoïdes primaires. Ce cycle de perte et de remplacement de cellules maintient un nombre stable de lymphocytes, un phénomène appelé **homéostasie**. La différenciation des lymphocytes naïfs en cellules effectrices et en cellules mémoire est déclenchée par la reconnaissance de l'antigène, ce qui assure que la réponse immunitaire qui se développe est spécifique de l'antigène. Les **cellules effectrices** proviennent des cellules naïves et sont capables de produire des molécules dont la fonction est l'élimination des antigènes. Les cellules effectrices de la lignée des lymphocytes B sécrètent les anticorps, et sont appelées **plasmocytes**. Les lymphocytes T $CD4^+$ effecteurs produisent des cytokines, qui sont des protéines activatrices des lymphocytes B et des macrophages, exerçant ainsi la fonction auxiliaire de cette lignée. Par ailleurs, les lymphocytes T cytotoxiques (CTL) $CD8^+$ possèdent la machinerie nécessaire pour tuer les cellules infectées. Le développement et les fonctions de ces cellules effectrices seront décrits dans les chapitres ultérieurs. La plupart des lymphocytes effecteurs ont une durée de vie brève et meurent lorsque l'antigène est éliminé, mais certains d'entre eux migrent dans des sites anatomiques particuliers et survivent pendant de longues périodes. Cette survie prolongée des cellules effectrices a été particulièrement bien documentée pour les plasmocytes producteurs d'anticorps, qui se développent en réponse à la présence de microbes dans les organes lymphoïdes périphériques, mais qui migrent ensuite dans la moelle osseuse et continuent à produire de petites quantités d'anticorps longtemps après l'éradication de l'infection. Les **cellules mémoire**, qui sont également produites à partir de la descendance de lymphocytes stimulés par les antigènes, survivent également pendant de longues périodes en l'absence d'antigène. Dès lors, la proportion de cellules mémoire augmente avec l'âge, probablement en raison des contacts avec les microbes de l'environnement. En fait, les cellules mémoire représentent moins de 5 % des cellules T du sang chez un nouveau-né, mais 50 % ou plus chez un adulte. Les cellules mémoire sont fonctionnellement silencieuses : elles n'accomplissent aucune fonction effectrice si elles ne sont pas stimulées par l'antigène. Lorsque les cellules mémoire rencontrent l'antigène ayant induit leur développement, les cellules répondent rapidement pour donner naissance aux réponses immunitaires secondaires. Il reste beaucoup à apprendre sur les signaux qui sont à l'origine de ces cellules mémoire, sur les facteurs qui déterminent si la descendance des lymphocytes stimulés par les antigènes se développera en cellules effectrices ou en cellules mémoire, ou sur les mécanismes qui permettent aux cellules mémoire de survivre en l'absence d'antigène ou d'immunité innée.

© 2009 Elsevier Masson SAS. Tous droits réservés

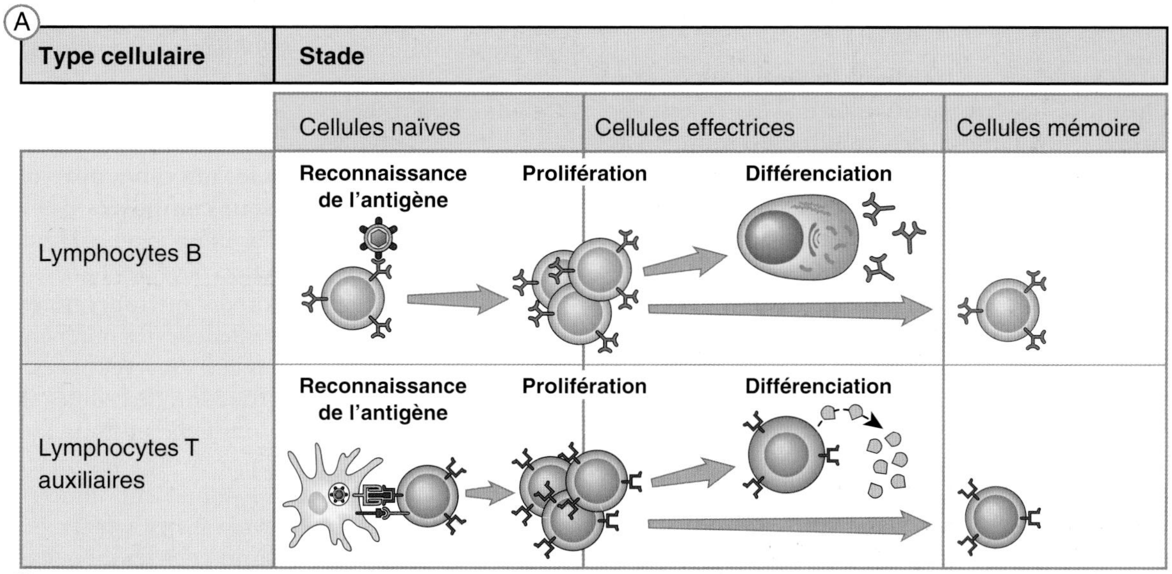

(A)

Type cellulaire	**Stade**		
	Cellules naïves	Cellules effectrices	Cellules mémoire
Lymphocytes B	**Reconnaissance de l'antigène**	**Prolifération** **Différenciation**	
Lymphocytes T auxiliaires	**Reconnaissance de l'antigène**	**Prolifération** **Différenciation**	

(B)

Propriété	**Stade**		
	Cellules naïves	Cellules effectrices	Cellules mémoire
Récepteur d'antigène	Oui	Lymphocytes B : peu Lymphocytes T : oui	Oui
Durée de vie	Semaines ou mois	Habituellement brève (jours)	Longue (années)
Fonction effectrice	Aucune	Oui Lymphocytes B : sécrétion d'anticorps Lymphocytes T auxiliaires : sécrétion de cytokines CTL : cytolyse	Aucune
Caractéristiques particulières			
Lymphocytes B			
Affinité des Ig	Faible	Variable	Élevée (maturation d'affinité)
Isotype d'Ig	IgM, IgD associées à la membrane	IgM, IgG, IgA, IgE associées à la membrane et sécrétées (commutation de classe)	Divers
Lymphocytes T			
Migration	Vers les ganglions lymphatiques	Vers les tissus périphériques (foyers infectieux)	Vers les ganglions lymphatiques et les autres tissus

Figure 1.11 Étapes de la vie des lymphocytes. A. Les lymphocytes naïfs reconnaissent les antigènes étrangers, ce qui déclenche les réponses immunitaires adaptatives. Certaines des cellules filles de ces lymphocytes se différencient en cellules effectrices, dont la fonction est d'éliminer les antigènes. Les cellules effectrices de la lignée des lymphocytes B sont les plasmocytes sécréteurs d'anticorps. Les cellules effectrices de la lignée des lymphocytes T $CD4^+$ produisent les cytokines. Les cellules effectrices de la lignée $CD8^+$ sont les CTL ; elles ne sont pas représentées. D'autres cellules filles des lymphocytes stimulés par les antigènes se différencient en cellules mémoire à longue vie. B. Les caractéristiques importantes des cellules naïves, effectrices et mémoire des lignées de lymphocytes B et T sont résumées dans ce tableau. Les processus de maturation d'affinité et de commutation de classes des lymphocytes B sont décrits dans le chapitre 7.

© 2009 Elsevier Masson SAS. Tous droits réservés

Cellules présentatrices d'antigènes

Les voies de pénétration les plus fréquentes des microbes, la peau, le tractus gastro-intestinal et le tractus respiratoire, contiennent des cellules présentatrices d'antigène (APC) spécialisées, situées dans les épithéliums; elles capturent les antigènes et les transportent dans les tissus lymphoïdes périphériques et les présentent aux lymphocytes. Cette fonction de capture des antigènes est bien comprise pour un type cellulaire particulier, les **cellules dendritiques**, appelées ainsi à cause de leurs prolongements en forme de dendrites. Les cellules dendritiques capturent les antigènes protéiques des microbes qui pénètrent dans les épithéliums et transportent ces antigènes vers les ganglions lymphatiques drainant la région. À cet endroit, les cellules dendritiques contenant les antigènes présentent des fragments des antigènes afin qu'ils soient reconnus par les lymphocytes T. Si un microbe a pénétré dans l'organisme à travers un épithélium, il peut également être phagocyté par les macrophages qui vivent dans les tissus et les différents organes. Les macrophages ont également la capacité de présenter les antigènes protéiques aux lymphocytes T. Le processus de présentation de l'antigène aux lymphocytes T est décrit dans le chapitre 3.

Les cellules spécialisées dans la présentation des antigènes aux lymphocytes T possèdent une autre caractéristique importante qui leur confère la capacité de déclencher les réponses des lymphocytes T. Ces cellules spécialisées répondent à la présence de microbes en produisant des protéines de surface ou des protéines sécrétées qui contribuent, avec l'antigène, à la stimulation de la prolifération et de la différenciation des lymphocytes T naïfs en cellules effectrices. Les cellules spécialisées qui présentent les antigènes aux lymphocytes T et fournissent les signaux activateurs complémentaires sont parfois appelées « APC professionnelles ». Le prototype des APC professionnelles est constitué par les cellules dendritiques, mais les macrophages et quelques autres types cellulaires peuvent exercer la même fonction.

Moins d'informations sont disponibles sur les cellules ayant la capacité de capturer les antigènes pour les présenter aux lymphocytes B. Les lymphocytes B peuvent reconnaître directement les antigènes des microbes (libérés ou présents en surface). Des macrophages bordant les canaux lymphatiques peuvent capturer les antigènes et les présenter aux lymphocytes B. Un type particulier de cellules dendritiques appelées cellules dendritiques folliculaires (FDC) se trouve dans les centres germinatifs des follicules lymphoïdes des organes lymphoïdes périphériques, et présente des antigènes qui stimulent la différenciation des lymphocytes B dans les follicules. Le rôle des FDC est décrit de façon plus détaillée dans le chapitre 7. Les FDC ne présentent pas les antigènes aux lymphocytes T et sont relativement différentes des cellules dendritiques précédemment décrites qui fonctionnent comme des APC pour les lymphocytes T.

Cellules effectrices

Les cellules qui éliminent les microbes portent le nom de cellules effectrices et sont composées des lymphocytes et d'autres leucocytes. Nous avons précédemment fait référence aux cellules effectrices des lignées lymphocytaires B et T. L'élimination des microbes nécessite souvent la participation d'autres leucocytes non lymphoïdes, notamment les granulocytes et les macrophages. Ces leucocytes peuvent assurer la fonction de cellules effectrices à la fois dans l'immunité naturelle et dans l'immunité adaptative. Dans l'immunité innée, les macrophages et certains granulocytes reconnaissent directement les microbes et les éliminent (voir le chapitre 2). Dans l'immunité adaptative, les produits des lymphocytes B et T constituent des signaux destinés à d'autres leucocytes, qui les activent pour détruire les microbes.

Tissus du système immunitaire

Les tissus du système immunitaire sont composés des organes lymphoïdes primaires (ou centraux) dans lesquels les lymphocytes T et B arrivent à maturation et deviennent compétents pour répondre aux antigènes, et des organes lymphoïdes périphériques (ou secondaires) dans lesquels les réponses de l'immunité adaptative contre les microbes se développent (voir figure 1.10). Les organes lymphoïdes primaires sont décrits dans le chapitre 4, dans lequel le processus de maturation des lymphocytes est décrit. Dans la section suivante, nous soulignons certaines des caractéristiques des organes lymphoïdes périphériques qui sont importantes pour le développement de l'immunité adaptative.

Organes lymphoïdes périphériques

Les organes lymphoïdes périphériques, qui sont composés des ganglions lymphatiques, de la rate et des systèmes immunitaires muqueux et cutanés, sont organisés pour optimiser les interactions entre les antigènes, les APC et les lymphocytes, et ainsi le développement de l'immunité adaptative. Le système immunitaire doit localiser les microbes qui pénètrent dans n'importe quel site de l'organisme, puis répondre à ces microbes et les éliminer. En outre, comme cela a été mentionné précédemment, dans le système immunitaire normal, un très faible nombre de lymphocytes T et B sont spécifiques d'un antigène particulier, peut-être 1 pour 100 000 ou 1 million de cellules. L'organisation anatomique des organes lymphoïdes périphériques permet aux APC de concentrer les antigènes dans ces organes et aux lymphocytes de localiser et de répondre à ces antigènes.

© 2009 Elsevier Masson SAS. Tous droits réservés

Cette organisation est complétée par la remarquable capacité des lymphocytes à circuler à travers l'organisme, de telle sorte que les lymphocytes naïfs se rendent de préférence dans les organes spécialisés dans lesquels les antigènes sont concentrés et les cellules effectrices dans les sites d'infection, où les microbes doivent être éliminés. En outre, les différents types de lymphocytes doivent fréquemment communiquer afin d'élaborer des réponses immunitaires efficaces. Par exemple, les lymphocytes T auxiliaires spécifiques d'un antigène interagissent et collaborent avec des lymphocytes B spécifiques du même antigène, permettant la production d'anticorps. L'une des fonctions majeures des organes lymphoïdes est de rassembler ces cellules peu nombreuses afin qu'elles soient capables d'interagir entre elles de façon productive.

Les **ganglions lymphatiques** sont des agrégats nodulaires de tissus lymphoïdes situés le long des voies lymphatiques qui traversent l'organisme (figure 1.12). Les fluides produits par tous les épithéliums et les tissus conjonctifs, ainsi que par la plupart des organes parenchymateux de l'organisme, sont drainés par les lymphatiques, qui transportent ce fluide, appelé lymphe, des tissus vers les ganglions lymphatiques. Par conséquent, la lymphe contient un mélange de substances qui sont issues des épithéliums et des tissus. Lorsque la lymphe traverse les ganglions lymphatiques, les APC se trouvant dans les ganglions lymphatiques sont en mesure de prélever un échantillon des antigènes des microbes qui peuvent pénétrer à travers les épithéliums dans les tissus. En outre, les cellules dendritiques prélèvent les antigènes des microbes à partir des épithéliums et les transportent jusqu'aux ganglions lymphatiques. Le résultat de ces phénomènes de capture et de transport des antigènes est que les antigènes des microbes qui pénètrent à travers les épithéliums ou colonisent les tissus sont concentrés dans les ganglions lymphatiques drainant la lymphe de ces territoires.

La **rate** (figure 1.13) est un organe abdominal qui joue le même rôle dans les réponses immunitaires dirigées contre les antigènes transportés par voie sanguine que celui des ganglions lymphatiques dans les réponses dirigées contre les antigènes transportés par la lymphe. Le sang pénétrant dans la rate est filtré par un réseau de canaux (sinusoïdes). Les antigènes transportés par le sang sont capturés et concentrés par les cellules dendritiques et les macrophages dans la rate. La rate contient un nombre important de phagocytes, qui ingèrent et détruisent les microbes du sang.

Les systèmes lymphoïdes cutanés et muqueux sont respectivement situés sous les épithéliums de la peau et des tractus gastro-intestinal et respiratoire. Les amygdales pharyngiennes et les plaques de Peyer de l'intestin constituent deux formations lymphoïdes annexées aux muqueuses. À tout moment, plus de la moitié des

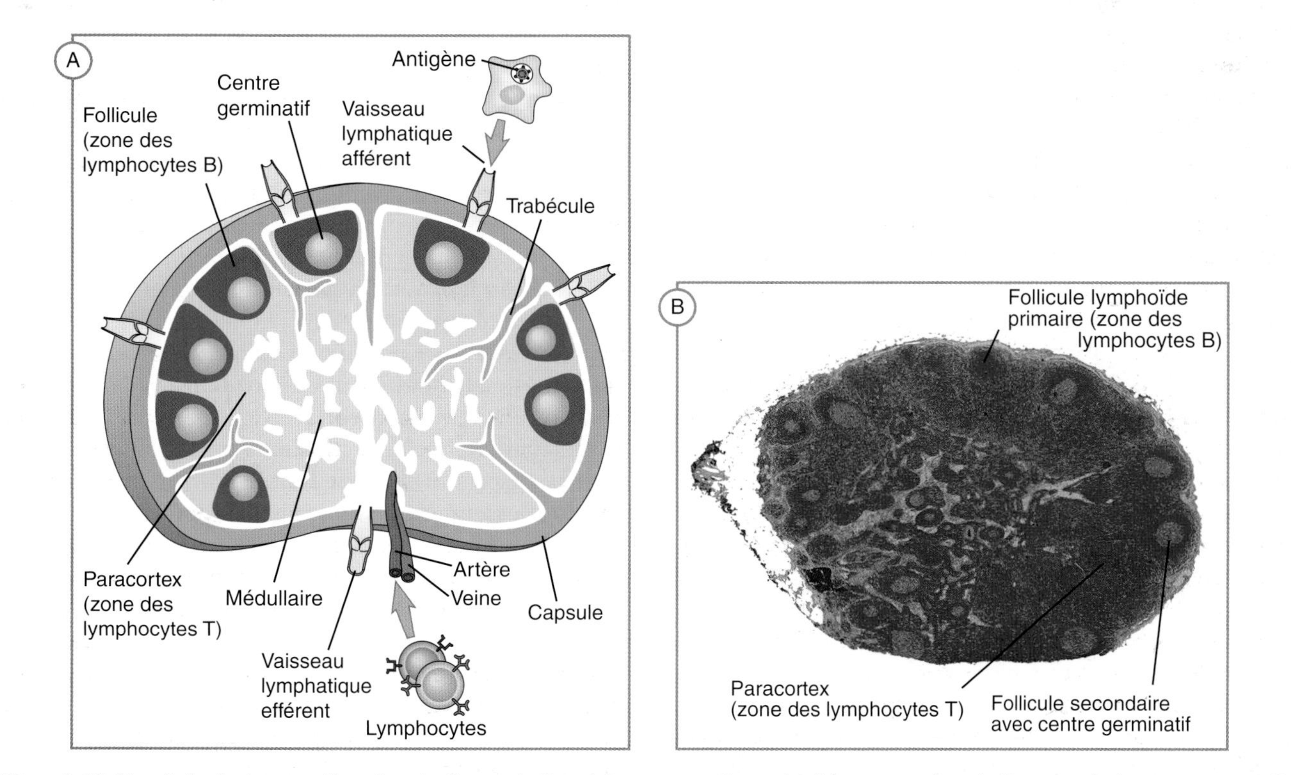

Figure 1.12 Morphologie des ganglions lymphatiques. A. Ce schéma montre l'organisation structurale et le flux sanguin à travers un ganglion lymphatique. B. Cette photographie de microscopie optique montre une section transversale d'un ganglion lymphatique avec de nombreux follicules dans le cortex, certains d'entre eux contenant des zones centrales moins colorées (centres germinatifs), et la zone médullaire centrale.

© 2009 Elsevier Masson SAS. Tous droits réservés

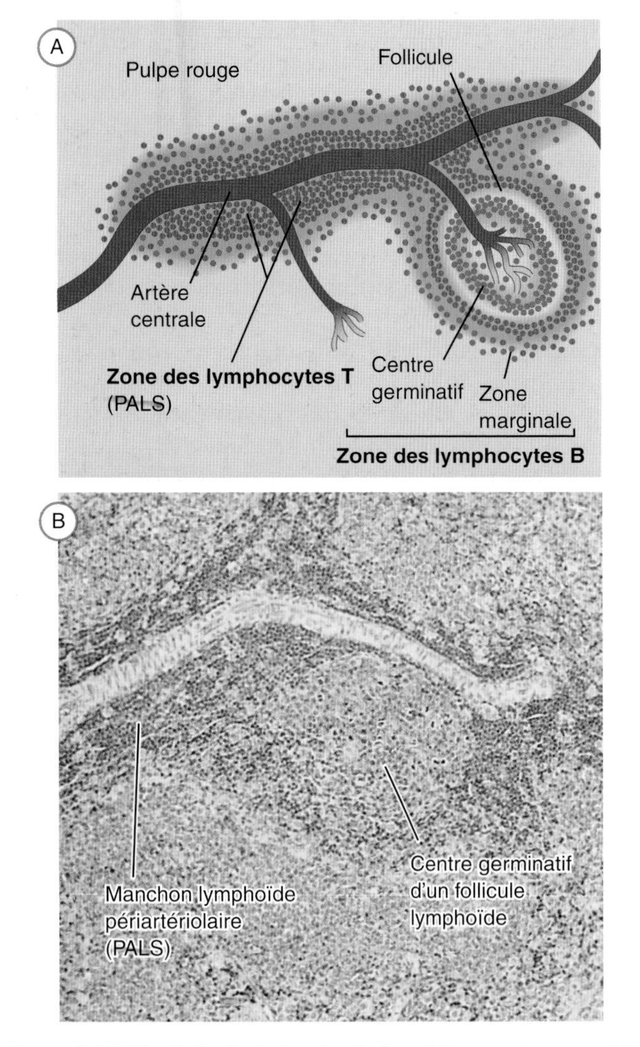

Figure 1.13 Morphologie de la rate. A. Ce schéma montre une artériole splénique entourée par le manchon lymphoïde périartériolaire (PALS : *periarteriolar lymphoid sheath*) et le follicule adjacent contenant un centre germinatif proéminent. Les manchons lymphoïdes périartériolaires et les follicules lymphoïdes constituent la pulpe blanche. B. Cette photographie de microscopie photonique d'une section de la rate montre une artériole avec le manchon lymphoïde périartériolaire et un follicule secondaire. Ils sont entourés par de la pulpe rouge, qui est riche en sinusoïdes vasculaires.

lymphocytes de tout l'organisme se trouvent dans les muqueuses, ce qui reflète l'importance de ces tissus; beaucoup de ces lymphocytes sont des cellules mémoire. Les tissus lymphoïdes cutanés et muqueux sont les sites de réponses immunitaires dirigées contre les antigènes pénétrant dans les épithéliums.

À l'intérieur des organes lymphoïdes périphériques, les lymphocytes T et les B sont répartis dans des compartiments anatomiques différents (figure 1.14). Dans les ganglions lymphatiques, les lymphocytes B sont concentrés dans des structures discrètes, portant le nom de *follicules*, situées à la périphérie, ou cortex, de chaque ganglion. Si les lymphocytes B dans un follicule ont répondu récemment à un antigène, ce follicule peut contenir une région centrale appelée *centre germinatif*. Le rôle des centres germinatifs dans la production d'anticorps est décrit dans le chapitre 7. Les lymphocytes T sont concentrés à l'extérieur des follicules, dans une région adjacente, le paracortex ou zone paracorticale. Les follicules contiennent les FDC qui participent à l'activation des lymphocytes B, tandis que la zone paracorticale contient les cellules dendritiques qui présentent les antigènes aux lymphocytes T. Dans la rate, les lymphocytes T sont concentrés dans les manchons lymphoïdes périartériolaires qui entourent de petites artérioles, tandis que les lymphocytes B se trouvent dans les follicules.

L'organisation anatomique des organes lymphoïdes périphériques est étroitement régulée afin de permettre aux réponses immunitaires de se développer. Les lymphocytes B sont situés dans les follicules, car les cellules dendritiques folliculaires sécrètent une protéine qui appartient à une classe de cytokines appelées chimiokines (ou cytokines chimioattractantes) pour lesquelles les lymphocytes B naïfs expriment un récepteur. Les chimiokines et les autres cytokines sont décrites plus en détail dans les chapitres ultérieurs. Cette chimiokine est produite en permanence, et attire les lymphocytes B du sang dans les follicules des organes lymphoïdes. De même, les lymphocytes T sont confinés dans la zone paracorticale des ganglions lymphatiques et dans les manchons lymphoïdes périartériolaires de la rate, car les lymphocytes T expriment un récepteur appelé MLR7, qui reconnaît des chimiokines produites par des cellules présentes dans ces zones des ganglions lymphatiques et de la rate. Par conséquent, les lymphocytes T sont recrutés à partir du sang dans la région corticale parafolliculaire du ganglion lymphatique et dans les manchons lymphoïdes périartériolaires de la rate. Lorsque les lymphocytes sont activés par des antigènes microbiens, ils réduisent progressivement leur expression des récepteurs aux chimiokines, et ne sont plus séquestrés dans certaines zones anatomiques. Il en résulte une migration des lymphocytes B et des lymphocytes T les uns vers les autres qui se rencontrent à la frontière des follicules où les lymphocytes T auxiliaires interagissent et collaborent avec les lymphocytes B pour qu'ils se différencient en cellules productrices d'anticorps (voir le chapitre 7). Finalement, les lymphocytes activés sortent du ganglion par des vaisseaux lymphatiques efférents et quittent la rate par les veines. Ces lymphocytes activés finiront par rejoindre la circulation et pourront migrer vers des foyers infectieux distants.

Recirculation des lymphocytes et migration dans les tissus

Les lymphocytes recirculent constamment entre les tissus de sorte que les lymphocytes naïfs traversent les organes lymphoïdes périphériques, dans lesquels

© 2009 Elsevier Masson SAS. Tous droits réservés

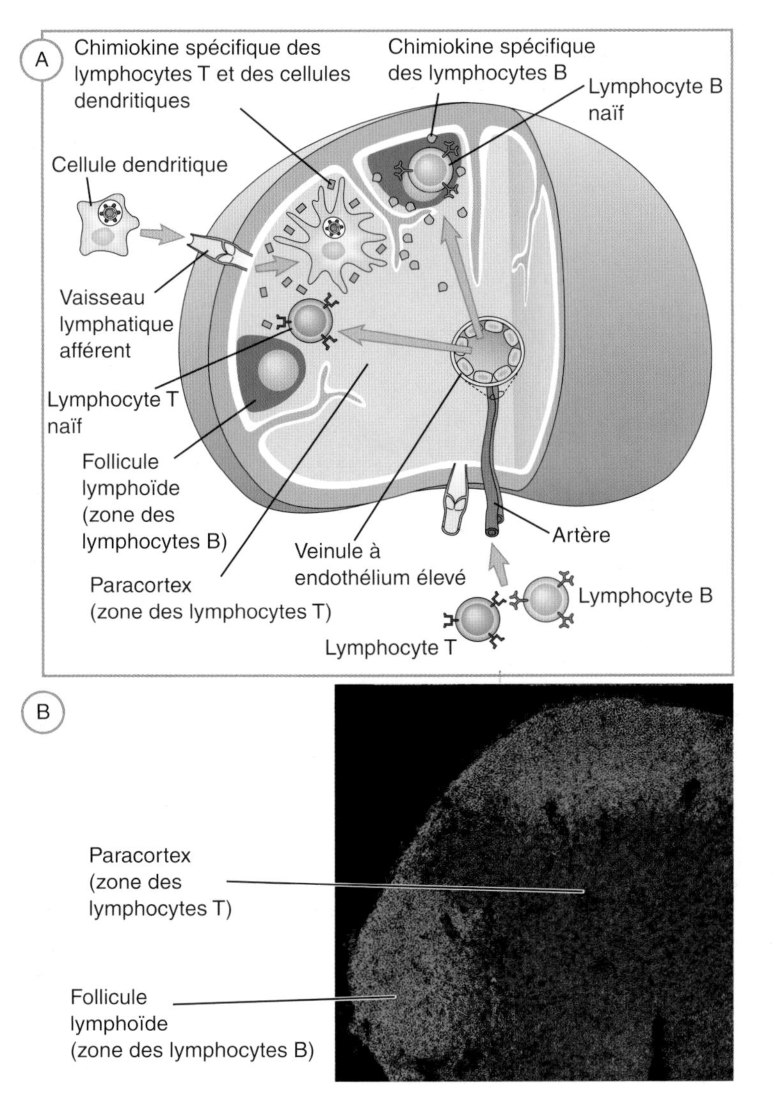

Figure 1.14 Ségrégation des lymphocytes T et B dans les différentes régions des organes lymphoïdes périphériques. A. Ce schéma illustre la voie par laquelle les lymphocytes T et B naïfs migrent vers les différentes zones d'un ganglion lymphatique. Les lymphocytes pénètrent par une veinule à endothélium élevé (HEV), représentée en section transversale, et sont attirés vers les différentes régions du ganglion par des chimiokines qui sont produites dans ces zones et qui se lient sélectivement à tel ou tel type cellulaire. Cette figure montre également la migration des cellules dendritiques, qui capturent les antigènes dans les épithéliums, arrivent par les vaisseaux lymphatiques afférents et migrent vers les zones riches en lymphocytes T du ganglion lymphatique. B. Dans cette coupe d'un ganglion lymphatique, les lymphocytes B, présents dans les follicules, sont marqués en vert et les lymphocytes T, dans le cortex parafolliculaire, apparaissent en rouge. Ces cellules ont été colorées par la méthode dite d'immunofluorescence. Dans cette technique, une section du tissu est colorée avec des anticorps spécifiques des lymphocytes T ou B qui sont couplés à des fluorochromes qui émettent différentes couleurs lorsqu'ils sont excités aux longueurs d'ondes appropriées. La ségrégation anatomique des lymphocytes T et B est également observable dans la rate (non présentée). (Avec l'autorisation des Drs Kathryn Pape et Jennifer Walter, University of Minnesota Medical School, Minneapolis.)

les réponses immunitaires sont déclenchées, et que les lymphocytes effecteurs migrent vers les sites d'infection, où les microbes sont éliminés (figure 1.15). Par conséquent, les lymphocytes se trouvant à différents stades de leur développement migrent vers des sites différents où ils doivent exercer leurs fonctions. Ce processus de recirculation des lymphocytes a été décrit de façon détaillée pour les lymphocytes T. Il est particulièrement important pour les lymphocytes T, dans la mesure où les lymphocytes T effecteurs doivent localiser et éliminer les microbes dans tous les foyers infectieux. En revanche, les lymphocytes B effecteurs restent dans les organes lymphoïdes, et n'ont pas besoin de migrer dans les foyers infectieux. En effet, les lymphocytes B sécrètent des anticorps, et les anticorps pénètrent dans le sang pour trouver les microbes et les toxines microbiennes dans la circulation et les tissus éloignés. Par conséquent, nous limiterons principalement la description de la recirculation aux lymphocytes T.

Les lymphocytes T naïfs qui sont arrivés à maturation dans le thymus et ont gagné la circulation sanguine migrent vers les ganglions lymphatiques où ils peuvent trouver les antigènes qui y parviennent par les vaisseaux lymphatiques qui drainent les épithéliums et les organes parenchymateux. Ces lymphocytes T naïfs entrent dans les ganglions lymphatiques à hauteur des veinules post-capillaires spécialisées, que l'on appelle **veinules à endothélium élevé** (HEV : *high endothelial venule*), présentes dans les ganglions lymphatiques. Les lymphocytes T naïfs expriment un récepteur de surface appelé L-sélectine, qui se lie à des ligands glucidiques exprimés exclusivement sur les cellules endothéliales des HEV (les sélectines constituent une famille de protéines participant à l'adhérence intercellulaire qui contiennent des caractéristiques structurales conservées, notamment un domaine lectine, ou de liaison glucidique ; des informations complémentaires sur ces protéines sont fournies dans le chapitre 6). En raison

© 2009 Elsevier Masson SAS. Tous droits réservés

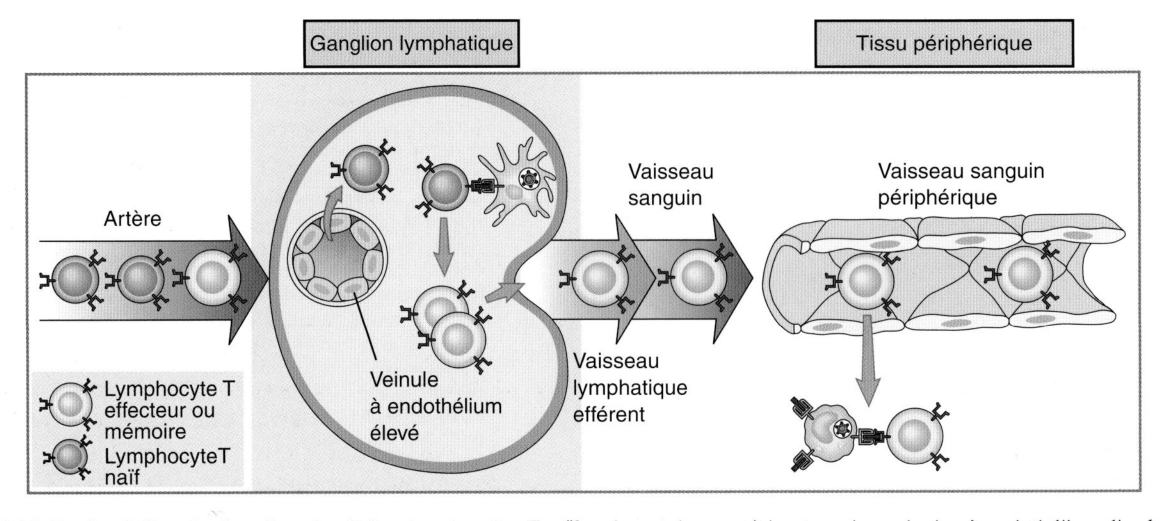

Figure 1.15 Recirculation des lymphocytes T. Les lymphocytes T naïfs migrent du sang à hauteur des veinules à endothélium élevé dans les zones à lymphocytes T des ganglions lymphatiques, où les cellules sont activées par les antigènes. Les lymphocytes T activés sortent des ganglions lymphatiques, gagnent la circulation sanguine et migrent de préférence vers les tissus périphériques dans les foyers infectieux et inflammatoires. Les molécules d'adhérence intervenant dans l'attachement des lymphocytes T aux cellules endothéliales sont décrites au chapitre 6.

de l'interaction de la L-sélectine avec son ligand, les lymphocytes T naïfs se lient de façon lâche aux veinules endothéliales. En réponse aux chimiokines produites dans les régions paracorticales du ganglion lymphatique, les lymphocytes T naïfs se lient de façon plus étroite aux veinules endothéliales et migrent à travers les veinules endothéliales dans cette région des ganglions lymphatiques, où les antigènes sont présentés par les cellules dendritiques.

Dans le ganglion lymphatique, les cellules T naïves se déplacent rapidement, recherchant les antigènes en inspectant les surfaces des cellules dendritiques. Si un lymphocyte T naïf reconnaît un antigène spécifique, il s'immobilise au contact de la cellule dendritique présentatrice de l'antigène et s'associe de manière stable avec l'APC qui va alors l'activer. Une telle rencontre entre un antigène et un lymphocyte spécifique est un événement aléatoire, mais la plupart des lymphocytes T de l'organisme circulent à travers les ganglions lymphatiques au moins une fois par jour. Par conséquent, certaines cellules de la population totale de lymphocytes T ont une bonne chance de rencontrer les antigènes qu'ils sont à même de reconnaître. Comme cela a été mentionné précédemment et sera décrit plus en détail dans le chapitre 3, la probabilité que le lymphocyte T spécifique rencontre son antigène est augmentée dans les organes lymphoïdes périphériques, en particulier les ganglions lymphatiques, dans la mesure où les antigènes microbiens sont concentrés dans les régions de ces organes à travers lesquelles circulent les lymphocytes T naïfs. En réponse à l'antigène microbien, les lymphocytes T naïfs sont amenés à proliférer et à se différencier. Au cours de ce processus, les cellules réduisent l'expression des molécules d'adhérence et les récepteurs des chimiokines qui gardent les cellules naïves dans les ganglions lymphatiques. En même temps, les cellules T augmentent leur expression de récepteurs pour un phospholipide, la sphingosine 1-phosphate, et puisque la concentration de ce phospholipide est plus élevée dans le sang que dans les ganglions lymphatiques, les cellules actives sont attirées en dehors des ganglions et gagnent la circulation sanguine. Ces cellules effectrices migrent de préférence dans les tissus qui sont colonisés par des microbes infectieux, où les lymphocytes T exercent leur fonction d'éradication de l'infection. Ce processus est décrit plus en détail dans le chapitre 6, qui présente les réactions immunitaires cellulaires.

Les populations de lymphocytes T mémoire se composent de certaines cellules qui recirculent à travers les ganglions lymphatiques, où elles peuvent développer des réactions secondaires contre les antigènes capturés, et d'autres cellules qui migrent vers les sites d'infection, où elles peuvent répondre rapidement afin d'éliminer l'infection.

Nous n'avons que peu d'informations sur la circulation des lymphocytes à travers la rate et les autres tissus lymphoïdes ou sur les voies de circulation des lymphocytes B naïfs et activés. La rate est dépourvue de HEV, mais l'aspect général de la migration lymphocytaire à travers cet organe est probablement semblable à la migration à travers les ganglions lymphatiques. Les lymphocytes B semblent également pénétrer dans les ganglions lymphatiques à hauteur des HEV, mais après qu'ils ont répondu à l'antigène, leur descendance différenciée reste dans les ganglions lymphatiques ou migre surtout vers la moelle osseuse.

© 2009 Elsevier Masson SAS. Tous droits réservés

Aperçu des réponses immunitaires antimicrobiennes

Maintenant que nous avons décrit les principales composantes du système immunitaire, il convient de résumer les caractéristiques des réponses immunitaires antimicrobiennes. L'accent est mis ici sur la fonction physiologique de la défense du système immunitaire contre les infections. Dans les chapitres qui suivent, chacun de ces éléments sera examiné plus en détail.

La réponse immunitaire innée antimicrobienne

Les principales barrières entre l'hôte et l'environnement sont les épithéliums de la peau et des voies respiratoire et gastro-intestinale. Les agents infectieux entrent habituellement par ces voies et cherchent à coloniser l'hôte. Les épithéliums servent de barrières physiques et fonctionnelles aux infections, à la fois en empêchant l'entrée des microbes et en interférant avec leur croissance grâce à la production d'agents antimicrobiens naturels. Si les microbes sont capables de traverser ces épithéliums et d'entrer dans les tissus et la circulation, ils se heurtent alors aux mécanismes de défense de l'immunité innée, qui sont conçus pour réagir rapidement contre les germes et leurs produits. Les phagocytes, entre autres les neutrophiles et les macrophages, ingèrent les microbes, qui se retrouvent alors dans des vacuoles où ils sont détruits par des substances microbicides. Les macrophages sécrètent également des protéines solubles appelées **cytokines**, qui déclenchent l'inflammation et les réponses lymphocytaires. Les cellules NK tuent les cellules infectées par un virus et produisent l'interféron-γ (IFN-γ), une cytokine qui active les macrophages. De nombreuses protéines plasmatiques sont impliquées dans la défense de l'hôte, y compris les protéines du complément, qui sont activées par des microbes, et qui tuent ceux-ci, entre autres en les recouvrant et en favorisant leur phagocytose (opsonisation) par les macrophages et des polynucléaires neutrophiles. En plus de la lutte contre les infections, les réponses immunitaires innées stimulent l'immunité adaptative, en fournissant les signaux indispensables à l'induction des réponses lymphocytaires T et B spécifiques de l'antigène. Les actions conjuguées des mécanismes de l'immunité innée peuvent éradiquer certaines infections et tenir en échec d'autres agents pathogènes jusqu'à ce que la réponse immunitaire adaptative plus puissante intervienne.

La réponse immunitaire adaptative

Le système immunitaire adaptatif utilise trois stratégies principales pour lutter contre la plupart des microbes.

- Des anticorps sécrétés se lient aux microbes extracellulaires, les empêchent d'infecter les cellules de l'hôte et favorisent leur ingestion et leur destruction par les phagocytes.
- Les phagocytes ingèrent les microbes et les tuent, alors que les cellules T auxiliaires renforcent les propriétés microbicides des phagocytes.
- Les lymphocytes T cytotoxiques détruisent les cellules infectées par des agents inaccessibles aux anticorps.

L'objectif de la réponse adaptative est d'activer ces mécanismes de défense contre les microbes présents dans différents endroits anatomiques, comme la lumière intestinale, la circulation ou à l'intérieur des cellules. Toutes les réponses immunitaires adaptatives se développent par étapes, dont chacune correspond à des réactions lymphocytaires (figure 1.16). Nous commençons ce tour d'horizon de l'immunité adaptative avec la première étape, qui est la reconnaissance des antigènes.

La capture et la présentation des antigènes microbiens

Lorsque des microbes entrent par un épithélium, leurs protéines et antigènes sont captés par les cellules dendritiques qui résident dans cet épithélium, et les antigènes associés aux cellules sont transportés vers les ganglions de drainage. Les antigènes protéiques sont apprêtés dans les cellules dendritiques qui les transforment en peptides, lesquels sont présentés à la surface des APC en association avec des molécules du CMH. Les cellules T naïves reconnaissent ces complexes peptide-CMH. C'est de cette manière que les réponses des cellules T sont déclenchées. Les antigènes protéiques sont également reconnus par les lymphocytes B dans les follicules lymphoïdes périphériques des organes lymphoïdes. Les polysaccharides et d'autres antigènes non protéiques sont capturés dans les organes lymphoïdes et sont reconnus par les lymphocytes B, mais pas par les cellules T.

Dans le cadre de la réponse immunitaire innée, les cellules dendritiques qui présentent les antigènes aux cellules T naïves sont activées et expriment alors des molécules dites costimulatrices tout en sécrétant les cytokines nécessaires, en plus de l'antigène, à la stimulation de la prolifération et de la différenciation des lymphocytes T. La réponse immunitaire innée envers certains microbes et antigènes polysaccharidiques se traduit également par l'activation du complément, générant des produits de clivage de protéines du complément qui favorisent la prolifération et la différenciation des lymphocytes B. Ainsi, l'antigène (souvent désigné comme « signal 1 ») et des molécules produites au cours des réponses immunitaires innées (« signal 2 ») coopèrent dans l'activation des lymphocytes spécifiques de l'antigène. La nécessité du signal 2 déclenché par les microbes restreint la réponse immunitaire adaptative aux microbes, évitant ainsi les réactions contre des substances inoffensives. Les signaux générés dans les lymphocytes par l'engagement des récepteurs de l'antigène et des récepteurs de costimulation aboutissent à la transcription des différents gènes

© 2009 Elsevier Masson SAS. Tous droits réservés

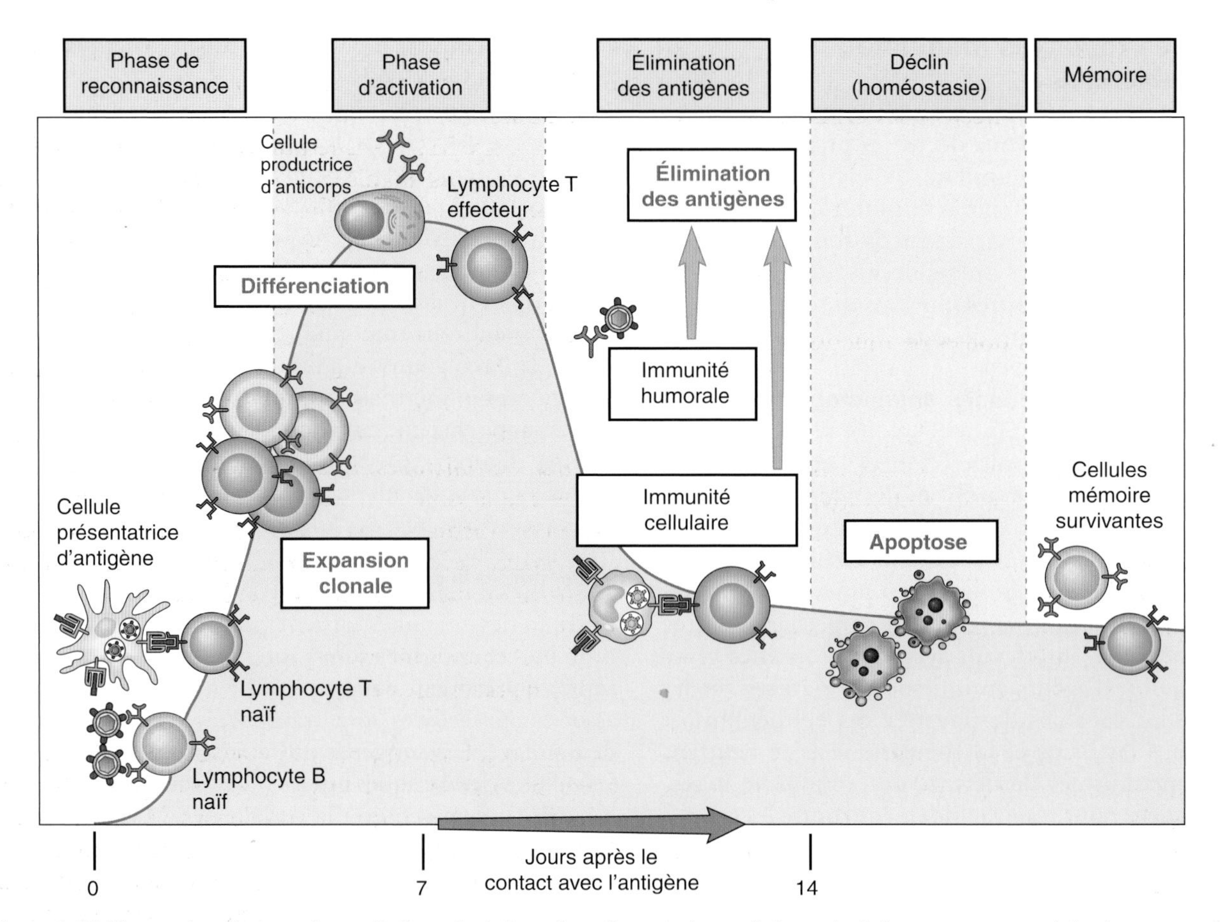

Figure 1.16 Phases des réponses immunitaires adaptatives. Les réponses immunitaires adaptatives se composent de phases consécutives : reconnaissance de l'antigène par les lymphocytes spécifiques, activation des lymphocytes (qui consiste en leur prolifération et en leur différenciation en cellules effectrices), puis phase effectrice (élimination de l'antigène). La réponse décline lorsque l'antigène est éliminé, et la plupart des lymphocytes stimulés par l'antigène meurent par apoptose. Les cellules spécifiques des antigènes qui survivent sont responsables de la mémoire immunitaire. La durée de chaque phase peut varier en fonction des différentes réponses immunitaires. L'axe des ordonnées représente une mesure arbitraire de l'amplitude de la réponse. Ces principes s'appliquent à l'immunité humorale (assurée par les lymphocytes B) et à l'immunité cellulaire (assurée par les lymphocytes T).

qui codent les cytokines, les récepteurs de cytokines, les molécules effectrices et les protéines cellulaires contrôlant le cycle cellulaire. Toutes ces molécules sont impliquées dans les réponses lymphocytaires.

Immunité cellulaire : activation des lymphocytes T avec élimination des microbes associés aux cellules

Lorsque les cellules T naïves sont activées par l'antigène et la costimulation dans les organes lymphoïdes, elles sécrètent des facteurs de croissance, des cytokines et répondent à d'autres cytokines sécrétées par les APC. La combinaison des signaux (antigène, costimulation et cytokines) stimule la prolifération des cellules T et leur différenciation en cellules T effectrices. Les différentes sous-populations de cellules T se différencient en cellules effectrices dotées de propriétés fonctionnelles distinctes. Les cellules T $CD4^+$ naïves deviennent des cellules T auxiliaires ; les cellules T $CD8^+$ naïves deviennent des CTL. Les cellules T auxiliaires et les CTL qui sont générées dans les organes lymphoïdes peuvent migrer dans le sang puis dans tout site où l'antigène (microbe) est présent. Les lymphocytes T effecteurs sont réactivés par l'antigène dans les foyers infectieux et exercent les fonctions responsables de l'élimination des microbes. Les cellules T auxiliaires produisent des cytokines et expriment à leur surface des molécules qui se lient à des récepteurs des cellules B et des macrophages ; elles stimulent ainsi la production d'anticorps ou la lyse des microbes ingérés par les macrophages. Certaines cellules T auxiliaires recrutent et activent les neutrophiles, qui phagocytent et détruisent les microbes. Les CTL tuent directement les cellules hébergeant les microbes dans leur cytoplasme. Ces microbes peuvent être des virus qui infectent de nombreux types cellulaires ou des bactéries qui sont ingérées par les macrophages, mais qui ont appris à s'échapper des vésicules de phagocytose et à gagner ainsi le cytoplasme

© 2009 Elsevier Masson SAS. Tous droits réservés

où elles sont inaccessibles à la machinerie microbicide des phagocytes, en grande partie confinée aux vésicules. En détruisant les cellules infectées, les CTL éliminent les réservoirs d'infection.

Immunité humorale : activation des lymphocytes B avec élimination des microbes extracellulaires

Lors de leur activation, les lymphocytes B prolifèrent puis se différencient en plasmocytes qui sécrètent différentes classes d'anticorps dotées de fonctions distinctes. Beaucoup d'antigènes polysaccharidiques et lipidiques ont de multiples déterminants antigéniques (épitopes) identiques, capables de se lier à de nombreuses molécules de récepteur d'antigène sur des cellules B et de lancer ainsi le processus de l'activation des lymphocytes B. Les antigènes protéiques globulaires typiques ne sont pas capables de se lier à de nombreux récepteurs d'antigène et la réponse complète de cellules B aux antigènes protéiques requiert l'aide des cellules T $CD4^+$. Les cellules B ingèrent les antigènes protéiques, les dégradent et présentent des peptides liés aux molécules du CMH en vue de la reconnaissance par les cellules T auxiliaires. Les cellules T auxiliaires expriment des cytokines et des protéines de surface qui contribuent à l'activation des lymphocytes B.

Quelques-uns des descendants provenant de l'expansion clonale des cellules B se différencient en cellules sécrétrices d'anticorps. Chaque cellule B sécrète des anticorps qui ont le même site de fixation d'antigène que les anticorps de la surface cellulaire (récepteurs des cellules B) qui ont reconnu les premiers l'antigène. Les polysaccharides et les lipides stimulent principalement la sécrétion d'une classe d'anticorps appelés immunoglobulines M (IgM). Les antigènes protéiques stimulent les cellules T auxiliaires, ce qui induit la production d'anticorps de différentes classes (IgG, IgA, IgE). Cette production d'anticorps différents, tous de même spécificité, est appelée **commutation de classe des chaînes lourdes (isotype)** ; elle permet au système immunitaire de s'adapter en recourant à divers types d'anticorps pour assurer des fonctions particulières. Les cellules T auxiliaires stimulent aussi la production d'anticorps d'affinité croissante pour l'antigène. Ce processus, appelé **maturation d'affinité**, améliore la qualité de la réponse immunitaire humorale.

La réponse immunitaire humorale combat les microbes de plusieurs manières. Les anticorps se lient aux microbes et les empêchent d'infecter les cellules ; les microbes sont ainsi neutralisés. Les anticorps couvrent (opsonisent) les microbes et favorisent leur phagocytose. En effet, les phagocytes (les neutrophiles et les macrophages) sont porteurs de récepteurs pour les anticorps. En outre, les anticorps activent un système de protéases sériques appelé complément, dont les produits contribuent également à promouvoir la phagocytose et la destruction des microbes. Des types d'anticorps particuliers et des mécanismes de transport spécialisé exercent des fonctions distinctes dans certains sites anatomiques, entre autres la lumière des tractus respiratoire et gastro-intestinal ou dans le placenta et le fœtus.

Atténuation des réponses immunitaires et mémoire immunologique

Une majorité de lymphocytes effecteurs induits par un agent pathogène meurent par apoptose après l'élimination du microbe, ce qui ramène le système immunitaire à son état de repos. Ce retour à la stabilité ou à l'état d'équilibre est appelé homéostasie. Elle se produit parce que les microbes fournissent l'essentiel des stimuli nécessaires à la survie et à l'activation des lymphocytes et que les cellules effectrices ont une durée de vie courte. Par conséquent, avec l'élimination des stimuli, les lymphocytes activés ne sont plus maintenus en vie.

La première activation des lymphocytes génère des cellules mémoire à longue durée de vie ; elles peuvent survivre pendant des années après l'infection. Les cellules mémoire proviennent de l'expansion de la population de lymphocytes spécifiques de l'antigène (elles sont plus nombreuses que les cellules naïves spécifiques des divers antigènes et présentes avant toute rencontre avec l'antigène). Les cellules mémoire répondent plus rapidement et plus efficacement contre l'antigène que les cellules naïves. C'est pourquoi la génération de cellules mémoire est un objectif important de la vaccination.

© 2009 Elsevier Masson SAS. Tous droits réservés

Résumé

- La fonction physiologique du système immunitaire est de protéger les individus contre les infections.
- L'immunité naturelle est la première ligne de défense, assurée par des cellules et des molécules qui sont toujours présentes et prêtes à éliminer les agents infectieux. L'immunité adaptative est la forme d'immunité qui est stimulée par les microbes, elle présente une forte spécificité pour les substances étrangères, et répond de manière plus efficace aux expositions successives à un microbe.
- Les lymphocytes sont les cellules de l'immunité adaptative, et les seules cellules possédant des récepteurs d'antigène distribués de manière clonale.
- L'immunité adaptative se subdivise en immunité humorale, dans laquelle les anticorps neutralisent et éliminent les microbes et les toxines extracellulaires, et en immunité cellulaire, dans laquelle les lymphocytes T éliminent les microbes intracellulaires.
- Les réponses de l'immunité adaptative se décomposent en phases consécutives : reconnaissance de l'antigène par les lymphocytes, activation des lymphocytes afin qu'ils prolifèrent et se différencient en cellules effectrices et cellules mémoire, élimination des microbes, déclin de la réponse immunitaire et mémoire à long terme.
- Il existe différentes populations de lymphocytes assurant des fonctions distinctes, et qui peuvent être distinguées par l'expression de molécules membranaires particulières.
- Les lymphocytes B sont les seules cellules qui produisent des anticorps. Les lymphocytes B expriment des anticorps membranaires qui reconnaissent les antigènes, et les lymphocytes B effecteurs sécrètent des anticorps qui neutralisent et éliminent l'antigène.
- Les lymphocytes T reconnaissent des fragments peptidiques d'antigènes protéiques présentés sur d'autres cellules. Les lymphocytes T auxiliaires activent les phagocytes pour qu'ils détruisent les microbes ingérés et activent les lymphocytes B pour qu'ils produisent des anticorps. Les lymphocytes T cytotoxiques tuent les cellules infectées hébergeant des microbes dans leur cytoplasme.
- Les APC capturent les antigènes des microbes qui pénètrent à travers les épithéliums, concentrent ces antigènes dans les organes lymphoïdes, et présentent ces antigènes afin qu'ils soient reconnus par les lymphocytes T.
- Les lymphocytes et les APC sont organisés dans les organes lymphoïdes périphériques, où les réponses immunitaires sont amorcées et développées.
- Les lymphocytes naïfs circulent à travers les organes lymphoïdes périphériques à la recherche d'antigènes étrangers. Les lymphocytes T effecteurs migrent vers les foyers infectieux périphériques, où leur fonction est d'éliminer les agents infectieux. Les lymphocytes B effecteurs restent dans les organes lymphoïdes et la moelle osseuse, où ils sécrètent des anticorps qui gagnent la circulation sanguine, trouvent et éliminent les microbes.

Contrôle des connaissances

1. Quels sont les deux types d'immunité adaptative, et quels types de microbes ces réponses immunitaires adaptatives combattent-elles ?
2. Quelles sont les principales classes de lymphocytes, comment diffèrent-elles dans leurs fonctions, et comment peuvent-elles être identifiées et distinguées ?
3. Quelles sont les différences essentielles entre les lymphocytes T et B naïfs, effecteurs et mémoire ?
4. Où les lymphocytes T et B sont-ils situés dans les ganglions lymphatiques, et comment leur séparation anatomique est-elle maintenue ?
5. En quoi diffère le profil de migration des lymphocytes T naïfs et effecteurs ?

© 2009 Elsevier Masson SAS. Tous droits réservés

Chapitre 2

Immunité innée
Les premières défenses contre les infections

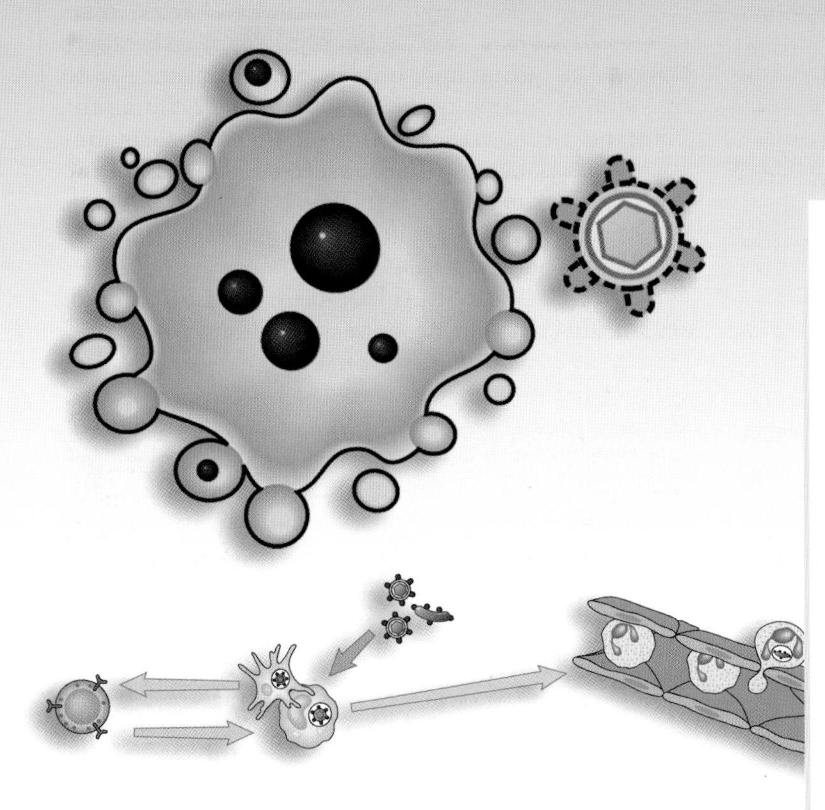

Tous les organismes multicellulaires, y compris les plantes, les invertébrés et les vertébrés, possèdent des mécanismes intrinsèques pour se défendre contre les infections microbiennes. Dans la mesure où ces mécanismes de défense sont toujours présents, prêts à reconnaître et éliminer les microbes, ils sont définis comme constituant l'**immunité innée** (également appelée immunité naturelle ou native). Les composants de l'immunité innée constituent le système immunitaire inné. Une propriété commune aux mécanismes de l'immunité innée est qu'ils reconnaissent et répondent aux microbes, mais ne réagissent pas contre les substances non microbiennes. L'immunité innée peut également être déclenchée par des cellules de l'hôte endommagées par des microbes. L'immunité innée s'oppose à l'immunité adaptative qui, avant de pouvoir être efficace, doit être stimulée par des

© 2009 Elsevier Masson SAS. Tous droits réservés

microbes et s'adapter à ceux-ci au fur et à mesure des rencontres. En outre, les réponses immunitaires acquises peuvent être dirigées contre des antigènes microbiens ou non microbiens.

On a cru pendant de nombreuses années que l'immunité innée était non spécifique, peu puissante et inefficace pour combattre la plupart des infections. Nous savons aujourd'hui qu'en fait l'immunité innée vise les microbes de manière spécifique, et constitue un mécanisme de défense précoce et puissant, capable de contrôler et même d'éradiquer les infections avant que l'immunité spécifique ne devienne active. L'immunité innée non seulement fournit les défenses initiales contre les infections, mais également informe le système immunitaire spécifique afin qu'il réponde aux différents microbes par des moyens efficaces pour les combattre. À l'inverse, la réponse immunitaire adaptative utilise souvent les mécanismes de l'immunité innée pour éradiquer les infections. Il existe par conséquent un échange bidirectionnel constant entre l'immunité innée et l'immunité adaptative. Pour toutes ces raisons, il est essentiel de définir les mécanismes de l'immunité naturelle, et d'apprendre à exploiter ces mécanismes pour optimiser les défenses contre les infections. La majeure partie de cet ouvrage est consacrée à la description du système immunitaire adaptatif, et à la manière dont les lymphocytes, les cellules de l'immunité adaptative, reconnaissent et répondent aux microbes infectieux.

Avant de commencer la description de l'immunité adaptative, les réactions de défenses initiales de l'immunité innée seront présentées dans ce chapitre. La discussion portera sur trois questions principales :

- Comment le système immunitaire naturel reconnaît-il les microbes ?
- Comment les différents composants de l'immunité naturelle fonctionnent-t-ils pour combattre les différents types de microbes ?
- Comment les réactions de l'immunité innée stimulent-elles la réponse immunitaire adaptative ?

Reconnaissance des microbes par le système immunitaire inné

La spécificité de l'immunité innée diffère par divers aspects de la spécificité des lymphocytes, les systèmes de reconnaissance de l'immunité acquise (figure 2.1).

Les composants de l'immunité innée reconnaissent des structures qui sont partagées par différentes classes de microbes, et qui ne sont pas présentes sur les cellules de l'hôte. Chaque composant de l'immunité naturelle peut reconnaître de nombreuses bactéries, virus ou champignons. Par exemple, les phagocytes expriment des récepteurs pour le lipopolysaccharide bactérien (LPS, également appelé endotoxine), qui est présent dans de nombreuses espèces bactériennes, mais qui n'est pas produit par les cellules des mammifères. D'autres récepteurs des phagocytes reconnaissent les résidus mannose terminaux des glycoprotéines ; de nombreuses glycoprotéines bactériennes présentent un mannose en position terminale, contrairement aux glycoprotéines des mammifères qui se terminent par un acide sialique ou par la N-acétylgalactosamine. Les phagocytes reconnaissent et répondent aux ARN double brin, présents chez de nombreux virus, mais pas dans les cellules de mammifères, et aux nucléotides CpG non méthylés, qui sont fréquents dans l'ADN bactérien, mais ne sont pas retrouvés dans l'ADN des mammifères. Les molécules microbiennes qui constituent les cibles de l'immunité naturelle sont parfois désignées par le terme de motifs moléculaires associés aux pathogènes (PAMP, *pathogen associated molecular pattern*), ce qui indique qu'elles sont partagées par des microbes du même type. Les récepteurs de l'immunité innée qui reconnaissent ces structures partagées sont appelés récepteurs de reconnaissance des motifs moléculaires (PRR, *pattern recognition receptors*). Certains composants de l'immunité innée sont capables de se lier aux cellules de l'hôte, mais leur activation par ces cellules est empêchée. Par exemple, si les protéines plasmatiques du système du complément sont déposées sur des cellules de l'hôte, l'activation de ces protéines du complément est bloquée par des molécules régulatrices qui sont présentes sur les cellules de l'hôte, mais non sur les microbes. Cet exemple de la reconnaissance de l'immunité innée ainsi que d'autres seront discutés ultérieurement dans ce chapitre. Contrairement à l'immunité innée, le système immunitaire adaptatif est spécifique de structures appelées antigènes, qui peuvent être microbiens ou non microbiens, et qui ne sont pas nécessairement partagés par plusieurs classes de microbes, mais peuvent différer entre des microbes d'un même type.

Les composants de l'immunité innée ont évolué afin de reconnaître certaines structures des microbes qui sont souvent essentielles à la survie et au pouvoir infectieux de ceux-ci. Par conséquent, un microbe ne peut pas échapper à l'immunité innée en mutant simplement ou en n'exprimant pas les cibles de la reconnaissance de l'immunité innée : les microbes qui n'expriment pas les formes fonctionnelles de ces structures perdent leur capacité d'infecter et coloniser l'hôte. En revanche, les microbes échappent fréquemment à l'immunité spécifique en subissant des mutations des antigènes qui sont reconnus par les lymphocytes, dans la mesure où ces antigènes ne sont généralement pas nécessaires pour la survie des microbes.

Les récepteurs du système immunitaire inné sont codés par la lignée germinale et ne sont pas produits par recombinaison somatique des gènes. Ces récepteurs de reconnaissance des motifs moléculaires codés par la lignée germinale ont évolué pour constituer une adaptation protectrice aux microbes potentiellement

© 2009 Elsevier Masson SAS. Tous droits réservés

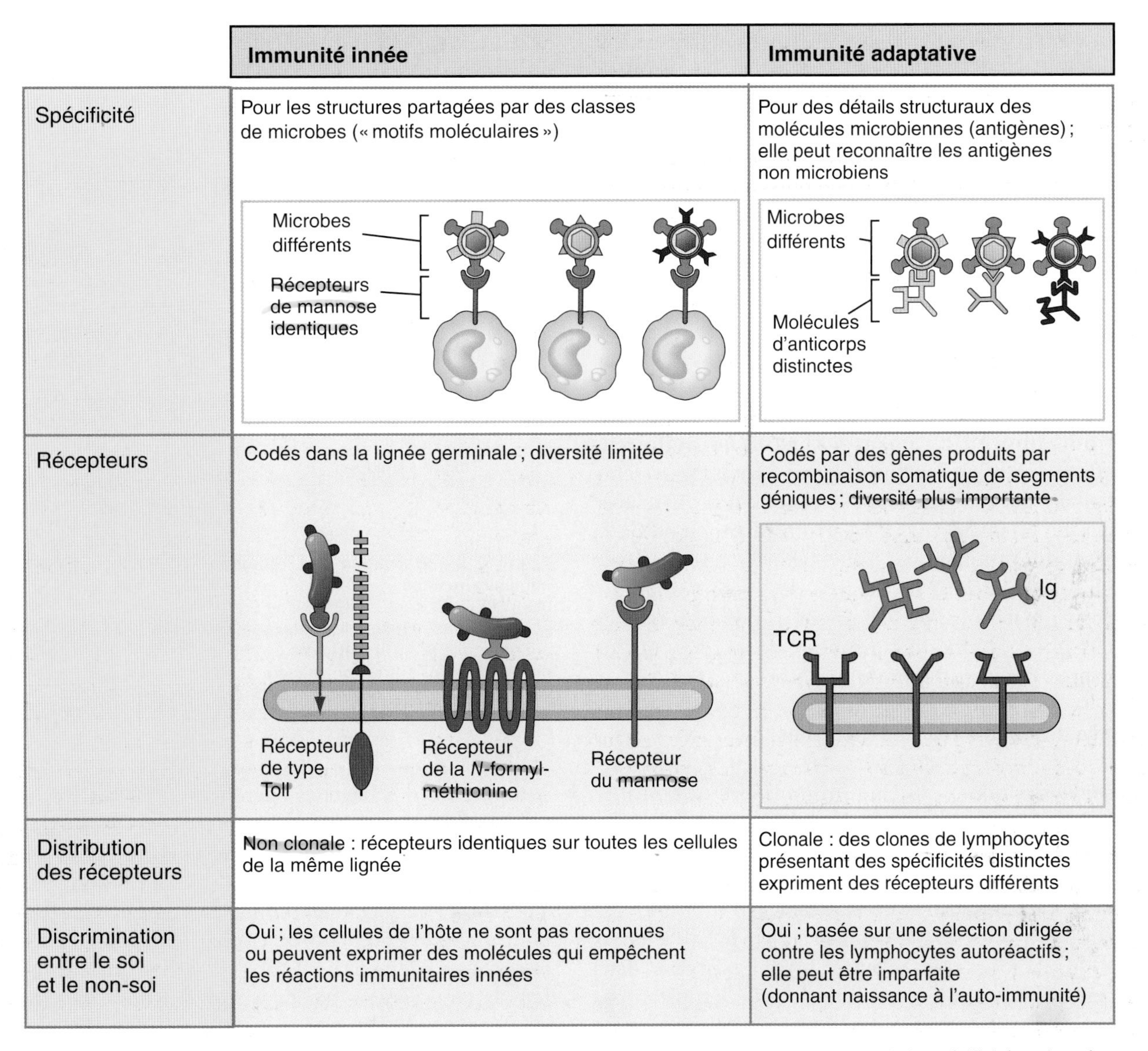

	Immunité innée	Immunité adaptative
Spécificité	Pour les structures partagées par des classes de microbes (« motifs moléculaires ») Microbes différents Récepteurs de mannose identiques	Pour des détails structuraux des molécules microbiennes (antigènes) ; elle peut reconnaître les antigènes non microbiens Microbes différents Molécules d'anticorps distinctes
Récepteurs	Codés dans la lignée germinale ; diversité limitée Récepteur de type Toll Récepteur de la *N*-formyl-méthionine Récepteur du mannose	Codés par des gènes produits par recombinaison somatique de segments géniques ; diversité plus importante Ig TCR
Distribution des récepteurs	Non clonale : récepteurs identiques sur toutes les cellules de la même lignée	Clonale : des clones de lymphocytes présentant des spécificités distinctes expriment des récepteurs différents
Discrimination entre le soi et le non-soi	Oui ; les cellules de l'hôte ne sont pas reconnues ou peuvent exprimer des molécules qui empêchent les réactions immunitaires innées	Oui ; basée sur une sélection dirigée contre les lymphocytes autoréactifs ; elle peut être imparfaite (donnant naissance à l'auto-immunité)

Figure 2.1 Spécificité de l'immunité innée et de l'immunité adaptative. Les caractéristiques importantes de la spécificité et des récepteurs de l'immunité innée et adaptative sont résumées, avec des exemples choisis, dont certains sont illustrés dans les encadrés.

nocifs. Au contraire, les récepteurs d'antigène des lymphocytes, c'est-à-dire les anticorps et les récepteurs des lymphocytes T (TCR), sont produits par recombinaison des gènes codant pour les récepteurs au cours de la maturation de ces cellules (voir le chapitre 4). La recombinaison des gènes permet de créer un nombre beaucoup plus grand de récepteurs structurellement différents par rapport à ceux qui sont produits à partir des gènes hérités de la lignée germinale ; toutefois, ces différents récepteurs n'ont pas une spécificité prédéterminée pour les microbes. Par conséquent, la spécificité de l'immunité acquise est beaucoup plus variée que celle de l'immunité innée, et le système immunitaire adaptatif est capable de reconnaître beaucoup plus de structures chimiquement différentes. Il a été estimé que la population totale des lymphocytes était en mesure de reconnaître plus d'un milliard d'antigènes différents ; en revanche, la totalité des récepteurs de l'immunité naturelle reconnaît probablement moins d'un millier de motifs microbiens. En outre, les récepteurs du système immunitaire adaptatif sont distribués de manière clonale, ce qui signifie que chaque clone de lymphocytes (lymphocytes B et lymphocytes T) possède un récepteur différent spécifique d'un antigène particulier. En revanche, dans le système immunitaire inné, les récepteurs ne sont pas distribués de manière clonale ; cela signifie que des récepteurs identiques sont exprimés sur toutes les cellules d'un type particulier, par exemple les macrophages. Par conséquent, un grand nombre de cellules de l'immunité innée peuvent reconnaître le même microbe.

Le système immunitaire inné ne réagit pas contre l'hôte. Cette incapacité du système immunitaire inné à

© 2009 Elsevier Masson SAS. Tous droits réservés

réagir contre les cellules et les molécules du soi, c'est-à-dire appartenant à l'individu lui-même, est due partiellement à la spécificité inhérente de l'immunité innée pour les structures microbiennes et partiellement au fait que les cellules mammaliennes expriment des molécules régulatrices qui empêchent les réactions immunitaires innées. Le système immunitaire adaptatif distingue également le soi du non-soi, mais dans ce système, des lymphocytes capables de reconnaître des antigènes du soi sont produits ; ils meurent ou sont inactivés lors de leur rencontre avec les antigènes du soi.

Le système immunitaire inné répond de la même manière au cours des rencontres successives avec un microbe, tandis que le système immunitaire adaptatif répond plus efficacement à chaque nouvelle rencontre avec le microbe. En d'autres termes, le système immunitaire adaptatif se rappelle chaque rencontre avec un microbe et s'y adapte. Il s'agit du phénomène de la mémoire immunologique. Elle garantit une extrême efficacité des réactions de défense de l'hôte contre des infections répétées ou persistantes. La mémoire est une caractéristique propre de l'immunité adaptative, qui ne se rencontre pas dans l'immunité innée.

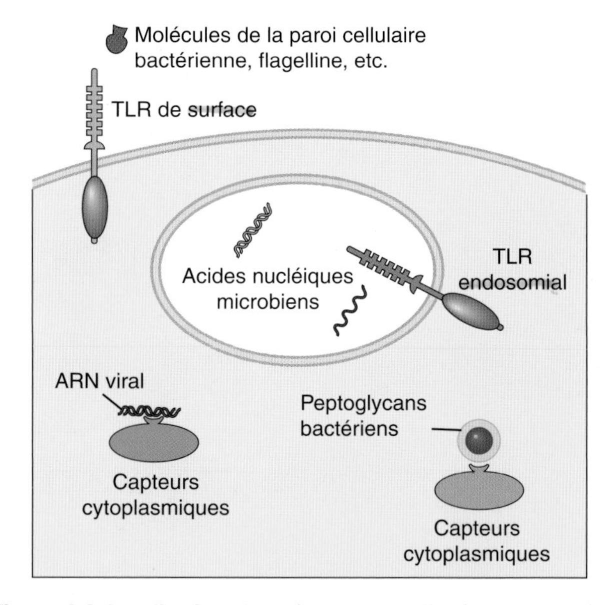

Figure 2.2 Localisation des récepteurs cellulaires du système immunitaire inné. Certains récepteurs comme les récepteurs de type Toll (TLR) sont présents à la surface cellulaire ; les autres TLR sont dans les endosomes (ils peuvent résider dans le réticulum endoplasmique et être transférés rapidement dans les endosomes en réaction à l'entrée de microbes), et certains récepteurs d'ARN viral et de peptides bactériens sont dans le cytoplasme.

Récepteurs cellulaires des microbes

Les récepteurs que le système immunitaire inné utilise pour réagir contre les microbes sont exprimés sur les phagocytes, les cellules dendritiques et de nombreux autres types de cellules, y compris les lymphocytes et les cellules endothéliales et épithéliales, autant d'éléments qui participent à la défense contre les différentes classes de microbes. Ces récepteurs sont exprimés dans différents compartiments cellulaires où les microbes peuvent parvenir. Certains sont présents à la surface de la cellule ; d'autres se trouvent dans le réticulum endoplasmique d'où ils peuvent être recrutés rapidement dans les vésicules (endosomes) qui ont servi à l'ingestion des produits microbiens ; d'autres encore sont dans le cytoplasme, où ils fonctionnent comme des capteurs de microbes cytoplasmiques (figure 2.2). Plusieurs classes de ces récepteurs spécifiques de différents types de produits microbiens (« motifs moléculaires ») ont été identifiées.

Les **récepteurs de type Toll** (TLR, *Toll-like receptor*) sont homologues à une protéine, appelée Toll, qui a été découverte chez la mouche drosophile par son rôle dans la différenciation dorsoventrale. Plus tard, elle s'est révélée essentielle à la protection de la mouche contre les infections. Les TLR sont spécifiques des différents composants microbiens (figure 2.3). Par exemple, TLR-2 est essentiel pour les réponses à plusieurs lipoglycans bactériens ; TLR-3, -7 et -8 pour les acides nucléiques viraux (comme l'ARN double brin), TLR-4 pour les LPS bactériens (endotoxines), TLR-5 pour la flagelline, une composante des flagelles bactériens, et TLR-9 pour des oligonucléotides non méthylés riches en CG (CpG), qui sont plus abondants dans les bactéries que dans des cellules de mammifères. Certains de ces TLR sont présents à la surface de la cellule, où ils reconnaissent les produits microbiens extracellulaires, et d'autres TLR sont dans les endosomes, dans lesquels des microbes ont été ingérés. Les signaux générés par l'engagement des TLR activent des facteurs de transcription qui stimulent l'expression de gènes codant des cytokines, des enzymes et d'autres protéines impliquées dans l'activation des fonctions antimicrobiennes des phagocytes et des cellules dendritiques (voir plus bas). Deux des plus importants facteurs de transcription activés par les signaux provenant des TLR sont NF-κB (*nuclear factor κB*), qui induit l'expression de différentes cytokines et des molécules endothéliales d'adhérence, et IRF-3 (*interferon response factor-3*), qui stimule la production d'interférons de type I, cytokines qui bloquent la réplication virale.

Beaucoup d'autres types de récepteurs sont impliqués dans les réponses immunitaires innées aux microbes. Un récepteur de surface cellulaire reconnaît les peptides commençant par la N-formylméthionine, qui est propre aux protéines bactériennes. Un récepteur des résidus mannose terminaux est impliqué dans la phagocytose des bactéries. Plusieurs récepteurs cytoplasmiques reconnaissent les acides nucléiques viraux ou des peptides bactériens (voir la figure 2.2). D'autres récepteurs qui participent à des réactions immunitaires innées ne reconnaissent pas

© 2009 Elsevier Masson SAS. Tous droits réservés

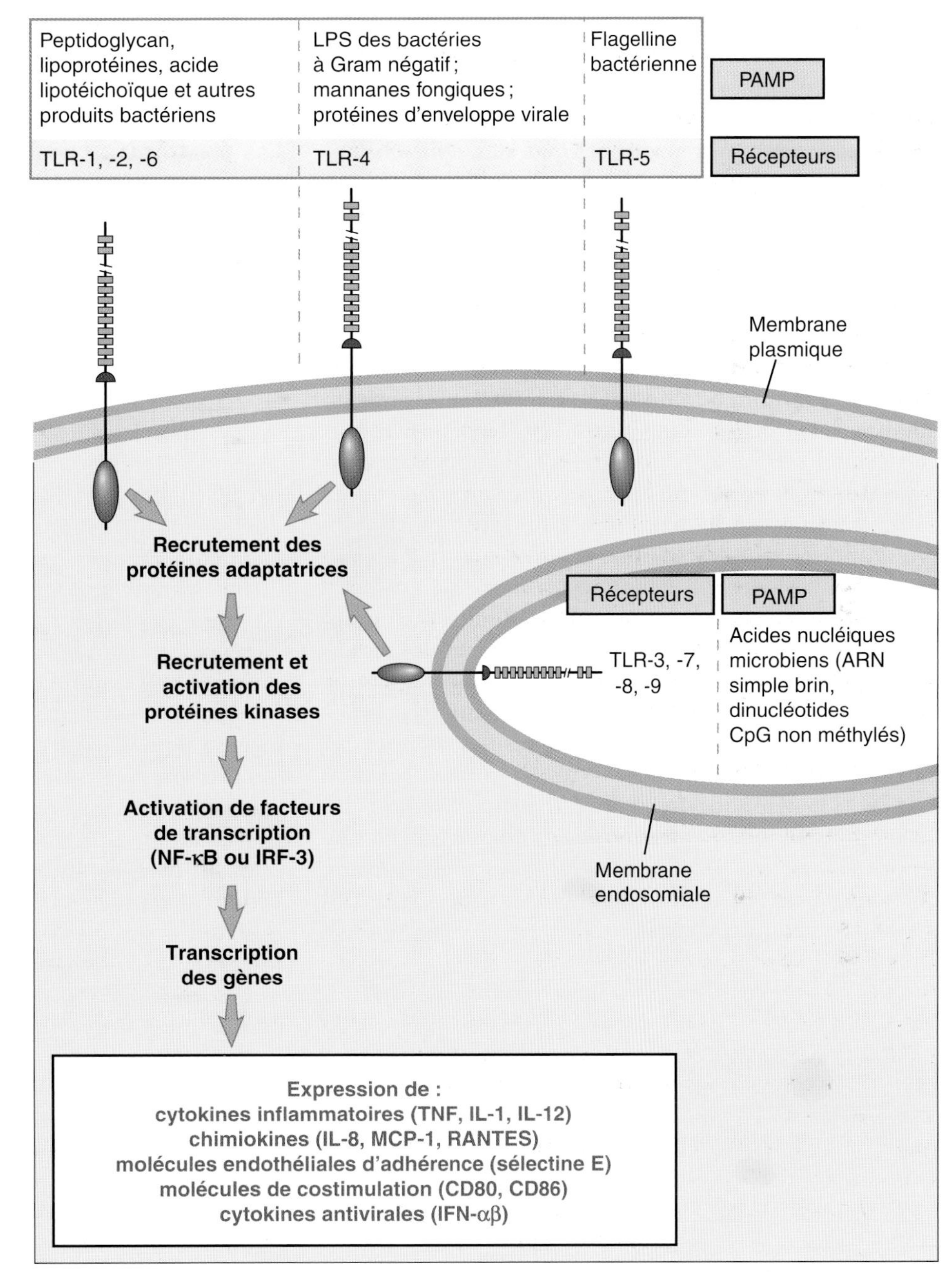

Figure 2.3 Spécificités et fonctions des récepteurs de type Toll (TLR). Différents TLR répondent à la diversité des produits microbiens. Tous les TLR activent des mécanismes de signalisation analogues, d'où les réponses cellulaires qui sont au cœur de l'immunité innée.
IFN, interféron ; IL, interleukine ; IRF-3, *interferon response factor-3* ; LPS, lipopolysaccharide ; MCP-1 et RANTES sont deux chimiokines ; NF-κB, *nuclear factor κB* ; PAMP, *pathogen-associated molecular patterns* ou motifs moléculaires associés aux pathogènes ; TNF, *tumor necrosis factor*.

des produits microbiens, mais des cytokines produites en réponse aux microbes. Ces cytokines comprennent des chimiokines, qui stimulent la migration des cellules vers les microbes, et l'interféron-γ (IFN-γ), qui amplifie la capacité des phagocytes de tuer les microbes ingérés. D'autres récepteurs reconnaissent encore des protéines du complément et des anticorps attachés aux microbes. Les fonctions de ces divers récepteurs sont décrites plus loin dans le chapitre.

Dans le cadre de cette introduction à certaines des caractéristiques de l'immunité innée, nous passons maintenant à la description des composantes individuelles du système immunitaire inné et de la façon avec laquelle elles interviennent dans la défense de l'hôte contre les infections.

Composants de l'immunité innée

Le système immunitaire inné est composé d'épithéliums, qui constituent des barrières à l'infection, de cellules en circulation et présentes dans les tissus ainsi que de plusieurs protéines plasmatiques. Ces éléments jouent des rôles différents mais complémentaires dans le blocage de l'entrée des microbes et dans l'élimination de ceux qui ont réussi à pénétrer dans les tissus de l'hôte.

© 2009 Elsevier Masson SAS. Tous droits réservés

Barrières épithéliales

Les portes d'entrée les plus fréquentes des microbes, à savoir la peau, le tractus gastro-intestinal et le tractus respiratoire, sont protégées par des épithéliums continus qui constituent des barrières physiques et chimiques contre les infections (figure 2.4). Les trois principales interfaces entre l'organisme et le milieu extérieur sont la peau, le tractus gastro-intestinal et le tractus respiratoire. Les microbes peuvent pénétrer dans les hôtes à partir du milieu extérieur à travers ces interfaces par contact physique, ingestion et inhalation. Ces trois portes d'entrée sont bordées par des épithéliums continus qui interfèrent physiquement avec l'entrée des microbes. Les cellules épithéliales produisent également des antibiotiques peptidiques qui tuent les bactéries. En outre, les épithéliums contiennent un certain type de lymphocytes, appelés lymphocytes intraépithéliaux, qui appartiennent à la lignée des lymphocytes T, mais expriment des récepteurs d'antigène présentant une diversité limitée. Certains de ces lymphocytes T expriment des récepteurs composés de deux chaînes appelées chaînes γ et δ, qui sont similaires, mais non identiques, aux récepteurs des lymphocytes T extrêmement diversifiés, $\alpha\beta$, exprimés sur la majorité des lymphocytes T (voir les chapitres 4 et 5). Les lymphocytes intraépithéliaux, notamment les lymphocytes T $\gamma\delta$, reconnaissent fréquemment des lipides microbiens ou d'autres structures microbiennes qui sont partagés par des microbes de même type. Les lymphocytes intraépithéliaux semblent jouer le rôle de sentinelles contre les agents infectieux qui tentent de traverser les épithéliums, mais la spécificité et les fonctions de ces cellules restent mal définies.

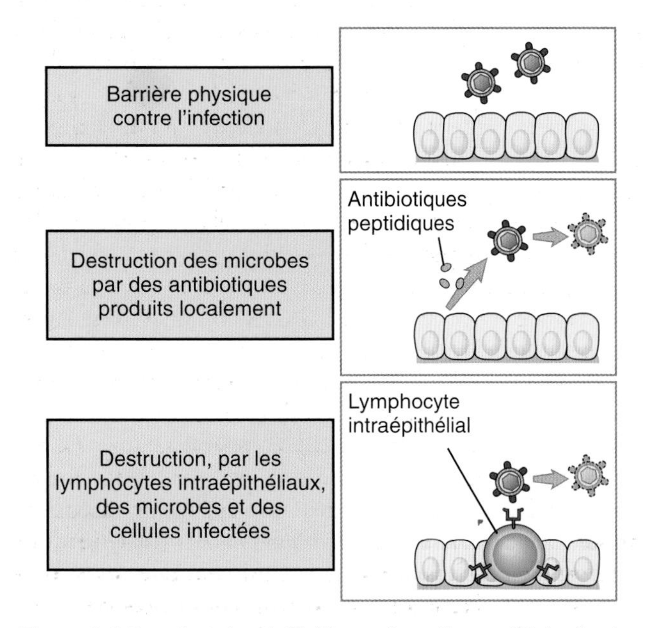

Figure 2.4 Fonction des épithéliums dans l'immunité innée. Les épithéliums présents au niveau des portes d'entrée des microbes constituent des barrières physiques, produisent des substances antimicrobiennes et hébergent des lymphocytes qui semblent être en mesure de tuer les microbes et les cellules infectées.

Les phagocytes : neutrophiles et monocytes/macrophages

Les deux types de phagocytes circulants, les neutrophiles et les monocytes, sont des cellules sanguines qui sont recrutées au niveau des sites d'infection, où ils reconnaissent et ingèrent les microbes afin de les détruire à l'intérieur de la cellule. Les neutrophiles (également appelés granulocytes, polynucléaires ou PMN) sont les leucocytes les plus nombreux du sang, leur numération étant comprise entre 4000 et 10 000 par µl (figure 2.5). En réponse aux infections, la production de neutrophiles à partir de la moelle osseuse augmente rapidement, et leur nombre peut atteindre 20 000 par µl de sang. La production de neutrophiles est stimulée par des cytokines, désignées par le terme de facteurs stimulant la formation de colonies, qui sont produites par de nombreux types cellulaires en réponse aux infections, et agissent sur les cellules souches de la moelle osseuse pour stimuler la prolifération et la maturation des précurseurs des neutrophiles. Les neutrophiles sont le premier type cellulaire à répondre à la plupart des infections, en particulier les infections bactériennes et fongiques. Ils ingèrent les microbes dans la circulation, et ils pénètrent rapidement dans les tissus extravasculaires au niveau des sites d'infection, où ils ingèrent également les microbes et meurent après quelques heures.

Les monocytes sont moins nombreux que les neutrophiles, leur nombre étant compris entre 500 et 1000 par µl de sang (figure 2.6). Ils ingèrent également les microbes dans le sang et dans les tissus. Contrairement aux neutrophiles, les monocytes qui pénètrent dans les tissus extravasculaires survivent dans ces sites pendant des périodes prolongées; dans les tissus, ces monocytes se différencient en cellules appelées **macrophages** (voir la figure 2.6). Les monocytes sanguins et les macrophages

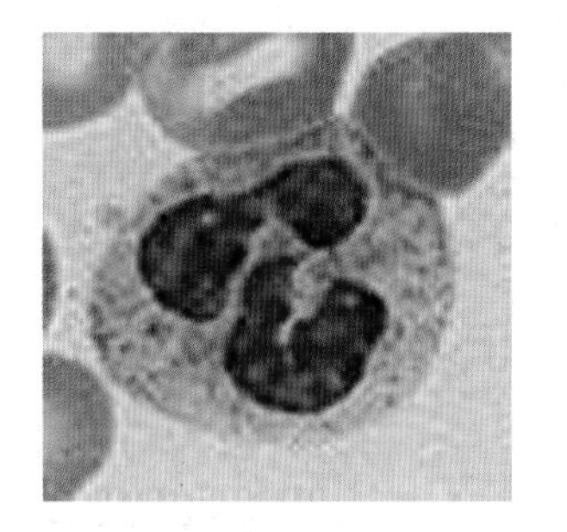

Figure 2.5 Morphologie des neutrophiles. Cette microphotographie optique d'un neutrophile sanguin montre le noyau polylobé, d'ou leur nom de leucocytes polynucléaires, et les granulations cytoplasmiques peu visibles (la plupart du temps des lysosomes).

© 2009 Elsevier Masson SAS. Tous droits réservés

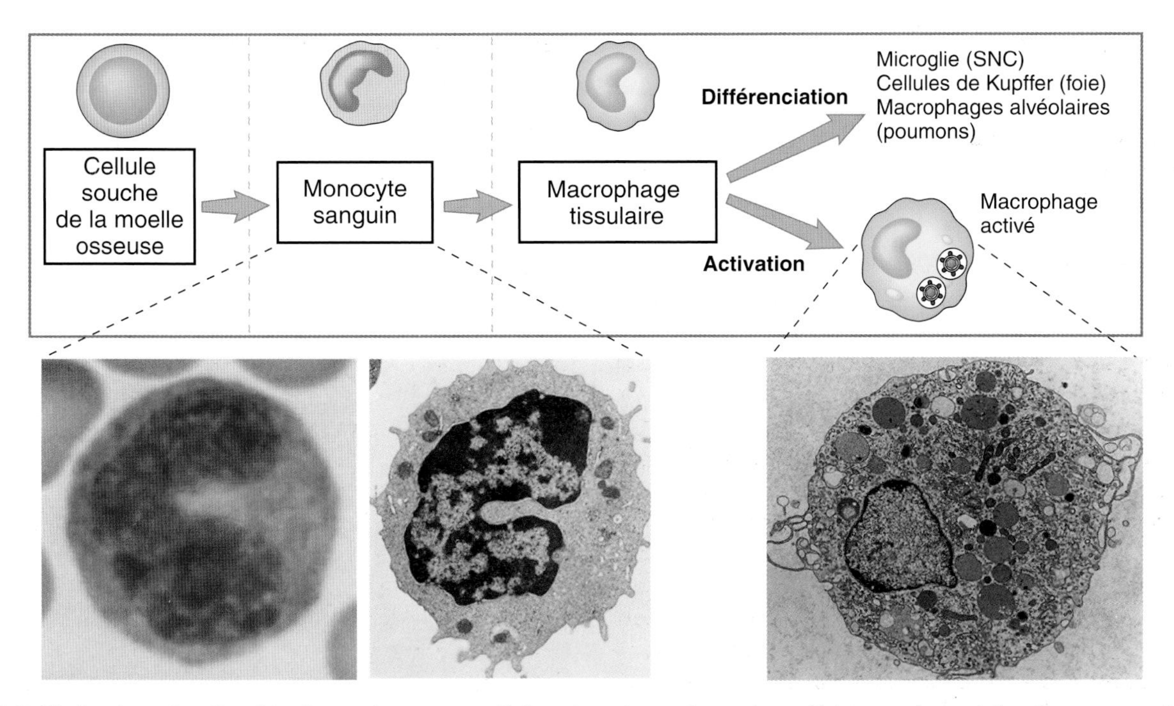

Figure 2.6 Stades de maturation des phagocytes mononucléaires. Les phagocytes mononucléaires proviennent de précurseurs se trouvant dans la moelle osseuse. Le stade sanguin circulant est le monocyte; la figure montre une microphotographie optique et une microphotographie électronique d'un monocyte sanguin, montrant les vacuoles phagocytaires et les lysosomes. Dans les tissus, ces cellules deviennent des macrophages; ils peuvent être activés par des microbes, et peuvent se différencier en formes spécialisées qui résident dans différents tissus. La micrographie électronique d'un macrophage activé montre les vacuoles phagocytaires et de nombreux organites cytoplasmiques. D'après Fawcett DW. Bloom & Fawcett textbook of histology, 12e éd. Philadelphie : WB Saunders; 1994.

tissulaires constituent deux stades de la même lignée cellulaire, qui est souvent désignée par le terme de système des phagocytes mononucléaires. Les macrophages résidents se trouvent dans les tissus conjonctifs et dans tous les organes du corps, où ils exercent la même fonction que les phagocytes mononucléaires nouvellement recrutés à partir de la circulation.

Les neutrophiles et les monocytes migrent vers des foyers infectieux extravasculaires en se liant aux molécules endothéliales d'adhérence et en réponse aux molécules chimiotactiques qui sont produites lors de la rencontre avec les microbes. La migration leucocytaire du sang dans les tissus est un processus qui comporte plusieurs étapes : une interaction de faible affinité des leucocytes aux cellules endothéliales, avec ensuite une adhérence plus ferme et la migration à travers l'endothélium (figure 2.7). Si un microbe traverse un épithélium et pénètre dans le tissu sous-épithélial, les macrophages résidents reconnaissent le microbe et répondent en produisant des cytokines (qui seront décrites plus en détail ultérieurement). Deux de ces cytokines, qui portent le nom de facteur de nécrose des tumeurs (TNF) et d'interleukine-1 (IL-1), agissent sur l'endothélium des petits vaisseaux se trouvant au niveau du site de l'infection. Ces cytokines font exprimer rapidement par les cellules endothéliales deux molécules d'adhérence, la sélectine E et la sélectine P (le terme **sélectine** faisant référence à la propriété de ces molécules de se lier, comme les lectines, aux glucides). Les neutrophiles et les monocytes circulants expriment à leur surface des glucides qui établissent des liaisons faibles avec les sélectines. Les neutrophiles sont alors fixés à l'endothélium, le flux sanguin brise cette liaison, les liaisons se reforment en aval, et ainsi de suite, ce qui entraîne un roulement des leucocytes sur la surface endothéliale. Les leucocytes expriment un autre ensemble de molécules d'adhérence, les **intégrines**. En effet, elles « intègrent » les signaux extrinsèques et les traduisent en modifications du cytosquelette. Les intégrines sont présentes dans un état de faible affinité sur les leucocytes inactivés. Alors que ces cellules roulent sur l'endothélium, les macrophages tissulaires qui ont rencontré le microbe et les cellules endothéliales répondant au TNF et à l'IL-1 sécrétés par des macrophages produisent des **chimiokines** (cytokines chimiotactiques). Les chimiokines se lient à la surface luminale des cellules endothéliales et sont par conséquent présentées en forte densité aux leucocytes qui roulent sur l'endothélium. Ces chimiokines stimulent une augmentation rapide de l'affinité des intégrines des leucocytes pour leurs ligands présents sur l'endothélium. Simultanément, le TNF et l'IL-1 agissent sur l'endothélium pour stimuler l'expression des ligands des intégrines. La forte liaison des intégrines à leurs ligands interrompt le roulement des

© 2009 Elsevier Masson SAS. Tous droits réservés

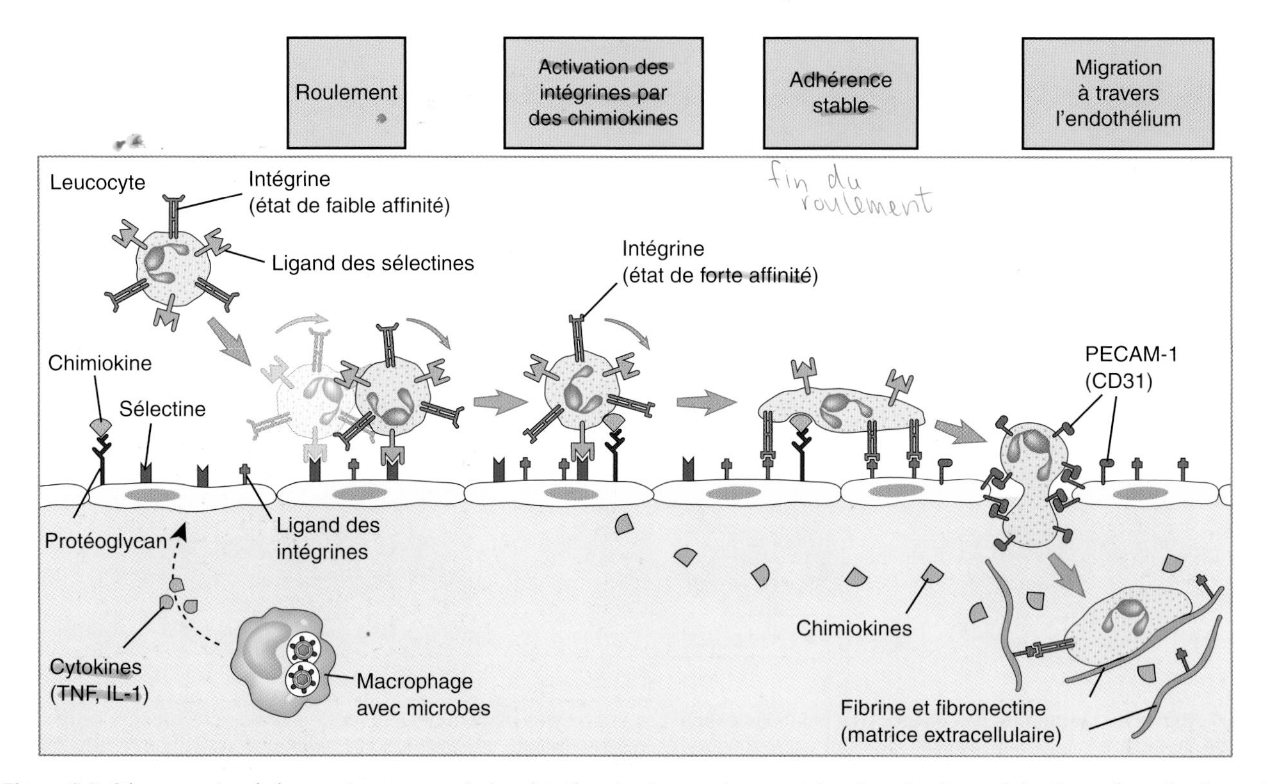

Figure 2.7 Séquence des événements au cours de la migration des leucocytes sanguins dans les foyers infectieux. Dans les foyers infectieux, les macrophages qui ont rencontré des microbes produisent des cytokines (par exemple le TNF et l'IL-1) qui stimulent la production des sélectines, des ligands des intégrines et des chimiokines par les cellules endothéliales des veinules environnantes. Les sélectines assurent la formation d'une liaison faible et le roulement des neutrophiles sanguins sur l'endothélium ; les intégrines sont responsables d'une adhérence forte des neutrophiles ; et les chimiokines activent les neutrophiles et stimulent leur migration à travers l'endothélium vers le site de l'infection. Les monocytes sanguins et les lymphocytes T activés utilisent les mêmes mécanismes pour migrer dans les foyers infectieux. PECAM-1, *platelet-endothelial cell adhesion molecule-1*.

leucocytes sur l'endothélium. Le cytosquelette des leucocytes est réorganisé, et les cellules s'étalent alors sur la surface endothéliale. Les chimiokines stimulent également la motilité des leucocytes. Il en résulte que les leucocytes commencent à migrer à travers la paroi du vaisseau et le long du gradient de concentration des chimiokines jusqu'au site de l'infection. La séquence composée par les étapes suivantes : roulement assuré par les sélectines, adhérence forte assurée par les intégrines et motilité assurée par les chimiokines, conduit à la migration des leucocytes sanguins vers un site d'infection extravasculaire quelques minutes après son début. Comme nous le verrons dans le chapitre 6, la même séquence d'événements est responsable de la migration des lymphocytes T activés dans les tissus infectés. L'accumulation des leucocytes au niveau des sites d'infection, accompagnée d'une vasodilatation et de l'augmentation de la perméabilité vasculaire, est appelée **inflammation**. Des déficits héréditaires en intégrines et en ligands des sélectines conduisent à des altérations du recrutement des leucocytes vers les sites d'infection et à une augmentation de la sensibilité aux infections. Ces troubles portent le nom de déficits d'adhérence des leucocytes.

Les neutrophiles et les macrophages utilisent plusieurs types de récepteurs pour reconnaître les microbes dans le sang et dans les tissus extravasculaires et pour déclencher des réactions menant à la destruction des microbes (figure 2.8). Ces récepteurs sont les TLR et d'autres récepteurs de reconnaissance de motifs décrits précédemment. Certains de ces récepteurs sont impliqués surtout dans l'activation des phagocytes : ceux-ci comprennent les TLR, les récepteurs pour les peptides formylméthionine et les récepteurs de cytokines, surtout de l'IFN-γ et des chimiokines. D'autres récepteurs sont impliqués dans la phagocytose des microbes ainsi que dans l'activation des phagocytes (prochaine description). Parmi eux, on trouve les récepteurs de mannose et les récepteurs éboueurs. Les récepteurs pour les produits d'activation du complément et pour les anticorps se lient avec avidité aux microbes qui sont recouverts par des protéines du complément ou des anticorps (ce dernier cas ne se rencontrant que dans l'immunité adaptative) et interviennent dans l'ingestion des microbes et l'activation des phagocytes. Le processus d'enrobage des microbes pour une reconnaissance efficace par les phagocytes est appelé **opsonisation**.

© 2009 Elsevier Masson SAS. Tous droits réservés

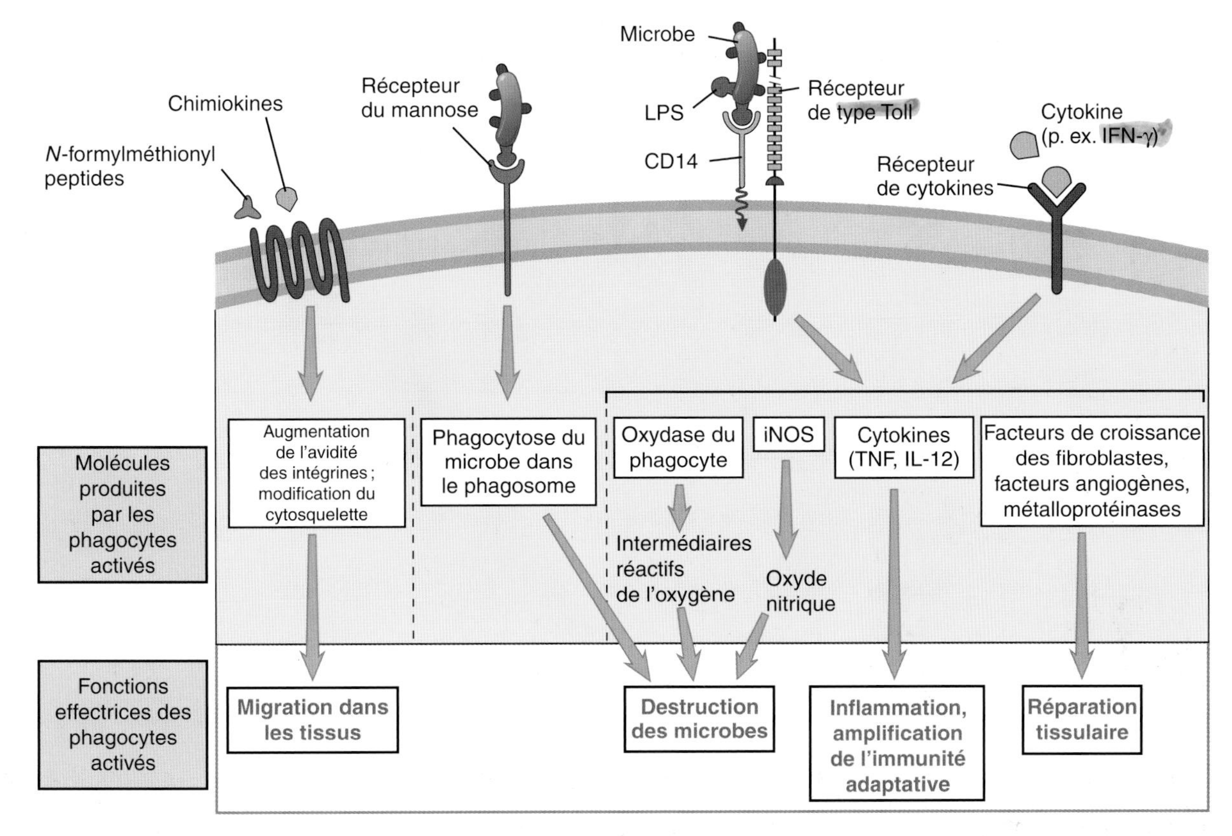

Figure 2.8 Récepteurs activateurs et réponses fonctionnelles des phagocytes. Les neutrophiles et les macrophages utilisent divers récepteurs membranaires pour reconnaître les microbes, les produits microbiens et les substances produites par l'hôte au cours des infections. Ces récepteurs suscitent des réponses cellulaires qui stimulent l'inflammation et éradiquent les microbes. Les récepteurs de type Toll (TLR) et le récepteur de l'IFN-γ agissent en synergie dans certaines réponses indiquées, et activent les fonctions microbicides des macrophages. Notez que seuls quelques exemples de récepteurs de différentes classes sont montrés ; d'autres récepteurs phagocytaires sont présentés dans la figure 2.9. Des cytokines autres que l'IFN-γ peuvent faire produire par les macrophages des facteurs de croissance, qui sont impliqués dans le remodelage et la réparation des tissus ; ces réponses fonctionnelles distinctes sont parfois regroupées sous la rubrique « activation alternative des macrophages » (ce qui implique d'autres effets que l'activation par les signaux les mieux définis, p. ex. ceux des TLR et de l'IFN-γ). Les voies biochimiques de signalisation utilisées par ces récepteurs sont complexes ; leur caractéristique commune est qu'ils stimulent la production de facteurs de transcription, qui aboutissent à la production de diverses protéines. iNOS, *inducible nitric oxide synthase*.

Les neutrophiles et les macrophages ingèrent (phagocytose) des microbes et les détruisent dans des vésicules intracellulaires (figure 2.9). La phagocytose est un processus au cours duquel le phagocyte étend sa membrane plasmique autour du microbe reconnu, la membrane enrobe le microbe puis se soude, entraînant une internalisation de la particule dans une vésicule entourée de membrane portant le nom de phagosome. Les phagosomes fusionnent avec les lysosomes pour former des phagolysosomes. En même temps que le microbe se lie aux récepteurs du phagocyte et est ingéré, les récepteurs délivrent des signaux qui activent plusieurs enzymes se trouvant dans les phagolysosomes. L'une de ces enzymes, dite oxydase des phagocytes, convertit l'oxygène moléculaire en anion superoxyde et en radicaux libres. Ces substances qui sont appelées intermédiaires réactifs de l'oxygène (ROI) sont toxiques pour les microbes ingérés. Une seconde enzyme, appelée synthase inductible du monoxyde d'azote (NO synthase), catalyse la conversion d'arginine en monoxyde d'azote (NO), qui est également une substance microbicide. Le troisième ensemble d'enzymes est constitué par les protéases lysosomiales, qui dégradent les protéines microbiennes. Toutes ces substances microbicides sont produites principalement par les lysosomes et les phagolysosomes, dans lesquels elles agissent contre les microbes ingérés, mais ne lèsent pas les phagocytes. Au cours de fortes réactions, les mêmes enzymes peuvent être libérées dans le milieu extracellulaire, et entraîner des lésions tissulaires. C'est la raison pour laquelle l'inflammation, qui est normalement une réaction protectrice de l'hôte contre les infections, peut également provoquer des lésions tissulaires. Le déficit héréditaire de l'oxydase des phagocytes est la cause d'une déficience immunitaire portant le nom de granulomatose chronique familiale. Dans cette maladie, les phagocytes ne sont pas en mesure d'éradiquer les microbes

© 2009 Elsevier Masson SAS. Tous droits réservés

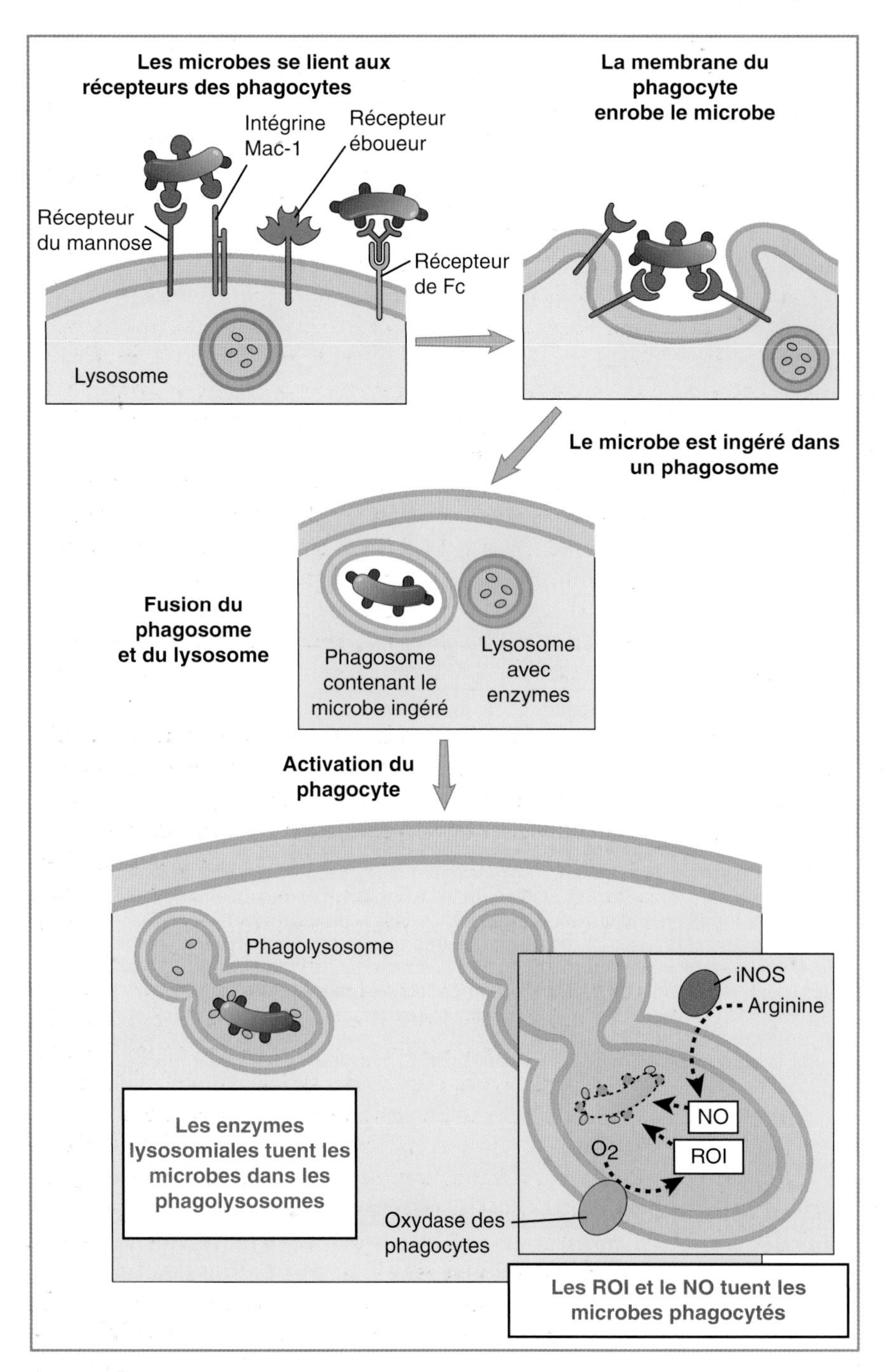

Figure 2.9 Phagocytose et destruction intracellulaire des microbes. Les macrophages et les neutrophiles expriment de nombreux récepteurs de surface qui peuvent se lier aux microbes pour induire leur phagocytose ; des exemples sélectionnés de ce type de récepteurs sont présentés. Les microbes sont ingérés dans les phagosomes, qui fusionnent avec les lysosomes, puis les microbes sont tués par les enzymes et plusieurs substances toxiques produites dans les phagolysosomes. Les mêmes substances peuvent être libérées à partir des phagocytes et peuvent tuer des microbes extracellulaires (non représenté).

intracellulaires, et l'hôte essaie de lutter contre l'infection en mobilisant davantage de macrophages et de lymphocytes, entraînant une accumulation de cellules autour des microbes, appelée granulome.

Outre la capacité d'éliminer les microbes phagocytés, les macrophages exercent plusieurs fonctions qui jouent des rôles importants dans les défenses contre les infections (voir la figure 2.8). Les macrophages produisent des cytokines qui recrutent et activent des leucocytes. Ils sécrètent des facteurs de croissance et des enzymes qui servent à réparer le tissu lésé et à le remplacer par du tissu conjonctif. Les macrophages stimulent également les lymphocytes T et amplifient l'immunité adaptative. Enfin, les macrophages répondent aux produits de lymphocytes T et fonctionnent comme cellules effectrices de l'immunité cellulaire (voir le chapitre 6).

Cellules dendritiques

Les cellules dendritiques répondent aux microbes en produisant des cytokines qui recrutent des leucocytes et déclenchent les réponses de l'immunité adaptative.

© 2009 Elsevier Masson SAS. Tous droits réservés

Les cellules dendritiques constituent un pont important entre l'immunité innée et adaptative. Nous reviendrons au chapitre 3 sur les propriétés et les fonctions de ces cellules dans le contexte de la présentation de l'antigène, qui est une fonction majeure des cellules dendritiques.

Cellules NK

Les cellules tueuses naturelles (NK) constituent une classe de lymphocytes qui reconnaissent les cellules infectées ou stressées et répondent en tuant ces cellules infectées et en sécrétant une cytokine activatrice des macrophages, l'IFN-γ (figure 2.10). Les cellules NK constituent environ 10 % des lymphocytes du sang et des organes lymphoïdes périphériques. Ces cellules contiennent des granules cytoplasmiques en abondance, et expriment des marqueurs de surface caractéristiques, mais elles n'expriment pas d'immunoglobulines ou de récepteurs des lymphocytes T, qui constituent respectivement les récepteurs d'antigène des lymphocytes B et T.

L'activation des cellules NK déclenche la libération de protéines contenues dans leurs granules cytoplasmiques vers les cellules infectées. Les protéines des granules des cellules NK comprennent des molécules créant des pores dans la membrane plasmique des cellules infectées et d'autres molécules qui pénètrent dans les cellules infectées et activent les enzymes qui induisent la mort par apoptose. Les mécanismes cytolytiques des cellules NK sont les mêmes que ceux que les CTL utilisent pour tuer les cellules infectées (voir le chapitre 6). L'aboutissement de ces processus est que les cellules NK tuent les cellules infectées. Ainsi, les cellules NK, à l'instar des lymphocytes T cytotoxiques (CTL), ont pour fonction d'éliminer les réservoirs cellulaires de l'infection, et par conséquent d'éradiquer les infections provoquées par des microbes obligatoirement intracellulaires, comme les virus. D'autre part, les cellules NK activées synthétisent et sécrètent la cytokine IFN-γ. L'IFN-γ stimule les macrophages et augmente ainsi leur capacité de destruction des microbes phagocytés. Par conséquent, les cellules NK et les macrophages coopèrent pour éliminer les microbes intracellulaires : les macrophages ingèrent les microbes et produisent l'IL-12 ; celle-ci fait sécréter l'IFN-γ par les cellules NK et l'IFN-γ active à son tour les macrophages afin qu'ils détruisent les microbes ingérés. Comme nous le verrons dans le chapitre 6, pratiquement la même séquence de réactions, impliquant les macrophages et les lymphocytes T, est au centre de l'immunité cellulaire adaptative.

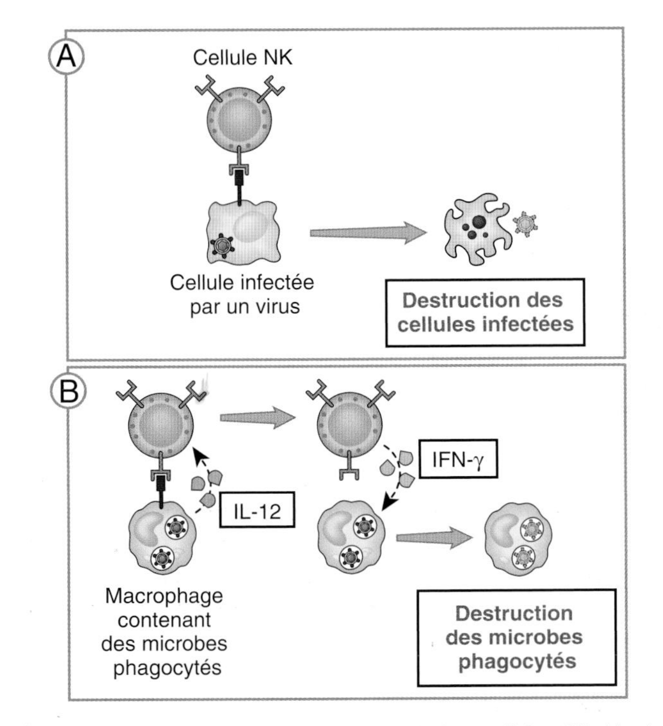

Figure 2.10 Fonctions des cellules NK. A. Les cellules NK détruisent les cellules de l'hôte infectées par des microbes intracellulaires, éliminant ainsi les réservoirs de l'infection. B. Les cellules NK répondent à l'IL-12 produite par les macrophages et sécrètent l'IFN-γ, qui active les macrophages pour détruire les microbes phagocytés.

L'activation des cellules NK passe par un équilibre entre la stimulation des récepteurs activateurs ou inhibiteurs (figure 2.11). Les récepteurs activateurs reconnaissent des molécules de surface cellulaire qui sont exprimées fréquemment sur des cellules soumises à un stress, entre autres une infection virale ou bactérienne. D'autres types d'agression qui conduisent à l'expression de ligands pour les récepteurs activateurs sont les dommages de l'ADN et la transformation maligne. Les cellules NK servent donc à éliminer les cellules tumorales ou lésées irrémédiablement. Un des récepteurs activateurs bien définis des cellules NK est appelé NKG2D ; il reconnaît des molécules qui ressemblent aux protéines du complexe majeur d'histocompatibilité (CMH) de classe I et est exprimé en réponse à plusieurs types de stress cellulaire. Un autre récepteur activateur est spécifique des anticorps IgG liés aux cellules. La reconnaissance des cellules couvertes d'anticorps aboutit à la destruction de ces cellules par un processus appelé **cytotoxicité cellulaire dépendante des anticorps** ou **ADCC** (*antibody-dependent cellular cytotoxicity*). Les cellules NK sont les principaux médiateurs de l'ADCC. Le rôle de cette réaction dans l'immunité humorale est décrit dans le chapitre 8. Les récepteurs activateurs des cellules NK ont des sous-unités de signalisation qui contiennent des **motifs ITAM** (*immunoreceptor tyrosine-based activation motif*) dans leur queue cytoplasmique. Les ITAM, qui sont également présents dans des sous-unités des récepteurs d'antigène des lymphocytes, contiennent des résidus tyrosine qui deviennent phosphorylés lorsque les récepteurs se lient à leurs ligands. Les ITAM phosphorylés se lient à des tyrosine kinases cytoplasmiques et les activent. Ces enzymes phosphorylent et activent de la

© 2009 Elsevier Masson SAS. Tous droits réservés

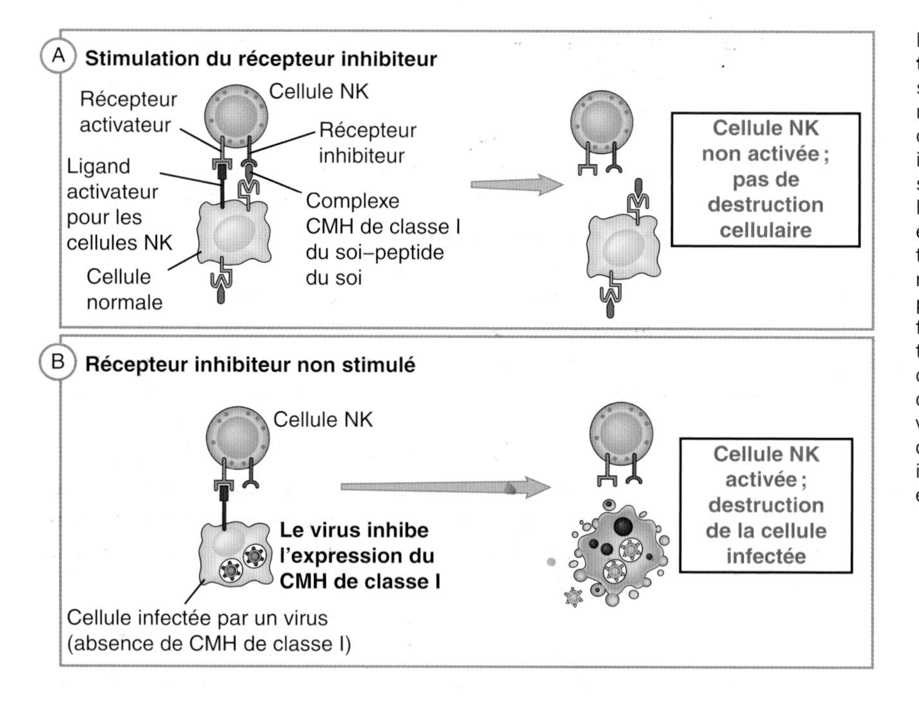

Figure 2.11 Récepteurs activateurs et inhibiteurs des cellules NK. A. Des cellules hôtes saines expriment des molécules du complexe majeur d'histocompatibilité (CMH) de classe I du soi, qui sont reconnues par des récepteurs inhibiteurs, de sorte que les cellules NK ne s'attaquent pas aux cellules normales de l'hôte. Notez que les cellules saines peuvent exprimer des ligands des récepteurs activateurs (comme la figure le montre) ou peuvent ne pas exprimer ces ligands, mais elles ne sont pas attaquées par les cellules NK, car elles fournissent des ligands aux récepteurs inhibiteurs. B. Les cellules NK sont activées par les cellules infectées dans lesquelles des ligands des récepteurs activateurs sont exprimés (souvent en densité élevée) et l'expression du CMH de classe I est réduite afin que les récepteurs inhibiteurs ne soient pas stimulés. Le résultat est que les cellules infectées sont tuées.

sorte d'autres substrats dans plusieurs voies différentes de transduction du signal en aval, pour aboutir finalement à l'exocytose des granules cytotoxiques et à la production d'IFN-γ.

Les récepteurs inhibiteurs des cellules NK sont spécifiques des molécules du CMH de classe I, qui sont exprimées sur toutes les cellules nucléées saines et servent à bloquer la signalisation par les récepteurs activateurs. Dans le chapitre 3, nous décrirons la fonction importante des molécules du CMH dans la présentation des peptides d'antigènes aux lymphocytes T. Une première famille de récepteurs inhibiteurs des cellules NK est constituée par les récepteurs KIR (*killer cell immunoglobulin-like receptors*), ainsi appelés parce qu'ils ont une structure homologue à celle des immunoglobulines, décrite au chapitre 4. Une seconde famille comprend les récepteurs constitués d'une protéine appelée CD94 et d'une sous-unité à activité de lectine appelée NKG2. Les deux familles des récepteurs inhibiteurs contiennent dans leurs domaines cytoplasmiques des motifs structuraux appelés **ITIM** (*immunoreceptor tyrosine-based inhibitory motifs*), dont les résidus tyrosine deviennent phosphorylés lorsque les récepteurs lient des molécules du CMH de classe I. Les ITIM phosphorylés se lient à une protéine tyrosine phosphatase cytoplasmique dont ils favorisent l'activation. Ces phosphatases enlèvent les groupes phosphate des résidus tyrosine des diverses molécules de signalisation et bloquent ainsi la stimulation des cellules NK par les récepteurs activateurs. Par conséquent, lorsque les récepteurs inhibiteurs des cellules NK rencontrent des molécules du CMH du soi, les cellules NK sont inhibées (voir la figure 2.11). De nombreux virus disposent de mécanismes qui bloquent l'expression des molécules de classe I dans les cellules infectées, ce qui leur permet d'échapper à la destruction par des lymphocytes T CD8$^+$ cytotoxiques (CTL) spécifiques des virus (voir le chapitre 6). Quand cela arrive, les récepteurs inhibiteurs des cellules NK ne sont pas stimulés et, si le virus induit en même temps l'expression de ligands activateurs, les cellules NK deviennent activées et éliminent les cellules infectées par le virus. La protection anti-infectieuse assurée par des cellules NK est renforcée par des cytokines provenant des macrophages et des cellules dendritiques qui ont rencontré des microbes. Trois types de cytokines sont activatrices des NK : l'interleukine-15 (IL-15), les interférons de type I (IFN) et l'IL-12. L'IL-15 est importante pour le développement et la maturation des cellules NK, alors que les IFN et IL-12 amplifient les fonctions destructrices des cellules NK.

Le rôle des cellules NK et des CTL dans la défense illustre comment les hôtes et les microbes sont engagés dans une lutte évolutive constante : l'hôte utilise les CTL pour reconnaître les antigènes viraux présentés par les molécules du CMH ; les virus inactivent l'expression du CMH, et les cellules NK ont évolué pour répondre à l'absence des molécules du CMH. L'évolution des infections dépend, bien entendu, de celui qui, de l'hôte ou du microbe, remporte cette lutte évolutive. Les mêmes principes peuvent s'appliquer aux fonctions des cellules NK dans l'éradication de tumeurs, dont beaucoup cherchent également à échapper à la lyse assurée par les cellules NK en réduisant l'expression des molécules du CMH de classe I.

© 2009 Elsevier Masson SAS. Tous droits réservés

Autres classes de lymphocytes

Plusieurs types de lymphocytes qui ont certaines caractéristiques des lymphocytes T et B interviennent également au début des réactions contre les microbes et peuvent être considérés comme faisant partie du système immunitaire inné. Une caractéristique commune de ces lymphocytes est l'expression de récepteurs d'antigène dont les gènes ont été réarrangés somatiquement comme cela se passe dans les lymphocytes T et B classiques, mais ils sont peu diversifiés. Comme mentionné plus haut, les **cellules T γδ** sont présentes dans les épithéliums. Les **cellules NK-T**, dont certaines expriment des molécules de surface typiques des cellules NK, sont présentes dans les épithéliums et les organes lymphoïdes. Elles reconnaissent des lipides microbiens liés à une molécule apparentée au CMH de classe I, appelée CD1. Une population de lymphocytes B, appelés **lymphocytes B-1**, se trouve principalement dans la cavité péritonéale et les muqueuses, où ils peuvent répondre aux microbes et aux toxines microbiennes qui passent à travers la paroi intestinale. La plupart des anticorps IgM circulants se trouvant dans le sang des individus normaux, appelés anticorps naturels, sont les produits des lymphocytes B-1, et un grand nombre de ces anticorps sont spécifiques des glucides qui sont présents dans les parois cellulaires de nombreuses bactéries. Un autre type de lymphocytes B, appelés **cellules B de la zone marginale**, est présent au bord des follicules lymphoïdes dans la rate et d'autres organes et est également impliqué dans la production précoce d'anticorps contre des microbes riches en polysaccharides et présents dans le sang. Ainsi, ces populations de lymphocytes réagissent comme s'ils participaient à l'immunité adaptative (par exemple, la production d'anticorps), mais elles ont des caractéristiques de l'immunité innée (c'est-à-dire la rapidité des interventions et la diversité limitée de reconnaissance de l'antigène).

Système du complément

Le système du complément est un ensemble de protéines circulantes et associées aux membranes qui jouent un rôle important dans les défenses contre les microbes. De nombreuses protéines du complément sont des enzymes protéolytiques et l'activation du complément nécessite l'activation séquentielle de ces enzymes, parfois appelée cascade enzymatique. La cascade du complément peut être activée par l'une des trois voies suivantes (figure 2.12). La **voie alternative** est déclenchée lorsque certaines protéines du complément sont activées à la surface des microbes et ne peuvent pas être contrôlées car les protéines régulatrices du complément ne sont pas présentes sur les microbes (mais elles le sont sur les cellules de l'hôte). Cette voie est une composante de l'immunité innée. La **voie classique** est déclenchée après que les anticorps se sont liés aux microbes ou à d'autres antigènes, ce qui en fait un composant de l'immunité adaptative humorale. La **voie des lectines** est activée lorsqu'une protéine plasmatique, la lectine liant le mannose, se lie aux résidus mannose terminaux des glycoprotéines de surface des microbes. Cette lectine active les protéines de la voie classique, mais dans la mesure où l'activation est déclenchée en l'absence d'anticorps, ce processus fait partie de l'immunité innée. Les protéines activées du complément fonctionnent comme des enzymes protéolytiques clivant d'autres protéines du complément, formant une cascade enzymatique qui peut s'amplifier rapidement. Le composant central du complément est une protéine plasmatique appelée C3, qui est clivée par des enzymes produites dans les étapes initiales. Le fragment protéolytique principal de C3, appelé C3b, se fixe de manière covalente aux microbes, et possède la capacité d'activer en aval les protéines du complément à la surface des microbes. Les trois voies d'activation du complément diffèrent quant à la manière dont elles sont déclenchées, mais elles partagent les étapes tardives et exercent les mêmes fonctions effectrices.

Le système du complément exerce trois fonctions dans les défenses de l'hôte. En premier lieu, la protéine C3b recouvre les microbes et favorise la liaison de ces microbes aux phagocytes, grâce aux récepteurs de C3b exprimés sur les phagocytes. Ainsi, les microbes qui sont opsonisés par les protéines du complément sont rapidement ingérés et détruits par les phagocytes. En second lieu, certains fragments protéolytiques du complément, particulièrement C5a et C3a, sont chimiotactiques pour les phagocytes, et favorisent le recrutement leucocytaire (inflammation) au site d'activation du complément. En troisième lieu, l'activation du complément culmine avec la formation d'un complexe de protéines polymérisées qui s'insère dans la membrane cellulaire microbienne, perturbant la perméabilité membranaire et causant ainsi soit une lyse osmotique soit la mort apoptotique du microbe. Une présentation plus détaillée de l'activation et des fonctions du complément sera donnée dans le chapitre 8, où les mécanismes effecteurs de l'immunité humorale seront décrits.

Cytokines de l'immunité innée

En réponse à la présence de microbes, les cellules dendritiques les macrophages et d'autres cellules sécrètent des cytokines qui servent de médiateurs dans de nombreuses réactions cellulaires de l'immunité innée (figure 2.13). Comme nous l'avons mentionné plus haut, les cytokines sont des protéines solubles qui servent de médiateurs dans les réactions immunitaires et inflammatoires, et sont responsables des communications entre leucocytes et entre les leucocytes et d'autres cellules. La

© 2009 Elsevier Masson SAS. Tous droits réservés

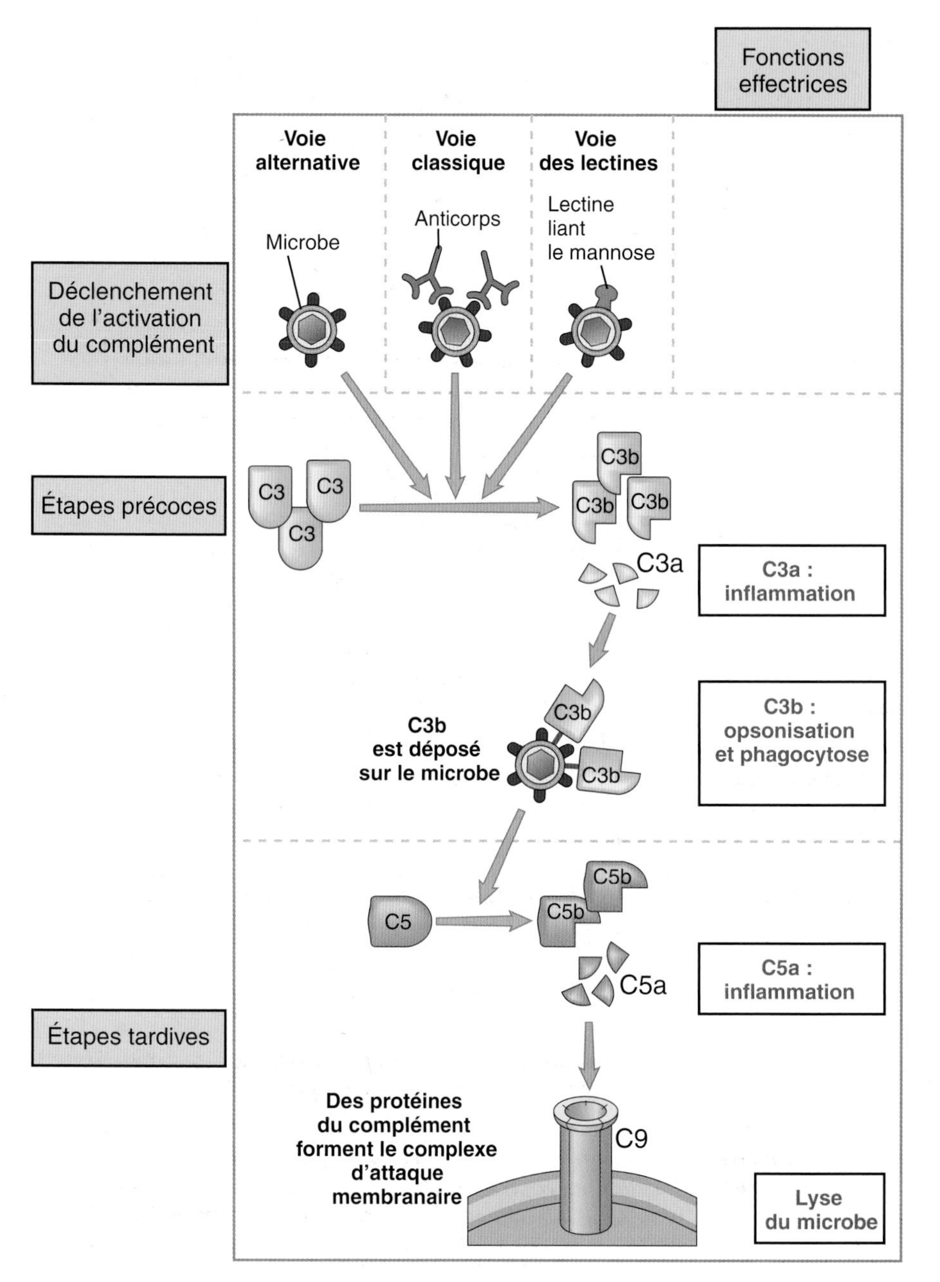

Figure 2.12 Voies d'activation du complément. L'activation du système du complément peut être déclenchée par trois voies distinctes, conduisant toutes à la production de C3b (étapes précoces). La protéine C3b déclenche les étapes tardives de l'activation du complément, qui culminent avec la production de nombreux peptides et la polymérisation de C9, qui forme le «complexe d'attaque membranaire», dénommé ainsi car il crée des pores dans la membrane plasmique. Les principales fonctions des protéines produites aux différentes étapes sont présentées ici. L'activation, les fonctions et la régulation du système du complément sont discutées plus en détail dans le chapitre 8.

plupart des cytokines définies sur le plan moléculaire sont appelées, par convention, **interleukines**, ce qui implique que ces molécules sont produites par les leucocytes et agissent sur les leucocytes. En réalité, il s'agit d'une définition trop limitée, dans la mesure où de nombreuses cytokines ne sont pas produites par les leucocytes ou agissent sur d'autres cellules que les leucocytes, et où de nombreuses cytokines qui répondent à ces critères ont reçu d'autres noms pour des raisons historiques. Dans l'immunité innée, les principales sources de cytokines sont les cellules dendritiques et les macrophages activés par la reconnaissance de microbes. La liaison de composants bactériens, comme le LPS, ou des molécules virales comme l'ARN double brin, aux TLR des cellules dendritiques et des macrophages constitue un stimulus puissant pour la sécrétion de cytokines par les cellules. Les cytokines sont également produites dans l'immunité cellulaire. Dans ce type d'immunité adaptative, les principales sources de cytokines sont les lymphocytes T auxiliaires (voir le chapitre 5).

Toutes les cytokines sont sécrétées en petite quantité en réponse à un stimulus externe et se lient à des récepteurs de haute affinité sur les cellules cibles. La plupart des cytokines agissent sur les cellules qui les produisent (activité autocrine) ou sur les cellules adjacentes (activité paracrine). Dans les réactions de l'immunité innée contre les infections,

© 2009 Elsevier Masson SAS. Tous droits réservés

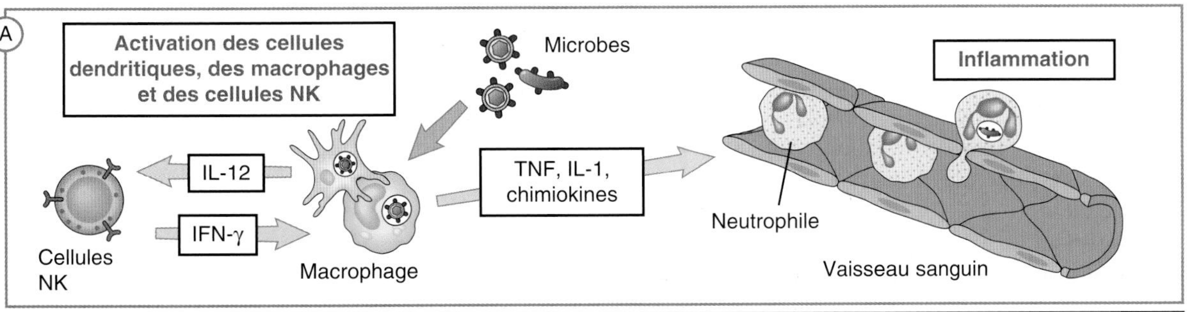

B Cytokine	Source(s) cellulaire(s) principale(s)	Cibles cellulaires principales et effets biologiques
Facteur de nécrose des tumeurs (TNF)	Macrophages, lymphocytes T	Cellules endothéliales : activation (inflammation, coagulation) Neutrophiles : activation Hypothalamus : fièvre Foie : synthèse de protéines de phase aiguë Muscles, tissu adipeux : catabolisme (cachexie) Nombreux types cellulaires : apoptose (in vitro)
Interleukine (IL-1)	Macrophages, cellules endothéliales, certaines cellules épithéliales	Cellules endothéliales : activation (inflammation, coagulation) Hypothalamus : fièvre Foie : synthèse de protéines de phase aiguë
Chimiokines	Macrophages, cellules dendritiques, cellules endothéliales, lymphocytes T, fibroblastes, plaquettes	Leucocytes : augmentation de l'affinité des intégrines, chimiotactisme, activation
Interleukine-12 (IL-12)	Cellules dendritiques, macrophages	Cellules NK et lymphocytes T : synthèse d'IFN-γ, augmentation de l'activité cytolytique Lymphocytes T : différenciation en lymphocytes T_H1
Interféron-γ (IFN-γ)	Cellules NK, lymphocytes T	Activation des macrophages Stimulation de certaines réponses à anticorps
Interféron de type I (IFN-α, IFN-β)	IFN-α : cellules dendritiques, macrophages IFN-β : fibroblastes	Toutes les cellules : action antivirale, augmentation de l'expression des molécules du CMH de classe I Cellules NK : activation
Interleukine-10 (IL-10)	Macrophages, cellules dendritiques, lymphocytes T	Macrophages, cellules dendritiques : inhibition de la production d'IL-12, réduction de l'expression des molécules de costimulation et des molécules du CMH de classe II
Interleukine-6 (IL-6)	Macrophages, cellules endothéliales, lymphocytes T	Foie : synthèse des protéines de la phase aiguë Lymphocytes B : prolifération des cellules productrices d'anticorps
Interleukine-15 (IL-15)	Macrophages, autres cellules	Cellules NK : prolifération Lymphocytes T : prolifération
Interleukine-18 (IL-18)	Macrophages	Cellules NK et lymphocytes T : synthèse d'IFN-γ

Figure 2.13 Les cytokines de l'immunité innée. A. Les cellules dendritiques et les macrophages au contact de microbes produisent des cytokines qui déclenchent l'inflammation (recrutement des leucocytes) et stimulent la production d'une cytokine activatrice des macrophages, l'IFN-γ, par les cellules NK. B. Certaines caractéristiques importantes des principales cytokines de l'immunité innée figurent dans ce tableau. Notez que l'IFN-γ est une cytokine à la fois de l'immunité innée et de l'immunité adaptative ; on y reviendra dans le chapitre 5. Le nom de *facteur de nécrose des tumeurs* (TNF) provient d'une expérience ayant montré qu'une cytokine induite par le LPS détruisait des tumeurs chez la souris. Il est aujourd'hui établi que cet effet était le résultat d'une thrombose des vaisseaux sanguins tumoraux induite par le TNF ; il s'agit là d'une forme excessive de la réaction observée au cours d'une inflammation. Le nom *interféron* provient de la capacité de ces cytokines d'interférer avec l'infection virale. L'IFN-γ est une cytokine faiblement antivirale par rapport aux IFN de type I.

© 2009 Elsevier Masson SAS. Tous droits réservés

suffisamment de cellules dendritiques et de macrophages peuvent être activés pour que de grandes quantités de cytokines soient produites, et qu'elles puissent agir à distance de leur site de sécrétion (activité endocrine).

Les cytokines de l'immunité innée exercent des fonctions variées dans les défenses de l'hôte. Comme cela a été indiqué précédemment dans ce chapitre, le TNF, l'IL-1 et les chimiokines sont les principales cytokines participant au recrutement des neutrophiles et des monocytes sanguins dans les foyers infectieux. À concentration élevée, le TNF favorise la thrombose sanguine et abaisse la pression artérielle en combinant une diminution de la contractilité myocardique à une dilatation des vaisseaux et une augmentation de leur perméabilité. Des infections bactériennes sévères et disséminées provoquées par des bactéries à Gram négatif entraînent parfois un syndrome clinique potentiellement létal appelé **choc septique**. Il est caractérisé par une chute de la pression artérielle (la caractéristique du choc), une coagulation intravasculaire disséminée et des troubles métaboliques. Toutes les manifestations cliniques et pathologiques précoces du choc septique sont provoquées par des concentrations extrêmement élevées de TNF, qui est produit en réponse aux bactéries. Les cellules dendritiques et les macrophages produisent également de l'IL-12 en réponse au LPS et à d'autres molécules microbiennes. Le rôle de l'IL-12 dans l'activation des cellules NK, qui conduit *in fine* à l'activation des macrophages, a été mentionné précédemment. Les cellules NK produisent l'IFN-γ, dont la fonction de cytokine activatrice des macrophages a également été décrite plus haut. Dans la mesure où l'IFN-γ est également produit par les lymphocytes T, il est considéré comme une cytokine à la fois de l'immunité innée et de l'immunité adaptative. Dans les infections virales, les cellules dendritiques et les macrophages et les autres cellules infectées produisent des cytokines portant le nom d'interférons de type I, qui inhibent la réplication virale et empêchent la propagation de l'infection aux cellules non infectées. Un interféron de type I, appelé IFN-α, est utilisé en clinique pour traiter l'hépatite virale chronique.

Les autres protéines plasmatiques de l'immunité innée

Plusieurs protéines circulantes, outre les protéines du complément, participent aux défenses contre les infections. La lectine liant le mannose ou MBL (*mannose-binding lectin*) est une protéine plasmatique qui reconnaît les glucides microbiens et qui est capable de recouvrir les microbes afin qu'ils soient phagocytés, ou d'activer la cascade du complément par la voie des lectines. La MBL appartient à la famille protéique des collectines, qui présentent une homologie avec le collagène et contiennent un domaine de liaison aux glucides (lectine). Les protéines du surfactant pulmonaire appartiennent également à la famille des collectines, et protègent les voies respiratoires contre les infections. La protéine C réactive (CRP) se lie à la phosphorylcholine des microbes, et les recouvre afin qu'ils soient phagocytés par les macrophages, qui expriment un récepteur pour la CRP. Les concentrations circulantes d'un grand nombre de ces protéines plasmatiques augmentent rapidement après une infection. Cette réponse protectrice face à une infection est dite **de phase aiguë**.

Les réponses immunitaires innées à différents types de microbes peuvent varier, et sont conçues pour éliminer les microbes de la manière la plus efficace. Les bactéries extracellulaires et les champignons sont combattus par les phagocytes et le système du complément, ainsi que par les protéines de phase aiguë. Les défenses dirigées contre les bactéries intracellulaires et les virus sont mises en œuvre par l'intermédiaire des phagocytes, des cellules dendritiques et des cellules NK, les cytokines assurant les communications entre les leucocytes.

Échappement des microbes à l'immunité innée

Les microbes pathogènes ont évolué afin de résister aux mécanismes de l'immunité innée, et sont par conséquent capables de pénétrer et de coloniser leurs hôtes (figure 2.14). Certaines bactéries intracellulaires résistent à la destruction lorsqu'elles sont à l'intérieur des phagocytes. *Listeria monocytogenes* produit une protéine qui lui permet de s'échapper des vacuoles phagocytaires et de pénétrer dans le cytoplasme des cellules infectées, où elle ne risque plus d'être attaquée par les espèces réactives de l'oxygène et le monoxyde d'azote qui sont produits principalement dans les phagolysosomes. Les parois cellulaires des mycobactéries contiennent un lipide qui inhibe la fusion des vacuoles contenant les bactéries ingérées avec les lysosomes. D'autres microbes possèdent des parois cellulaires résistant à l'action des protéines du complément. Comme cela sera présenté dans les chapitres 6 et 8, les mêmes mécanismes permettent aux microbes de résister aux mécanismes effecteurs de l'immunité cellulaire et humorale, les deux branches de l'immunité adaptative.

Rôle de l'immunité innée dans la stimulation des réponses immunitaires adaptatives

Jusqu'à présent, nous nous sommes concentrés sur la façon dont le système immunitaire inné reconnaît les microbes et agit pour combattre les infections. Nous avons mentionné au début de ce chapitre que, outre ses fonctions de défense, la réponse immunitaire innée contre les microbes exerçait une importante fonction de mise en garde en alertant le système immunitaire adaptatif qu'une réponse immunitaire efficace était nécessaire. Dans cette dernière partie de chapitre, nous résumons certains des mécanis-

© 2009 Elsevier Masson SAS. Tous droits réservés

Mécanismes d'échappement à l'immunité	Micro-organisme (exemple)	Mécanisme
Résistance à la phagocytose	*Pneumococcus*	Un polysaccharide capsulaire inhibe la phagocytose
Résistance aux intermédiaires réactifs de l'oxygène dans les phagocytes	Staphylocoques	Production de catalase, qui dégrade les espèces réactives de l'oxygène
Résistance à l'activation du complément (voie alternative)	*Neisseria meningitidis*	L'expression de l'acide sialique inhibe les C3 et C5 convertases
	Streptococcus	La protéine M bloque la liaison de C3 au micro-organisme et la liaison de C3b aux récepteurs du complément
Résistance aux antibiotiques peptidiques antimicrobiens	*Pseudomonas*	Synthèse de LPS modifié résistant à l'action des antibiotiques peptidiques

Figure 2.14 Échappement des microbes à l'immunité innée. Exemples choisis de microbes pouvant échapper ou résister à l'immunité innée.

mes par lesquels les réponses immunitaires innées stimulent les réponses immunitaires adaptatives.

Les réponses immunitaires innées génèrent des molécules qui assurent la fonction de « seconds signaux », afin d'activer, conjointement avec les antigènes, les lymphocytes T et B. Dans le chapitre 1, nous avons introduit le concept selon lequel une activation complète des lymphocytes spécifiques d'antigènes nécessite deux signaux : l'antigène lui-même constitue le « signal 1 », alors que les microbes, les réactions antimicrobiennes de l'immunité innée et les cellules de l'hôte lésées par les microbes peuvent tous fournir le « signal 2 » (figure 2.15). Cette exigence de seconds signaux dépendant des microbes assure que les lymphocytes répondent aux agents infectieux et non à des substances non infectieuses inoffensives. Dans les situations expérimentales ou en cas de vaccination, les réponses immunitaires adaptatives peuvent être induites par des antigènes en l'absence de microbes. Dans tous ces cas, les antigènes doivent être administrés en association avec des substances appelées **adjuvants**, qui déclenchent les mêmes réactions immunitaires innées que celles qui sont provoquées par les microbes. En fait, un grand nombre d'adjuvants puissants sont des produits dérivés de microbes. La nature et les mécanismes d'action des seconds signaux sont décrits en détail dans la description de l'activation des lymphocytes T et B (voir les chapitres 5 et 7). À ce stade, il est utile de décrire deux exemples de seconds signaux élaborés au cours de réactions immunitaires innées.

Les microbes, ou l'IFN-γ produit par les cellules NK en réponse à la présence de microbes, stimulent les cellules dendritiques et les macrophages à produire deux types de seconds signaux susceptibles d'activer les lymphocytes T (figure 2.16A). En premier lieu, les cellules dendritiques et les macrophages expriment des molécules de surface dites de **costimulation**, qui se lient à des récepteurs situés sur les lymphocytes T naïfs et agissent, simultanément à la reconnaissance de l'antigène, pour activer les lymphocytes T. En second lieu, les cellules dendritiques et les

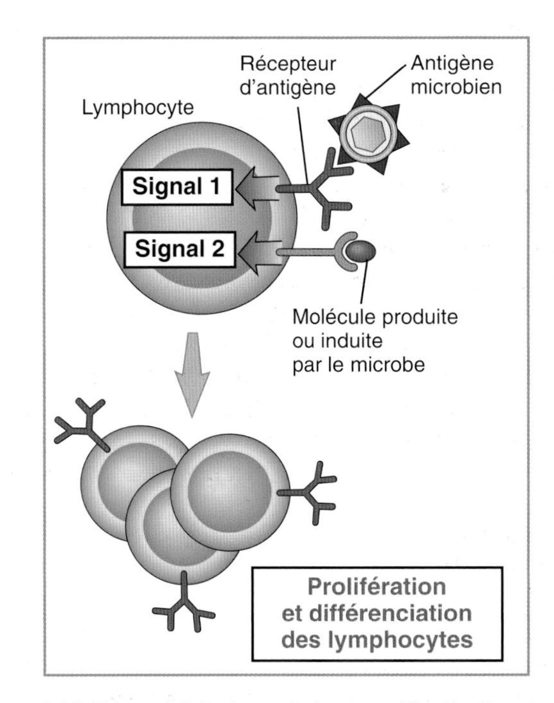

Figure 2.15 Nécessité de deux signaux pour l'activation des lymphocytes. La reconnaissance de l'antigène par les lymphocytes constitue le signal 1 pour l'activation des lymphocytes, et les composants des microbes ou les substances produites au cours des réponses immunitaires innées contre les microbes fournissent le signal 2. Dans cette illustration, les lymphocytes pourraient être des lymphocytes T ou B. Par convention, les seconds signaux principaux pour les lymphocytes T sont appelés *costimulateurs* car ils agissent en même temps que les antigènes dans la stimulation cellulaire. La nature des seconds signaux pour les lymphocytes T et B est décrite dans les chapitres ultérieurs.

© 2009 Elsevier Masson SAS. Tous droits réservés

macrophages sécrètent la cytokine IL-12, qui stimule la différenciation des lymphocytes T naïfs en cellules effectrices de l'immunité adaptative cellulaire.

Les microbes transportés par le sang activent le système du complément par la voie alternative (voir la figure 2.16B). L'une des protéines produites au cours de l'activation du complément, appelée C3d, se fixe de manière covalente aux microbes. Lorsque les lymphocytes B reconnaissent les antigènes microbiens par leurs récepteurs d'antigène, ils reconnaissent en même temps la liaison de C3d au microbe par l'intermédiaire d'un récepteur de C3d. La combinaison de la reconnaissance de l'antigène et de la reconnaissance de C3d lance le processus de différenciation des lymphocytes B en cellules sécrétrices d'anticorps. Par conséquent, un produit du complément sert de second signal pour les réponses immunitaires humorales.

Ces exemples illustrent l'une des caractéristiques essentielles des seconds signaux, à savoir que ces signaux non seulement stimulent l'immunité adaptative, mais également orientent la nature de la réponse immunitaire adaptative. Les microbes intracellulaires et les microbes phagocytés doivent être éliminés par l'immunité cellulaire, la réponse adaptative assurée par les lymphocytes T. Les microbes qui sont ingérés par les macrophages ou qui vivent à l'intérieur de ces cellules induisent les seconds signaux, à savoir les molécules de costimulation et l'IL-12, qui stimulent les réponses effectuées par les lymphocytes T. En revanche, les microbes transportés par le sang doivent être combattus par les anticorps, qui sont produits par les lymphocytes B au cours des réponses immunitaires humorales. Les microbes transportés par le sang activent le système plasmatique du complément, qui à son tour stimule l'activation des lymphocytes B et la production d'anticorps. Par conséquent, différents types de microbes induisent différents types de réponses immunitaires innées, qui stimulent à leur tour les types d'immunité adaptative les mieux adaptés pour combattre les agents pathogènes infectieux.

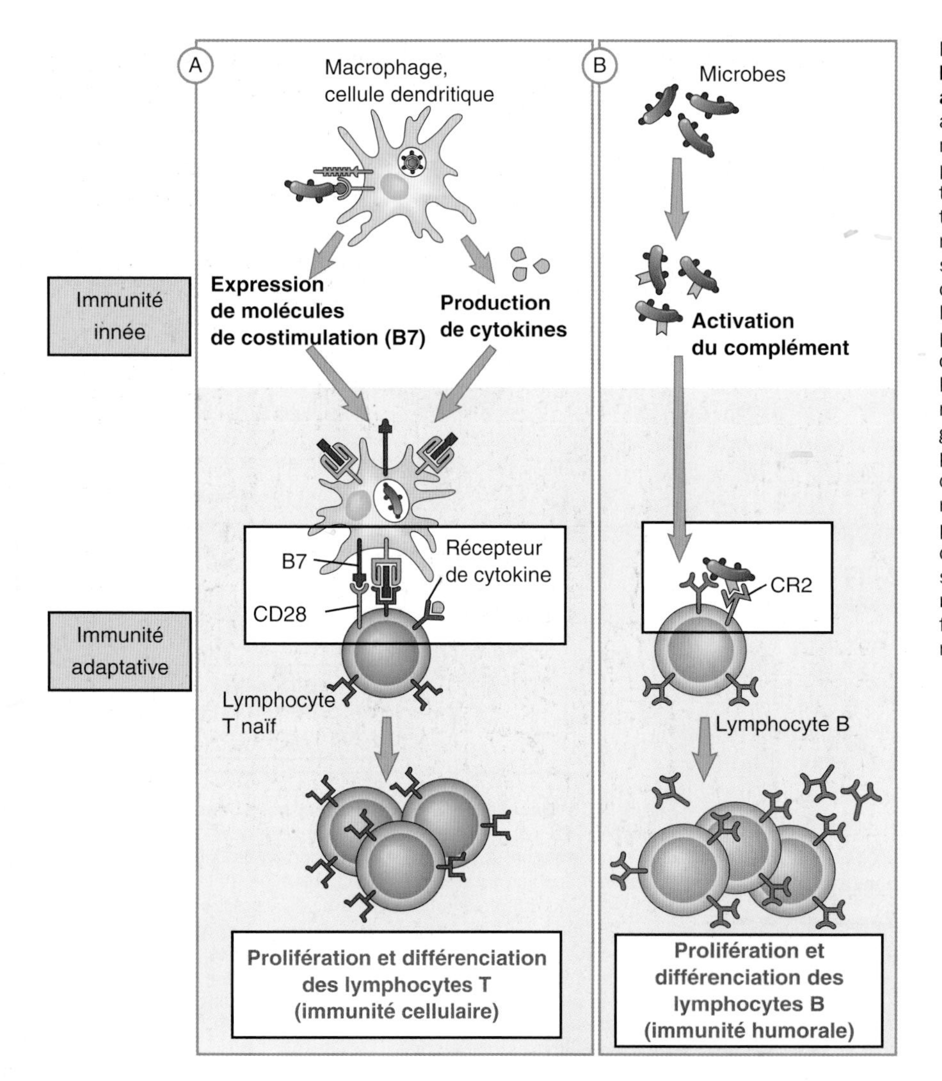

Figure 2.16 Rôle de l'immunité innée dans la stimulation des réponses immunitaires acquises. A. Les macrophages répondent aux microbes phagocytés en exprimant des molécules de costimulation (par exemple les protéines B7 qui sont reconnues par le récepteur CD28 des lymphocytes T) et en sécrétant des cytokines (par exemple l'IL-12). Les molécules de costimulation et l'IL-12 agissent, conjointement avec la reconnaissance des antigènes, pour activer les lymphocytes T. B. Le système du complément est activé par les microbes et génère des protéines, comme C3d, qui se fixent sur les microbes. Les lymphocytes B reconnaissent les antigènes microbiens par leurs récepteurs d'antigène et reconnaissent C3d par un récepteur portant le nom de récepteur du complément de type 2 (CR2). Les signaux provenant du récepteur d'antigène et de CR2 coopèrent pour activer les lymphocytes B. Il est à noter que, dans les deux exemples, les seconds signaux agissent sur les lymphocytes qui reconnaissent également de manière spécifique des antigènes microbiens, cette reconnaissance fournissant le « signal 1 ».

© 2009 Elsevier Masson SAS. Tous droits réservés

Résumé

- Tous les organismes multicellulaires possèdent des mécanismes intrinsèques de défense contre les infections ; ils constituent l'immunité innée.
- Les mécanismes de l'immunité innée répondent aux microbes et non aux substances non microbiennes ; ils sont spécifiques de structures présentes dans différentes classes de microbes ; ils sont assurés par des récepteurs codés dans la lignée germinale, et ne sont pas améliorés par des expositions répétées aux microbes.
- Les TLR, qui sont exprimés sur les membranes plasmiques et dans les endosomes de nombreux types cellulaires, constituent une classe importante de récepteurs du système immunitaire inné qui reconnaissent différents produits microbiens, entre autres des composants de la paroi cellulaire bactérienne et des acides nucléiques viraux.
- Les principaux composants de l'immunité innée sont les épithéliums, les phagocytes, les cellules dendritiques et les cellules NK, les cytokines et les protéines plasmatiques, notamment les protéines du système du complément.
- Les épithéliums constituent des barrières physiques contre les microbes, produisent des antibiotiques et contiennent des lymphocytes capables de prévenir les infections.
- Les principales cellules phagocytaires, les neutrophiles et les monocytes/macrophages, sont des cellules sanguines qui sont recrutées dans les foyers infectieux, un processus qui dépend, d'une part, de la liaison à des molécules endothéliales d'adhérence qui sont induites par les cytokines TNF et IL-1 et, d'autre part, de la réponse à des agents chimiotactiques solubles, comme les chimiokines, des fragments du complément et des peptides bactériens.
- Arrivés dans le foyer infectieux, les neutrophiles et les macrophages reconnaissent les microbes par plusieurs récepteurs, ils ingèrent les microbes afin de les détruire à l'intérieur de la cellule, sécrètent des cytokines et répondent par d'autres mécanismes qui contribuent à l'élimination des microbes et à la réparation des tissus infectés.
- Les cellules NK détruisent les cellules de l'hôte infectées par des microbes intracellulaires, et produisent la cytokine IFN-γ, qui active les macrophages afin qu'ils détruisent les microbes phagocytés.
- Le système du complément est une famille de protéines qui sont activées de manière séquentielle lors de la rencontre avec certains microbes et par les anticorps (branche humorale de l'immunité adaptative). Les protéines du complément recouvrent (opsonisation) les microbes afin qu'ils soient phagocytés, stimulent l'inflammation et lysent des microbes.
- Les cytokines de l'immunité innée servent à stimuler l'inflammation (TNF, IL-1, chimiokines), à activer les cellules NK (IL-12), à activer les macrophages (IFN-γ) et à prévenir les infections virales (IFN de type I).
- Outre leur rôle dans les défenses précoces contre les infections, les réactions immunitaires innées fournissent des seconds signaux pour l'activation des lymphocytes B et T. La nécessité de ces seconds signaux garantit que l'immunité adaptative soit déclenchée par des microbes (les inducteurs naturels des réactions immunitaires innées), et non par des substances non microbiennes.

Contrôle des connaissances

1. Comment la spécificité de l'immunité innée se différencie-t-elle de celle de l'immunité adaptative ?
2. Quels sont les exemples de substances microbiennes reconnues par le système immunitaire inné et quels sont les récepteurs pour ces substances ?
3. Quels sont les mécanismes par lesquels l'épithélium de la peau empêche la pénétration des microbes ?
4. Comment les phagocytes ingèrent-ils et détruisent-ils les microbes ?
5. Quel est le rôle des molécules du CMH dans la reconnaissance, par les cellules NK, des cellules infectées, et quelle est la signification physiologique de cette reconnaissance ?
6. Quels sont les rôles des cytokines suivantes dans les défenses contre les infections : (a) TNF, (b) IL-12, et (c) interféron de type I ?
7. Comment les réponses immunitaires innées stimulent-elles l'immunité adaptative ?

© 2009 Elsevier Masson SAS. Tous droits réservés

Chapitre 3

Capture des antigènes et présentation aux lymphocytes

Ce que voient les lymphocytes

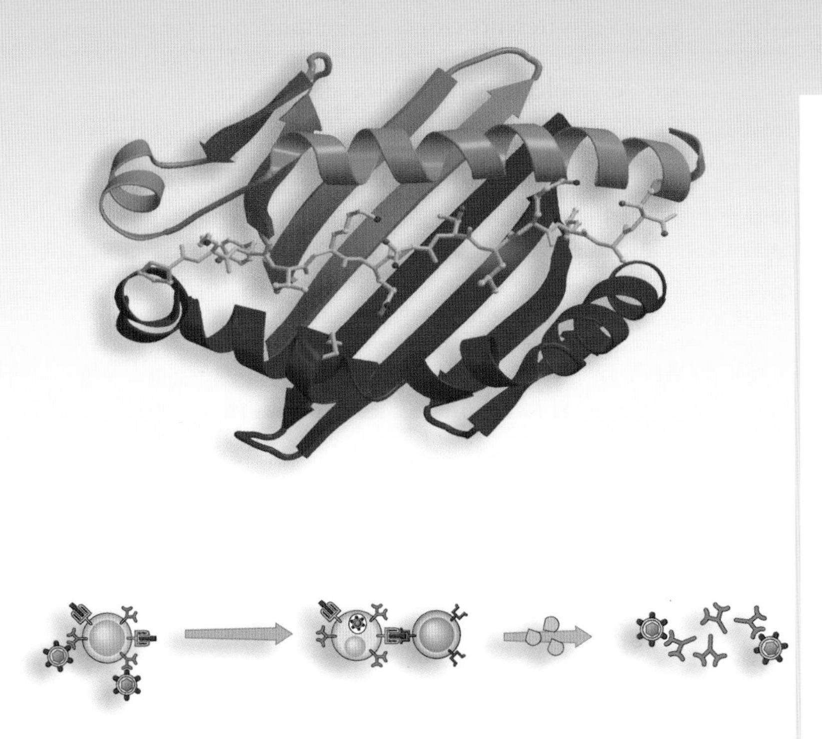

Les réponses immunitaires adaptatives sont déclenchées lorsque les récepteurs d'antigènes des lymphocytes reconnaissent les antigènes. Les lymphocytes B et T diffèrent quant aux types d'antigènes qu'ils sont en mesure de reconnaître. Les récepteurs d'antigènes des lymphocytes B, c'est-à-dire des anticorps liés à la membrane, peuvent reconnaître une grande variété de macromolécules (protéines, polysaccharides, lipides et acides nucléiques), ainsi que des petites substances chimiques présentes sous forme soluble ou associée à la surface cellulaire. Par conséquent, les réponses de l'immunité humorale assurées par les lymphocytes B peuvent être déclenchées contre de nombreux types de parois cellulaires et d'antigènes solubles microbiens. Au contraire, la plupart des lymphocytes T ne sont en mesure de déceler que des fragments peptidiques d'antigènes protéiques, et seulement lorsque ces

Les bases de l'immunologie fondamentale et clinique

© 2009 Elsevier Masson SAS. Tous droits réservés

peptides sont présentés par des molécules spécialisées dans la présentation des peptides, qui se trouvent sur les cellules de l'hôte. Par conséquent, les réponses immunitaires à médiation cellulaire assurées par les lymphocytes T ne peuvent être générées que contre des antigènes protéiques de microbes qui sont associés aux cellules de l'hôte. Ce chapitre sera consacré plus particulièrement à la nature des antigènes qui sont reconnus par les lymphocytes. Le chapitre 4 décrit les récepteurs qu'utilisent les lymphocytes pour détecter ces antigènes.

L'induction des réponses immunitaires par les antigènes est un processus remarquable qui doit surmonter de nombreuses barrières qui peuvent paraître infranchissables. La première de ces barrières est la faible fréquence dans l'organisme des lymphocytes naïfs spécifiques d'un antigène donné, une fréquence qui peut être inférieure à environ 1 cellule sur 10^5. Cette fraction très réduite des lymphocytes de l'organisme doit rapidement localiser l'antigène et réagir à sa présence, quel que soit l'endroit où il pénètre dans l'organisme. En second lieu, différentes sortes de microbes doivent être combattues par différents types de réponses de l'immunité adaptative. En fait, le système immunitaire doit réagir de différentes manières, y compris pour un même microbe lorsque celui-ci passe par différents stades de son cycle vital. Par exemple, si un microbe, comme un virus, a pénétré dans la circulation, et se déplace librement dans le sang, le système immunitaire doit être en mesure de produire des anticorps qui se lient au microbe, l'empêchent d'infecter les cellules, et contribuent à son élimination. Toutefois, après que le microbe a infecté les cellules hôtes, les anticorps ne sont plus efficaces, et il est alors nécessaire d'activer les lymphocytes T cytotoxiques (CTL) afin qu'ils détruisent les cellules infectées et éliminent le réservoir de l'infection. Par conséquent, nous nous heurtons à deux questions importantes.

- Comment les rares lymphocytes spécifiques d'un antigène microbien particulier arrivent-ils à trouver ce microbe, en particulier si l'on considère que les microbes peuvent pénétrer n'importe où dans l'organisme?
- Comment le système immunitaire produit-il les cellules et les molécules effectrices qui sont le mieux à même d'éradiquer un type particulier d'infection, par exemple les anticorps contre les microbes extracellulaires et les CTL pour détruire les cellules infectées hébergeant des microbes dans leur cytoplasme?

La réponse à ces deux questions réside dans le fait que le système immunitaire a développé un système hautement spécialisé destiné à capturer et présenter les antigènes aux lymphocytes. Un grand nombre de travaux effectués par les immunologistes, les biologistes cellulaires et les biochimistes ont conduit à une compréhension détaillée de la manière dont les antigènes protéiques sont capturés, dégradés et présentés afin d'être reconnus par les lymphocytes T. Il s'agit du principal sujet abordé dans ce chapitre. La manière dont les antigènes sont capturés afin d'être reconnus par les lymphocytes B est en revanche beaucoup moins bien connue. À la fin de ce chapitre seront résumées les connaissances limitées que nous avons sur la manière dont les antigènes protéiques et non protéiques sont décelés par les lymphocytes B.

Antigènes reconnus par les lymphocytes T

La majorité des lymphocytes T reconnaissent les antigènes peptidiques liés aux molécules du complexe majeur d'histocompatibilité (CMH) des cellules présentatrices d'antigènes (APC). Le CMH est un locus génique dont les produits principaux assurent la fonction de molécules de présentation des peptides au sein du système immunitaire. Chez chaque individu, les différents clones de lymphocytes T ne peuvent déceler des peptides que lorsque ceux-ci sont présentés par les molécules du CMH de l'individu. Cette propriété des lymphocytes T porte le nom de **restriction par le CMH**. Par conséquent, chaque lymphocyte T a une double spécificité : le récepteur des lymphocytes T (TCR) reconnaît certains résidus d'antigènes peptidiques, mais reconnaît également les résidus de la molécule du CMH qui présente ce peptide (figure 3.1). Les propriétés des molécules du CMH et la signification de la restriction par le CMH sont décrites ultérieurement dans ce chapitre. La manière dont les lymphocytes T apprennent à reconnaître les peptides présentés unique-

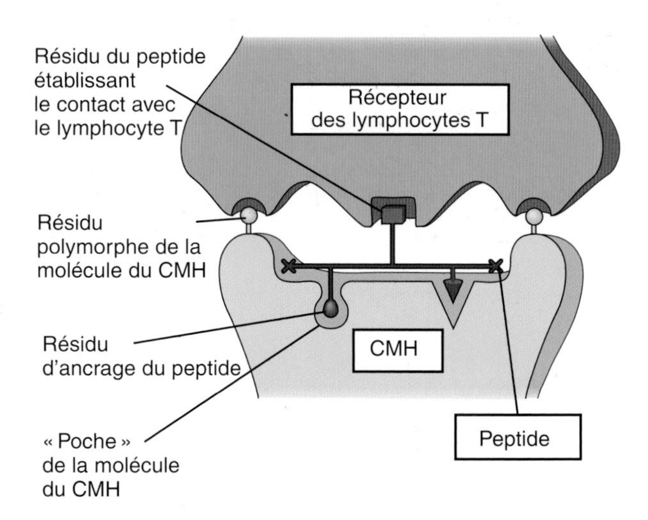

Figure 3.1 Comment un TCR reconnaît un complexe formé d'un antigène peptidique présenté par une molécule du CMH. Les molécules du CMH sont exprimées sur les cellules présentatrices d'antigène et présentent des peptides provenant d'antigènes protéiques. Les peptides se lient aux molécules du CMH par l'intermédiaire des résidus d'ancrage, qui fixent les peptides dans des poches se trouvant dans les molécules du CMH. Le TCR de chaque lymphocyte T reconnaît certains résidus du peptide et certains résidus (polymorphes) de la molécule du CMH.

© 2009 Elsevier Masson SAS. Tous droits réservés

ment par les molécules du CMH du soi est décrite dans le chapitre 4. Il doit être souligné qu'il existe des sous-populations relativement réduites de lymphocytes T qui sont en mesure de reconnaître des lipides et d'autres antigènes non peptidiques présentés par des molécules non polymorphes semblables aux molécules du CMH de classe I, mais les fonctions de ces lymphocytes T sont mal élucidées.

Les cellules spécialisées qui capturent les antigènes microbiens et les présentent afin qu'ils soient reconnus par les lymphocytes T portent le nom de **cellules présentatrices d'antigènes**. Il est nécessaire que les lymphocytes T naïfs voient les antigènes présentés par des cellules dendritiques, les APC « professionnelles » les plus efficaces, afin de déclencher l'expansion clonale et la différenciation des cellules effectrices. Les lymphocytes T effecteurs différenciés ont à nouveau besoin de voir les antigènes présentés par différentes APC afin d'activer leurs fonctions effectrices dans le cadre des réponses immunitaires humorale et cellulaire. Le mécanisme par lequel les APC présentent les antigènes afin de déclencher les réponses immunitaires sera décrit en premier, puis le rôle des molécules du CMH dans ces processus sera présenté.

Capture des antigènes protéiques par les cellules présentatrices d'antigènes

Les antigènes protéiques microbiens qui pénètrent dans l'organisme sont capturés surtout par les cellules dendritiques et concentrés dans les organes lymphoïdes périphériques dans lesquels les réponses immunitaires sont déclenchées (figure 3.2). Les microbes pénètrent dans l'organisme principalement par contact cutané, par ingestion gastro-intestinale et par inhalation respiratoire. Certains microbes transportés par les insectes peuvent être injectés dans la circulation sanguine après morsure ou piqûre par ces insectes. Toutes les interfaces entre l'organisme et l'environnement extérieur sont bordées par des épithéliums continus, dont la principale fonction est d'opposer une barrière physique à l'infection. Les épithéliums contiennent un réseau de cellules dendritiques ; les mêmes cellules sont présentes dans les zones riches en lymphocytes T des organes

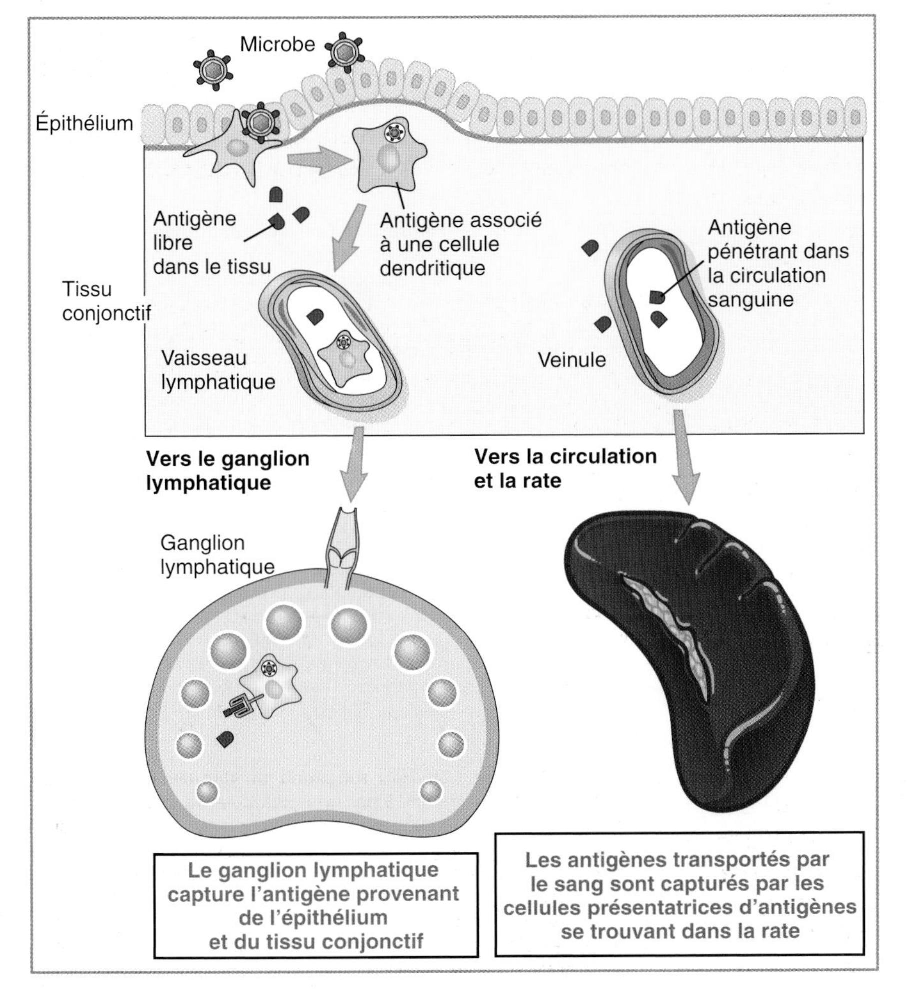

Figure 3.2 Capture et présentation des antigènes microbiens. Les microbes pénètrent à travers un épithélium et sont capturés par des cellules présentatrices d'antigènes résidant dans l'épithélium, ou bien ils pénètrent dans les vaisseaux lymphatiques ou les vaisseaux sanguins. Les microbes et leurs antigènes sont transportés vers les organes lymphoïdes périphériques, les ganglions lymphatiques et la rate, où les antigènes protéiques sont présentés pour être reconnus par les lymphocytes T.

© 2009 Elsevier Masson SAS. Tous droits réservés

lymphoïdes périphériques, et, en quantité plus réduite, dans la plupart des autres organes (figure 3.3). Dans la peau, les cellules dendritiques épidermiques sont dites de Langerhans. Les cellules dendritiques épithéliales sont qualifiées de cellules « immatures », car elles n'ont pas la capacité de stimuler les lymphocytes T. Elles expriment des récepteurs membranaires qui lient les microbes en reconnaissant par exemple des résidus mannose terminaux sur leurs glycoprotéines, alors que les glycoprotéines mammaliennes en sont dépourvues. Les cellules dendritiques utilisent ces récepteurs pour capter et endocyter des antigènes microbiens. Certains antigènes microbiens solubles peuvent entrer dans les cellules dendritiques par pinocytose. En même temps, les microbes stimulent les réactions immunitaires innées en se liant aux récepteurs de type Toll (TLR) et d'autres senseurs de microbes dans les cellules dendritiques ainsi que dans les cellules épithéliales et les macrophages tissulaires (voir le chapitre 2). Ce qui aboutit à la production de cytokines inflammatoires comme le facteur de nécrose tumorale (TNF, *tumor necrosis factor*) et l'interleukine-1 (IL-1). La combinaison de la signalisation passant par les TLR et celle des cytokines activent les cellules dendritiques et entraîne ainsi plusieurs changements de leur phénotype et de leur fonction.

Les cellules dendritiques activées perdent leur adhérence à l'épithélium et commencent à exprimer le récepteur de surface CCR7, spécifique des cytokines chimiotactiques (chimiokines) produites dans la zone des cellules T des ganglions lymphatiques. Ces chimiokines attirent, hors de l'épithélium, les cellules dendritiques, qui gagnent alors, par les vaisseaux lymphatiques, les ganglions qui drainent cet épithélium (figure 3.4). Au cours du processus de migration, les cellules dendritiques deviennent matures, c'est-à-dire que ces cellules aptes à capturer les antigènes se transforment en APC capables de stimuler les lymphocytes T. Cette maturation se traduit par une augmentation de la synthèse et par une expression stable des molécules du CMH présentant l'antigène aux lymphocytes T, mais également d'autres molécules, appelées molécules de costimulation, qui sont nécessaires pour que les réponses des lymphocytes T soient complètes (phénomène décrit ultérieurement dans ce chapitre). Les antigènes solubles présents dans la lymphe sont captés par les cellules dendritiques qui résident dans les ganglions lymphatiques, et les antigènes présents dans le sang sont captés pratiquement de la même manière par des cellules dendritiques de la rate.

Il résulte de cette séquence d'événements que les antigènes protéiques microbiens qui pénètrent dans l'organisme sont transportés et concentrés dans les régions des ganglions lymphatiques où ces antigènes ont la plus grande probabilité de rencontrer les lymphocytes T. Il convient de rappeler que les lymphocytes T naïfs recirculent continuellement à travers les ganglions lymphatiques, et expriment également CCR7, qui favorise leur

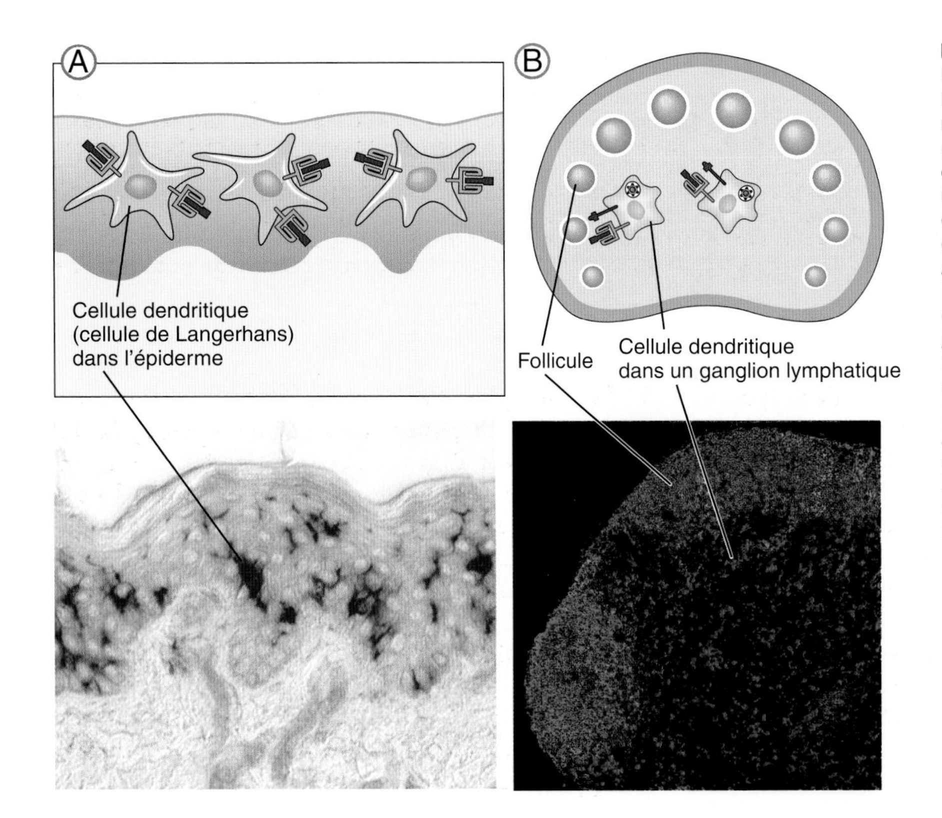

Figure 3.3 Cellules dendritiques. A. Les cellules dendritiques immatures résident dans les épithéliums, notamment la peau, et forment un réseau de cellules présentant des prolongements, apparaissant en bleu sur une coupe de peau marquée par immunohistochimie avec un anticorps spécifique des cellules dendritiques. (Micrographie de la peau reproduite avec l'autorisation du Dr Y.L. Liu, M. D., Anderson Cancer Center, Houston, Texas.) B. Les cellules dendritiques matures résident dans les zones riches en lymphocytes T des ganglions lymphatiques (et de la rate, non représentée), et sont visibles sur la coupe d'un ganglion lymphatique exposée à des anticorps conjugués à un fluorochrome et dirigés contre les cellules dendritiques (rouge) ou contre les lymphocytes B des follicules (vert). Avec l'autorisation des Drs Kathryn Pape et Jennifer Walter, University of Minnesota Medical School, Minneapolis.

© 2009 Elsevier Masson SAS. Tous droits réservés

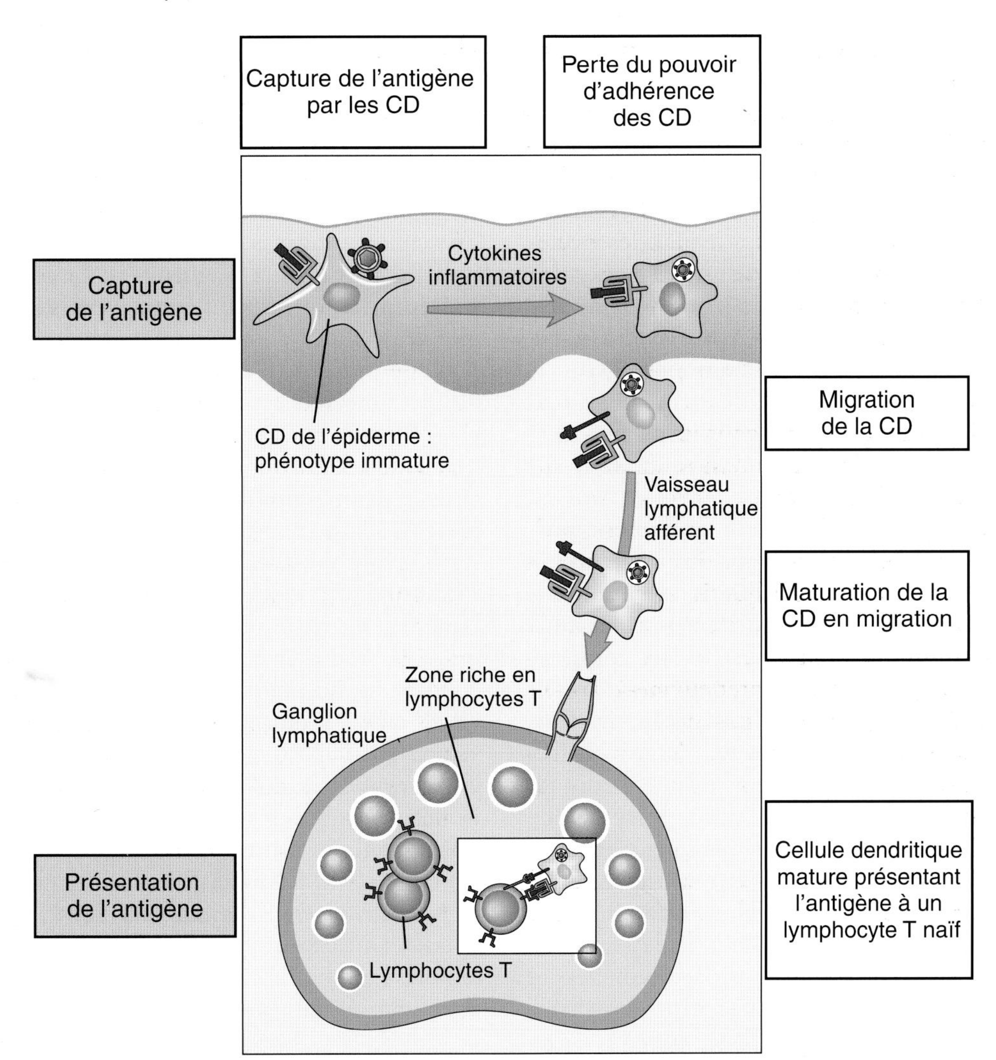

Figure 3.4 Capture et présentation des antigènes protéiques par les cellules dendritiques. Les cellules dendritiques immatures se trouvant dans l'épithélium (la peau dans l'exemple présenté, dans laquelle les cellules dendritiques portent le nom de cellules de Langerhans) capturent les antigènes microbiens et quittent l'épithélium. Les cellules dendritiques migrent vers les ganglions lymphatiques locorégionaux, car ils sont attirés dans ces zones par des chimiokines produites dans les ganglions. Au cours de leur migration, et probablement en réponse au microbe, les cellules dendritiques arrivent à maturité ; puis, dans les ganglions lymphatiques, les cellules dendritiques présentent les antigènes aux lymphocytes T naïfs. Les cellules dendritiques, lors des différentes étapes de leur maturation, peuvent exprimer différentes protéines membranaires. Les cellules dendritiques immatures expriment des récepteurs de surface qui capturent les antigènes microbiens, tandis que les cellules dendritiques matures expriment de nombreuses molécules du CMH et de costimulation, dont la fonction est de stimuler les lymphocytes T.

© 2009 Elsevier Masson SAS. Tous droits réservés

entrée dans les zones des cellules T des ganglions lymphatiques. Par conséquent, les APC professionnelles transportant les antigènes capturés et les lymphocytes T naïfs prêts à reconnaître les antigènes se retrouvent ensemble dans les ganglions lymphatiques. On estime que chaque lymphocyte T naïf de l'organisme pourrait traverser certains ganglions lymphatiques au moins une fois par jour. Ce processus est très efficace ; il a été estimé que si les antigènes microbiens sont introduits dans un site quelconque de l'organisme, une réponse des lymphocytes T à ces antigènes peut débuter dans les ganglions lymphatiques drainant ce site dans un délai de 12 à 18 heures.

Différents types d'APC assurent des fonctions distinctes dans les réponses immunitaires dépendantes des lymphocytes T. Les cellules dendritiques représentent les principaux inducteurs de ces réponses, dans la mesure où les cellules dendritiques sont les APC les plus efficaces pour activer les lymphocytes T naïfs. Les cellules dendritiques non seulement induisent les réponses des lymphocytes T, mais elles influencent également la nature de ces réponses. Par exemple, il existe des sous-populations de cellules dendritiques qui ont la capacité d'orienter la différenciation des lymphocytes T $CD4^+$ naïfs en des populations distinctes dont la fonction est d'opposer des défenses contre différents types de microbes (voir le chapitre 5). Un autre type important d'APC est le macrophage, qui est abondant dans tous les tissus. Au cours des réactions immunitaires à médiation cellulaire, les macrophages phagocytent les microbes et présentent les antigènes de ces microbes aux lymphocytes T effecteurs, qui activent en retour les macrophages pour détruire les microbes (voir le chapitre 6). Les lymphocytes B ingèrent des antigènes protéiques et les présentent aux lymphocytes T auxiliaires dans les tissus lymphoïdes; ce processus joue un rôle important dans le développement des réponses immunitaires humorales (voir le chapitre 7). Comme cela sera décrit ultérieurement dans ce chapitre, toutes les cellules nucléées peuvent présenter aux CTL des antigènes dérivés de microbes se trouvant dans le cytoplasme.

Les cellules dendritiques peuvent également participer à l'induction des réponses des lymphocytes T CD8$^+$ contre les antigènes microbiens intracellulaires. La séquence de la capture et du transport des antigènes vers les organes lymphoïdes est mieux comprise pour la présentation des antigènes microbiens extracellulaires aux lymphocytes T CD4$^+$. Toutefois, certains microbes, notamment les virus, sont en mesure d'infecter rapidement les cellules, et ne peuvent être éradiqués que par les CTL qui détruisent les cellules infectées. Le système immunitaire, et plus particulièrement les lymphocytes T CD8$^+$, doit être capable de reconnaître et de répondre aux antigènes de ces microbes intracellulaires. Cependant, les virus peuvent infecter tous les types de cellules, et pas seulement les APC professionnelles, et les cellules infectées peuvent ne pas fournir l'ensemble des signaux déclenchant l'activation des lymphocytes T. Comment alors les lymphocytes T CD8$^+$ naïfs sont-ils en mesure de répondre aux antigènes intracellulaires des cellules infectées? L'un des mécanismes vraisemblables est que les APC professionnelles ingèrent les cellules infectées et présentent les antigènes se trouvant dans les cellules infectées afin qu'ils soient reconnus par les lymphocytes T CD8$^+$ (figure 3.5). Ce processus est dit de **présentation** (ou sensibilisation) **croisée**, afin d'indiquer que des cellules d'un certain type, les cellules dendritiques, peuvent présenter les antigènes d'autres cellules, les cellules infectées, et stimuler (ou activer) des lymphocytes T naïfs spécifiques de ces antigènes. Les cellules dendritiques qui ingèrent les cellules infectées peuvent également présenter les antigènes microbiens à des lymphocytes T auxiliaire CD4$^+$. Par conséquent, deux classes de lymphocytes T, les lymphocytes CD4$^+$ et CD8$^+$, spécifiques du même microbe, sont activées à proximité l'une de l'autre. Comme nous le verrons dans le chapitre 6, ce processus peut s'avérer important pour la différenciation, induite par les antigènes, des lymphocytes T CD8$^+$ en CTL effecteurs, phénomène qui nécessite souvent la participation des lymphocytes T CD4$^+$. Dès que les lymphocytes T CD8$^+$ se sont différenciés en CTL, ils détruisent les cellules infectées sans l'aide des cellules dendritiques ni d'autres signaux que la reconnaissance de l'antigène (voir le chapitre 6).

Après avoir décrit la manière dont les antigènes protéiques sont capturés, transportés et concentrés dans les organes lymphoïdes, la question est maintenant de savoir comment ces antigènes sont présentés aux lymphocytes T.

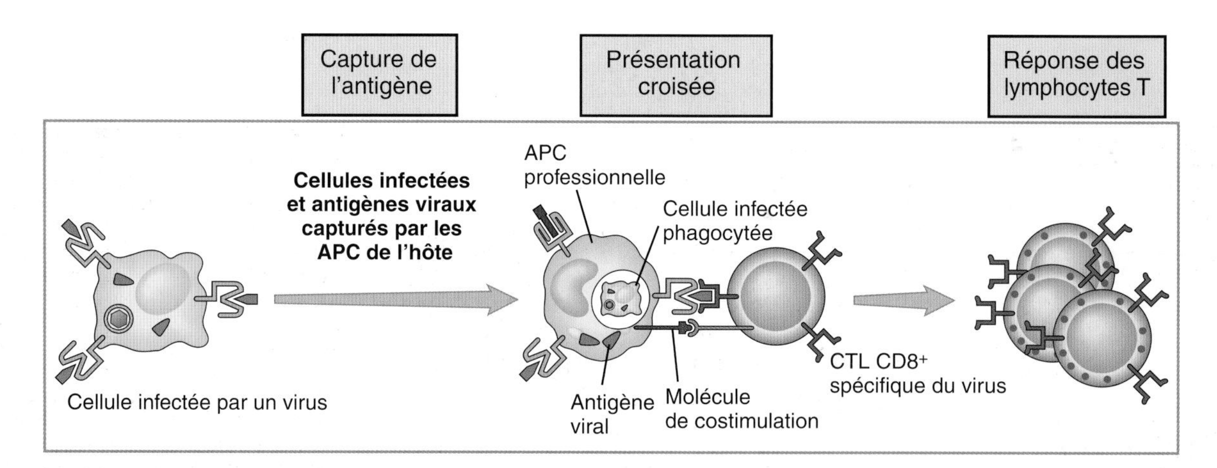

Figure 3.5 Présentation croisée, par des cellules présentatrices d'antigènes (APC) professionnelles, d'antigènes microbiens provenant de cellules infectées. Les cellules infectées par des microbes intracellulaires, comme les virus, sont ingérées (capturées) par les APC professionnelles, puis les antigènes des microbes infectieux sont dégradés et présentés en association avec des molécules du CMH par les APC. Les lymphocytes T reconnaissent les antigènes microbiens et des molécules de costimulation exprimés sur les APC, ce qui entraîne l'activation des lymphocytes T. Dans la plupart des cas, l'expression *présentation croisée* (ou sensibilisation croisée) s'applique aux cellules T CD8$^+$ – lymphocytes T cytotoxiques (CTL) – reconnaissant des antigènes associés au CMH de classe I (comme illustré); la même APC assurant une présentation croisée peut présenter des antigènes microbiens associés au CMH de classe II afin qu'ils soient reconnus par des lymphocytes T auxiliaires CD4$^+$.

© 2009 Elsevier Masson SAS. Tous droits réservés

Pour répondre à cette question, il est nécessaire de comprendre tout d'abord ce que sont les molécules du CMH et comment elles interviennent dans les réponses immunitaires.

Structure et fonction des molécules du CMH

Les molécules du CMH sont des protéines membranaires se trouvant sur les APC qui présentent des antigènes peptidiques afin qu'ils soient reconnus par les lymphocytes T. Le CMH a été découvert comme le principal locus génique déterminant la prise ou le rejet de greffons tissulaires entre des individus. En d'autres termes, des individus dont le locus du CMH est identique (animaux consanguins et vrais jumeaux) accepteront des greffes, tandis que des individus présentant des locus du CMH différents rejetteront ces greffons. Bien entendu, le rejet d'un greffon n'est pas un phénomène de nature biologique, et par conséquent les gènes du CMH, ainsi que les molécules qu'ils codent, ne peuvent pas avoir évolué uniquement pour assurer le rejet d'un greffon. Nous savons aujourd'hui que la fonction physiologique des molécules du CMH est de présenter les peptides dérivés d'antigènes protéiques aux lymphocytes T spécifiques de ces antigènes. Cette fonction des molécules du CMH est à l'origine du phénomène de restriction par le CMH des lymphocytes T, qui a été mentionné plus haut.

Le locus du CMH comprend un ensemble de gènes présents chez tous les mammifères (figure 3.6) et qui codent non seulement le CMH, mais aussi d'autres protéines. Les protéines du CMH rencontrées chez l'homme portent le nom d'**antigènes leucocytaires humains** (**HLA**, *human leukocyte antigens*), car ces protéines ont été découvertes comme des antigènes leucocytaires identifiés par des anticorps spécifiques. Dans toutes les espèces, le locus du CMH contient deux ensembles de gènes hautement polymorphes, appelés gènes du CMH de classe I et de classe II. Ces gènes codent les molécules du CMH de classe I et de classe II qui présentent les peptides aux lymphocytes T. Outre ces gènes polymorphes, le locus du CMH contient de nombreux gènes non polymorphes. Certains de ces gènes non polymorphes codent pour des protéines participant à la présentation des antigènes, tandis que d'autres codent des protéines dont la fonction reste inconnue.

Les molécules du CMH de classe I et de classe II sont des protéines membranaires qui contiennent chacune un site de liaison au peptide en forme de sillon ou de gouttière à leur extrémité aminoterminale. Bien que la composition des sous-unités des molécules de classe I et de classe II soit différente, leur structure générale est extrêmement similaire (figure 3.7). Chaque molécule de classe I est composée d'une chaîne α liée de manière non covalente à une protéine appelée β_2-microglobuline, qui est codée par un gène se trouvant en dehors du locus du CMH. Les domaines $\alpha1$ et $\alpha2$ aminoterminaux de la molécule de classe I du CMH forment un site de liaison au peptide en forme de sillon, qui est suffisamment large pour accueillir des peptides de 8 à 11 acides aminés. Le plancher de cette gouttière est la région qui se lie aux peptides pour les présenter aux lymphocytes T, tandis que les côtés et les sommets de la gouttière sont les régions de contact avec le récepteur des lymphocytes T qui, bien sûr, entre également en contact avec une partie du peptide présenté (figure 3.1). Les résidus polymorphes des molécules de classe I, c'est-à-dire les acides aminés des molécules du CMH qui sont

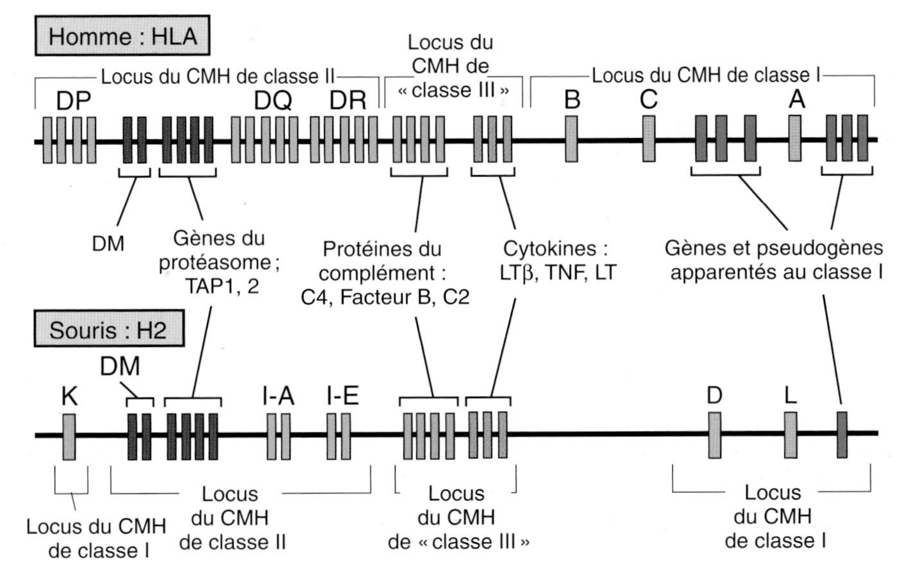

Figure 3.6 Gènes du locus du CMH. Les représentations schématiques du CMH humain (portant le nom de complexe HLA) et du CMH de la souris (appelé complexe H2) sont présentées, illustrant les principaux gènes codant les molécules participant aux réponses immunitaires. La taille des gènes et les distances qui les séparent ne sont pas représentées à l'échelle. Les locus de classe II sont montrés comme des blocs uniques, mais chacun comprend au moins deux gènes. Le locus du CMH de classe III (terme utilisé peu souvent) concerne des gènes qui codent des molécules autres que des molécules présentatrices de peptides. On trouve aussi de multiples gènes du type de ceux de la classe I ainsi que des pseudogènes (non montrés). LT : lymphotoxine ; TAP, *transporter associated with antigen processing*.

© 2009 Elsevier Masson SAS. Tous droits réservés

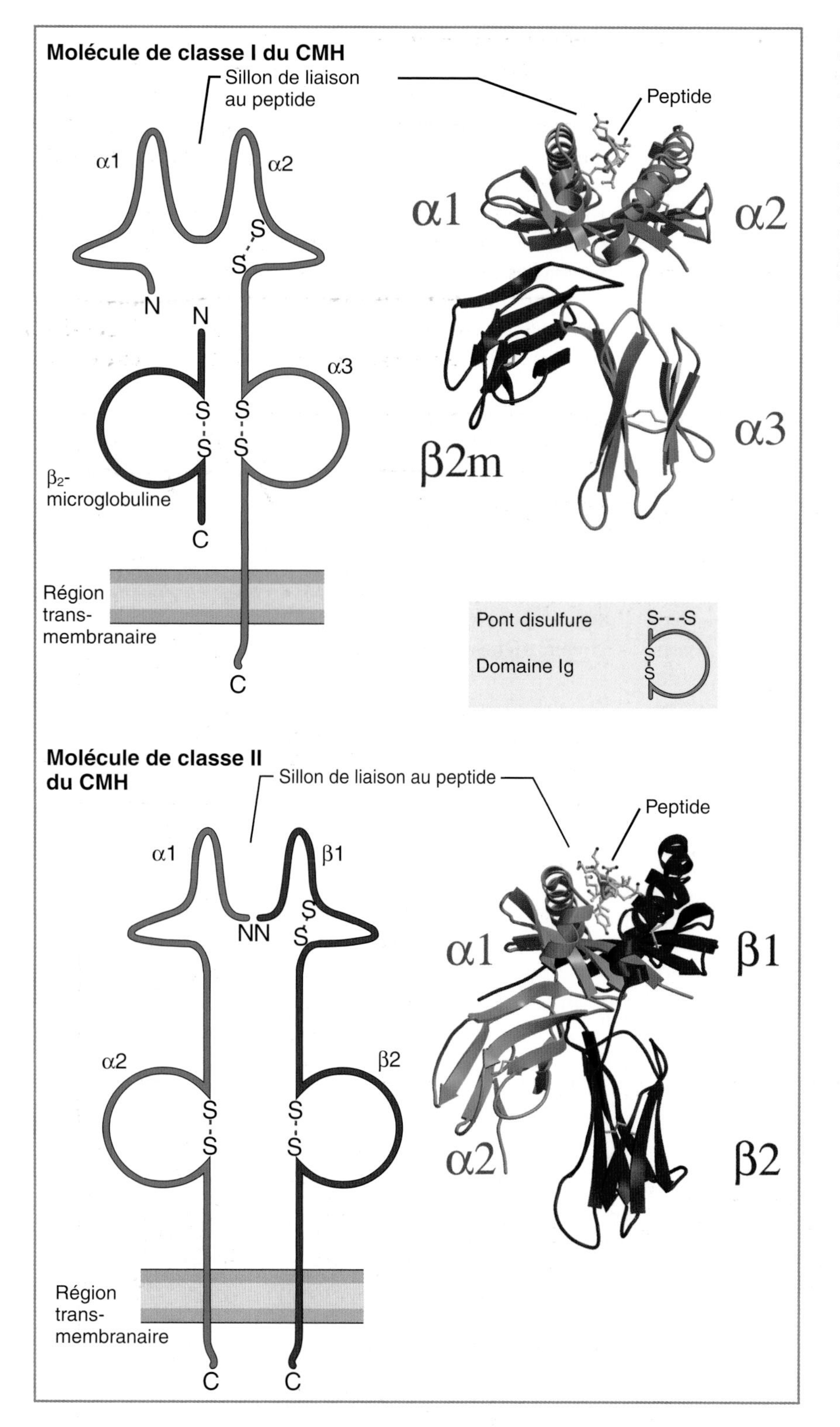

Figure 3.7 Structure des molécules du CMH de classe I et de classe II. Les schémas (à gauche) et les modèles (à droite) des structures cristallines des molécules du CMH de classe I et de classe II montrent les domaines des molécules et leurs similitudes fondamentales. Les deux types de molécules du CMH contiennent des sillons de liaison au peptide et des parties invariantes qui se lient au CD8 (domaine α3 de classe I) ou au CD4 (domaine β2 de classe II). β2m : $β_2$-microglobuline. (Les structures cristallines sont reproduites avec l'autorisation du Dr P. Bjorkman, California Institute of Technology, Pasadena, Californie.)

propres à chaque individu, sont situés dans les domaines α1 et α2 de la chaîne α. Certains de ces résidus polymorphes peuvent entraîner des variations dans le plancher de la gouttière de liaison au peptide, et par conséquent influer sur la capacité des différentes molécules du CMH de se lier au peptide. D'autres résidus polymorphes contribuent à des variations dans les sommets bordant le sillon, et par conséquent sont susceptibles de modifier la reconnaissance par les lymphocytes T. Le domaine α3 est constant, il contient le site de liaison au corécepteur CD8 des lymphocytes T. Comme nous le verrons dans le chapitre 5, l'activation des lymphocytes T nécessite la

© 2009 Elsevier Masson SAS. Tous droits réservés

reconnaissance simultanée de l'antigène peptidique associé au CMH par le récepteur des lymphocytes T, et de la molécule du CMH par le corécepteur. Par conséquent, les lymphocytes T CD8⁺ ne peuvent répondre qu'à des peptides présentés par des molécules du CMH de classe I, qui sont les molécules du CMH auxquelles se lie le corécepteur CD8.

Les molécules du CMH de classe II sont composées de deux chaînes, appelées α et β. Les régions aminoterminales des deux chaînes, portant le nom de domaine α1 et β1, contiennent des résidus polymorphes qui forment une gouttière suffisamment large pour recevoir des peptides de 10 à 30 résidus. Le domaine β2 non polymorphe contient le site de liaison au corécepteur CD4 des lymphocytes T. Dans la mesure où CD4 se lie aux molécules du CMH de classe II, les lymphocytes T CD4⁺ ne peuvent répondre qu'aux peptides présentés par les molécules du CMH de classe II.

Plusieurs caractéristiques des gènes et des molécules du CMH jouent un rôle important pour les fonctions normales de ces molécules (figure 3.8).

Les gènes du CMH sont exprimés de manière codominante, ce qui signifie que les allèles hérités des deux parents sont exprimés de manière équivalente. Dans

Caractéristiques	Intérêt	
Expression codominante : les deux allèles parentaux de chaque gène du CMH sont exprimés	Augmentation du nombre de molécules du CMH différentes susceptibles de présenter des peptides aux lymphocytes T	Lymphocytes T; Molécules du CMH; Chromosomes parentaux
Gènes polymorphes : de nombreux allèles différents sont présents dans la population	Cette caractéristique assure que des individus différents sont capables de présenter différents peptides microbiens et d'y répondre	
Types de cellules exprimant le CMH Classe II : Cellules dendritiques, macrophages, lymphocytes B	Les lymphocytes T auxiliaires CD4⁺ interagissent avec les cellules dendritiques, les macrophages, les lymphocytes B	Cellules dendritiques; Macrophages; Lymphocytes B
Classe I : toutes les cellules nucléées	Les CTL CD8⁺ peuvent détruire toute cellule infectée par un virus	Leucocytes; Cellules épithéliales; Cellules mésenchymateuses

Figure 3.8 Propriétés des molécules et des gènes du CMH. Le tableau présente quelques-unes des caractéristiques importantes des molécules du CMH et leurs rôles dans les réponses immunitaires.

© 2009 Elsevier Masson SAS. Tous droits réservés

la mesure où il existe trois gènes polymorphes de classe I, appelés HLA-A, HLA-B et HLA-C chez l'homme, et que chaque personne reçoit l'ensemble de ces gènes de chacun des deux parents, chaque cellule peut exprimer six molécules de classe I différentes. Dans le locus de classe II, chaque individu hérite d'une paire de gènes HLA-DP (appelés DPA1 et DPB1, codant les chaînes α et β), d'une paire de gènes HLA-DQ (DQA1 et DQB1, codant les chaînes α et β), un gène HLA-DRα (DRA1) et un ou deux gènes HLA-DRβ (DRB1 et DRB3, -4 ou -5). Ainsi, un individu hétérozygote peut hériter de six ou huit allèles du CMH de classe II, trois ou quatre de chaque parent (un assortiment de DP et de DQ, et un ou deux de DR). En raison des gènes DRβ supplémentaires et puisque certaines molécules DQα codées par un chromosome peuvent s'associer à des molécules DQβ codées par l'autre chromosome, le nombre total de molécules de classe II exprimées peut être beaucoup plus élevé que 6.

L'assortiment d'allèles du CMH présent sur chaque chromosome est appelé **haplotype CMH**. Chez l'homme, chaque allèle HLA est désigné par un chiffre. Par exemple, un haplotype HLA d'un individu pourrait être HLA-A2, HLA-B5, HLA-DR3, etc. Tous les individus hétérozygotes ont, bien sûr, deux haplotypes HLA, un sur chaque chromosome.

Les gènes du CMH sont hautement polymorphes, ce qui signifie qu'il existe de nombreux allèles différents chez l'ensemble des individus d'une population. Le polymorphisme est tellement important qu'il n'existe pas deux individus, dans une population non consanguine, présentant exactement le même ensemble de gènes et de molécules du CMH. Comme les résidus polymorphes déterminent quels peptides sont présentés par telle ou telle molécule du CMH, l'existence d'allèles multiples assure qu'il existe toujours certains membres de la population qui seront en mesure de présenter un antigène protéique microbien particulier. L'évolution du polymorphisme du CMH permet à une population de faire face à la diversité des microbes et de ne pas succomber à un nouveau microbe ou à un ancien qui aurait muté, dans la mesure où au moins quelques individus pourraient opposer des réponses immunitaires efficaces aux antigènes peptidiques de ces microbes. Les molécules du CMH sont codées par des séquences héréditaires d'ADN et les variations (responsables du polymorphisme) ne sont pas induites par des recombinaisons géniques (comme elles le sont pour les récepteurs des antigènes ; voir le chapitre 4).

Les molécules de classe I sont exprimées sur toutes les cellules nucléées, alors que les molécules de classe II sont principalement exprimées sur les cellules dendritiques, les macrophages et les lymphocytes B. La signification physiologique de cette distribution nettement différente sera expliquée plus loin dans ce chapitre. Les molécules de classe II sont aussi exprimées sur les cellules épithéliales thymiques et les cellules endothéliales et peuvent être induites sur d'autres types cellulaires par une cytokine, l'interféron-γ.

Les sillons de liaison au peptide des molécules du CMH fixent les peptides dérivés des antigènes protéiques et présentent ces peptides aux lymphocytes T (figure 3.9). Il existe de petites poches dans le plancher des sillons de liaison aux peptides de la plupart des molécules du CMH. Les chaînes latérales d'acides aminés des antigènes peptidiques s'insèrent dans ces poches des molécules du CMH, et ancrent les peptides dans le sillon de la molécule du CMH. Les peptides qui sont ancrés dans ce sillon par ces chaînes latérales (également appelées résidus d'ancrage) contiennent certains résidus qui s'incurvent vers le haut et sont reconnus par les récepteurs d'antigènes des lymphocytes T.

Plusieurs caractéristiques de l'interaction des antigènes peptidiques avec les molécules du CMH sont importantes pour la compréhension de la fonction de présentation du peptide par les molécules du CMH (figure 3.10).

Chaque molécule du CMH ne peut présenter qu'un peptide à la fois, car elle ne possède qu'un sillon, mais chaque molécule du CMH est capable de présenter de nombreux peptides différents. Si les poches de la molécule du CMH peuvent recevoir les résidus d'ancrage d'un peptide particulier, alors celui-ci peut être présenté par la molécule du CMH. Par conséquent, il est nécessaire que seuls un ou deux résidus d'un peptide s'insèrent dans le sillon d'une molécule du CMH. Ainsi, les molécules du CMH présentent ce qu'il est convenu d'appeler une spécificité « large » pour la liaison peptidique : chaque molécule pouvant se lier à de nombreux peptides, mais non à tous les peptides possibles. Ce phénomène est, bien entendu, une caractéristique essentielle, dans la mesure où chaque individu ne possède que quelques molécules du CMH différentes, qui doivent être capables de présenter un grand nombre et une large variété d'antigènes.

Les molécules du CMH ne lient que des peptides et non d'autres types d'antigènes. C'est la raison pour laquelle les lymphocytes T $CD4^+$ et $CD8^+$ restreints par le CMH ne peuvent reconnaître et répondre qu'à des antigènes protéiques, la source naturelle de peptides.

Les molécules du CMH se chargent en peptide au cours de leur biosynthèse et de leur assemblage à l'intérieur des cellules. Par conséquent, les molécules du CMH présentent des peptides qui proviennent de microbes se trouvant à l'intérieur des cellules hôtes, et c'est la raison pour laquelle les lymphocytes T restreints par le CMH reconnaissent les microbes associés aux cellules et sont les médiateurs de l'immunité dirigée contre les microbes intracellulaires. De plus, les molécules du CMH de classe I fixent des peptides provenant de protéines cytosoliques tandis que les molécules de classe II les acquièrent à partir de protéines se trouvant dans des

© 2009 Elsevier Masson SAS. Tous droits réservés

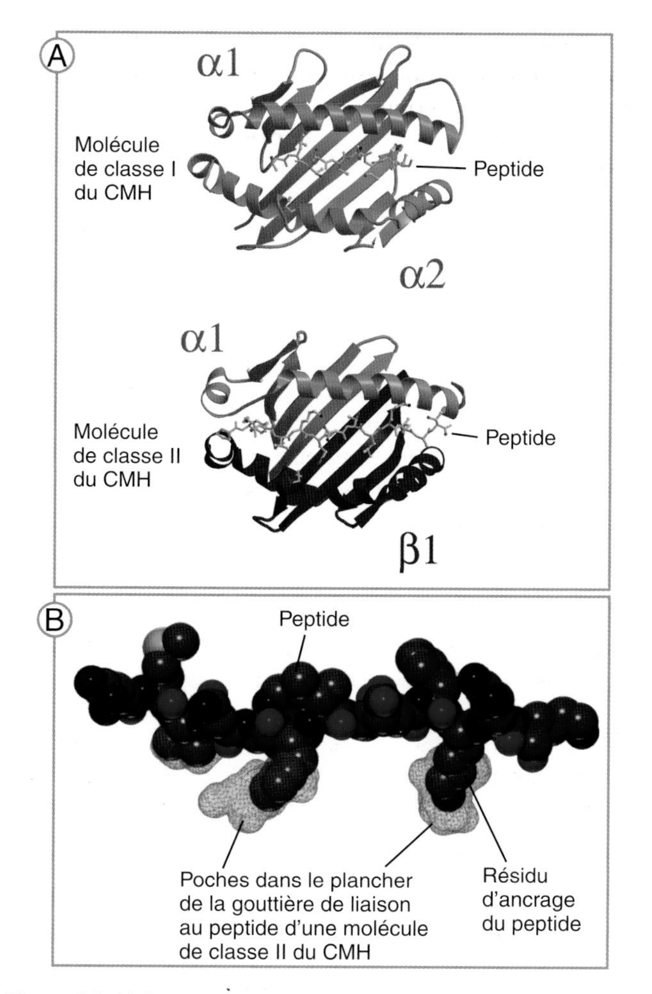

Figure 3.9 Liaison des peptides aux molécules du CMH. A. Ces structures cristallines (vues par le dessus) des molécules du CMH montrent comment les peptides (en jaune) se fixent sur les planchers des sillons de liaison aux peptides et peuvent alors être reconnus par les lymphocytes T. Avec l'autorisation du Dr P. Bjorkman, California Institute of Technology, Pasadena, Californie. B. La vue latérale d'une partie d'un peptide lié à une molécule de classe II du CMH montre comment les résidus d'ancrage du peptide le maintiennent dans les poches de la gouttière de la molécule du CMH. D'après Scott CA, Peterson PA, Teyton L, Wilson IA. Crystal structures of two I-Ad-peptide complexes reveal that high affinity can be achieved without large anchor residues. Immunity 1998; 8 : 319–29. © Cell Press; avec autorisation. Ces structures sont la base de la représentation schématique de la reconnaissance des peptides par les lymphocytes T présentée à la figure 3.1.

vésicules intracellulaires. Les mécanismes et la signification de ces processus seront présentés ultérieurement dans ce chapitre. Seules les molécules du CMH chargées d'un peptide sont exprimées de manière stable à la surface cellulaire. Les raisons de ce phénomène proviennent du fait que les molécules du CMH doivent à la fois assembler leurs chaînes et se lier à des peptides pour atteindre une structure stable, les molécules « vides » étant dégradées à l'intérieur des cellules. La nécessité d'une liaison à un peptide assure que seules des molécules « utiles » du CMH, c'est-à-dire celles qui présentent des peptides, sont exprimées à la surface des cellules afin qu'elles soient reconnues par les lymphocytes T. Lorsque des peptides se lient aux molécules du CMH et sont présentés à la surface cellulaire, ils restent liés durant une période pouvant durer plusieurs jours. La lenteur de la dissociation permet à la molécule du CMH qui a acquis le peptide de le présenter suffisamment longtemps pour qu'un lymphocyte T puisse le trouver et commencer à réagir.

Chez chaque individu, les molécules du CMH peuvent présenter des peptides provenant de protéines étrangères, c'est-à-dire microbiennes, ainsi que des peptides provenant des propres protéines de l'individu. Cette incapacité des molécules du CMH à distinguer les antigènes étrangers des antigènes du soi soulève deux questions. Tout d'abord, à chaque moment, il est certain que la quantité de protéines du soi est largement supérieure à celle de tout antigène microbien. Pourquoi alors les molécules du CMH disponibles ne sont-elles pas constamment occupées par les peptides du soi, et donc incapables de présenter des antigènes étrangers? La réponse probable est que de nouvelles molécules du CMH sont constamment synthétisées, prêtes à accepter des peptides, et qu'elles présentent une grande facilité à capturer tous les peptides qui sont présents dans les cellules. De même, un lymphocyte T unique pourra voir un peptide même s'il n'est présenté que par un pourcentage extrêmement faible, de 0,1 à 1 %, des quelque 10^5 molécules du CMH se trouvant à la surface d'une APC, de telle sorte que même de rares molécules du CMH présentant ce peptide seront suffisantes pour initier une réponse immunitaire. Le second problème est le suivant : si les molécules du CMH présentent constamment des peptides du soi, pourquoi ne développons-nous pas des réponses immunitaires dirigées contre des antigènes du soi, c'est-à-dire des réponses auto-immunes? La réponse à cette question est que les lymphocytes T spécifiques des peptides du soi sont soit détruits soit inactivés; ce processus est décrit plus longuement dans le chapitre 9. Bien qu'il semble étonnant que les molécules du CMH présentent des peptides du soi, ce phénomène est en fait la clé de la fonction de surveillance normale des lymphocytes T. En effet, les lymphocytes T se livrent à une surveillance constante de l'organisme et sont constamment à la recherche de peptides associés aux molécules du CMH. Ils ne réagissent pas aux peptides provenant des protéines du soi, mais sont en mesure de répondre aux rares peptides microbiens.

Les molécules du CMH sont capables de présenter des peptides, mais non des antigènes protéiques microbiens intacts. Il en résulte qu'il doit exister des mécanismes permettant de convertir les protéines de leur forme naturelle en peptides capables de se lier aux molécules du CMH. Cette conversion, dite **apprêtement des antigènes**, fait l'objet de la section suivante.

© 2009 Elsevier Masson SAS. Tous droits réservés

Caractéristique	Intérêt	
Large spécificité	De nombreux peptides différents peuvent se lier à la même molécule du CMH	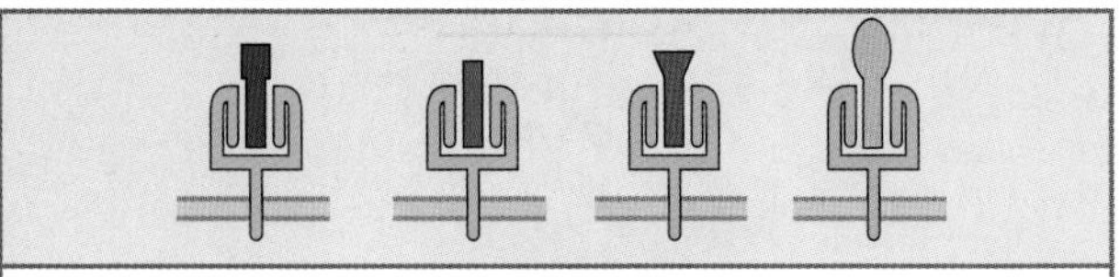
Chaque molécule du CMH présente un peptide à la fois	Chaque lymphocyte T répond à un peptide unique lié à une molécule du CMH	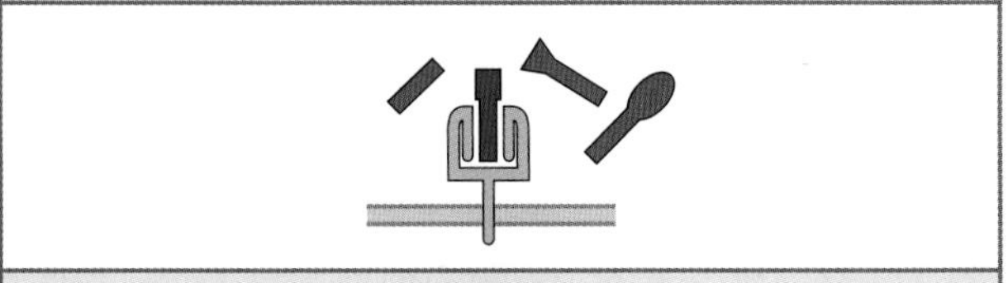
Les molécules du CMH ne lient que des peptides	Les lymphocytes T restreints par le CMH répondent uniquement aux antigènes protéiques, et non aux autres substances	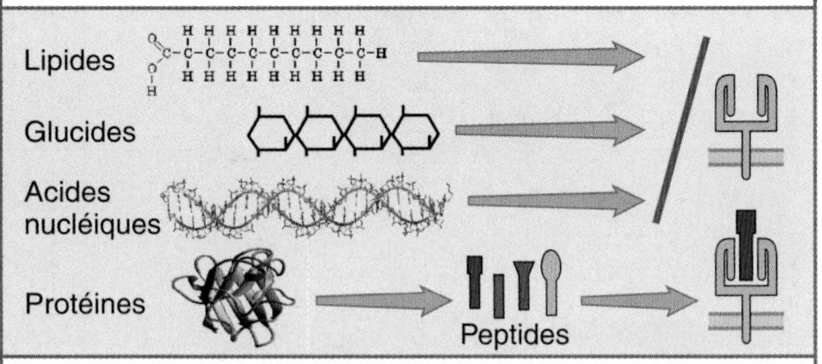 Lipides Glucides Acides nucléiques Protéines Peptides
Les peptides sont acquis au cours de l'assemblage intracellulaire	Les molécules de classe I et de classe II du CMH présentent des peptides issus de compartiments cellulaires différents	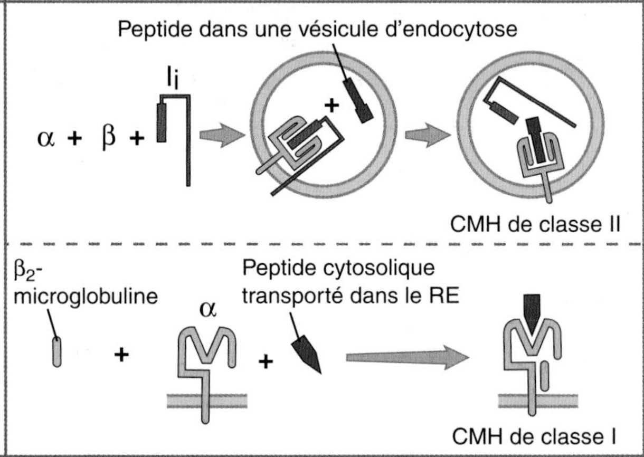 Peptide dans une vésicule d'endocytose I_i $\alpha + \beta +$ CMH de classe II β_2-microglobuline α Peptide cytosolique transporté dans le RE CMH de classe I
Une expression stable d'une molécule du CMH nécessite la présence d'un peptide	Seules les molécules du CMH qui présentent des peptides sont exprimées afin que ceux-ci soient reconnus par les lymphocytes T	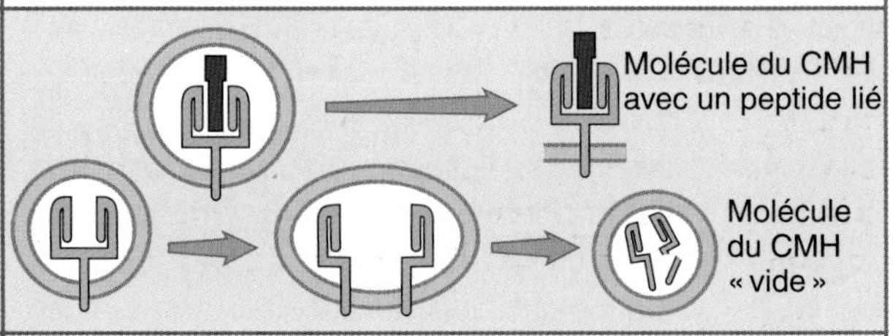 Molécule du CMH avec un peptide lié Molécule du CMH « vide »
Taux de dissociation très lent	La molécule du CMH présente le peptide lié suffisamment longtemps pour qu'il soit localisé par les lymphocytes T	β_2-microglobuline α Peptide Jours

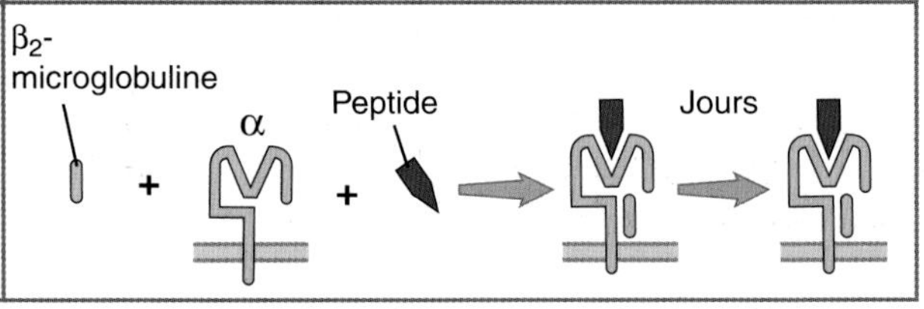

Figure 3.10 Caractéristiques de la liaison du peptide aux molécules du CMH. Certaines caractéristiques importantes de la liaison du peptide aux molécules du CMH sont indiquées, ainsi que leurs intérêts pour les réponses immunitaires.

Apprêtement et présentation des antigènes protéiques

Les protéines extracellulaires qui sont internalisées par les APC spécialisées (cellules dendritiques, macrophages et cellules B) dans des vésicules sont traitées et présentées par des molécules du CMH de classe II, tandis que les protéines se trouvant dans le cytosol des cellules nucléées sont traitées et présentées par les molécules du CMH de classe I (figure 3.11). Ces

© 2009 Elsevier Masson SAS. Tous droits réservés

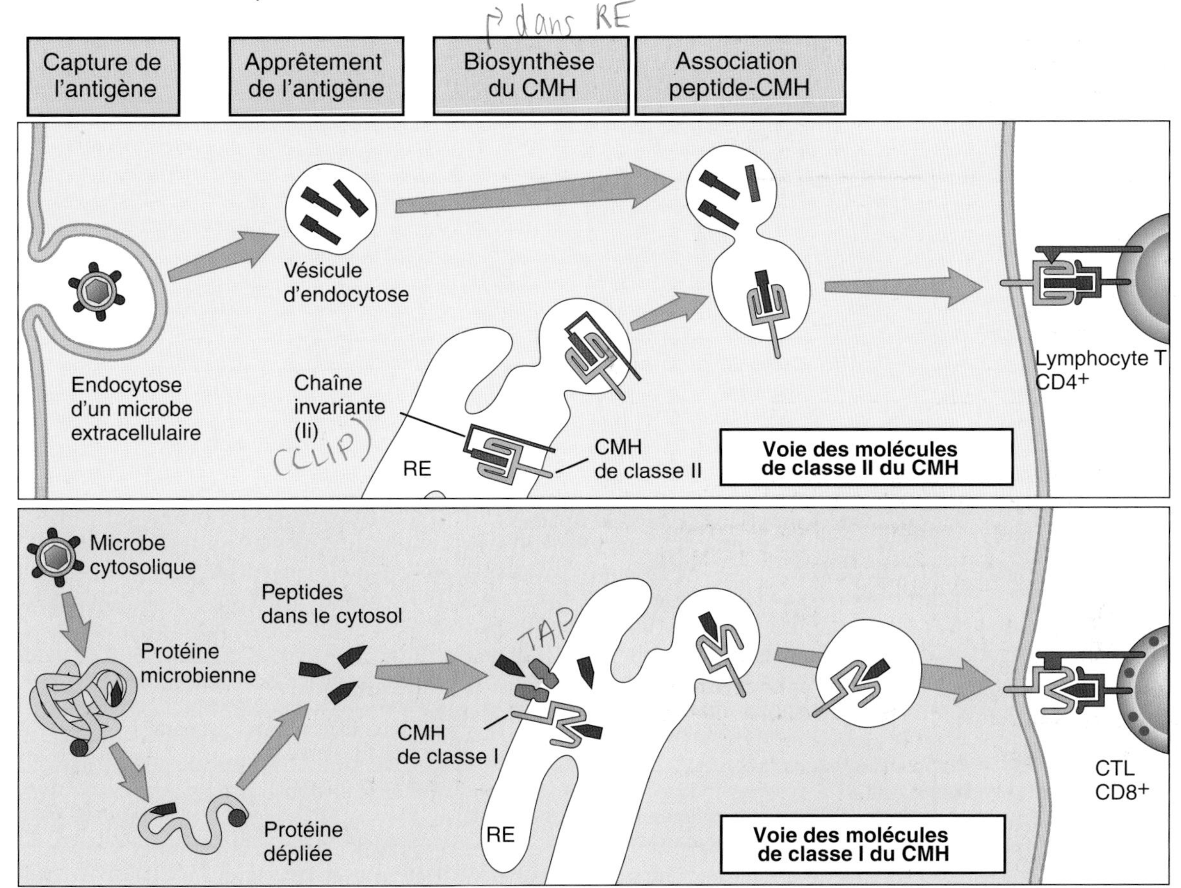

Figure 3.11 Voies d'apprêtement intracellulaire des antigènes protéiques. La voie des molécules du CMH de classe II des cellules présentatrices d'antigènes convertit les antigènes protéiques endocytés dans des vésicules en peptides qui se lient aux molécules de classe II du CMH pour être reconnus par les lymphocytes T CD4+. La voie des molécules du CMH de classe I convertit les protéines se trouvant dans le cytoplasme en peptides qui se lient aux molécules de classe I du CMH afin qu'ils soient reconnus par les lymphocytes T CD8+.

deux voies d'apprêtement des antigènes font intervenir différents organites et protéines cellulaires (figure 3.12). Ils sont destinés à examiner toutes les protéines présentes dans l'environnement extracellulaire et intracellulaire. La ségrégation des voies d'apprêtement des antigènes assure également que différents type de lymphocytes T reconnaissent les antigènes provenant de différents compartiments, comme nous le verrons plus loin.

Apprêtement des antigènes internalisés pour une présentation par les molécules du complexe majeur d'histocompatibilité de classe II

Les APC peuvent internaliser des microbes extracellulaires ou des protéines microbiennes par différents mécanismes (figure 3.13). Les microbes peuvent se lier à des récepteurs de surface spécifiques des produits microbiens, ou à des récepteurs qui reconnaissent les anticorps ou les produits de l'activation du complément fixés aux microbes. Les lymphocytes B internalisent les protéines qui se lient de manière spécifique aux récepteurs d'antigènes de ces cellules (voir le chapitre 7). Certaines APC peuvent phagocyter des microbes ou pinocyter des protéines sans phase de reconnaissance spécifique. Après internalisation par l'une de ces voies, les protéines microbiennes pénètrent dans des vésicules intracellulaires portant le nom d'endosomes ou de phagosomes, qui peuvent fusionner avec les lysosomes. Dans ces vésicules, les protéines sont dégradées par des enzymes protéolytiques, ce qui provoque la formation de nombreux peptides de longueurs et de séquences variables. Les APC synthétisent constamment des molécules du CMH de classe II dans leur réticulum endoplasmique (RE). Chaque molécule de classe II nouvellement synthétisée porte avec elle une protéine fixée désignée par le terme de chaîne invariante, qui contient une séquence appelée CLIP (*class II invariant chain peptide*) ou peptide de la chaîne invariante de classe II, qui s'insère étroitement dans le sillon de liaison de la molécule de classe II. Par conséquent, la molécule de classe II nouvellement synthétisée, dont le sillon est occupé et donc « inaccessible », commence alors son déplacement vers la surface cellulaire dans une vésicule d'exocytose. Celle-ci fusionne ensuite avec la vésicule endosomiale contenant les peptides dégradés dérivés

© 2009 Elsevier Masson SAS. Tous droits réservés

Caractéristiques	Voie des molécules de classe II du CMH	Voie des molécules de classe I du CMH
Composition du complexe peptide-CMH stable	Chaînes α et β polymorphes, peptide  Peptide α β	Chaîne α polymorphe, β2-microglobuline, peptide 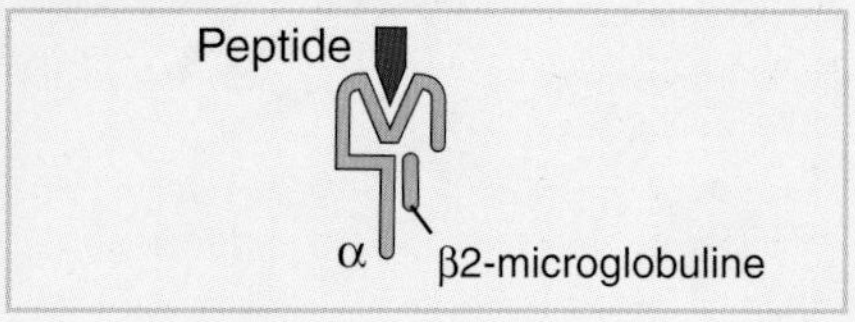 Peptide α β2-microglobuline
Types d'APC	Cellules dendritiques, phagocytes mononucléés, lymphocytes B ; cellules endothéliales, épithélium thymique	Toutes les cellules nucléées
Lymphocytes T répondeurs	Lymphocytes T $CD4^+$ (principalement lymphocytes T auxiliaires) 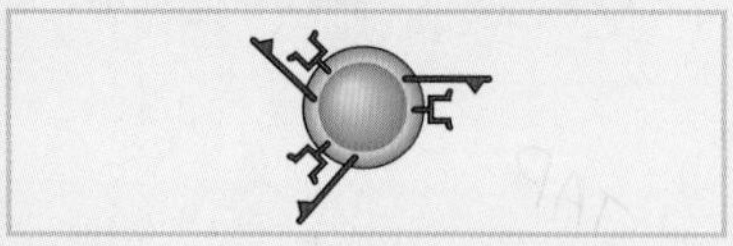	Lymphocytes T $CD8^+$ (CTL) 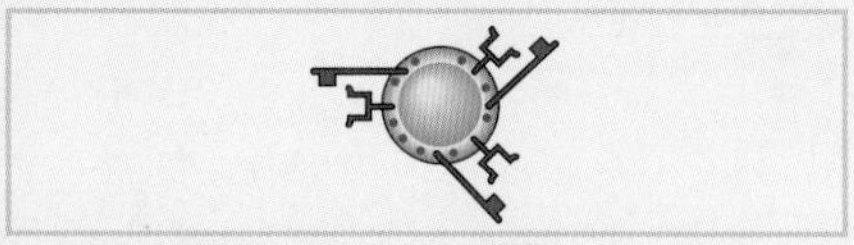
Source des antigènes protéiques	Protéines endosomiales/lysosomiales (principalement internalisées à partir de l'environnement extracellulaire)	Protéines cytosoliques (principalement synthétisées dans la cellule ; peuvent pénétrer dans le cytosol à partir des phagosomes)
Enzymes responsables de la production des peptides	Protéases endosomiales et lysosomiales (par exemple cathepsines)	Protéasome cytosolique
Site de chargement du peptide sur la molécule du CMH	Compartiment vésiculaire spécialisé	Réticulum endoplasmique
Molécules participant au transport des peptides et au chargement des molécules du CMH	Chaîne invariante, protéine DM	TAP

Figure 3.12 Caractéristiques des voies d'apprêtement des antigènes.

des protéines extracellulaires ingérées. La même vésicule endosomiale contient une protéine proche des molécules de classe II, la protéine DM, dont la fonction est de retirer le fragment CLIP de la molécule de classe II du CMH. Après le retrait du fragment CLIP, la gouttière de la molécule de classe II est alors disponible pour accepter des peptides. Si la molécule du CMH de classe II est en mesure de se lier à l'un des peptides provenant des protéines ingérées, le complexe se stabilise et il est transféré vers la surface cellulaire. Si la molécule du CMH ne trouve pas un peptide auquel elle peut se lier, la molécule vide est instable et elle est dégradée par les protéases présentes dans les endosomes. Tout antigène protéique peut donner naissance à de nombreux peptides, mais peu d'entre eux (peut-être un ou deux) possèdent la capacité de se lier aux molécules du CMH présentes chez l'individu. Par conséquent, seuls ces peptides provenant d'un antigène intact stimuleront les réponses immunitaires chez cet individu ; ces peptides sont qualifiés d'**épitopes immunodominants** de l'antigène.

Apprêtement des antigènes cytosoliques pour une présentation par les molécules de classe I du CMH

Les protéines antigéniques peuvent être produites dans le cytoplasme à partir de virus vivant à l'intérieur des cellules infectées, à partir de certains microbes phagocytés pouvant traverser les vésicules et s'échapper dans le cytoplasme, et à partir de gènes de l'hôte mutés ou altérés, comme c'est le cas au sein des tumeurs. Toutes ces protéines, ainsi que les protéines cytoplasmiques de la cellule dont la durée de vie est dépassée, constituent des cibles pour la destruction par protéolyse. Ces protéines sont dépliées, liées de manière covalente à un petit peptide portant le nom d'ubiquitine, et sont « enfilées » dans un organite protéolytique appelé protéasome,

© 2009 Elsevier Masson SAS. Tous droits réservés

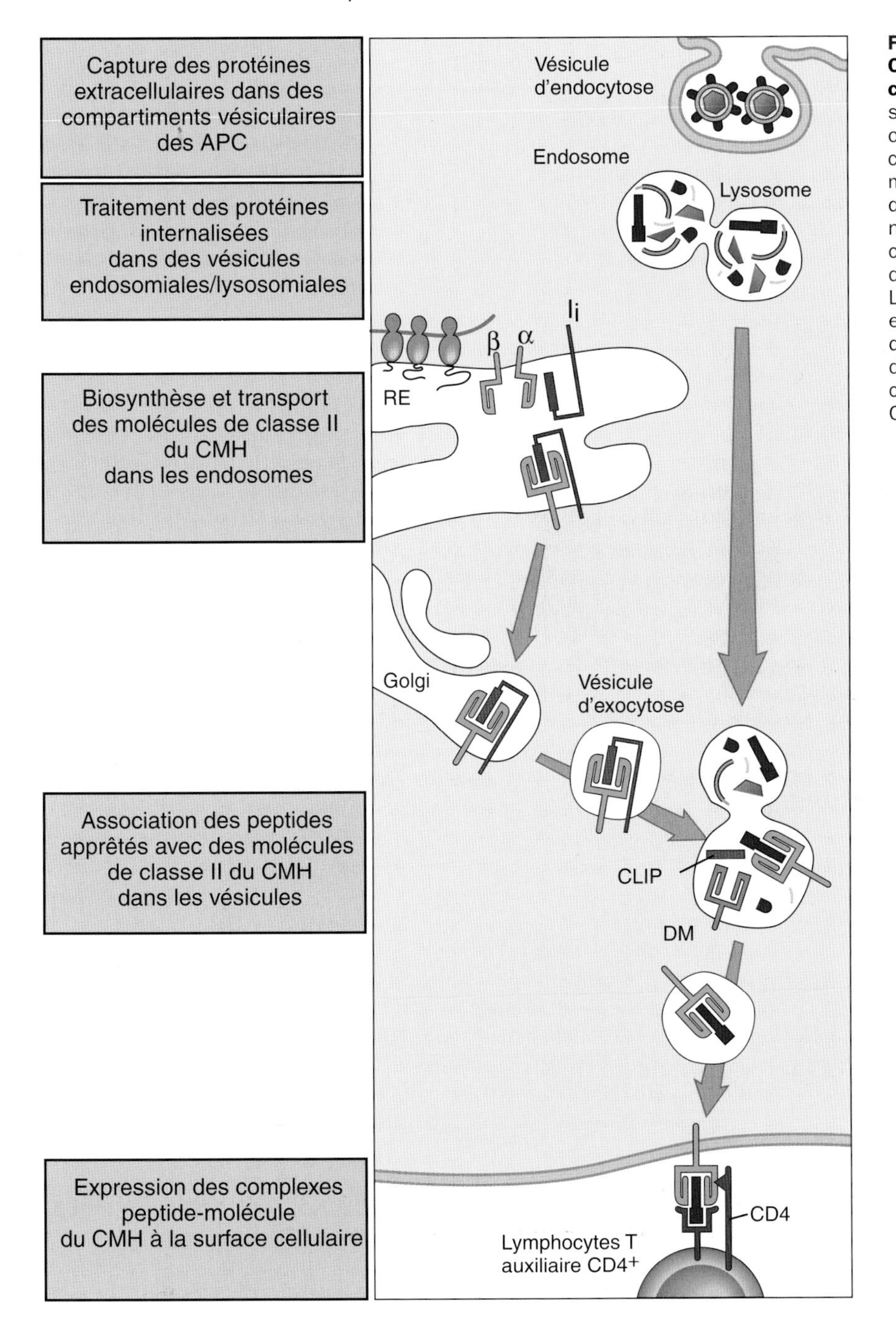

Figure 3.13 Voie des molécules de classe II du CMH pour l'apprêtement des antigènes vésiculaires internalisés. Les antigènes protéiques sont ingérés par les APC dans des vésicules, où ils sont dégradés en peptides. Les molécules du CMH de classe II pénètrent dans les mêmes vésicules et perdent leur peptide CLIP qui occupe le sillon des molécules de classe II nouvellement synthétisées. Ces molécules de classe II sont en mesure de lier les peptides dérivés de la protéine ingérée par endocytose. La molécule DM facilite l'élimination de CLIP et la liaison subséquente d'un peptide antigénique. Les complexes peptide-molécule du CMH de classe II sont transportés vers la surface cellulaire et sont reconnus par les lymphocytes T $CD4^+$.

dans lequel les protéines dépliées sont dégradées par des enzymes (figure 3.14). Certaines classes de protéasomes clivent de manière efficace les protéines cytosoliques en peptides dont la taille et la séquence sont typiques des peptides se liant aux protéines du CMH de classe I. Mais la cellule doit faire face à un autre défi : les peptides se trouvent dans le cytoplasme, tandis que les molécules du CMH sont synthétisées dans le RE, et les deux doivent se rencontrer. Ce problème est résolu par une molécule de transport spécialisée, le transporteur de peptides TAP (*transporter associated with antigen processing*), qui capture les peptides du cytoplasme pour les transférer activement dans le RE, à travers sa membrane. Ceci est bien sûr la direction inverse du déplacement normal des protéines, qui sortent du site de synthèse situé dans le RE pour atteindre le cytoplasme ou la membrane plasmique. Les molécules du CMH de classe I nouvellement synthétisées sont fixées de manière lâche à la face interne de la molécule TAP. Aussi, lorsque les peptides pénètrent dans le RE, ils peuvent être capturés par des molécules de classe I. Il faut rappeler que dans le RE, les molécules de classe II ne sont pas en mesure de lier des peptides à

© 2009 Elsevier Masson SAS. Tous droits réservés

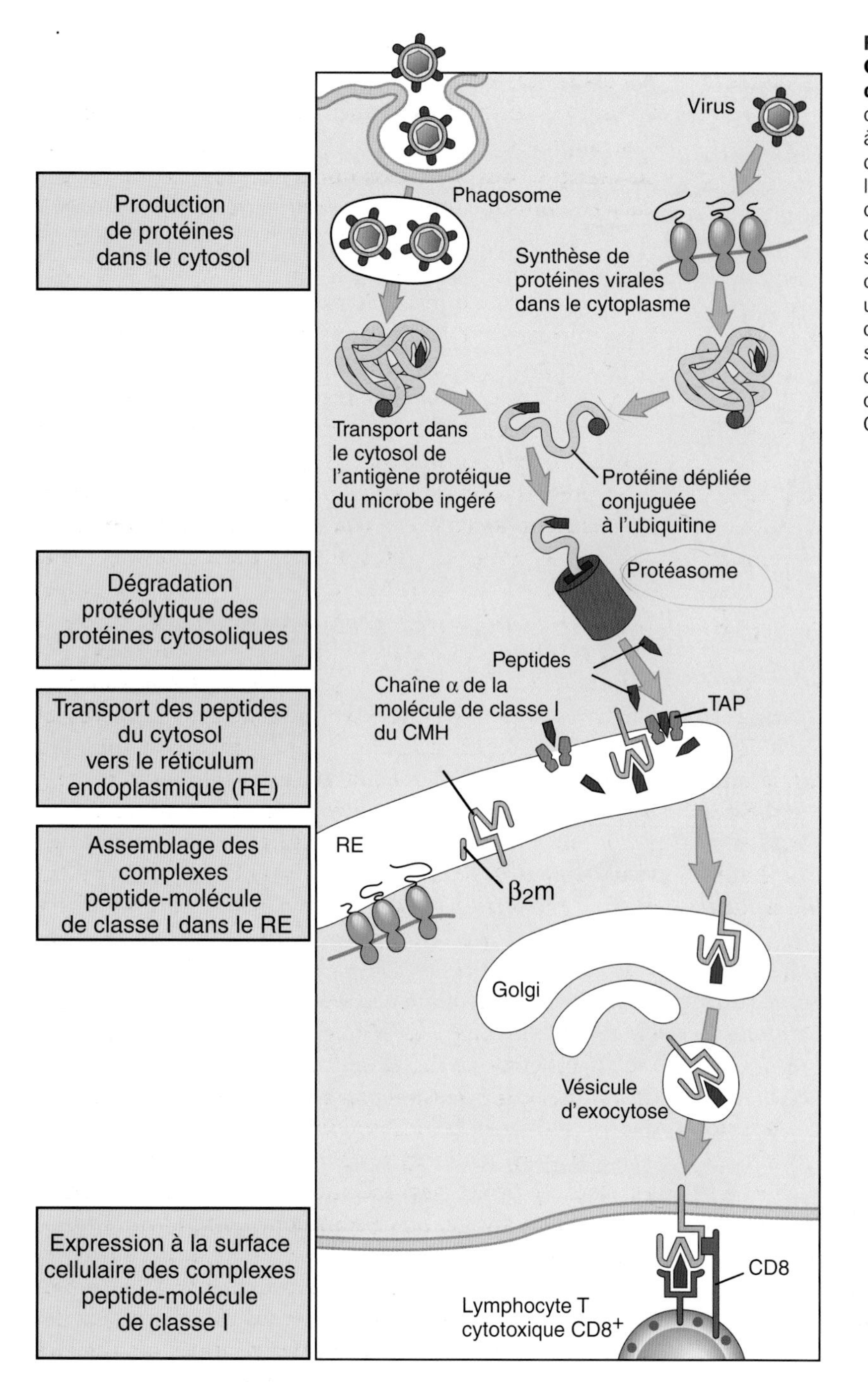

Figure 3.14 Voie des molécules de classe I du CMH pour l'apprêtement des antigènes cytosoliques. Les protéines accèdent au cytoplasme des cellules soit à partir des microbes phagocytés, soit à partir d'une synthèse endogène, par exemple par des virus, qui résident dans le cytoplasme des cellules infectées. Les protéines cytoplasmiques sont dépliées, conjuguées à l'ubiquitine et dégradées dans les protéasomes. Les peptides résultants sont transférés par le transporteur TAP dans le RE, où les peptides peuvent encore être raccourcis par une aminopeptidase du RE ; ils se lient ensuite à des molécules de classe I du CMH nouvellement synthétisées. Les complexes peptide-molécule de classe I du CMH sont transportés vers la surface cellulaire et sont reconnus par les lymphocytes T $CD8^+$.

cause de la chaîne invariante. Si une molécule de classe I rencontre un peptide qui lui convient, le complexe se stabilise puis est transporté vers la surface de la cellule. Au cours de ce périple, le complexe molécule de classe I-peptide est susceptible de rencontrer des endosomes. Toutefois, la molécule de classe I ne sera plus disponible pour se lier à des peptides, et, comme elle a été stabilisée, le complexe sera en mesure de résister à l'activité protéolytique des protéases endosomiales. Si une molécule de classe I ne trouve pas un peptide dans le RE, la molécule devient instable et est dégradée par les protéases.

L'évolution parallèle des microbes et de leurs hôtes est bien illustrée par les nombreuses stratégies développées par les virus pour bloquer la présentation des antigènes par les molécules de classe I du CMH. Ces stratégies comprennent le retrait des molécules du CMH nouvellement synthétisées du réticulum endoplasmique, l'inhibition de la transcription des gènes du CMH et le blocage du transport des peptides par le transporteur TAP. En inhibant la voie utilisant les molécules de classe I du CMH, les virus réduisent la présentation de leurs propres antigènes aux lymphocytes T $CD8^+$, et sont ainsi capables d'échapper

© 2009 Elsevier Masson SAS. Tous droits réservés

au système immunitaire adaptatif. Ces stratégies d'échappement viral sont en partie contrecarrées par la capacité des cellules *natural killer* (NK) du système immunitaire inné de reconnaître et de tuer les cellules infectées par les virus qui ont perdu l'expression des molécules du CMH de classe I (voir le chapitre 2). Ces mécanismes d'échappement des virus au système immunitaire sont décrits plus en détail dans le chapitre 6.

Signification physiologique de la présentation des antigènes par le CMH

On s'attend à ce qu'un système d'apprêtement et de présentation des antigènes protéiques régulé de manière aussi précise joue un rôle important dans la stimulation des réponses immunitaires. En effet, un grand nombre des caractéristiques fondamentales de l'immunité assurée par les lymphocytes T sont étroitement liées à la fonction de présentation des peptides par les molécules du CMH.

La restriction de la reconnaissance par les lymphocytes T des peptides associés au CMH permet à ces cellules de ne voir que les antigènes associés aux cellules et d'y répondre. Cela s'explique du fait que, d'une part, les molécules du CMH sont des protéines de la membrane cellulaire et que, d'autre part, la liaison à un peptide et l'expression consécutive des molécules du CMH dépendent d'étapes de biosynthèse et d'assemblage intracellulaires. En d'autres termes, les molécules du CMH ne peuvent se fixer qu'à des peptides se trouvant à l'intérieur des cellules, là où des antigènes de germes pathogènes phagocytés et intracellulaires sont présents. Par conséquent, les lymphocytes T ne peuvent reconnaître que des antigènes de microbes phagocytés et intracellulaires, qui sont précisément les types de microbes qui doivent être combattus par l'immunité dépendante des lymphocytes T.

En séparant les voies d'apprêtement des antigènes utilisant les molécules de classe I et de classe II, le système immunitaire est à même de répondre aux microbes extracellulaires et intracellulaires en leur opposant les défenses les plus efficaces pour les combattre (figure 3.15). Les microbes extracellulaires sont capturés par les APC, notamment les lymphocytes B et les macrophages, et sont présentés par les molécules de classe II qui, bien entendu, sont exprimées principalement par ces APC (et par les cellules dendritiques). En raison de la spécificité du CD4 pour les molécules de classe II, les peptides associés aux molécules de classe II sont reconnus par les lymphocytes T $CD4^+$, qui fonctionnent comme des lymphocytes auxiliaires. Ces lymphocytes T auxiliaires aident les lymphocytes B à produire des anticorps, mais aident également les phagocytes à ingérer et à détruire des microbes, activant ainsi les deux mécanismes effecteurs les plus adaptés pour éliminer les microbes extracellulaires et les microbes ingérés. Aucun de ces mécanismes n'est efficace contre les virus qui vivent dans le cytoplasme. Les antigènes cytosoliques sont apprêtés et présentés par les molécules du CMH de classe I, qui sont exprimées sur toutes les cellules nucléées, puisque toutes les cellules nucléées peuvent être infectées par des virus. Les peptides associés aux molécules de classe I sont reconnus par les lymphocytes T $CD8^+$, qui se différencient en CTL. Les CTL détruisent les cellules infectées et éradiquent l'infection, ce qui constitue le mécanisme le plus efficace pour éliminer les microbes cytoplasmiques. Ainsi, la nature de la réponse immunitaire protectrice dirigée contre les différents microbes est optimisée par la conjugaison de plusieurs caractéristiques de la présentation des antigènes et de la reconnaissance par les lymphocytes T : voies d'apprêtement des antigènes vésiculaires et cytosoliques, expression cellulaire des molécules du CMH de classe II et de classe I, spécificité des corécepteurs CD4 et CD8 pour les molécules de classe II et de classe I et fonctions auxiliaires des cellules $CD4^+$ et cytotoxiques des $CD8^+$. Cette fonction des voies d'apprêtement d'un antigène associé au CMH est importante, car les cellules T elles-mêmes ne peuvent distinguer les microbes extra- ou intracellulaires. En fait, comme nous l'avons mentionné au début de ce chapitre, le même virus peut être extracellulaire au début de l'infection et devenir ensuite intracellulaire. Durant son passage extracellulaire, il est combattu par des anticorps et les phagocytes activés par les cellules T auxiliaires, mais une fois que le virus a trouvé un abri dans le cytoplasme, il ne peut être éliminé que par les CTL qui détruisent les cellules infectées. La ségrégation des voies de présentation antigénique de classe I ou II permet à la réponse immunitaire spécialisée et *ad hoc* de contrer les microbes dans leur différente localisation.

Ce chapitre a débuté avec deux questions : comment les rares lymphocytes spécifiques des antigènes trouvaient-ils les antigènes, et comment les réponses immunitaires appropriées étaient-elles élaborées contre les microbes extracellulaires et intracellulaires ? La compréhension de la biologie des APC et du rôle des molécules du CMH dans la présentation des peptides d'antigènes protéiques a fourni des réponses satisfaisantes aux deux questions, en particulier pour les réponses immunitaires assurées par les lymphocytes T.

Autres fonctions des cellules présentatrices d'antigènes

Le rôle des APC n'est pas limité à la présentation des peptides pour qu'ils soient reconnus par les lymphocytes T, mais, en réponse à des microbes, elles expriment également des « seconds signaux » pour l'activation des cellules T. Ce concept des « deux signaux » nécessaires à l'activation des lymphocytes a été introduit

© 2009 Elsevier Masson SAS. Tous droits réservés

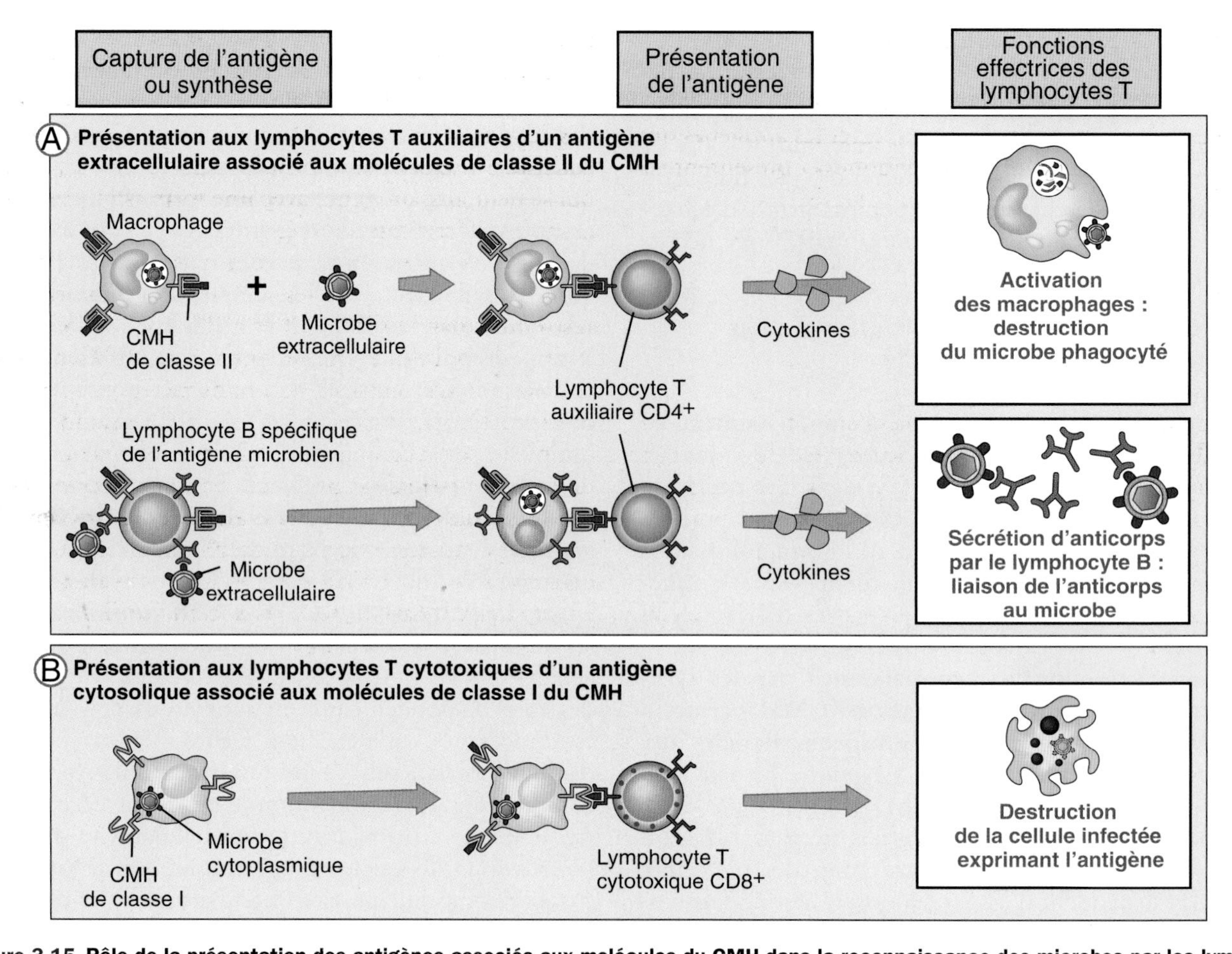

Figure 3.15 Rôle de la présentation des antigènes associés aux molécules du CMH dans la reconnaissance des microbes par les lymphocytes T CD4⁺ et CD8⁺. A. Les antigènes protéiques des microbes ingérés par endocytose à partir de l'environnement extracellulaire par les macrophages et les lymphocytes B suivent la voie d'apprêtement des antigènes utilisant les molécules de classe II du CMH. Par conséquent, ces protéines sont reconnues par les lymphocytes T auxiliaires $CD4^+$, dont les fonctions sont d'activer les macrophages afin de détruire les microbes phagocytés et d'activer les lymphocytes B afin qu'ils produisent des anticorps contre les microbes et les toxines extracellulaires. B. Les antigènes protéiques des microbes qui vivent dans le cytoplasme de cellules infectées suivent la voie d'apprêtement des antigènes utilisant les molécules de classe I du CMH. Par conséquent, ces protéines sont reconnues par les lymphocytes T cytotoxiques $CD8^+$, dont la fonction est de détruire les cellules infectées.

dans les chapitres 1 et 2, et sera repris lorsque les réponses des lymphocytes T et B seront décrites (voir chapitres 5 et 7). Rappelons que l'antigène est le signal 1 qui est indispensable, et que le signal 2 est fourni par les microbes ou les APC réagissant avec les microbes. Différents types de produits microbiens et de réponses immunitaires innées peuvent faire exprimer par les APC les seconds signaux nécessaires à l'activation des lymphocytes. Par exemple, de nombreuses bactéries produisent une substance appelée lipopolysaccharide (LPS) ou endotoxine. Lorsque les bactéries sont capturées par les APC afin que leurs antigènes protéiques soient présentés, le LPS agit sur ces mêmes APC, par l'intermédiaire d'un TLR, et stimule l'expression de costimulateurs et la sécrétion de cytokines. Les costimulateurs et les cytokines, agissant de concert avec la reconnaissance des antigènes par le TCR, stimulent la prolifération et la différenciation des lymphocytes T.

Antigènes reconnus par les lymphocytes B

Les lymphocytes B utilisent des anticorps liés à la membrane pour reconnaître une large variété d'antigènes, notamment des protéines, des polysaccharides, des lipides et de petites substances chimiques. Ces antigènes peuvent être exprimés à la surface des microbes (par exemple des antigènes de la capsule ou de l'enveloppe) ou peuvent se trouver sous forme soluble (par exemple des toxines sécrétées). En réponse à la présence d'antigènes et à d'autres signaux, les lymphocytes B se différencient en cellules capables de sécréter des anticorps (voir le chapitre 7). Les anticorps produits pénètrent dans la circulation sanguine et dans les fluides sécrétés par les muqueuses, et se lient aux antigènes, entraînant leur neutralisation et leur élimination. Les récepteurs d'antigène des lymphocytes B et les anticorps sécrétés reconnaissent généralement

© 2009 Elsevier Masson SAS. Tous droits réservés

les antigènes sous leur conformation native, sans qu'il soit nécessaire d'apprêter ou de présenter les antigènes à l'aide d'un système spécialisé. Des macrophages dans les sinus lymphatiques peuvent capturer les antigènes qui entrent dans les ganglions lymphatiques et présentent les antigènes sous forme intacte (non apprêtée) aux lymphocytes B dans les follicules. Cependant, on ignore si une population spécialisée d'APC est nécessaire à la présentation des antigènes aux cellules B naïves afin de lancer les réponses immunitaires humorales.

Les follicules lymphoïdes riches en lymphocytes B des ganglions lymphatiques et de la rate contiennent une population de cellules appelées cellules dendritiques folliculaires (CDF), dont la fonction est de présenter les antigènes à des lymphocytes B activés. Les antigènes que les CDF présentent sont couverts d'anticorps ou de fragments du complément comme C3b et C3d. Les CDF lient les complexes antigène-anticorps au moyen de récepteurs qui reconnaissent une extrémité des molécules d'anticorps et qui sont appelés récepteurs de Fc. Ils utilisent aussi leurs récepteurs des protéines du complément pour lier les antigènes couverts de ces protéines. Ces antigènes sont vus par les lymphocytes B spécifiques au cours des réponses immunitaires humorales, et leur fonction consiste principalement à sélectionner les lymphocytes B qui se lient aux antigènes avec une forte affinité. Ce processus est décrit dans le chapitre 7.

Bien que ce chapitre ait été focalisé sur la reconnaissance des peptides par les cellules T $CD4^+$ et $CD8^+$ restreintes par le CMH, il y a d'autres petites populations de cellules T qui reconnaissent différents types d'antigènes. Les cellules NK-T sont spécifiques de lipides présentés par les molécules CD1, qui ressemblent aux molécules de classe I. Les cellules Tγδ reconnaissent une large variété de substances, certaines présentées par des molécules du type de la classe I. D'autres lymphocytes ne requièrent apparemment aucun apprêtement ou présentation particulière. Les fonctions de ces cellules et la signification de leurs spécificités inhabituelles sont encore peu comprises.

© 2009 Elsevier Masson SAS. Tous droits réservés

Résumé

- L'induction de réponses immunitaires dirigées contre des antigènes protéiques microbiens dépend d'un système spécialisé dans la capture et la présentation de ces antigènes afin qu'ils soient reconnus par les rares lymphocytes T naïfs spécifiques d'un antigène particulier. Les microbes et les antigènes microbiens qui pénètrent dans l'organisme par l'intermédiaire des épithéliums sont capturés par des cellules présentatrices d'antigènes (APC) professionnelles, principalement les cellules dendritiques, situées dans les épithéliums et transportées vers les ganglions lymphatiques locorégionaux, ou sont capturés par des APC qui résident dans les ganglions lymphatiques et la rate. Les antigènes protéiques microbiens sont présentés par les APC à des lymphocytes T naïfs qui recirculent à travers les organes lymphoïdes.
- Des molécules codées dans le CMH exercent la fonction de présentation des peptides provenant d'antigènes protéiques.
- Les protéines qui sont ingérées par les APC à partir de l'environnement extracellulaire sont dégradées par protéolyse à l'intérieur des vésicules des APC, et les peptides qui sont ainsi obtenus se lient aux sillons des molécules de classe II du CMH nouvellement synthétisées. Les molécules de classe II du CMH sont reconnues par CD4, c'est pourquoi les lymphocytes T auxiliaires $CD4^+$ sont spécifiques des peptides associés aux molécules du CMH de classe II et qui proviennent principalement de protéines extracellulaires.
- Les protéines qui sont produites par des microbes vivant dans le cytoplasme des cellules, ou qui pénètrent dans le cytoplasme par des phagosomes, sont dégradées par des protéases cytosoliques, transférées dans le RE par TAP et s'insèrent dans les sillons de molécules du CMH de classe I nouvellement synthétisées. Les molécules du CMH de classe I sont reconnues par CD8, c'est la raison pour laquelle les lymphocytes T $CD8^+$ cytotoxiques sont spécifiques des peptides associés aux molécules du CMH de classe I et provenant de protéines cytosoliques.
- Le rôle des molécules du CMH dans la présentation des antigènes permet que les lymphocytes T ne voient que les antigènes protéiques associés aux cellules, et qu'une sous-population adéquate de lymphocytes T (lymphocytes auxiliaires ou lymphocytes cytotoxiques) réponde au type de microbes que le lymphocyte T est le mieux à même de combattre.
- Les microbes font exprimer par les APC des protéines membranaires (dites costimulatrices) et leur font sécréter des cytokines qui fournissent des signaux stimulant, de concert avec les antigènes, des lymphocytes T spécifiques. La nécessité de ces seconds signaux assure que les lymphocytes T répondent aux antigènes microbiens et non à des substances non microbiennes inoffensives.
- Les lymphocytes B reconnaissent les antigènes protéiques et non protéiques, même dans leur conformation native. Il n'a pas été établi si un système spécialisé de présentation des antigènes était essentiel pour l'induction des réponses des lymphocytes B. Les CDF présentent les antigènes aux lymphocytes B des centres germinatifs, et sélectionnent les lymphocytes B de haute affinité au cours des réponses immunitaires humorales.

Contrôle des connaissances

1. Quand les antigènes pénètrent à travers la peau, dans quels organes sont-ils concentrés? Quels sont les types de cellules qui jouent un rôle important dans ce processus de capture des antigènes?
2. Que sont les molécules du CMH? Comment les molécules du CMH sont-elles appelées chez l'homme? Comment ont-elles été découvertes, et quelle est leur fonction?
3. Quelles sont les différences entre les antigènes qui sont présentés par les molécules du CMH de classe I et de classe II?
4. Décrivez la séquence des événements par lesquels les molécules du CMH de classe I et de classe II capturent les antigènes afin de les présenter.
5. Quelles sous-populations fonctionnelles de lymphocytes T reconnaissent les antigènes présentés par les molécules du CMH de classe I et de classe II? Quelles molécules situées sur les lymphocytes T contribuent à leur spécificité pour les antigènes peptidiques associés aux molécules du CMH de classe I ou de classe II?

© 2009 Elsevier Masson SAS. Tous droits réservés

Chapitre 4

Reconnaissance des antigènes dans le système immunitaire adaptatif

Structure des récepteurs d'antigènes des lymphocytes et développement des répertoires immunitaires

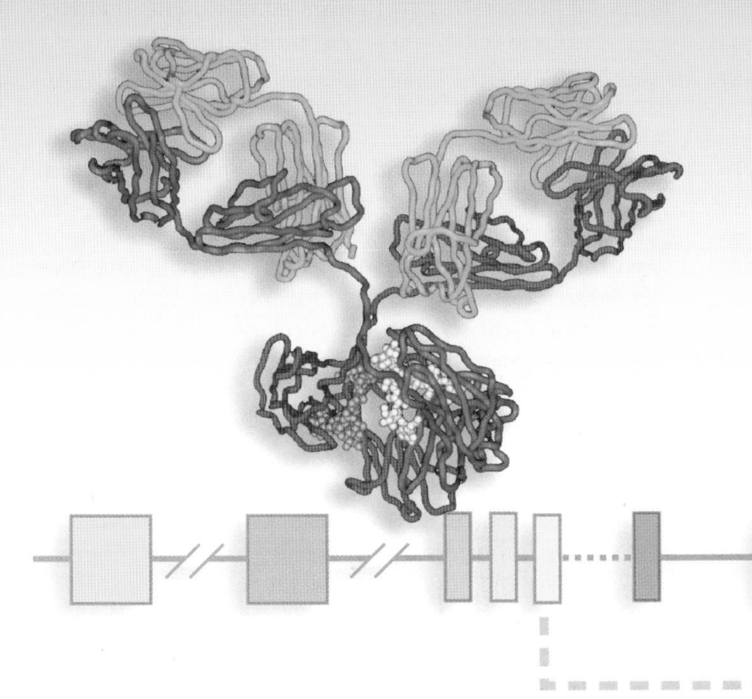

La reconnaissance de l'antigène est l'événement déclenchant des réponses lymphocytaires. **L'antigène est reconnu de manière spécifique par deux types de récepteurs de surface des lymphocytes : les anticorps attachés à la membrane des cellules B et les récepteurs des cellules T (TCR).**

La fonction principale des récepteurs cellulaires dans le système cellulaire, comme dans les autres systèmes biologiques, est la détection de stimulus externes, les antigènes, pour le système immunitaire adaptatif, et le déclenchement des réactions des cellules qui expriment les récepteurs. Pour reconnaître un grand nombre et une

Les bases de l'immunologie fondamentale et clinique
© 2009 Elsevier Masson SAS. Tous droits réservés

large variété d'antigènes, les récepteurs d'antigènes des lymphocytes doivent être capables de lier et de distinguer de nombreuses structures chimiques souvent étroitement apparentées. Les récepteurs sont distribués de manière clonale, ce qui signifie que chaque clone de lymphocytes présentant une spécificité particulière possède un récepteur unique, différent des récepteurs de tous les autres clones. Rappelons qu'un clone est constitué d'une cellule mère et de sa descendance. Le nombre total, ou répertoire, de spécificités lymphocytaires est très important, étant donné que le système immunitaire est composé de nombreux clones présentant des spécificités distinctes. Bien que chaque clone de lymphocytes B ou de lymphocytes T reconnaisse un antigène différent, tous les lymphocytes B ou lymphocytes T répondent de manière pratiquement identique à la reconnaissance des antigènes. Pour relier la reconnaissance de l'antigène à l'activation du lymphocyte, les récepteurs d'antigènes transmettent des signaux biochimiques qui sont fondamentalement identiques dans tous les lymphocytes et sont sans rapport avec la spécificité. Les caractéristiques de la reconnaissance par les lymphocytes ainsi que celles des récepteurs d'antigènes soulèvent deux questions importantes.

- Comment les récepteurs d'antigènes des lymphocytes reconnaissent-ils des antigènes extrêmement variés, et transmettent-ils aux cellules des signaux d'activation relativement conservés ?
- Comment la vaste diversité structurale des récepteurs est-elle obtenue dans les lymphocytes ? La diversité de la reconnaissance des antigènes implique l'existence de nombreuses protéines de récepteurs d'antigènes de structures différentes, en nombre bien supérieur à ce qui peut être raisonnablement codé par le génome (lignée germinale). Par conséquent, il doit exister des mécanismes spécifiques pour produire cette diversité.

Dans ce chapitre, nous décrirons les structures des récepteurs d'antigènes des lymphocytes B ou T, et comment ces récepteurs reconnaissent les antigènes. Nous aborderons également la manière dont la diversité des récepteurs d'antigènes est obtenue au cours du processus de maturation des lymphocytes, donnant ainsi naissance au répertoire des lymphocytes matures. Le processus d'activation des lymphocytes induit par l'antigène sera décrit dans les chapitres ultérieurs.

Récepteurs d'antigènes des lymphocytes

Les récepteurs d'antigènes des lymphocytes B et T présentent plusieurs caractéristiques qui jouent un rôle important pour les fonctions de ces récepteurs dans l'immunité adaptative (figure 4.1).

Les récepteurs d'antigènes des lymphocytes B et T reconnaissent des structures chimiquement différentes. Les lymphocytes B sont capables de reconnaître les formes, ou conformations, de macromolécules natives, notamment des protéines, des lipides, des hydrates de carbone ou glucides et des acides nucléiques, ainsi que des petits groupements chimiques et des parties de macromolécules. Cette large spécificité des cellules B envers des types moléculaires structurellement différents permet aux anticorps de reconnaître divers microbes et toxines sous leur forme native. Au contraire, la plupart des lymphocytes T ne peuvent reconnaître que des peptides, et uniquement lorsque ces peptides sont exposés à la surface des cellules présentatrices d'antigènes (APC), liés aux protéines membranaires codées dans le locus génique du complexe majeur d'histocompatibilité (CMH). Ainsi, les cellules T sont capables de détecter les microbes associés aux cellules (voir le chapitre 3).

Les molécules des récepteurs d'antigènes sont composées de régions, ou domaines, qui participent à la reconnaissance des antigènes et, par conséquent, diffèrent entre clones de lymphocytes, ainsi que d'autres régions nécessaires à l'intégrité structurale et aux fonctions effectrices, qui sont en revanche relativement conservées parmi l'ensemble des clones. Les parties des récepteurs qui assurent la reconnaissance de l'antigène sont appelées **régions variables (V)**, tandis que les parties conservées sont les **régions constantes (C)**. Même à l'intérieur des régions V, la majeure partie de la variabilité des séquences est concentrée dans de petites zones, appelées régions hypervariables ou région déterminant la complémentarité (CDR, *complementary determining region*), dans la mesure où ce sont les parties du récepteur qui se lient aux antigènes (c'est-à-dire qui sont complémentaires de la forme de ces antigènes). En concentrant la variabilité des séquences dans de petites zones du récepteur, il est possible de maximiser la variabilité tout en conservant les structures de base des récepteurs. En outre, comme cela sera indiqué plus loin dans ce chapitre, il existe des mécanismes génétiques spéciaux permettant d'introduire des variations dans les régions de reconnaissance des antigènes de ces récepteurs, tout en utilisant un ensemble limité de gènes pour coder la plupart des polypeptides de ces récepteurs.

Les récepteurs d'antigènes sont fixés de manière non covalente à d'autres molécules invariantes, dont la fonction est de délivrer à l'intérieur de la cellule les signaux d'activation déclenchés par la reconnaissance de l'antigène (figure 4.1). Ainsi, les deux fonctions des récepteurs d'antigènes des lymphocytes – reconnaissance des antigènes spécifiques et transduction des signaux – sont assurées par des polypeptides différents. Ces caractéristiques permettent de limiter la variabilité à un ensemble de molécules (les récepteurs eux-mêmes), tout en réservant à d'autres protéines, qui elles sont invariantes, la fonction conservée de transduction des signaux. L'ensemble formé des récepteurs d'antigènes et des molécules de signalisation porte, dans les lymphocytes B, le nom de **complexe du récepteur des lymphocytes B (BCR,** ***B cell receptor*****)**, et la structure correspondante rencontrée dans

© 2009 Elsevier Masson SAS. Tous droits réservés

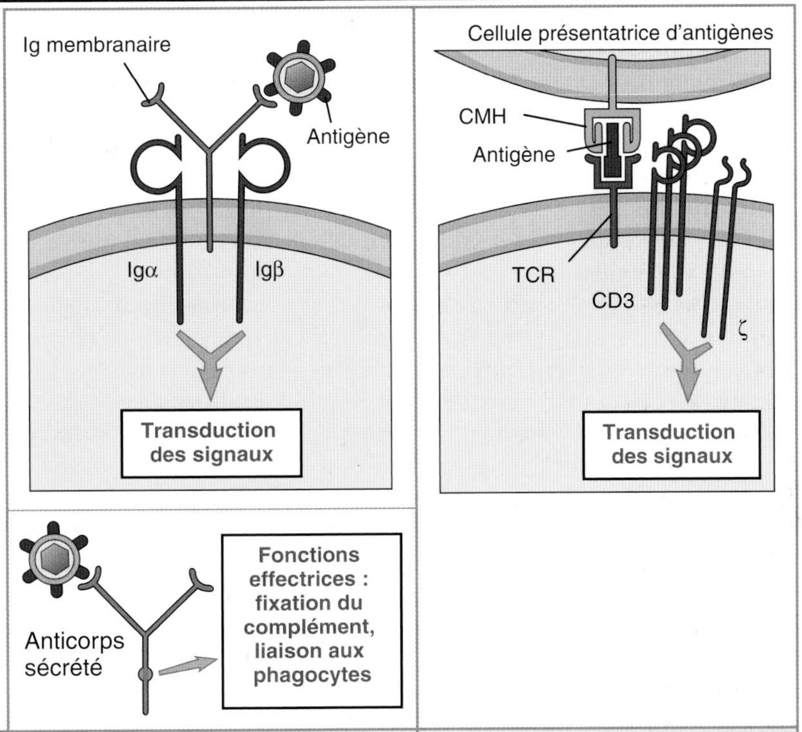

Caractéristique ou fonction	Anticorps (immunoglobuline)	Récepteur des lymphocytes T (TCR)
	Ig membranaire Antigène Igα Igβ **Transduction des signaux**	Cellule présentatrice d'antigènes CMH Antigène TCR CD3 ζ **Transduction des signaux**
	Anticorps sécrété **Fonctions effectrices : fixation du complément, liaison aux phagocytes**	
Forme des antigènes reconnus	Macromolécules (protéines, polysaccharides, lipides, acides nucléiques), petites substances chimiques Épitopes conformationnels et séquentiels	Peptides présentés par les molécules du CMH sur des APC Épitopes séquentiels
Diversité	Chaque clone présente une spécificité unique ; possibilité de plus de 10^9 spécificités distinctes	Chaque clone présente une spécificité unique ; possibilité de plus de 10^{11} spécificités distinctes
La reconnaissance de l'antigène est effectuée par :	Les régions variables (V) des chaînes lourdes et légères des Ig membranaires	Les régions variables (V) des chaînes α et β du TCR
Les fonctions de signalisation sont assurées par :	Les protéines (Igα et Igβ) associées aux Ig membranaires	Les protéines (CD3 et ζ) associées aux TCR
Les fonctions effectrices sont assurées par :	Les régions constantes (C) des Ig sécrétées	Le TCR n'assure aucune fonction effectrice

Figure 4.1 Propriétés des anticorps et des récepteurs d'antigènes des lymphocytes T (TCR). Les anticorps (également appelés immunoglobulines ou Ig) peuvent être exprimés sous forme de récepteurs membranaires ou de protéines sécrétées ; les TCR ne fonctionnent que comme récepteurs membranaires. Lorsque les molécules d'Ig ou de TCR reconnaissent les antigènes, des signaux sont délivrés aux lymphocytes par des protéines associées aux récepteurs antigéniques. Les récepteurs antigéniques et les protéines de signalisation associées constituent les complexes du récepteur des lymphocytes B (BCR) et T (TCR). Notez que la figure représente des récepteurs uniques reconnaissant des antigènes, mais que la signalisation nécessite l'agrégation de deux ou plusieurs récepteurs par liaison à des molécules antigéniques adjacentes. Les caractéristiques importantes de ces molécules de reconnaissance des antigènes sont résumées.

© 2009 Elsevier Masson SAS. Tous droits réservés

les lymphocytes T porte le nom de **complexe du récepteur des lymphocytes T (TCR,** *T cell receptor*). Lorsque, sur des lymphocytes, des récepteurs d'antigènes adjacents se lient à deux ou plusieurs molécules d'antigènes, ils se regroupent pour former un agrégat. Ce processus d'interconnexion ou de formation de ponts permet de rapprocher entre elles les protéines de signalisation associées aux complexes des récepteurs. Lorsque ce phénomène se produit, les enzymes fixées à la partie cytoplasmique des protéines de signalisation catalysent la phosphorylation d'autres protéines. La phosphorylation déclenche des cascades de signalisation complexes qui culminent dans la transcription de nombreux gènes et la production de multiples protéines à la base des réponses lymphocytaires. Les processus d'activation des lymphocytes T et B seront à nouveau abordés respectivement dans les chapitres 5 et 7.

Les anticorps peuvent prendre la forme de récepteurs d'antigènes liés à la membrane des lymphocytes B ou de protéines sécrétées, tandis que les TCR n'existent que sous la forme de récepteurs membranaires des lymphocytes T. Les anticorps sécrétés sont présents dans le sang et dans les sécrétions des muqueuses, où leur fonction est de neutraliser et d'éliminer les microbes et les toxines; ils constituent les molécules effectrices de l'immunité humorale. Les anticorps sont également appelés **immunoglobulines (Ig)**, en référence au fait que ces protéines possèdent une fonction immunologique et présentent une mobilité électrophorétique caractéristique des globulines plasmatiques. Les anticorps sécrétés reconnaissent les antigènes et les toxines des microbes grâce à leurs domaines variables, exactement de la même manière que les récepteurs d'antigènes liés à la membrane des lymphocytes B. Les régions constantes de certains anticorps sécrétés ont la capacité de se lier à d'autres molécules qui participent à l'élimination des antigènes; parmi ces molécules, on peut citer des récepteurs se trouvant sur les phagocytes et les protéines du système du complément. Par conséquent, les anticorps assurent deux fonctions dans l'immunité humorale : les anticorps liés à la membrane des lymphocytes B reconnaissent les antigènes afin d'initier des réponses immunitaires humorales, et les anticorps sécrétés éliminent les antigènes au cours de la phase effectrice de ces réponses. Dans l'immunité cellulaire, la fonction effectrice d'élimination des microbes est assurée par les lymphocytes T eux-mêmes. Les récepteurs d'antigènes des lymphocytes T ne participent qu'à la reconnaissance de l'antigène et à l'activation des lymphocytes T, mais ces protéines n'assurent aucune fonction effectrice et ne sont pas sécrétées.

Après cette introduction, ce chapitre sera consacré à la description des récepteurs d'antigènes des lymphocytes, d'abord les anticorps puis les TCR.

Les anticorps

Une molécule d'anticorps est composée de quatre chaînes polypeptidiques, qui se répartissent en deux chaînes lourdes (H) identiques et en deux chaînes légères (L) identiques, chaque chaîne contenant une région variable et une région constante (figure 4.2). Les quatre chaînes sont assemblées pour former une molécule en forme de Y. Chaque chaîne légère est liée à une chaîne lourde, et les deux chaînes lourdes sont liées entre elles, toutes ces liaisons étant assurées par des ponts disulfures. Une chaîne légère est constituée d'un domaine V et d'un domaine C, tandis qu'une chaîne lourde comprend un domaine V et trois ou quatre domaines C. Chaque domaine se replie pour adopter une conformation tridimensionnelle caractéristique, portant le nom de domaine immunoglobuline (Ig). Un domaine Ig consiste en deux feuillets β plissés superposés, tenus ensemble par un pont disulfure. Les brins adjacents de chaque feuillet sont connectés par de courtes boucles, et ce sont ces boucles dans les molécules d'Ig qui constituent les sites de reconnaissance de l'antigène. Les domaines Ig sont présents dans de nombreuses autres protéines appartenant ou non au système immunitaire, et la plupart de ces protéines participent à la détection de signaux provenant de l'environnement ou d'autres cellules. Toutes ces protéines sont qualifiées de membres de la superfamille des Ig, et pourraient avoir évolué à partir d'un gène ancestral commun.

Chaque région variable de la chaîne lourde (appelée V_H) ou de la chaîne légère (appelée V_L) contient trois régions hypervariables, ou CDR. Parmi ces trois régions, celle qui présente la variabilité la plus importante est CDR3, qui est située à la jonction des régions variables et constantes. Comme cela est prévisible, CDR3 est également la partie de la molécule d'Ig qui contribue le plus à la liaison de l'antigène. Les régions des molécules d'anticorps sont souvent nommées sur la base des propriétés des fragments protéolytiques d'immunoglobulines. Le fragment d'anticorps qui contient la totalité de la chaîne légère (avec ses domaines V et C uniques) fixée au domaine V et au premier domaine C d'une chaîne lourde renferme la partie de l'anticorps nécessaire à la reconnaissance de l'antigène, et porte par conséquent le nom de fragment Fab (*fragment antigen binding*). Les autres domaines C de la chaîne lourde constituent la région Fc, le sigle Fc signifiant fragment cristallin, ce fragment ayant tendance à cristalliser en solution. Dans chaque molécule d'Ig, il existe deux régions Fab identiques qui se lient à l'antigène et une région Fc qui est responsable de la majeure partie de l'activité biologique et des fonctions effectrices des anticorps. Comme nous le verrons ultérieurement, certains anticorps sont constitués de deux ou cinq molécules d'Ig reliées entre elles. Entre les régions Fab et Fc de la plupart des molécules d'anticorps se trouve une partie flexible portant le nom de région charnière. Celle-ci permet aux deux régions Fab de chaque molécule d'anticorps de bouger, ce qui leur permet de se lier simultanément à des épitopes antigéniques séparés

© 2009 Elsevier Masson SAS. Tous droits réservés

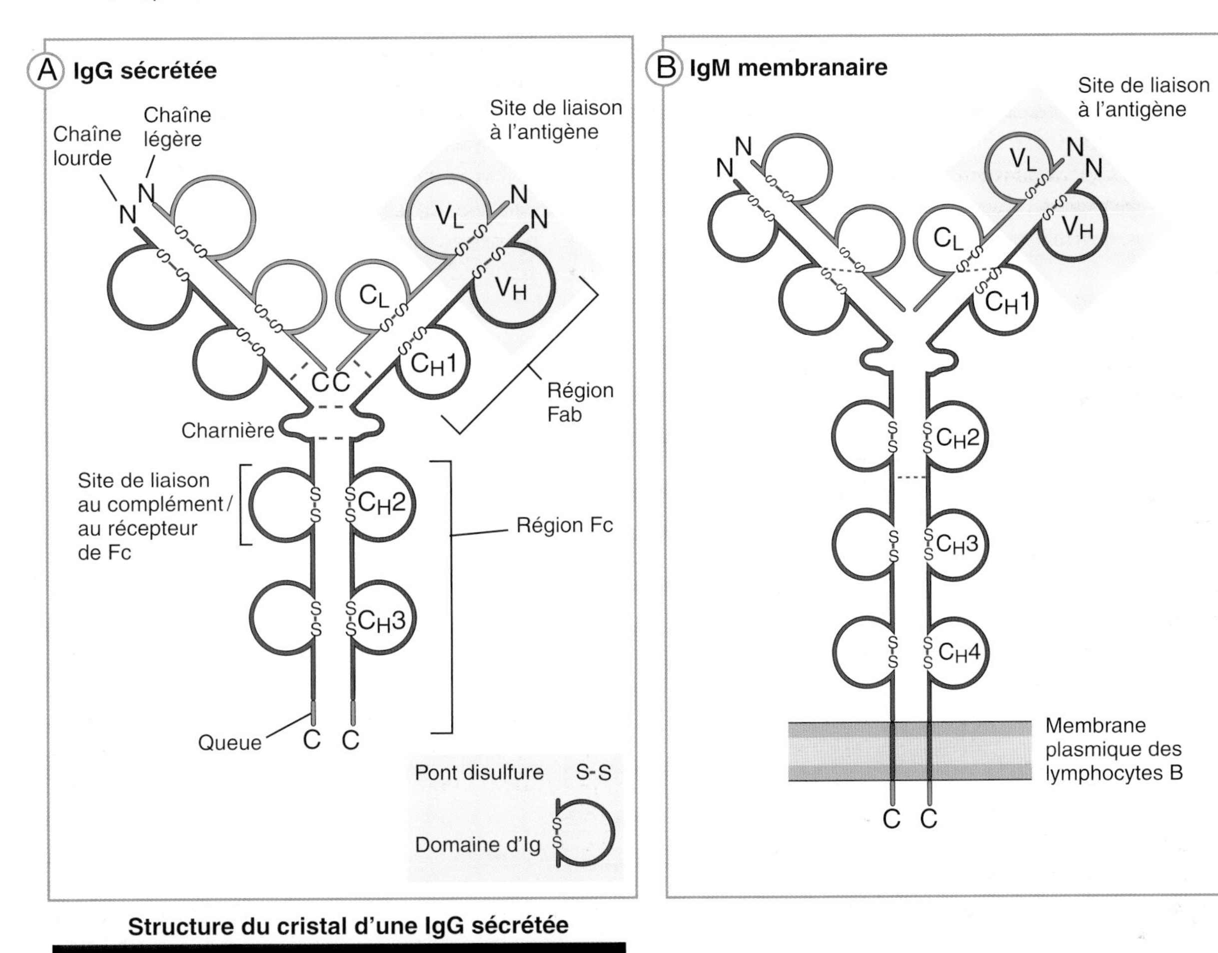

Structure du cristal d'une IgG sécrétée

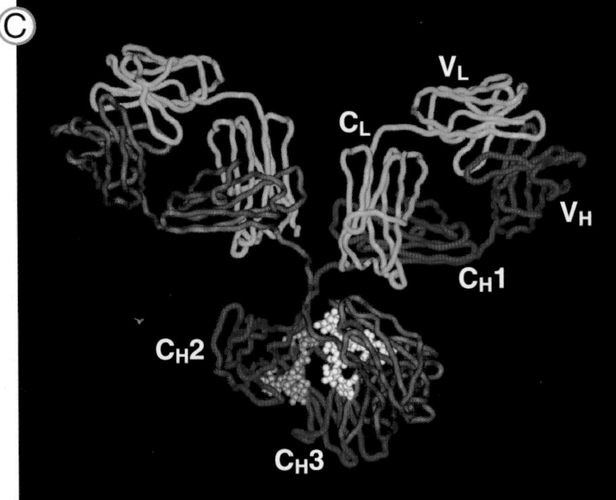

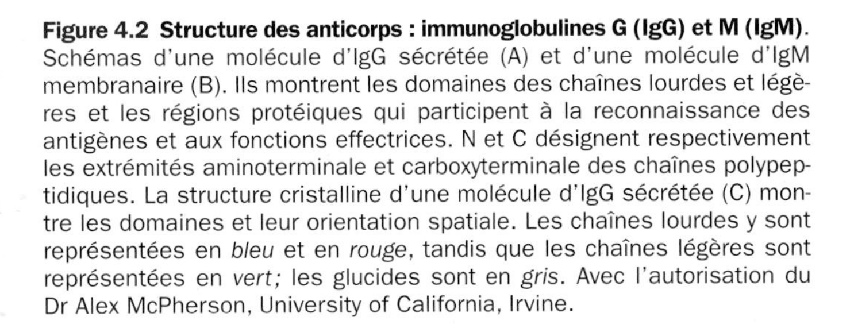
Figure 4.2 Structure des anticorps : immunoglobulines G (IgG) et M (IgM). Schémas d'une molécule d'IgG sécrétée (A) et d'une molécule d'IgM membranaire (B). Ils montrent les domaines des chaînes lourdes et légères et les régions protéiques qui participent à la reconnaissance des antigènes et aux fonctions effectrices. N et C désignent respectivement les extrémités aminoterminale et carboxyterminale des chaînes polypeptidiques. La structure cristalline d'une molécule d'IgG sécrétée (C) montre les domaines et leur orientation spatiale. Les chaînes lourdes y sont représentées en *bleu* et en *rouge*, tandis que les chaînes légères sont représentées en *vert;* les glucides sont en *gris*. Avec l'autorisation du Dr Alex McPherson, University of California, Irvine.

© 2009 Elsevier Masson SAS. Tous droits réservés

l'un de l'autre par des distances variables. L'extrémité C terminale de la chaîne lourde peut s'ancrer dans la membrane plasmique, comme cela été constaté pour les récepteurs des lymphocytes B, ou bien elle peut se terminer par une queue qui n'a pas la capacité de s'ancrer à la membrane et fait ainsi de l'anticorps produit une protéine sécrétée. Les chaînes légères ne sont pas fixées aux membranes cellulaires.

Il existe deux types de chaîne légère, appelés κ et λ, dont la fonction est similaire, mais qui diffèrent au niveau de leurs régions constantes. Il existe cinq types de chaînes lourdes, appelés μ, δ, γ, ε et α, qui présentent également des différences au niveau de leurs régions constantes. Chaque type de chaîne légère peut s'associer à n'importe quel type de chaîne lourde au sein d'une molécule d'anticorps. Les anticorps qui contiennent des chaînes lourdes différentes appartiennent à différents **isotypes**, ou **classes**, et sont nommés en fonction de leur chaîne lourde (c'est-à-dire IgM, IgD, IgG, IgE et IgA), quelle que soit la classe des chaînes légères. Les différents isotypes diffèrent quant à leurs propriétés physiques et biologiques ainsi que par leurs fonctions effectrices (figure 4.3). Les récepteurs d'antigènes des lymphocytes B naïfs, qui sont des lymphocytes B matures n'ayant pas rencontré d'antigène, sont des IgM et des IgD membranaires. Après stimulation par l'antigène et par les lymphocytes T auxiliaires, le clone de lymphocytes B spécifique de l'antigène peut se développer et se différencier pour former des cellules filles sécrétant des anticorps. Une fraction de la descendance des lymphocytes B exprimant des IgM et des IgD

Isotype de l'anticorps	Sous-type	Chaîne H	Concentration sérique (mg/ml)	Demi-vie sérique (jours)	Forme sécrétée	Fonctions
IgA	IgA 1, 2	α (1 ou 2)	3,5	6	Monomère, dimère, trimère 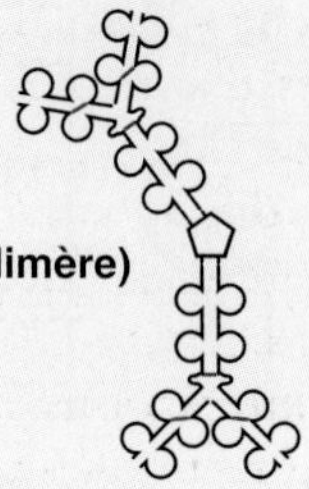 IgA (dimère)	Immunité des muqueuses
IgD	Aucun	δ	Trace	3	Aucune	Récepteur d'antigènes des lymphocytes B naïfs
IgE	Aucun	ε	0,05	2	Monomère  IgE	Activation des mastocytes (hypersensibilité immédiate) Défense contre les parasites helminthiques
IgG	IgG 1-4	γ (1, 2, 3 ou 4)	13,5	23	Monomère  IgG1	Opsonisation, activation du complément, cytotoxicité à médiation cellulaire dépendant des anticorps, immunité néonatale, inhibition rétroactive des lymphocytes B
IgM	Aucun	μ	1,5	5	Pentamère IgM 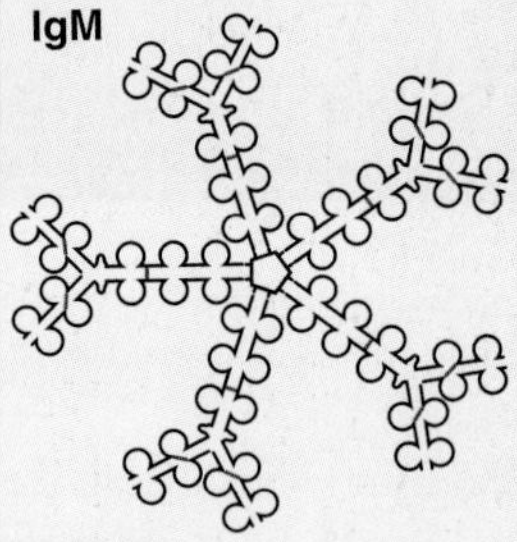	Récepteur d'antigènes des lymphocytes B naïfs, activation du complément

Figure 4.3 Caractéristiques des principaux isotypes (classes) d'anticorps. Le tableau résume certaines des caractéristiques importantes des principaux isotypes d'anticorps chez l'homme. Les isotypes sont classés sur la base de leur chaîne lourde ; chaque isotype peut contenir une chaîne légère κ ou λ. Les schémas montrent les différentes configurations des formes sécrétées de ces anticorps. Il est à noter que l'isotype IgA est composé de deux sous-classes, appelées IgA1 et IgA2, tandis que les IgG comportent quatre sous-classes, appelées IgG1, IgG2, IgG3 et IgG4. Pour des raisons historiques, les sous-classes d'IgG portent différents noms dans d'autres espèces ; chez la souris, elles portent les noms d'IgG1, IgG2a, IgG2b, IgG2c et IgG3. Les concentrations sériques indiquées correspondent aux valeurs moyennes d'individus normaux.

© 2009 Elsevier Masson SAS. Tous droits réservés

peut sécréter des IgM, tandis qu'une autre fraction de la descendance des mêmes lymphocytes B peut produire des anticorps comprenant d'autres classes de chaînes lourdes. Ce changement dans la production d'isotypes d'Ig est appelé **commutation de classe**, ou **isotypique**, des chaînes lourdes; les mécanismes ainsi que leur importance seront décrits plus en détail dans le chapitre 7. Bien que les régions C des chaînes lourdes puissent commuter au cours des réponses immunitaires humorales, chaque clone de lymphocytes B conserve sa spécificité, car les régions V ne changent pas. La classe des chaînes légères (c'est-à-dire κ ou λ) reste également inchangée pendant toute la vie de chaque clone de lymphocytes B.

Les anticorps sont capables de se lier à une grande variété d'antigènes, notamment des macromolécules et des petites substances chimiques. La raison en est que la région des molécules d'anticorps qui se lie aux antigènes forme une surface plane capable de s'adapter à de nombreuses formes différentes (figure 4.4). Les anticorps se lient aux antigènes par l'intermédiaire d'interactions réversibles et non covalentes, notamment des liaisons hydrogène et des interactions de charges. Les parties de l'antigène qui sont reconnues par les anticorps portent le nom d'**épitopes**, ou **déterminants**. Différents déterminants antigéniques peuvent être reconnus sur la base de la séquence (déterminants séquentiels) ou de la forme (déterminants conformationnels). Certains de ces épitopes sont cachés à l'intérieur des molécules d'antigènes, et ne sont exposés qu'à la suite d'un changement physicochimique.

La force avec laquelle la surface de liaison à l'antigène d'un anticorps se fixe à l'épitope d'un antigène est appelée **affinité** d'interaction. L'affinité est souvent exprimée par la constante de dissociation (K_d), qui est la concentration molaire en antigène nécessaire pour occuper la moitié des molécules d'anticorps présentes dans une solution; plus le K_d est faible, plus l'affinité est élevée. La plupart des anticorps produits au cours d'une réponse immunitaire primaire possèdent une valeur de K_d comprise entre 10^{-6} et 10^{-9} M, mais après une stimulation répétée (par exemple au cours d'une réponse immunitaire secondaire), l'affinité augmente pour atteindre une valeur de K_d comprise entre 10^{-8} et 10^{-11} M. Cette augmentation de la force de liaison à l'antigène porte le nom de **maturation d'affinité**; les mécanismes et leur importance seront détaillés dans le chapitre 7. Chaque molécule d'anticorps IgG, IgD et IgE possède deux sites de liaison pour l'antigène. L'IgA sécrétée est un dimère, et par conséquent présente quatre sites de liaison pour l'antigène, tandis que l'IgM sécrétée est un pentamère, portant dix sites de liaison pour l'antigène. Par conséquent, chaque molécule d'anticorps peut fixer de deux à dix épitopes d'un antigène, à la condition que les épitopes identiques se trouvent suffisamment proches l'un de l'autre, par exemple à la surface d'une cellule, dans un antigène agrégé ou dans certains lipides, polysaccharides et acides nucléiques qui contiennent plusieurs épitopes répétés. La force totale de liaison est de beaucoup supérieure à l'affinité d'une seule liaison antigène-anticorps, et porte le nom d'**avidité** d'interaction. Les anticorps dirigés contre un antigène peuvent se fixer à d'autres antigènes de structure similaire. Une telle liaison à des épitopes semblables est dite **réaction croisée**.

Dans les lymphocytes B matures, les molécules d'Ig sont attachées de manière non covalente à deux autres protéines, appelées Igα et Igβ, pour constituer le complexe BCR. Lorsque le récepteur Ig reconnaît l'antigène, Igα et Igβ transmettent les signaux à l'intérieur du lymphocyte B, qui lancent le processus d'activation du lymphocyte B. Ces signaux, ainsi que d'autres qui interviennent dans les réponses immunitaires humorales, sont présentés de manière plus détaillée dans le chapitre 7. Le concept selon lequel un clone de lymphocytes B fabrique un anticorps de spécificité unique a été exploité pour produire des

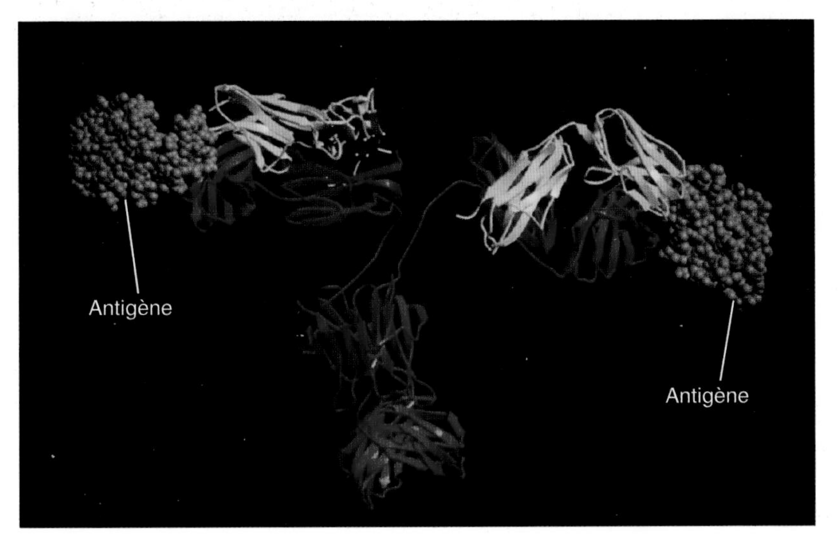

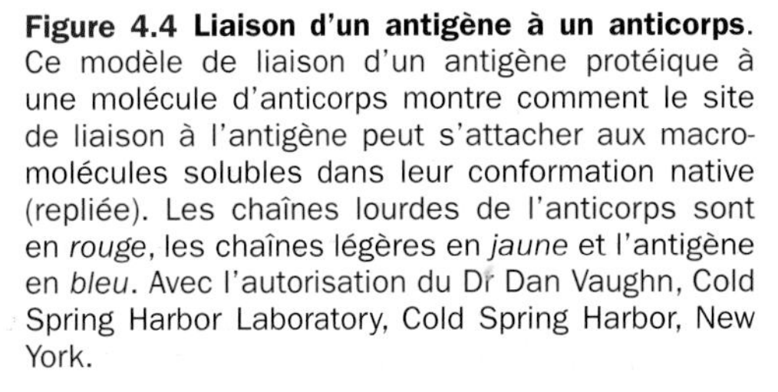

Figure 4.4 Liaison d'un antigène à un anticorps. Ce modèle de liaison d'un antigène protéique à une molécule d'anticorps montre comment le site de liaison à l'antigène peut s'attacher aux macromolécules solubles dans leur conformation native (repliée). Les chaînes lourdes de l'anticorps sont en *rouge*, les chaînes légères en *jaune* et l'antigène en *bleu*. Avec l'autorisation du Dr Dan Vaughn, Cold Spring Harbor Laboratory, Cold Spring Harbor, New York.

© 2009 Elsevier Masson SAS. Tous droits réservés

anticorps monoclonaux, l'une des avancées techniques les plus importantes en immunologie, dont les implications en médecine et en recherche ont été considérables. Pour produire des anticorps monoclonaux, on prélève les lymphocytes B chez un animal immunisé contre un antigène et, comme ces cellules survivent peu longtemps in vitro, on les fusionne avec des cellules de myélome (tumeurs des plasmocytes), qui peuvent être propagées indéfiniment en culture. La lignée cellulaire de myélome est mutée afin de présenter un déficit enzymatique la rendant incapable de croître en présence d'une certaine substance toxique. En revanche, les cellules fusionnées se multiplient car les lymphocytes B normaux fournissent l'enzyme manquante. Par conséquent, en fusionnant les deux populations cellulaires et en les sélectionnant par une culture avec la substance toxique, il est possible d'obtenir des cellules provenant de la fusion entre des lymphocytes B et des myélomes, et que l'on appelle **hybridomes**. À partir d'une population d'hybridomes, il est possible de sélectionner et de cloner les cellules qui sécrètent un anticorps de spécificité voulue; de tels anticorps sont des anticorps monoclonaux. Il est possible de fabriquer des anticorps monoclonaux dirigés contre pratiquement n'importe quel antigène. La plupart de ces anticorps sont fabriqués en fusionnant des myélomes murins à des cellules de souris immunisées. De tels anticorps monoclonaux de souris ne peuvent pas être injectés de façon répétée à l'homme, car l'organisme humain considère les Ig de souris comme étrangères et déclenche une réponse immunitaire contre les anticorps injectés. Ce problème a été résolu en ne conservant de l'anticorps monoclonal de souris que les régions variables de liaison à l'antigène et en remplaçant le reste de la molécule d'Ig par une Ig humaine; ce type d'anticorps « humanisé » peut être administré chez l'homme. Plus récemment, des anticorps monoclonaux ont été synthétisés en utilisant les techniques du génie génétique pour cloner l'ADN complémentaire de l'ARN messager codant des anticorps humains, et en sélectionnant les anticorps présentant la spécificité voulue. Une autre approche récente consiste à exprimer des gènes d'anticorps humains chez une souris dont les propres gènes d'Ig ont été supprimés, puis à immuniser la souris contre un antigène. Les anticorps monoclonaux sont aujourd'hui largement utilisés comme réactifs thérapeutiques et diagnostiques dans de nombreuses maladies humaines.

Les récepteurs d'antigènes des lymphocytes T

Le TCR pour l'antigène peptidique présenté par des molécules du CMH est un hétérodimère composé d'une chaîne α et d'une chaîne β, chaque chaîne contenant une région variable (V) et une région constante (C) [figure 4.5]. Les régions V et C sont homologues aux régions V et C des immunoglobulines. Dans la région V de chaque chaîne de TCR, il existe trois régions hypervariables, ou région déterminant la complémentarité (CDR). Comme pour les anticorps, la région CDR3 est celle qui présente le plus de variabilité parmi différents TCR. La structure tridimensionnelle est très semblable à celle de la région Fab d'une molécule d'Ig. Contrairement aux anticorps, les deux chaînes des TCR sont ancrées dans la membrane plasmique, et les TCR ne sont pas produits sous forme sécrétée. De même, ils ne subissent pas de commutation de classe ni de maturation d'affinité au cours de la vie d'un clone de lymphocytes T.

La chaîne α et la chaîne β du TCR participent toutes deux à la reconnaissance spécifique des molécules du CMH et des peptides liés (figure 4.6). L'une des caractéristiques remarquables de la reconnaissance des

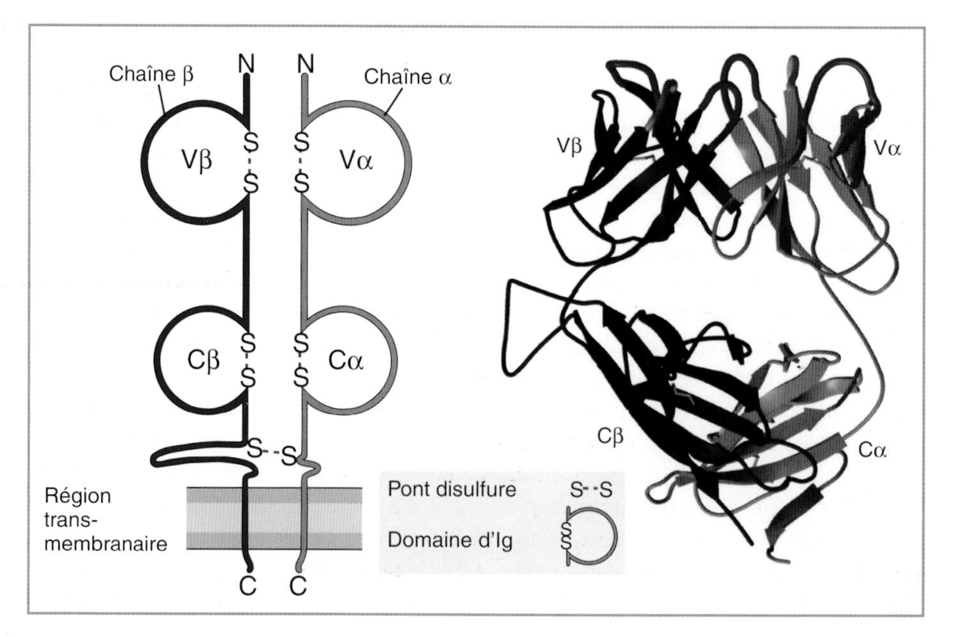

Figure 4.5 Structure du récepteur d'antigènes des lymphocytes T (TCR). Ce schéma d'un TCR αβ (*à gauche*) montre les domaines d'un TCR typique spécifique d'un complexe peptide-CMH. La portion de liaison à l'antigène du TCR est formée par les domaines Vα et Vβ. N et C désignent les extrémités aminoterminale et carboxyterminale des polypeptides. Le schéma en ruban (*à droite*) montre la structure de la partie extracellulaire d'un TCR telle qu'elle apparaît par cristallographie aux rayons X. D'après Bjorkman PJ. MHC restriction in three dimensions : a view of T cell receptor/ligand interactions. Cell 1997 ; 89 : 167-70. © Cell Press ; avec autorisation.

© 2009 Elsevier Masson SAS. Tous droits réservés

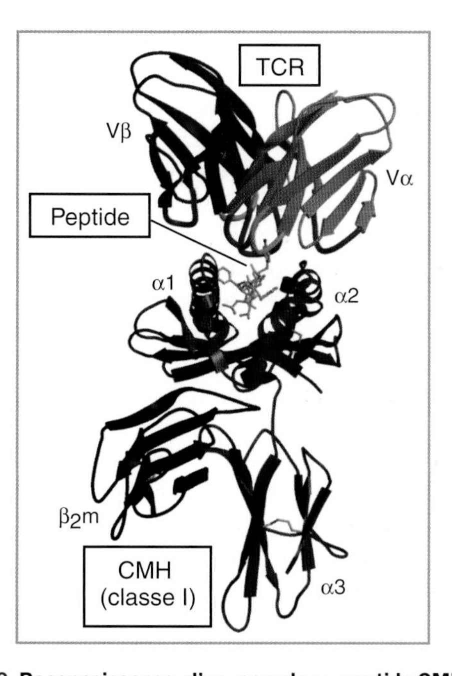

Figure 4.6 Reconnaissance d'un complexe peptide-CMH par un récepteur d'antigène d'un lymphocyte T. Ce schéma en ruban est obtenu à partir de la structure du cristal de la partie extracellulaire d'un complexe peptide-CMH lié à un TCR spécifique du peptide présenté par la molécule du CMH. Le peptide est représenté fixé au sillon se trouvant au sommet de la molécule du CMH, un résidu du peptide étant en contact avec la région V du TCR. La structure des molécules du CMH et leur fonction de protéines de présentation des peptides sont décrites dans le chapitre 3. D'après Bjorkman PJ. MHC restriction in three dimensions : a view of T cell receptor/ligand inter actions. Cell 1997 ; 89 : 167-70. © Cell Press ; avec autorisation.

antigènes par le lymphocyte T, apparue lors des études de cristallographie aux rayons X de TCR liés à des complexes peptide-CMH, est que chaque TCR ne reconnaît qu'un à trois résidus du peptide associé à la molécule du CMH. Nous savons également que seuls quelques peptides appartenant à des microbes, même complexes, et qualifiés d'épitopes immunodominants, sont reconnus effectivement par le système immunitaire. Cela signifie que les lymphocytes T peuvent faire la différence entre des microbes complexes en se basant sur des variations de quelques acides aminés entre les épitopes immunodominants de ces microbes.

De 5 à 10 % des lymphocytes T de l'organisme expriment des récepteurs composés de chaînes γ et δ, qui ont une structure similaire à celle des TCR αβ, mais possèdent des spécificités très différentes. Le TCR γδ peut reconnaître un certain nombre d'antigènes protéiques et non protéiques qui ne sont généralement pas présentés par des molécules du CMH classique. Les lymphocytes T exprimant des TCR γδ sont abondants dans les épithéliums. Cette observation suggère que les lymphocytes T γδ reconnaissent des microbes qui sont généralement rencontrés au niveau des surfaces épithéliales. Néanmoins, ni la spécificité ni la fonction de ces lymphocytes T ne sont clairement établies. Une autre sous-population de lymphocytes T, représentant moins de 5 % de l'ensemble des lymphocytes T, exprime des marqueurs de cellules *natural killer* (NK), et sont appelées cellules NKT. Les cellules NKT expriment des TCR αβ, mais elles reconnaissent des glycolipides et d'autres antigènes non peptidiques présentés par des molécules non polymorphes similaires au CMH. Les fonctions des cellules NKT ne sont également pas bien comprises.

Le TCR reconnaît l'antigène, mais, comme les Ig membranaires des lymphocytes B, il est incapable de transmettre les signaux à l'intérieur des lymphocytes T. On trouve, associé au TCR, un complexe de protéines, CD3, et la chaîne ζ, qui constituent le complexe du TCR (voir figure 4.1). Les chaînes CD3 et ζ délivrent les signaux qui sont déclenchés lorsque le TCR reconnaît l'antigène. En outre, l'activation des lymphocytes T nécessite la participation de molécules coréceptrices, CD4 ou CD8, qui reconnaissent des parties non polymorphes des molécules du CMH. Les fonctions des protéines associées au TCR ainsi que celles des corécepteurs sont décrites dans le chapitre 5.

Les récepteurs d'antigènes des lymphocytes B et T présentent un grand nombre de similarités, mais ils diffèrent également par de nombreux aspects (figure 4.7). Les anticorps se lient à une variété plus importante d'antigènes avec les affinités les plus fortes, c'est la raison pour laquelle les anticorps peuvent se lier à de nombreux microbes et toxines différents et les neutraliser, même si leur concentration dans la circulation sanguine est faible. L'affinité du TCR est faible, c'est la raison pour laquelle la liaison des lymphocytes T aux APC doit être renforcée par des molécules d'adhérence intercellulaire (voir le chapitre 5).

Développement des répertoires immunitaires

Après avoir décrit la composition des récepteurs d'antigènes des lymphocytes B et T ainsi que la façon dont ces récepteurs reconnaissent les antigènes, la question qui se pose concerne la manière dont la diversité considérable de ces récepteurs est obtenue. Comme la théorie de la sélection clonale le prévoyait, il existe de nombreux clones de lymphocytes présentant des spécificités distinctes, pouvant atteindre un chiffre de 10^9, et ces clones apparaissent avant la rencontre avec un antigène. Si chacun des récepteurs possibles était codé par un gène, une grande fraction du génome serait consacrée exclusivement à coder des récepteurs d'antigènes. Cela est évidemment peu vraisemblable. En fait, le système immunitaire a développé des mécanismes pour produire des répertoires de lymphocytes B et T extrêmement diversifiés, et la production des différents récepteurs est intimement liée au processus de maturation des lymphocytes. Le reste de ce chapitre est consacré à la façon dont sont produits les lymphocytes B et T matures avec leurs récepteurs extrêmement variables.

© 2009 Elsevier Masson SAS. Tous droits réservés

Caractéristiques	Molécule de liaison à l'antigène	
	Immunoglobulines (Ig)	Récepteur des lymphocytes T (TCR) ; pas de changement durant la réponse immunitaire
Liaison à l'antigène	Constituée de trois CDR dans V_H et de trois CDR dans V_L	Constituée de trois CDR dans $V\alpha$ et de trois CDR dans $V\beta$
Structure des antigènes liés	Déterminants séquentiels et conformationnels de macromolécules et de petites substances chimiques	Seulement un à trois résidus d'acides aminés d'un peptide et des résidus polymorphes de la molécule du CMH
Affinité de la liaison à l'antigène ; pas de changement durant la réponse immunitaire	$K_d = 10^{-7}$ à 10^{-11} M ; l'affinité moyenne des Ig augmente au cours de la réponse immunitaire	$K_d = 10^{-5}$ à 10^{-7} M
Association et dissociation de la liaison	Association rapide, dissociation variable	Association lente, dissociation lente
Molécules accessoires participant à la liaison	Aucune	CD4 ou CD8 se lie simultanément à la molécule du CMH

Figure 4.7 Caractéristiques de la reconnaissance des antigènes par les immunoglobulines (Ig) et les récepteurs d'antigène des lymphocytes T (TCR). Le tableau résume les principales similitudes et différences des molécules d'Ig et de TCR, récepteurs d'antigènes respectivement des lymphocytes B et T.

Maturation des lymphocytes

La maturation des lymphocytes à partir des cellules souches de la moelle osseuse se décompose en trois types de processus : prolifération des cellules immatures, expression des gènes codant les récepteurs d'antigènes et sélection des lymphocytes qui expriment des récepteurs d'antigènes fonctionnels (figure 4.8). Ces événements sont communs aux lymphocytes B et T, même si la maturation des lymphocytes B s'effectue dans la moelle osseuse et celle des lymphocytes T dans le thymus. Chacun des trois processus qui se déroulent au cours de la maturation des lymphocytes joue un rôle particulier dans la formation du répertoire des lymphocytes.

Les lymphocytes immatures prolifèrent de manière considérable au cours de plusieurs étapes de leur maturation. La formation de gènes de récepteurs d'antigène utiles est un processus inefficace qui implique des événements de recombinaison génique (décrits plus bas) et qui échoue assez souvent au cours du développement lymphocytaire. Dès lors, la multiplication des lymphocytes en développement permet de maximiser le nombre de cellules exprimant des récepteurs antigéniques fonctionnels, aboutissant à des lymphocytes matures fonctionnellement compétents. La survie et la prolifération des précurseurs lymphocytaires les plus précoces est stimulée principalement par un facteur de croissance, l'interleukine-7 (IL-7), produit par les cellules stromales de la moelle osseuse et du thymus. L'IL-7 augmente le nombre des progéniteurs (surtout des progéniteurs T chez l'homme et les précurseurs des T et des B chez la souris) avant qu'ils n'expriment les récepteurs d'antigènes, créant ainsi un large pool de cellules dans lequel

© 2009 Elsevier Masson SAS. Tous droits réservés

différents récepteurs d'antigènes peuvent être produits. Après que les protéines des récepteurs d'antigènes ont été exprimées, ces récepteurs reprennent la fonction de transmission des signaux de prolifération, garantissant ainsi que seuls les clones porteurs de récepteurs intacts sont sélectionnés pour se développer.

Les récepteurs d'antigènes sont codés par plusieurs segments géniques séparés les uns des autres dans la lignée germinale, mais qui recombinent au cours de la maturation lymphocytaire. La diversité est obtenue au cours de ce processus de recombinaison principalement par variation des séquences nucléotidiques à hauteur du site de recombinaison. L'expression de récepteurs d'antigènes différents constitue l'événement central de la maturation des lymphocytes, et fait l'objet d'une description plus détaillée dans la section suivante.

Au cours de plusieurs phases de leur maturation, les lymphocytes subissent une sélection qui leur permet de conserver les spécificités utiles. La sélection est basée sur l'expression de composants intacts de récepteurs d'antigènes, et sur ce qu'ils reconnaissent. Les prélymphocytes qui n'expriment pas de récepteurs d'antigènes meurent par apoptose (figure 4.8). Les lymphocytes T immatures sont sélectionnés pour reconnaître les molécules du CMH du soi ; ce processus est appelé **sélection positive**. Après leur maturation, ces lymphocytes T doivent reconnaître ces mêmes molécules du CMH pour être activés. La sélection positive repose sur le fait que les récepteurs d'antigènes des lymphocytes reconnaissent, au cours de leur développement, les molécules du CMH dans le thymus et transmettent des signaux qui assurent la survie et la prolifération cellulaires, assurant ainsi que seules les cellules présentant des récepteurs d'antigènes corrects (restreints par le CMH du soi) achèvent le processus de maturation. Les lymphocytes B et T immatures sont également sélectionnés sur base d'interactions de haute affinité avec des antigènes du soi présents respectivement dans la moelle osseuse et le thymus. Ce processus de **sélection négative** élimine tous les lymphocytes potentiellement dangereux qui auraient la capacité de

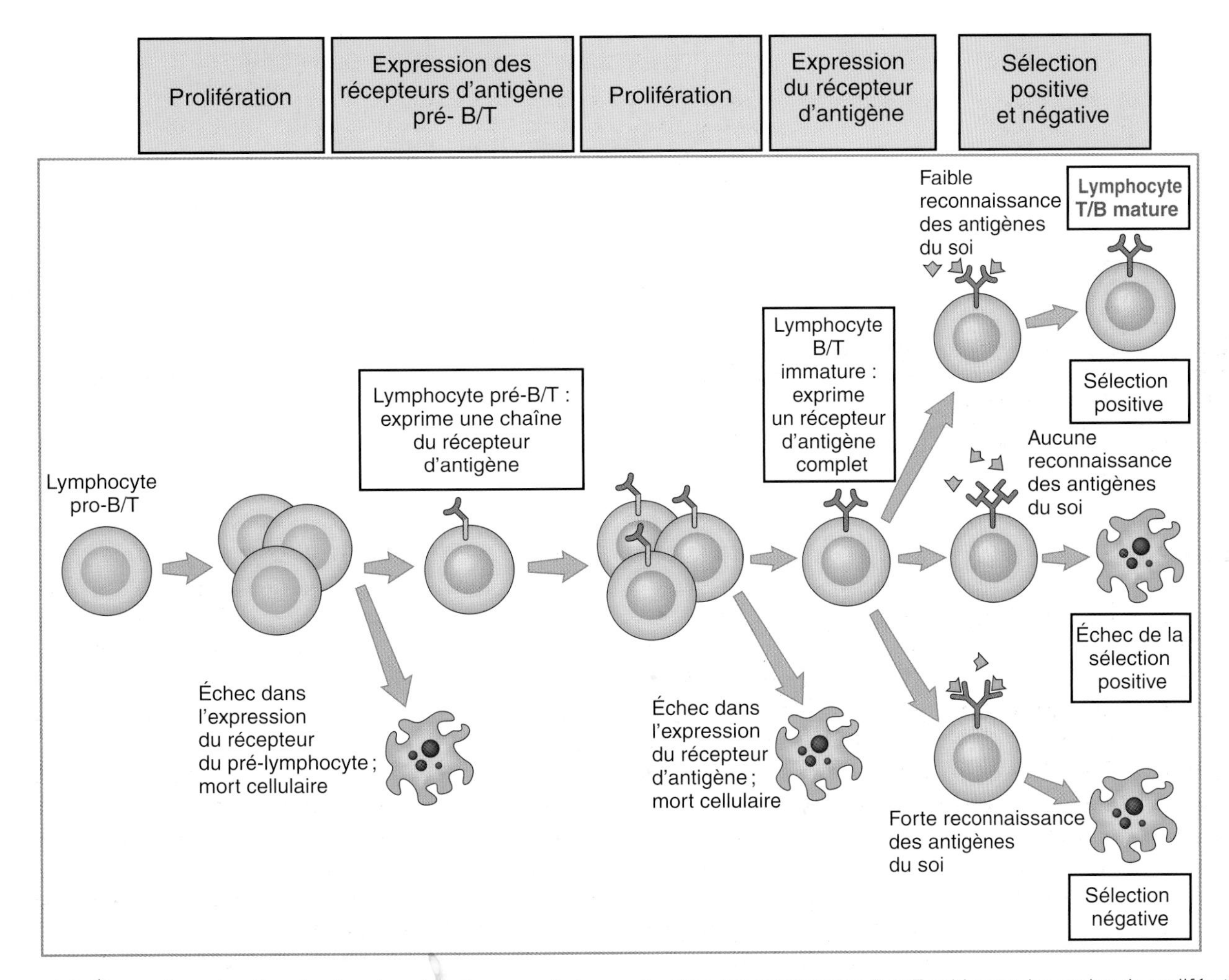

Figure 4.8 Étapes de maturation des lymphocytes. Au cours de leur maturation, les lymphocytes B et T subissent des cycles de prolifération et d'expression des chaînes de récepteurs par recombinaison génique. Les cellules qui ne parviennent pas à exprimer des récepteurs fonctionnels meurent par apoptose, car elles ne reçoivent pas les signaux de survie nécessaires. À la fin du processus, les cellules subissent une sélection positive et négative. Les lymphocytes représentés peuvent être des lymphocytes B ou T.

© 2009 Elsevier Masson SAS. Tous droits réservés

réagir contre les autoantigènes présents dans l'organisme et notamment dans les organes lymphoïdes primaires.

Les processus de maturation et de sélection des lymphocytes B et T sont plus faciles à comprendre s'ils sont décrits séparément. Cependant, nous commencerons par décrire l'événement central qui est commun aux deux lignées, à savoir la recombinaison et l'expression des gènes codant les récepteurs d'antigènes.

Production de multiples récepteurs d'antigènes

L'expression des récepteurs d'antigènes des lymphocytes B et T débute par la recombinaison somatique de segments géniques codant les régions variables des récepteurs, la diversité des récepteurs étant générée durant ce processus.

Les cellules souches hématopoïétiques se trouvant dans la moelle osseuse et les progéniteurs lymphoïdes précoces contiennent des gènes codant pour les Ig et le TCR dans leur configuration héréditaire, ou germinale. Dans cette configuration, les locus de la chaîne lourde et de la chaîne légère des Ig et les locus de la chaîne α et de la chaîne β du TCR contiennent chacun de multiples gènes de régions variables (V), pouvant atteindre quelques centaines, et un seul ou quelques gènes de régions constantes (C) [figure 4.9]. Entre les gènes V et C se trouvent plusieurs

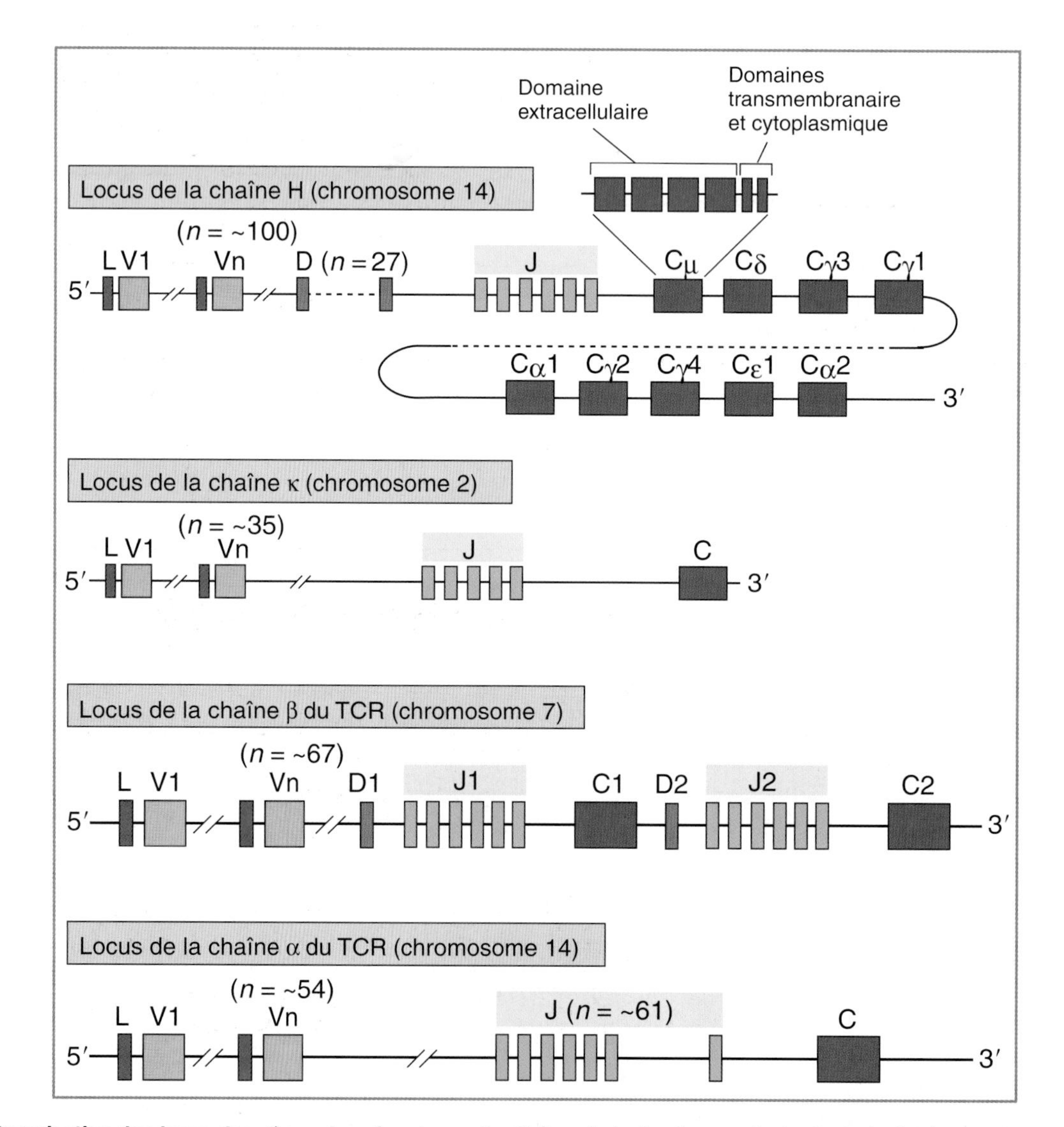

Figure 4.9 Organisation des locus des gènes des récepteurs d'antigène de la lignée germinale. Dans la lignée germinale, les locus des gènes des récepteurs d'antigène contiennent des segments codants (exons, représentés par des blocs de tailles différentes) qui sont séparés par des segments qui ne sont pas exprimés (introns, représentés sous forme de *lignes*). Chaque région constante (C) des chaînes lourdes d'Ig et chaque région C du TCR est composée de multiples exons qui codent pour les domaines des régions C ; l'organisation de l'exon Cμ dans un locus de chaîne lourde d'Ig est présentée comme exemple. Les schémas représentent les locus des gènes des récepteurs d'antigène chez l'homme ; l'organisation de base est la même dans toutes les espèces, bien que l'ordre précis et le nombre de segments géniques puissent varier. Les tailles des segments et les distances entre eux ne sont pas représentées à l'échelle. L : séquence signal (*leader*, petite séquence de nucléotides qui guide les protéines à travers le réticulum endoplasmique puis est clivée dans les protéines matures) ; C : segments constants ; D : diversité ; J : jonction ; V : variable.

© 2009 Elsevier Masson SAS. Tous droits réservés

petites séquences nucléotidiques, appelées segments géniques de jonction (J) et de diversité (D). Tous les locus des gènes des récepteurs d'antigènes contiennent des gènes V, J et C, mais seuls les locus de la chaîne lourde des Ig et de la chaîne β du TCR contiennent en plus des segments géniques D. La différenciation d'un progéniteur lymphocytaire en lymphocyte B est associée à la recombinaison d'un segment génique V_H d'Ig avec un segment D et un segment J, les segments étant sélectionnés de manière aléatoire (figure 4.10). Par conséquent, le lymphocyte B engagé dans sa maturation, mais encore immature, possède un gène réarrangé V-D-J dans le locus de la chaîne lourde. Ce gène est transcrit et l'ARN primaire subit un épissage qui joint le complexe V-D-J à la première région C, qui code la chaîne μ. L'ARNm μ qui en résulte est traduit en la chaîne lourde μ, première protéine d'immunoglobuline synthétisée au cours de la maturation des lymphocytes B. Une séquence similaire de recombinaison de l'ADN et d'épissage de l'ARN conduit à la production d'une chaîne légère dans les lymphocytes B, et des chaînes α et β du TCR dans les lymphocytes T.

	Immunoglobuline		Récepteur des lymphocytes T	
	Chaîne lourde	κ	α	β
Nombre de segments géniques V	45	35	45	50
Nombre de segments géniques de diversité (D)	23	0	0	2
Nombre de segments géniques jonctionnels (J)	6	5	~50	12

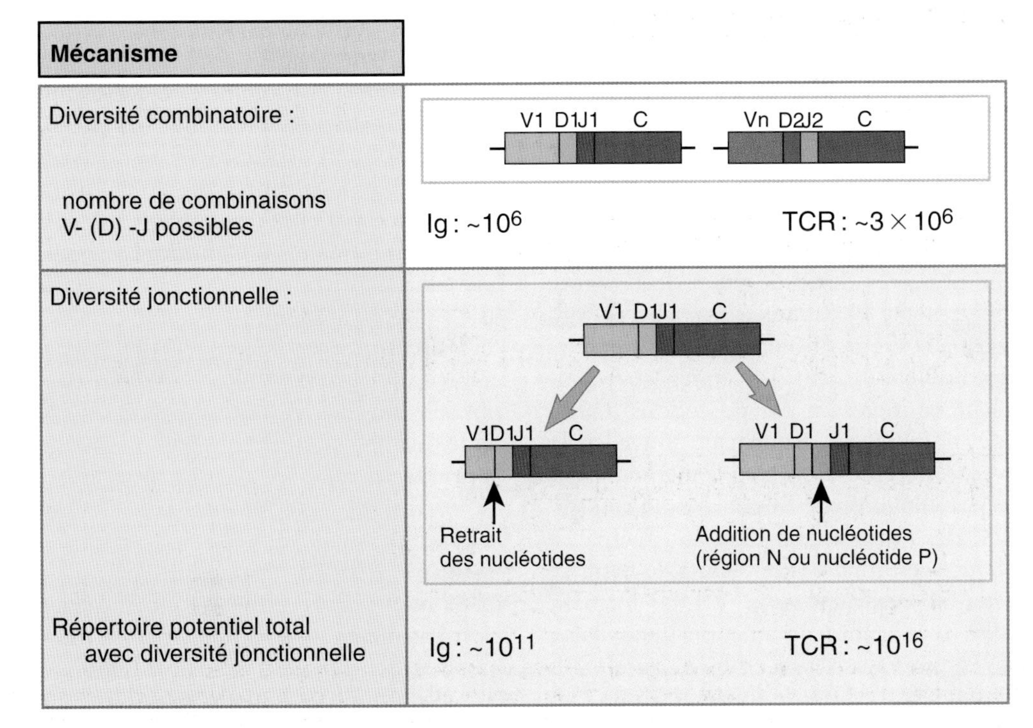

Figure 4.10 Recombinaison et expression des gènes d'Ig. L'expression d'une chaîne lourde d'Ig comprend deux événements de recombinaisons géniques (union de D-J, suivie par l'union d'une région V au complexe DJ, avec délétion et perte de segments géniques). Le gène recombiné est transcrit, et le segment VDJ du premier ARN de la chaîne lourde (qui est μ) subit un épissage qui donne l'ARNm μ. L'ARNm est traduit afin de produire la protéine de la chaîne lourde μ. La recombinaison d'autres gènes codant pour les récepteurs d'antigène, c'est-à-dire la chaîne légère d'Ig et les chaînes α et β du TCR, suit pratiquement la même séquence, à l'exception du fait que dans les locus ne contenant pas de segments D (chaînes légères d'Ig et chaîne α du TCR), un gène V recombine directement avec un segment génique J.

© 2009 Elsevier Masson SAS. Tous droits réservés

La recombinaison somatique des segments géniques V et J, ou V, D et J, est assurée par un ensemble d'enzymes portant le nom de **recombinase V(D)J**. Le constituant de la recombinase V(D)J spécifique de la lignée lymphoïde est composé des protéines RAG-1 et RAG-2 (*recombinase-activating gene*), et reconnaît des séquences d'ADN qui encadrent tous les segments géniques V, D et J des récepteurs d'antigènes. À la suite de cette reconnaissance, la recombinase rapproche les segments V, D et J les uns des autres. Des exonucléases coupent ensuite l'ADN se trouvant aux extrémités des segments, puis les cassures de l'ADN sont réparées par des ligases, produisant un gène V-J ou V-D-J recombiné complet (figure 4.10). Le composant lymphoïde de la recombinase V(D)J est exprimé uniquement dans les lymphocytes B et T immatures. Bien que les mêmes enzymes puissent assurer la recombinaison de tous les gènes codant pour les Ig et le TCR, les gènes complets des chaînes lourdes et légères d'Ig sont exprimés uniquement dans les lymphocytes B, tandis que les gènes des chaînes α et β du TCR ne sont exprimés que dans les lymphocytes T. Les mécanismes responsables de cette spécificité de lignage de l'expression des récepteurs ne sont pas connus.

La diversité des récepteurs d'antigènes est obtenue par l'utilisation de différentes combinaisons de segments géniques V, D et J dans différents clones de lymphocytes (appelé diversité combinatoire). Une diversité encore plus importante est obtenue par des changements de séquences nucléotidiques au niveau des jonctions des segments V, (D) et J (portant le nom de diversité jonctionnelle) [figure 4.11]. La diversité combinatoire est limitée par le nombre de segments géniques V, D et J disponibles, mais la diversité jonctionnelle est pratiquement illimitée. Cette diversité jonctionnelle est produite par trois types de changements de séquences, chacun fournissant plus de séquences que celles qui étaient présentes dans les gènes de la lignée germinale. Premièrement, les exonucléases peuvent retirer des nucléotides aux segments géniques V, D et J au moment de la recombinaison, et si les séquences recombinées obtenues ne contiennent pas de codons d'arrêt ou non-sens, de nombreuses séquences nouvelles et différentes peuvent être obtenues. Deuxièmement, une enzyme appelée terminal désoxyribonucléotidyl transférase (TdT) prend des nucléotides ne faisant pas partie des gènes de la lignée germinale, et les ajoute de manière aléatoire aux sites de recombinaison V(D)J, formant ainsi les régions N. Troisièmement, au cours d'une étape intermédiaire de ce processus de recombinaison V(D)J, avant que les cassures de l'ADN ne soient réparées, des séquences d'ADN en surplomb peuvent être créées puis remplies par des « nucléotides P », introduisant encore davantage de variabilité dans les sites de recombinaison. La diversité jonctionnelle a pour conséquence que la séquence nucléotidique du site de recombinaison V(D)J de chaque anticorps et TCR produite par un clone lymphocytaire diffère de celle des anticorps et TCR de tout autre clone. Cette jonction code pour les acides aminés de CDR3, la plus variable des régions CDR et l'une des plus importantes pour la reconnaissance des antigènes. Ainsi, la diversité jonctionnelle maximise la variabilité des régions de liaison à l'antigène des anticorps et des TCR. Au cours du processus d'élaboration de la diversité jonctionnelle, de nombreux gènes incapables de coder des protéines, et par conséquent inutiles, peuvent être créés. Il s'agit du prix à payer pour que le système immunitaire développe une diversité exceptionnelle. Le risque de produire des gènes non fonctionnels est également la raison pour laquelle le processus de maturation des lymphocytes inclut plusieurs points de contrôle au cours desquels seules les cellules comportant des récepteurs utiles sont sélectionnées afin de survivre.

Maturation et sélection des lymphocytes B

La maturation des lymphocytes B se déroule essentiellement dans la moelle osseuse (figure 4.12). Les progéniteurs de la lignée des lymphocytes B prolifèrent sous l'influence de l'IL-7, donnant ainsi naissance à un grand nombre de précurseurs des lymphocytes B, appelés **lymphocytes pro-B**. Au cours de l'étape suivante de la maturation, au stade des **lymphocytes pré-B**, les gènes d'Ig du locus de la chaîne lourde d'un chromosome recombinent, et donnent naissance à la protéine de la chaîne lourde μ. Une grande partie de cette protéine reste dans le cytoplasme, la protéine μ cytoplasmique constituant le signe distinctif des lymphocytes pré-B. Une partie de la protéine μ est exprimée à la surface cellulaire en association avec deux autres protéines invariantes, dites de substitution car elles ressemblent à des chaînes légères et s'associent à une chaîne lourde. La chaîne μ et la chaîne légère de substitution s'associent aux molécules de signalisation Igα et Igβ pour former le complexe du récepteur du lymphocyte pré-B (pré-BCR). Il n'a pas été clairement établi ce que le pré-BCR est à même de reconnaître. Il est possible que l'assemblage des éléments de ce complexe ne serve qu'à délivrer des signaux qui favorisent la survie et la prolifération des lymphocytes sur lesquels le pré-BCR est exprimé. Il s'agit du premier point de contrôle dans le développement des lymphocytes B, qui sélectionne et favorise le développement des lymphocytes pré-B exprimant une chaîne lourde μ fonctionnelle. Si la chaîne μ n'est pas produite, éventuellement à cause d'une recombinaison déficiente du gène μ, le lymphocyte ne peut pas être sélectionné, et il meurt par mort cellulaire programmée (apoptose).

La présence de la protéine μ et du complexe pré-BCR entraîne deux autres processus. L'un interrompt la recombinaison des gènes des chaînes lourdes d'Ig sur le second chromosome, ce qui entraîne que chaque

© 2009 Elsevier Masson SAS. Tous droits réservés

	Immunoglobuline		Récepteur des lymphocytes T	
	Chaîne lourde	κ	α	β
Nombre de segments géniques V	~100	35	54	67
Nombre de segments géniques de diversité (D)	27	0	0	2
Nombre de segments géniques jonctionnels (J)	6	5	61	4

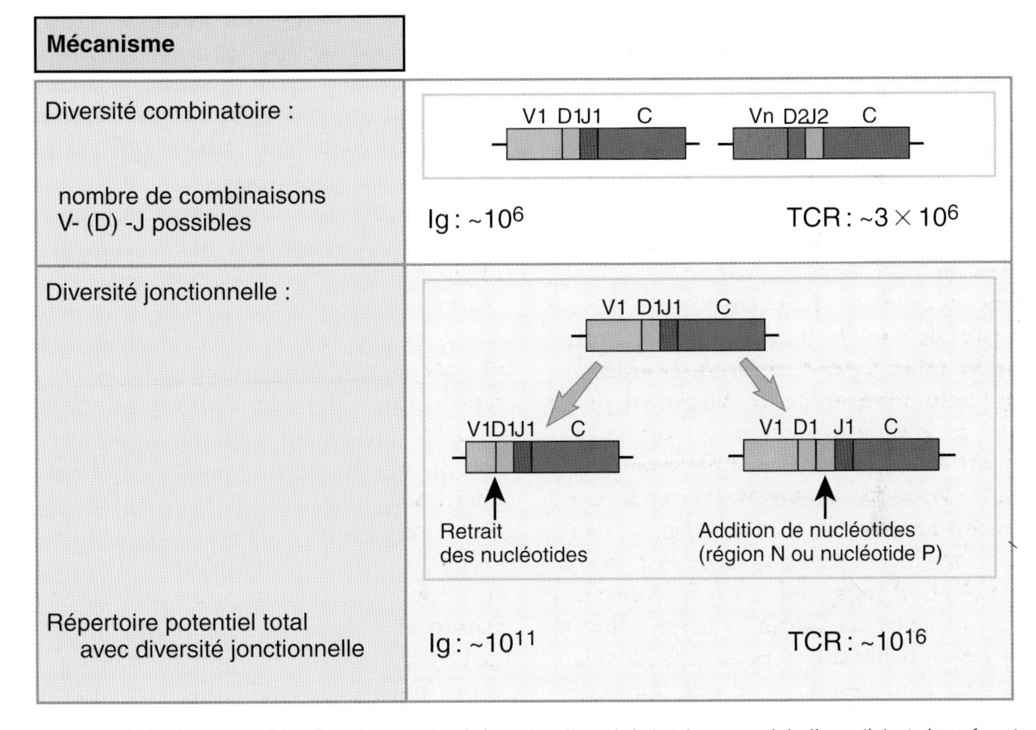

Figure 4.11 Mécanismes de la diversité des récepteurs d'antigène. La diversité des immunoglobulines (Ig) et des récepteurs des lymphocytes T (TCR) est obtenue par des combinaisons aléatoires de segments géniques V, D et J, processus limité par le nombre de ces segments, mais le retrait et l'addition de nucléotides à hauteur des jonctions V-J ou V-D-J introduisent une variabilité pratiquement illimitée. Les deux mécanismes maximisent la diversité dans les régions CDR3 des protéines des récepteurs d'antigène. Les contributions estimées de ces mécanismes à la taille potentielle des répertoires de lymphocytes B et T matures sont représentées. De plus, la diversité est accrue par la capacité des différentes chaînes lourdes et légères d'Ig ou de différentes chaînes α et β des TCR, de s'associer dans différentes cellules, formant différents récepteurs (non montré). Bien que la limite supérieure du nombre de protéines d'Ig et de TCR qui peuvent être exprimées soit extrêmement élevée, on a estimé que chaque individu possède un nombre de clones de lymphocytes B et de lymphocytes T présentant des spécificités et des récepteurs distincts seulement de l'ordre de 10^7 ; en d'autres termes, seule une fraction du répertoire potentiel peut réellement être exprimée. D'après Davis MM, Bjorkman PJ. T-cell antigen receptor genes and T-cell recognition. Nature 1988 ; 334 : 395-402. 1988 ©, Macmillan Magazines Ltd ; avec autorisation.

lymphocyte B ne peut exprimer que les Ig provenant de l'un des deux allèles parentaux. Ce processus, qui porte le nom d'**exclusion allélique**, garantit que chaque lymphocyte peut exprimer des récepteurs présentant une spécificité unique. Un second signal déclenche la recombinaison dans le locus des chaînes légères d'Ig, d'abord la chaîne κ puis la chaîne λ. Quelle que soit la chaîne légère fonctionnelle produite, elle s'associe à la chaîne μ pour former un récepteur d'antigènes IgM complet associé à la membrane. Ce récepteur délivre à nouveau des signaux qui favorisent la survie et la prolifération, préservant et amplifiant uniquement les cellules qui expriment des récepteurs d'antigènes complets (ce qui constitue le deuxième point de contrôle au cours

© 2009 Elsevier Masson SAS. Tous droits réservés

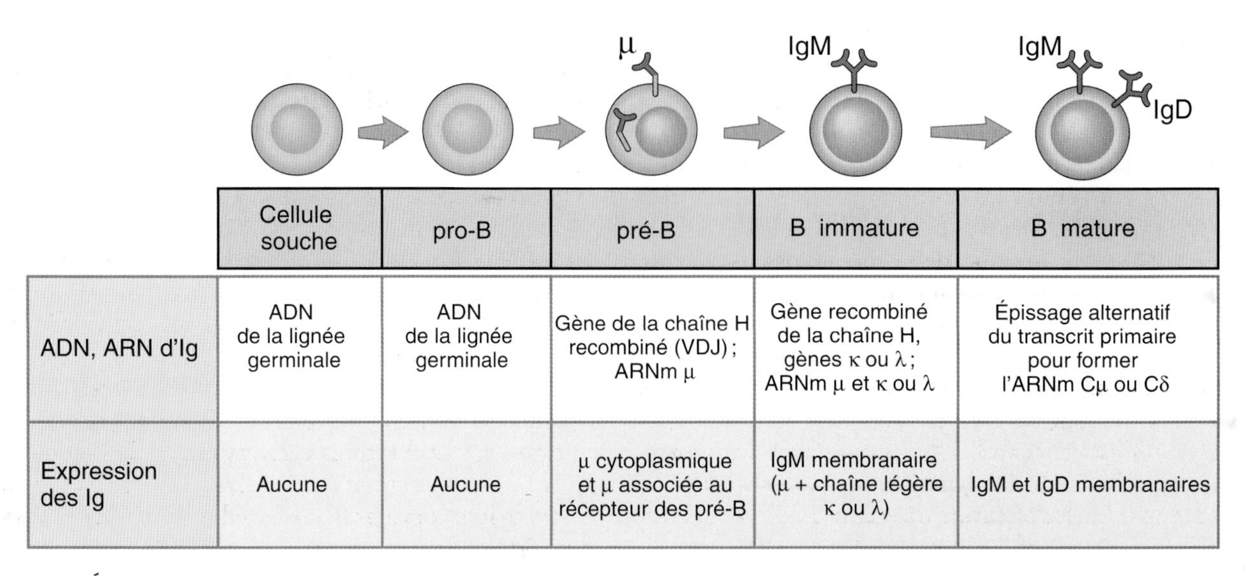

	Cellule souche	pro-B	pré-B	B immature	B mature
ADN, ARN d'Ig	ADN de la lignée germinale	ADN de la lignée germinale	Gène de la chaîne H recombiné (VDJ) ; ARNm μ	Gène recombiné de la chaîne H, gènes κ ou λ ; ARNm μ et κ ou λ	Épissage alternatif du transcrit primaire pour former l'ARNm Cμ ou Cδ
Expression des Ig	Aucune	Aucune	μ cytoplasmique et μ associée au récepteur des pré-B	IgM membranaire (μ + chaîne légère κ ou λ)	IgM et IgD membranaires

Figure 4.12 Étapes de maturation et de sélection des lymphocytes B. La maturation des lymphocytes B se déroule par étapes successives, chacune d'entre elles étant caractérisée par des changements particuliers de l'expression des gènes d'Ig et des profils d'expression des protéines d'Ig. Aux étapes pro-lymphocytes B et pré-lymphocytes B, l'absence d'expression de récepteurs d'antigènes fonctionnels (chaîne lourde d'Ig et chaîne légère d'Ig respectivement) aboutit, par défaut, à la mort cellulaire par apoptose.

de la maturation). Les signaux provenant du récepteur d'antigène interrompent la production de la recombinase, ainsi que toute recombinaison supplémentaire dans les locus non recombinés des chaînes légères. Par conséquent, chaque lymphocyte B produit une chaîne légère, κ ou λ, à partir d'un des allèles parentaux. La présence de deux ensembles de gènes de chaînes légères augmente simplement les chances de succès de la recombinaison génique et de l'expression d'un récepteur. Le lymphocyte B exprimant des IgM est le **lymphocyte B immature**. La phase suivante peut se dérouler dans la moelle osseuse ou dans la rate, après que la cellule a quitté la moelle osseuse. L'étape finale de la maturation comprend la coexpression des IgD et des IgM, qui se produit parce que l'ARN de la chaîne lourde ayant subi une recombinaison V(D)J peut produire par épissage un ARN Cμ ou un ARN Cδ, donnant respectivement naissance à l'ARNm μ ou δ. Nous savons que la capacité des lymphocytes B à répondre aux antigènes se développe parallèlement à la coexpression des IgM et des IgD, mais la raison pour laquelle ces deux classes de récepteurs sont nécessaires reste inconnue. Le lymphocyte IgM^+ IgD^+ est le **lymphocyte B mature**, capable de répondre à l'antigène dans les tissus lymphoïdes périphériques.

Le répertoire des lymphocytes B est ensuite modelé par sélection négative. Au cours de ce processus, si un lymphocyte B immature se lie à un antigène avec une forte affinité dans la moelle osseuse, toute maturation complémentaire est interrompue. Le lymphocyte B soit meurt par apoptose, soit peut réactiver la recombinase, générer une deuxième chaîne légère et changer la spécificité du récepteur pour l'antigène (un processus appelé *receptor editing* ou révision du récepteur). Les antigènes les plus fréquemment rencontrés dans la moelle osseuse sont les antigènes du soi abondamment exprimés dans tout l'organisme (c'est-à-dire qu'ils sont ubiquitaires), comme les protéines du sang et les molécules membranaires communes à toutes les cellules. Par conséquent, la sélection négative élimine toutes les cellules potentiellement dangereuses susceptibles de reconnaître et de réagir contre les antigènes du soi ubiquitaires.

Le processus de recombinaison génique des Ig est aléatoire, et ne peut par nature être orienté vers la reconnaissance de microbes, bien que les récepteurs produits soient en mesure de reconnaître les antigènes d'un nombre et d'une variété considérables de microbes contre lesquels le système immunitaire doit se défendre. Il est vraisemblable que le répertoire des lymphocytes B soit élaboré de manière aléatoire, subisse une sélection positive en faveur de l'expression de récepteurs intacts et une sélection négative évitant des interactions fortes avec des antigènes du soi. Ce qui persiste après ces processus de sélection est un ensemble de lymphocytes B matures capables de reconnaître tous les antigènes microbiens qu'un organisme est susceptible de rencontrer.

La plupart des cellules B matures sont folliculaires. Celles qui sont présentes dans la zone marginale se développent à partir des mêmes progéniteurs (cellules pro-B) que les B folliculaires, tandis que les cellules B-1 peuvent se développer plus tôt et à partir de précurseurs différents. Le rôle de ces sous-populations de cellules B dans l'immunité humorale sera décrit dans le chapitre 7.

© 2009 Elsevier Masson SAS. Tous droits réservés

Maturation et sélection des lymphocytes T

Le processus de maturation des lymphocytes T se caractérise par certaines particularités qui sont largement en rapport avec la spécificité des différentes sous-populations de lymphocytes T pour les peptides présentés par les différentes classes de molécules du CMH. Les progéniteurs des lymphocytes T migrent de la moelle osseuse vers le thymus, où se déroule la totalité du processus de maturation (figure 4.13). Les progéniteurs les plus immatures sont appelés **lymphocytes pro-T** ou **lymphocytes T doubles négatifs**, parce qu'ils n'expriment ni CD4 ni CD8. Le nombre de ces lymphocytes augmente principalement sous l'influence de l'IL-7 produite dans le thymus. Certains descendants des lymphocytes doubles négatifs subissent une recombinaison du gène TCR β, qui est effectuée par la recombinase V(D)J. (Les lymphocytes T γδ subissent une recombinaison similaire faisant intervenir les locus γ et δ du TCR, mais ils semblent appartenir à un lignage distinct, et ne seront pas décrits davantage). Si la protéine de la chaîne β est synthétisée, elle est exprimée à la surface cellulaire en association avec une protéine invariante appelée pré-T α, afin de former le complexe pré-TCR des **lymphocytes pré-T**. Si la chaîne β complète n'est pas produite dans un lymphocyte pro-T, cette cellule meurt. Le complexe pré-TCR délivre des signaux intracellulaires en réponse à son seul assemblage ou à la reconnaissance de certains ligands inconnus. Ces signaux favorisent la survie, la prolifération, la recombinaison du gène de la chaîne α et inhibe la recombinaison VDJ dans le second locus de la chaîne β (exclusion allélique), de façon très similaire aux signaux émis par le complexe pré-BCR dans les lymphocytes B en développement. Si la chaîne α et le TCR complet ne sont pas exprimés, il en résulte à nouveau la mort du lymphocyte. Les cellules survivantes expriment à la fois les corécepteurs CD4 et CD8, et ces cellules portent le nom de **lymphocytes T double positifs** (ou thymocytes double positifs).

Les différents clones des lymphocytes T double positifs expriment différents TCR αβ. Si le TCR d'un lymphocyte T reconnaît une molécule du CMH dans le thymus, qui doit être une molécule du CMH du soi

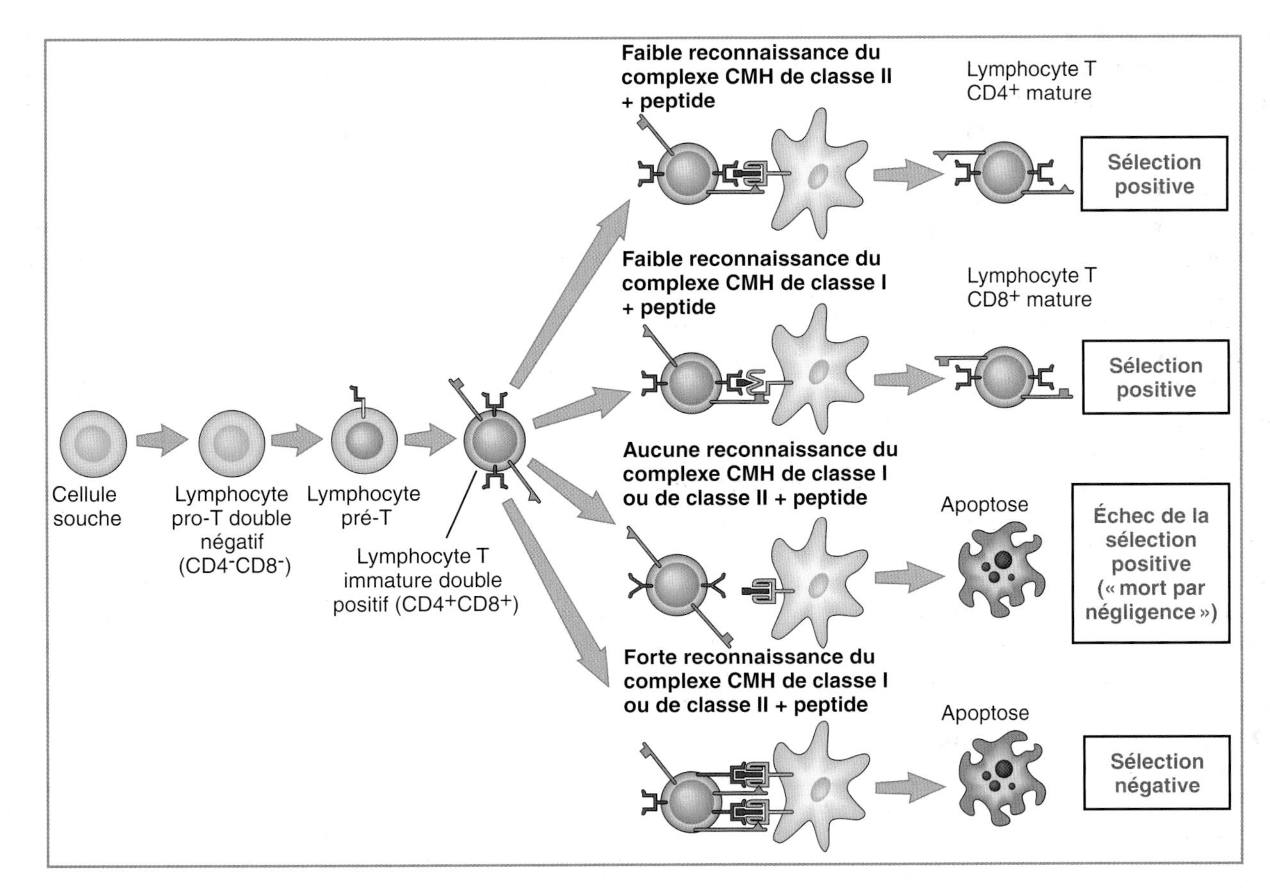

Figure 4.13 Étapes de maturation et de sélection des lymphocytes T restreints par le complexe majeur d'histocompatibilité (CMH). La maturation des lymphocytes T dans le thymus se déroule par étapes successives, souvent définies par l'expression des corécepteurs CD4 ou CD8. La chaîne β du TCR est d'abord exprimée au stade des lymphocytes pré-T double négatifs, et le TCR complet est exprimé par les lymphocytes double positifs. La maturation culmine avec le développement de lymphocytes T simple positifs CD4⁺ et CD8⁺. Comme pour les lymphocytes B, l'incapacité d'exprimer des récepteurs d'antigènes à un des quelconques stades conduit à la mort des cellules par apoptose.

© 2009 Elsevier Masson SAS. Tous droits réservés

présentant un peptide du soi, ce lymphocyte T est sélectionné pour survivre. Les lymphocytes T qui ne reconnaissent pas une molécule du CMH dans le thymus meurent par apoptose ; ces lymphocytes T ne seraient pas utiles, car ils seraient incapables de détecter des antigènes associés aux cellules, présentés par le CMH de cet individu. Cette préservation des lymphocytes T restreints par les molécules du CMH du soi (c'est-à-dire utiles) constitue le processus de **sélection positive**. Au cours de ce processus, les lymphocytes T dont les TCR reconnaissent les complexes CMH de classe I-peptide conservent l'expression du CD8, le corécepteur qui se lie aux molécules du CMH de classe I, et perdent l'expression du CD4, le corécepteur spécifique des molécules du CMH de classe II. À l'inverse, si un lymphocyte T reconnaît des complexes CMH de classe II-peptide, ce lymphocyte maintient l'expression de CD4 et perd celle de CD8. Par conséquent, il émerge de ce processus des lymphocytes T simple positifs, qui sont soit $CD8^+$, restreints par les molécules du CMH de classe I, soit $CD4^+$, restreints par les molécules du CMH de classe II. Au cours de ce processus, les lymphocytes T subissent également une ségrégation fonctionnelle : les lymphocytes T $CD8^+$ sont capables de se transformer en CTL lors de leur activation et les lymphocytes T $CD4^+$ en lymphocytes auxiliaires. On ignore encore comment cette ségrégation fonctionnelle accompagne l'expression des corécepteurs.

Les lymphocytes T immatures double positifs dont les récepteurs reconnaissent fortement les complexes CMH-peptide dans le thymus subissent l'apoptose. Ce phénomène, qui constitue la **sélection négative**, permet d'éliminer les lymphocytes T susceptibles de réagir de manière nocive contre les protéines du soi qui sont exprimées dans le thymus. Certaines de ces protéines du soi sont présentes dans tout l'organisme et d'autres sont propres à certains tissus, qui sont exprimées dans les cellules épithéliales thymiques par des mécanismes spéciaux dont il sera question au chapitre 9 dans le contexte de la tolérance au soi. Il peut sembler surprenant que la sélection positive comme la sélection négative soient toutes deux liées à la reconnaissance, dans le thymus, du même ensemble de complexes CMH du soi-peptide du soi. Notez que le thymus ne peut contenir que des molécules du CMH du soi et des peptides du soi ; les peptides microbiens sont confinés dans les tissus lymphoïdes périphériques et n'ont pas tendance à pénétrer dans le thymus. L'explication probable de ces résultats différents est que si le récepteur d'antigène d'un lymphocyte T reconnaît un complexe CMH du soi-peptide du soi avec une faible avidité, la conséquence est la sélection positive, tandis qu'une reconnaissance avec une forte avidité conduit à une sélection négative. La reconnaissance avec une forte avidité se produit lorsque le peptide du soi est abondant dans le thymus (et par conséquent partout ailleurs dans l'organisme), et si le lymphocyte T exprime un TCR qui présente une forte affinité pour ce peptide du soi. Dans ces situations, la reconnaissance de l'antigène pourrait conduire à des réponses immunitaires délétères contre l'antigène du soi, le lymphocyte doit donc être éliminé. Une reconnaissance à faible avidité du soi (des propres molécules de l'organisme) présente peu de risques d'être néfaste. Comme dans le cas des lymphocytes B, la capacité de reconnaître des antigènes étrangers semble être fondée sur le hasard : les lymphocytes T qui reconnaissent faiblement les antigènes du soi dans le thymus peuvent reconnaître fortement les antigènes microbiens étrangers à la périphérie et y répondre énergiquement.

© 2009 Elsevier Masson SAS. Tous droits réservés

Résumé

- Dans le système immunitaire adaptatif, les molécules responsables de la reconnaissance spécifique des antigènes sont les anticorps et les récepteurs d'antigènes des lymphocytes T.
- Les anticorps (ou immunoglobulines) peuvent être produits sous forme de récepteurs membranaires des lymphocytes B ou sous forme de protéines sécrétées par des lymphocytes B stimulés par les antigènes qui se sont différenciés en cellules sécrétrices d'anticorps. Les anticorps sécrétés sont les molécules effectrices de l'immunité humorale, capables de neutraliser les microbes et les toxines microbiennes, et de les éliminer en activant différents mécanismes effecteurs.
- Les récepteurs d'antigènes des lymphocytes T (TCR) sont des récepteurs membranaires et ne sont pas sécrétés.
- La structure de base des anticorps est composée de deux chaînes lourdes et de deux chaînes légères formant un complexe lié par des ponts disulfures. Chaque chaîne est composée d'une région variable (V), qui est la partie responsable de la reconnaissance de l'antigène, et d'une région constante (C), qui fournit la stabilité structurale et, dans les chaînes lourdes, effectue les fonctions effectrices des anticorps.
- Les récepteurs des lymphocytes T sont composés d'une chaîne α et d'une chaîne β. Chaque chaîne contient une région V et une région C. Les deux chaînes participent à la reconnaissance des antigènes, qui pour la plupart des lymphocytes T sont des peptides présentés par des molécules du CMH.
- Les régions V des molécules d'Ig et du TCR contiennent des segments hypervariables, portant également le nom de régions déterminant la complémentarité (*complementarity-determining regions*), qui sont les régions de contact avec les antigènes. CDR
- Les gènes qui codent pour les récepteurs d'antigènes sont composés de multiples segments qui sont séparés dans la lignée germinale, puis sont rassemblés au cours de la maturation des lymphocytes. Dans les lymphocytes B, les segments des gènes d'Ig subissent une recombinaison lorsque les lymphocytes parviennent à maturation dans la moelle osseuse et, dans les lymphocytes T, les segments des gènes TCR subissent une recombinaison au cours de la maturation dans le thymus.
- Les récepteurs de spécificités différentes sont obtenus en partie par des combinaisons différentes des segments géniques V, D et J. Le processus de recombinaison introduit une variabilité dans les séquences nucléotidiques aux sites de recombinaison en ajoutant ou en retirant des nucléotides au niveau des zones de jonction. Cette variabilité permet le développement d'un répertoire multiple de lymphocytes, dans lequel des clones de lymphocytes présentant différentes spécificités antigéniques expriment des récepteurs différents quant à leur séquence et leur capacité de reconnaissance. La plupart des différences sont concentrées dans les régions de recombinaisons géniques.
- Au cours de leur maturation, les lymphocytes subissent des cycles successifs de prolifération et d'expression des récepteurs antigéniques, et passent par divers points de contrôle où ils subissent une sélection afin que seules les cellules présentant des récepteurs antigéniques fonctionnels complets soient conservées et amplifiées. En outre, les lymphocytes T subissent une sélection positive afin de reconnaître les antigènes peptidiques présentés par les molécules du CMH du soi.
- Les lymphocytes immatures qui reconnaissent fortement les antigènes du soi subissent une sélection négative et un arrêt de maturation. Ce phénomène permet d'éliminer les cellules présentant le risque de réagir de façon nocive contre les tissus de l'organisme.

Contrôle des connaissances

1. Quels sont les domaines (régions) des molécules d'anticorps et du récepteur des lymphocytes T qui présentent des différences sur le plan fonctionnel ? Quelles particularités des séquences d'acides aminés de ces régions sont importantes pour leur fonction ?
2. Quelles sont les différences entre les types d'antigènes reconnus par les anticorps et les TCR ?
3. Quels mécanismes contribuent à la diversité des molécules d'anticorps et de TCR ? Parmi ces mécanismes, lesquels contribuent le plus à cette diversité ?
4. Citez certains des points de contrôle au cours de la maturation lymphocytaire qui assurent la survie des cellules utiles.
5. En quoi consiste le phénomène de sélection négative, et quelle est son importance ?

Réviser

© 2009 Elsevier Masson SAS. Tous droits réservés

Chapitre 5

Réponses immunitaires de type cellulaire

Activation des lymphocytes T par des microbes associés aux cellules

L'immunité cellulaire est la branche de l'immunité adaptative dont le rôle est de combattre les infections par des microbes intracellulaires. Ce type d'immunité est assuré par les lymphocytes T. Deux types d'infections peuvent conduire les microbes à trouver refuge à l'intérieur des cellules, d'où ils devront être éliminés par les réponses immunitaires cellulaires (figure 5.1). En premier lieu, les microbes sont ingérés par les phagocytes qui agissent dans le cadre des mécanismes de défense précoces de l'immunité innée, mais certains ont évolué et résistent à

© 2009 Elsevier Masson SAS. Tous droits réservés

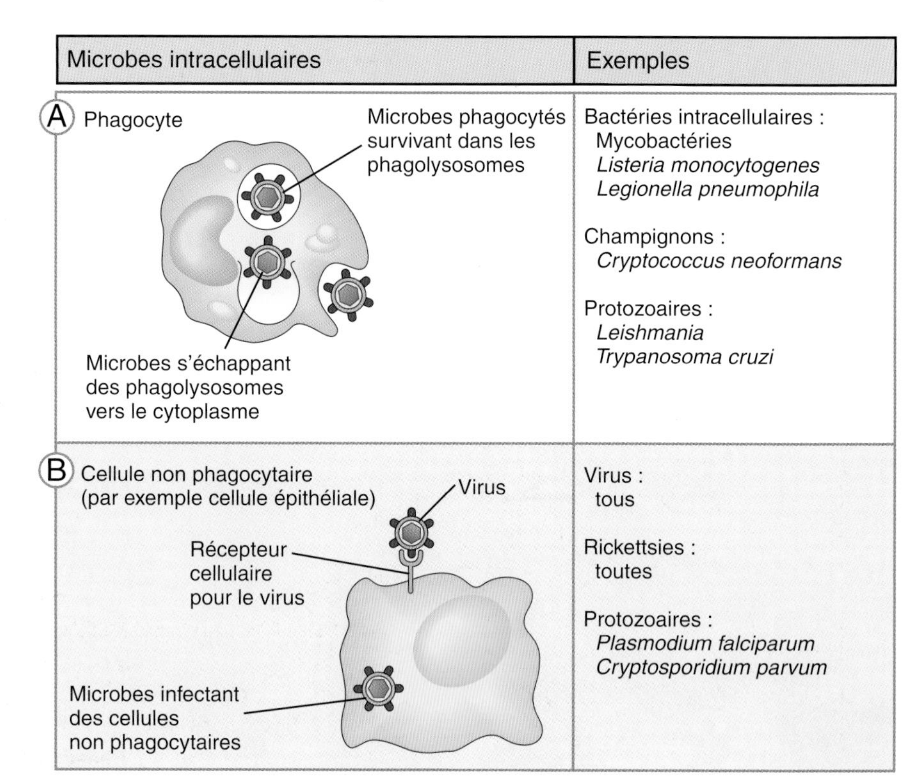

Figure 5.1 Types de microbes intracellulaires contre lesquels est dirigée l'immunité assurée par les lymphocytes T. A. Les microbes peuvent être ingérés par les phagocytes et survivre dans les vacuoles (phagolysosomes), ou s'échapper dans le cytoplasme où ils sont insensibles aux mécanismes microbicides des phagocytes. B. Les virus peuvent se lier à des récepteurs présents sur de nombreux types cellulaires, notamment des cellules non phagocytaires, et se répliquer dans le cytoplasme des cellules infectées. Certains virus provoquent des infections latentes, au cours desquelles des protéines virales sont produites dans les cellules infectées (non représenté).

l'action microbicide des phagocytes. Un grand nombre de bactéries et de protozoaires intracellulaires pathogènes ont la capacité de survivre, et même de se répliquer, dans les vacuoles phagocytaires. Certains de ces microbes phagocytés peuvent pénétrer dans le cytoplasme des cellules infectées, et se multiplier dans ce compartiment, en utilisant les nutriments des cellules infectées. Les microbes intracytoplasmiques sont protégés des mécanismes microbicides, car ces mécanismes sont confinés aux compartiments vacuolaires dans lesquels ils ne peuvent pas léser la cellule. En second lieu, des virus peuvent se lier à des récepteurs se trouvant sur une grande variété de cellules, être en mesure de les infecter et de se répliquer dans le cytoplasme de ces cellules. Ces cellules ne possèdent généralement pas les mécanismes intrinsèques nécessaires pour détruire ces virus. L'élimination des microbes qui ont la capacité de vivre dans les vacuoles phagocytaires ou dans le cytoplasme des cellules infectées est la fonction principale des lymphocytes T dans l'immunité adaptative. Les lymphocytes T auxiliaires $CD4^+$ ont également pour fonction d'aider les lymphocytes B à produire des anticorps. Toutes ces réactions ont une caractéristique commune : les lymphocytes T, pour assurer leurs fonctions, doivent interagir avec d'autres cellules, qui peuvent être des phagocytes, des cellules hôtes infectées ou des lymphocytes B. Rappelons que la spécificité des lymphocytes T pour les peptides présentés par les molécules du complexe majeur d'histocompatibilité (CMH) assure que les lymphocytes T ne peuvent voir et répondre qu'aux antigènes associés à d'autres cellules (voir les chapitres 3 et 4). Ce chapitre est consacré à la manière selon laquelle les lymphocytes T sont activés par la reconnaissance des antigènes associés aux cellules et par d'autres stimulus. Les questions suivantes seront abordées :

- Quels signaux sont nécessaires pour activer les lymphocytes T, et quels récepteurs cellulaires sont utilisés pour recevoir et répondre à ces signaux ?
- Comment les quelques lymphocytes T naïfs spécifiques d'un microbe donné sont-ils convertis en un grand nombre de lymphocytes T effecteurs possédant la capacité d'éliminer ce microbe ?
- Quelles molécules produites par les lymphocytes T assurent les communications avec d'autres cellules, comme les macrophages et les lymphocytes B ?

Après avoir décrit comment les lymphocytes T reconnaissent et répondent aux antigènes microbiens associés aux cellules, le chapitre 6 décrira le mode d'élimination des microbes par les lymphocytes T.

Phases des réponses des lymphocytes T

Les réponses des lymphocytes T contre les antigènes microbiens associés aux cellules se composent d'une série d'étapes consécutives qui entraînent une augmentation du nombre de lymphocytes T spécifiques de l'antigène et la conversion des lymphocytes T naïfs en cellules effectrices (figure 5.2). Comme cela a été

© 2009 Elsevier Masson SAS. Tous droits réservés

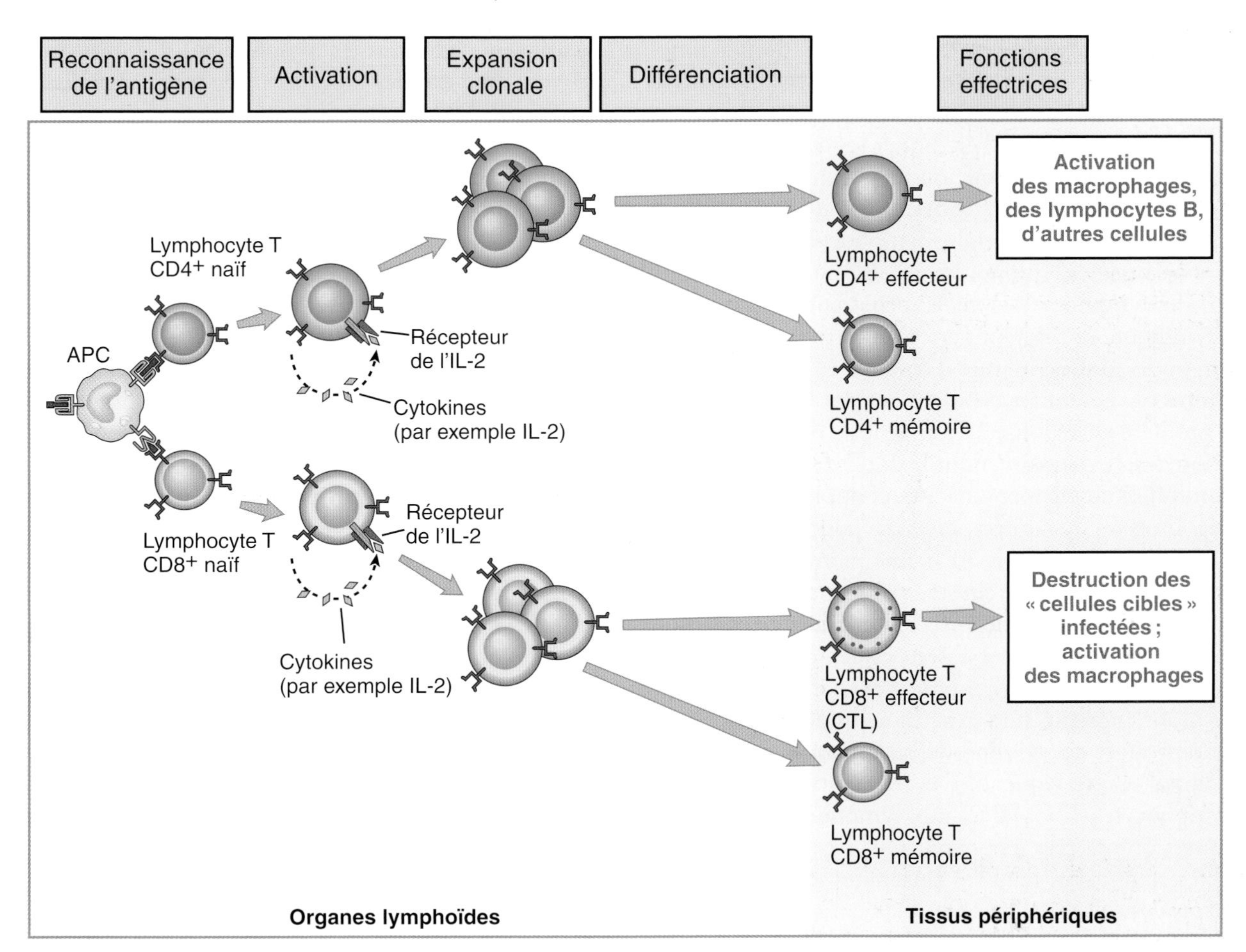

Figure 5.2 Étapes d'activation des lymphocytes T. Les lymphocytes T naïfs reconnaissent les antigènes peptidiques associés au CMH à la surface des cellules présentatrices d'antigène (APC) ainsi que d'autres signaux (non représentés). Les lymphocytes T répondent en produisant des cytokines, par exemple l'IL-2, et en exprimant des récepteurs pour ces cytokines, ce qui conduit à une voie autocrine de prolifération cellulaire. Le résultat de ce phénomène est une expansion clonale des lymphocytes T. Certaines des cellules filles se différencient en cellules effectrices, qui assument différentes fonctions dans l'immunité cellulaire, et en cellules mémoire, qui survivent pendant de longues périodes. Les fonctions effectrices des lymphocytes T sont décrites dans le chapitre 6.

indiqué dans les précédents chapitres, les lymphocytes T naïfs recirculent constamment à travers les organes lymphoïdes périphériques à la recherche d'antigènes protéiques étrangers. Les lymphocytes T naïfs expriment des récepteurs d'antigènes et d'autres molécules qui constituent la machinerie de reconnaissance des antigènes, mais les lymphocytes naïfs sont incapables d'assumer les fonctions effectrices nécessaires à l'élimination des microbes. Afin d'effectuer ces fonctions, les lymphocytes T naïfs doivent être stimulés pour se différencier en cellules effectrices, et ce processus est déclenché par la reconnaissance des antigènes. Les antigènes protéiques des microbes sont transportés des portes d'entrée des microbes vers les mêmes organes lymphoïdes périphériques à travers lesquels recirculent les lymphocytes T naïfs. Dans ces organes, les antigènes sont apprêtés et présentés par les molécules du CMH des cellules dendritiques, qui sont les cellules présentatrices d'antigène (APC) les plus efficaces (voir le chapitre 3). Ainsi, les lymphocytes T naïfs rencontrent pour la première fois les antigènes protéiques dans les organes lymphoïdes périphériques. En même temps que les lymphocytes T sont confrontés à l'antigène, ils reçoivent des signaux supplémentaires sous la forme de produits microbiens ou de molécules exprimées par les APC en réponse aux réactions immunitaires innées à ces microbes.

À la suite de l'activation par l'antigène et d'autres stimulus, les lymphocytes T spécifiques de l'antigène commencent à sécréter des protéines, appelées **cytokines**, dont les multiples fonctions dans l'immunité cellulaire sont décrites ultérieurement dans ce chapitre. Certaines cytokines stimulent la prolifération des lymphocytes T spécifiques de l'antigène. Le résultat est une augmentation rapide du nombre de lymphocytes spécifiques de l'antigène, un processus dit d'**expansion clonale**. Une fraction de ces lymphocytes activés passe par un processus de **différenciation**, qui aboutit à la conversion des lymphocytes T naïfs, dont la fonction est de reconnaître les antigènes microbiens, en

© 2009 Elsevier Masson SAS. Tous droits réservés

une population de lymphocytes T effecteurs, dont la fonction est d'éliminer les microbes. Certains lymphocytes T effecteurs peuvent rester dans le ganglion lymphatique et vont avoir pour fonction d'éradiquer les cellules infectées dans le ganglion lymphatique ou de produire des signaux qui favorisent la production d'anticorps contre les microbes par les lymphocytes B. Certains lymphocytes T effecteurs quittent les organes lymphoïdes, où ils se sont différenciés à partir des lymphocytes T naïfs, pénètrent dans la circulation sanguine, et migrent vers n'importe quel site d'infection, où ils sont en mesure d'éradiquer l'infection (voir le chapitre 6). Les autres cellules filles des lymphocytes T ayant proliféré en réponse à l'antigène se différencient en **lymphocytes T mémoire**, dont la durée de vie est longue, qui sont fonctionnellement inactifs, et qui recirculent pendant des mois ou des années, prêts à répondre rapidement à de nouvelles expositions au même germe. Lorsque les lymphocytes T effecteurs éliminent l'agent infectieux, les stimulus qui ont déclenché l'expansion clonale et la différenciation des lymphocytes T sont également éliminés. Il en résulte que le clone de lymphocytes spécifiques de l'antigène ayant présenté une expansion importante meurt, permettant ainsi au système de retourner à son état de repos initial. Cette séquence d'événements est commune aux lymphocytes T $CD4^+$ et aux lymphocytes T $CD8^+$, bien que, comme cela sera décrit plus bas, il existe d'importantes différences dans les propriétés et les fonctions effectrices des cellules $CD4^+$ et $CD8^+$.

Après ce survol, nous poursuivons par une description des stimulus requis pour l'activation et la régulation des lymphocytes T. Nous décrivons alors les signaux biochimiques qui sont générés par la reconnaissance de l'antigène et qui se traduisent par les réponses biologiques des lymphocytes. Nous concluons par une description des réponses fonctionnelles des lymphocytes T et de la génération des cellules effectrices qui éliminent les microbes associés aux cellules.

Reconnaissance de l'antigène et costimulation

Le déclenchement des réponses par les lymphocytes T nécessite que de multiples récepteurs situés sur les lymphocytes T reconnaissent des ligands se trouvant sur les APC : le TCR (*T cell receptor*) reconnaît les antigènes peptidiques associés aux molécules du CMH, les corécepteurs CD4 ou CD8 reconnaissent les molécules du CMH, les molécules d'adhérence renforcent la liaison des lymphocytes T aux APC, et les récepteurs pour les molécules de costimulation reconnaissent les seconds signaux fournis par les APC (figure 5.3). Les molécules autres que les récepteurs d'antigènes qui participent aux réponses des lymphocytes T contre les antigènes sont souvent qualifiées de **molécules accessoires** des lymphocytes T. Les molécules accessoires sont invariantes dans tous les lymphocytes T. Leurs fonctions peuvent être classées en deux catégories : signalisation et adhérence. Différentes molécules accessoires se lient à différents ligands, et chacune de ces interactions joue un rôle distinct et complémentaire dans le processus d'activation des lymphocytes T.

Reconnaissance des peptides associés aux molécules du CMH

Le récepteur d'antigène des lymphocytes T (le TCR) et le corécepteur CD4 ou CD8 reconnaissent ensemble le complexe formé par les antigènes peptidiques et les molécules du CMH sur les APC. Cette reconnaissance constitue le premier signal, ou signal de déclenchement, induisant l'activation des lymphocytes T (figure 5.4). Comme signalé au chapitre 3, lorsque les antigènes protéiques sont ingérés dans des vacuoles par les APC à partir du milieu extracellulaire, ces antigènes sont apprêtés en peptides qui sont présentés par les molécules du CMH de classe II. En revanche, les antigènes protéiques qui sont présents dans le cytoplasme sont apprêtés en peptides qui sont présentés par les molécules de classe I. Le TCR exprimé sur la plupart des cellules T est composé d'une chaîne α et d'une chaîne β qui participent toutes les deux à la reconnaissance de l'antigène (voir le chapitre 4). [Une petite sous-population de cellules T exprime des TCR composés de chaînes γ et δ, comme décrit dans le chapitre 4.] Le TCR d'un lymphocyte T spécifique d'un antigène peptidique reconnaît le peptide présenté et reconnaît simultanément les résidus de la molécule du CMH qui sont situés autour du sillon de liaison au peptide. Chaque lymphocyte T mature restreint par le CMH exprime soit CD4 soit CD8, qui sont appelés corécepteurs, car ils fonctionnent avec le TCR pour se lier aux molécules du CMH. En même temps que le TCR reconnaît le complexe peptide-CMH, le corécepteur CD4 ou CD8 reconnaît respectivement la molécule de classe II ou de classe I du CMH, au niveau d'un site distinct du sillon de liaison au peptide. Par conséquent, les lymphocytes T $CD4^+$, qui fonctionnent comme des lymphocytes auxiliaires produisant des cytokines, reconnaissent les antigènes microbiens qui sont ingérés à partir du milieu extracellulaire et sont présentés par les molécules de classe II du CMH, tandis que les lymphocytes T $CD8^+$, qui fonctionnent comme des lymphocytes T cytotoxiques (CTL), reconnaissent les peptides dérivés des microbes intracytoplasmiques présentés par les molécules du CMH de classe I. La spécificité de CD4 et de CD8 pour différentes classes de molécules du CMH et les voies distinctes d'apprêtement des antigènes vacuolaires et cytosoliques assurent que les « bons » lymphocytes T répondent aux différents microbes (voir la figure 3.15, au chapitre 3). Deux ou plusieurs TCR et corécepteurs doivent être engagés simultanément pour

© 2009 Elsevier Masson SAS. Tous droits réservés

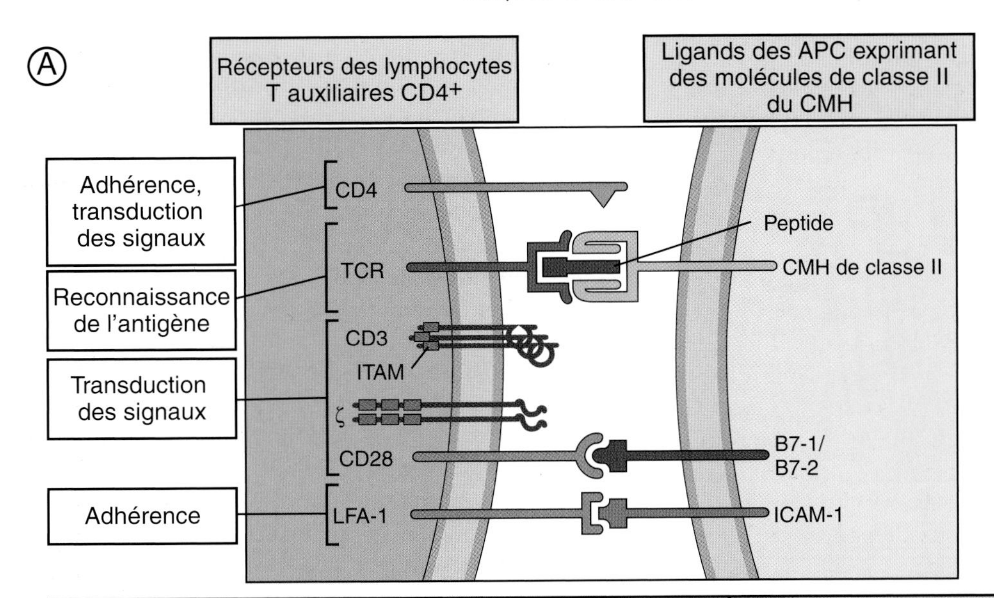

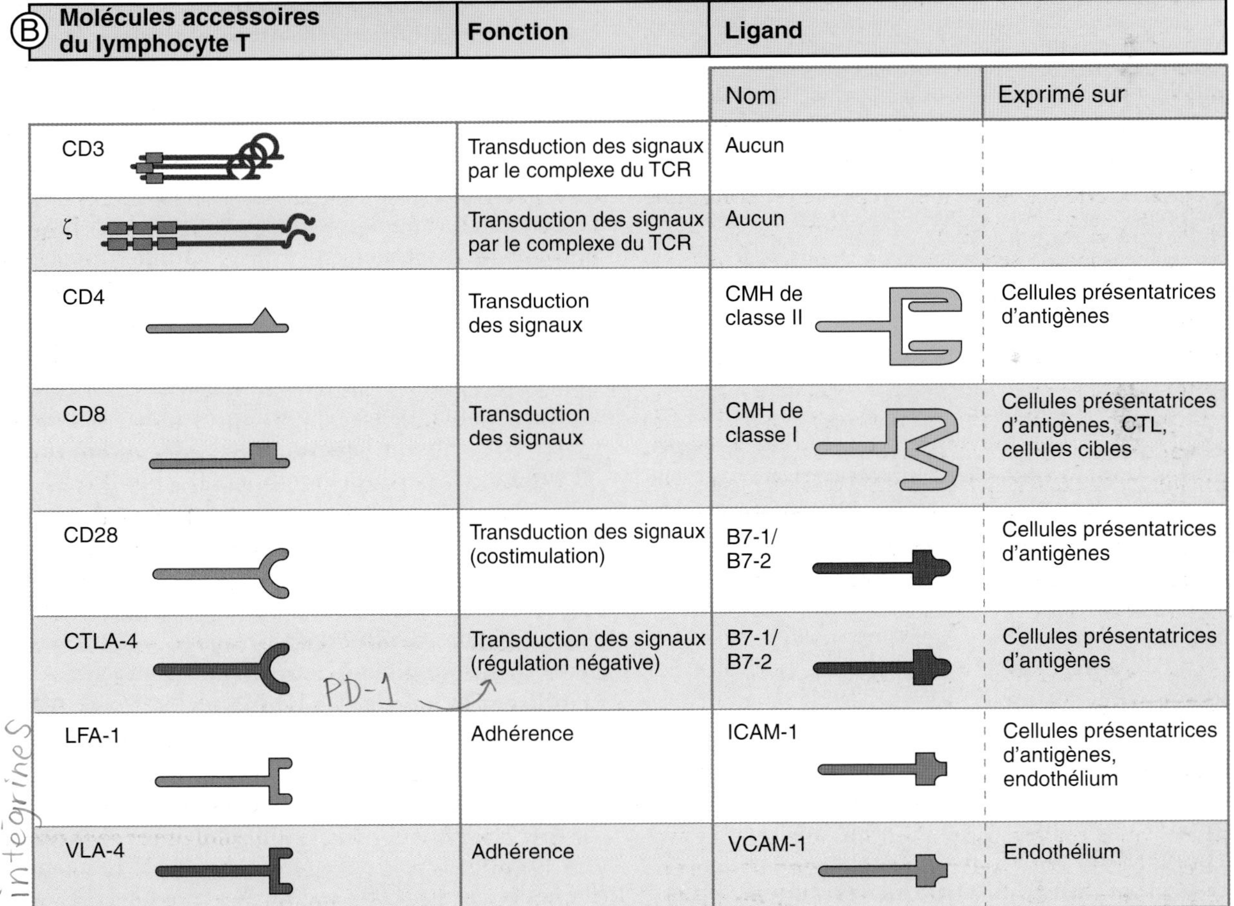

B Molécules accessoires du lymphocyte T	Fonction	Ligand – Nom	Ligand – Exprimé sur
CD3	Transduction des signaux par le complexe du TCR	Aucun	
ζ	Transduction des signaux par le complexe du TCR	Aucun	
CD4	Transduction des signaux	CMH de classe II	Cellules présentatrices d'antigènes
CD8	Transduction des signaux	CMH de classe I	Cellules présentatrices d'antigènes, CTL, cellules cibles
CD28	Transduction des signaux (costimulation)	B7-1/ B7-2	Cellules présentatrices d'antigènes
CTLA-4	Transduction des signaux (régulation négative)	B7-1/ B7-2	Cellules présentatrices d'antigènes
LFA-1	Adhérence	ICAM-1	Cellules présentatrices d'antigènes, endothélium
VLA-4	Adhérence	VCAM-1	Endothélium

Figure 5.3 Couples ligand-récepteur participant à l'activation des lymphocytes T. A. La figure présente les principales molécules de surface des lymphocytes T CD4⁺ participant à l'activation de ces cellules (les récepteurs) et les molécules présentes sur les APC (les ligands) reconnues par les récepteurs. Les lymphocytes T CD8⁺ utilisent la plupart de ces molécules, excepté que le TCR reconnaît les complexes peptide-molécule du CMH de classe I, et que le corécepteur CD8 reconnaît les molécules du CMH de classe I. Les motifs d'activation à base de tyrosine des immunorécepteurs (ITAM) sont les régions des protéines de signalisation qui sont phosphorylées sur les résidus tyrosine et deviennent des sites d'arrimage pour d'autres molécules de signalisation (voir la figure 5.9). CD3 est composé de trois chaînes polypeptidiques appelées δ, ε et γ, disposées en deux paires ($\delta\varepsilon$ et $\gamma\varepsilon$), le schéma ne montrant que les trois chaînes. B. La figure résume les propriétés importantes des principales molécules « accessoires » des cellules T, appelées de la sorte car elles participent aux réponses aux antigènes, mais ne servent pas de récepteurs d'antigène. CTLA-4 (*CTL antigen-4*, CD152), qui est un récepteur pour les molécules B7, transmet des signaux inhibiteurs ; son rôle d'inhibition des réponses des cellules T est décrit dans le chapitre 9. Les molécules VLA (*very late antigen*, antigène très tardif) sont des intégrines qui participent à la liaison du leucocyte à l'endothélium (voir la figure 6.3, au chapitre 6).

© 2009 Elsevier Masson SAS. Tous droits réservés

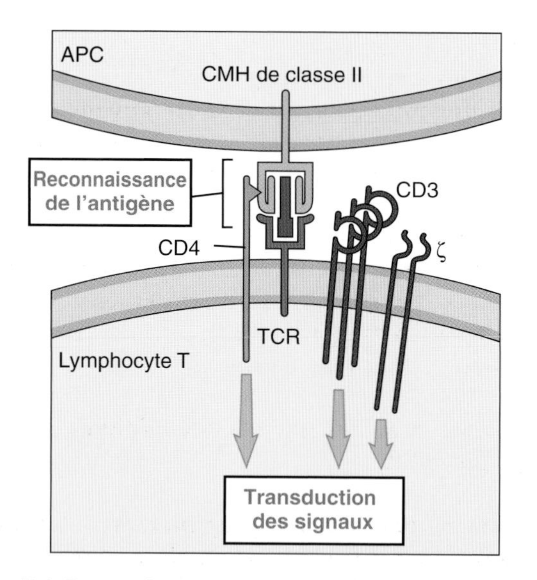

Figure 5.4 Reconnaissance de l'antigène et transduction des signaux au cours de l'activation des lymphocytes T. Différentes molécules des lymphocytes T reconnaissent l'antigène et délivrent le signal à l'intérieur de la cellule à la suite de la reconnaissance de l'antigène. Il est à noter que deux à plusieurs TCR doivent être agrégés pour initier les signaux, mais, par souci de simplification, un seul TCR est représenté sur la figure. Les protéines CD3 et ζ sont fixées de manière non covalente aux chaînes α et β du TCR par des interactions entre des acides aminés chargés se trouvant dans les domaines transmembranaires de ces protéines (non représenté). La figure illustre un lymphocyte T CD4+ ; les mêmes interactions sont utilisées pour l'activation des lymphocytes T CD8+, à l'exception du fait que le corécepteur est CD8 et que le TCR reconnaît un complexe peptide-molécule du CMH de classe I.

déclencher la réponse du lymphocyte T, car les cascades de signalisation biochimiques appropriées ne peuvent être activées que si plusieurs TCR et corécepteurs sont rassemblés (phénomène décrit ultérieurement dans ce chapitre). Par conséquent, un lymphocyte T ne peut répondre que s'il rencontre une série de complexes peptide-CMH sur une APC. De même, chaque lymphocyte T doit interagir avec un antigène (c'est-à-dire des peptides associés aux molécules du CMH) pendant une période prolongée, au moins plusieurs minutes, ou à plusieurs reprises, afin de générer suffisamment de signaux biochimiques pour induire une réponse. Lorsque ces conditions sont réunies, le lymphocyte T lance alors son programme d'activation.

Les signaux biochimiques qui conduisent à l'activation du lymphocyte T sont déclenchés par un ensemble de protéines qui sont liées au TCR pour former le complexe du TCR et par le corécepteur CD4 ou CD8 (figure 5.4). Les différents lymphocytes T doivent posséder des récepteurs d'antigène qui sont suffisamment variables pour reconnaître différents antigènes, mais également d'autres molécules conservées assumant les rôles de signalisation, qui n'ont pas besoin d'être variables. Dans les lymphocytes, ces deux types de fonction, reconnaissance de l'antigène et signalisation, sont séparés en deux ensembles de molécules. Le TCR reconnaît les antigènes, mais n'est pas capable de transmettre des signaux biochimiques à l'intérieur de la cellule. Le TCR est associé de manière non covalente à un complexe de trois protéines qui constituent CD3, et à un homodimère d'une autre protéine de signalisation, appelée chaîne ζ. Le TCR, CD3 et la chaîne ζ forment le complexe du TCR. Dans le complexe du TCR, la fonction de reconnaissance de l'antigène est assurée par les chaînes variables α et β du TCR, tandis que la fonction de signalisation est effectuée par les protéines CD3 et ζ. Les mécanismes de la transduction des signaux par ces protéines du complexe du TCR seront abordés ultérieurement dans ce chapitre.

Les lymphocytes T peuvent également être activés expérimentalement par des molécules qui se lient aux TCR de nombreux, voire de tous les clones de lymphocytes T, quelle que soit la spécificité du TCR vis-à-vis du complexe peptide-CMH. Ces activateurs polyclonaux des lymphocytes T comprennent des anticorps spécifiques du TCR ou des protéines CD3 associées, des protéines polymériques de liaison aux glucides comme la phytohémagglutinine (PHA), et certaines protéines microbiennes appelées superantigènes. Les activateurs polyclonaux sont souvent utilisés comme outils expérimentaux pour étudier les réponses des lymphocytes T à l'activation, pour analyser les fonctions des lymphocytes T en clinique ou pour préparer des étalements en métaphase pour les analyses chromosomiques. Les superantigènes microbiens peuvent provoquer des maladies graves en induisant l'activation et la libération excessive de cytokines à partir de nombreux lymphocytes T.

Rôle des molécules d'adhérence dans les réponses des lymphocytes T

Les molécules d'adhérence présentes sur les lymphocytes T reconnaissent leurs ligands sur les APC et stabilisent la liaison des lymphocytes T aux APC. La plupart des TCR se lient avec une faible affinité aux complexes peptide-CMH pour lesquels ils sont spécifiques. Une des raisons éventuelles de cette faible reconnaissance est que les lymphocytes T subissent une sélection positive au cours de leur maturation en cas de reconnaissance faible des antigènes du soi, et que leur capacité à reconnaître des peptides microbiens étrangers est fortuite et non prédéterminée (voir le chapitre 4). Il faut rappeler que ce type de sélection est inévitable compte tenu du fait que le thymus, dans lequel les lymphocytes T effectuent leur maturation, n'est pas en mesure de contenir la totalité des peptides microbiens existants, et que les antigènes que les lymphocytes T en maturation peuvent rencontrer dans le thymus sont des antigènes du soi. Par conséquent, il n'est pas surprenant que les lymphocytes T

© 2009 Elsevier Masson SAS. Tous droits réservés

reconnaissent faiblement les antigènes étrangers. Pour induire une réponse productive, la liaison des lymphocytes T aux APC doit être stabilisée pendant une période suffisamment longue pour que le seuil de signalisation nécessaire soit atteint. Cette fonction de stabilisation est assurée par des molécules d'adhérence se trouvant sur les lymphocytes T dont les ligands sont exprimés sur les APC. La plus importante de ces molécules d'adhérence appartient à une famille de protéines hétérodimériques (à deux chaînes), portant le nom d'**intégrines**. La principale intégrine des lymphocytes T participant à la liaison aux APC est la molécule LFA-1 (*leukocyte function associated antigen-1*), dont le ligand sur les APC porte le nom d'ICAM-1 (*intercellular adhesion molecule-1*).

Les intégrines jouent un rôle important dans la stimulation des réponses des lymphocytes T aux antigènes microbiens. Sur les lymphocytes T naïfs au repos, qui sont des cellules qui n'ont pas reconnu et n'ont pas été activées antérieurement par l'antigène, l'intégrine LFA-1 se trouve dans un état de faible affinité. Si un lymphocyte T est exposé à des chimiokines produites dans le cadre d'une réponse immunitaire innée contre une infection, les molécules LFA-1 de ce lymphocyte T passent à l'état de haute affinité et se regroupent en quelques minutes (figure 5.5). Il en résulte que les lymphocytes T se lient fortement aux APC au niveau des sites d'infection. La reconnaissance de l'antigène par un lymphocyte T augmente également l'affinité du LFA-1 de ce lymphocyte. Ainsi, lorsqu'un lymphocyte T reconnaît un antigène, il augmente la force de sa liaison à l'APC présentant cet antigène, entraînant une boucle de rétroaction positive. Par conséquent, l'adhérence assurée par les intégrines est essentielle pour la capacité des lymphocytes T à se lier aux APC présentant les antigènes microbiens.

Les intégrines exercent également un rôle important pour diriger la migration des lymphocytes T effecteurs de la circulation sanguine vers les sites d'infection. Ce processus sera décrit dans le chapitre 6.

Rôle de la costimulation dans l'activation des lymphocytes T

L'activation complète des lymphocytes T dépend de la reconnaissance des molécules de costimulation se trouvant sur les APC (figure 5.6). Il a été précédemment fait référence aux molécules de costimulation comme des « seconds signaux » nécessaires à l'activation des lymphocytes T (voir les chapitres 2 et 3). Le nom de **costimulateurs** provient du fait que ces molécules fournissent aux lymphocytes T des stimulus qui agissent conjointement avec la stimulation par l'antigène. Les costimulateurs les mieux définis pour les lymphocytes T sont deux protéines apparentées désignées par les sigles B7-1 (CD80) et B7-2 (CD86), présentes sur les APC et dont l'expression est fortement augmentée lorsque les APC rencontrent des

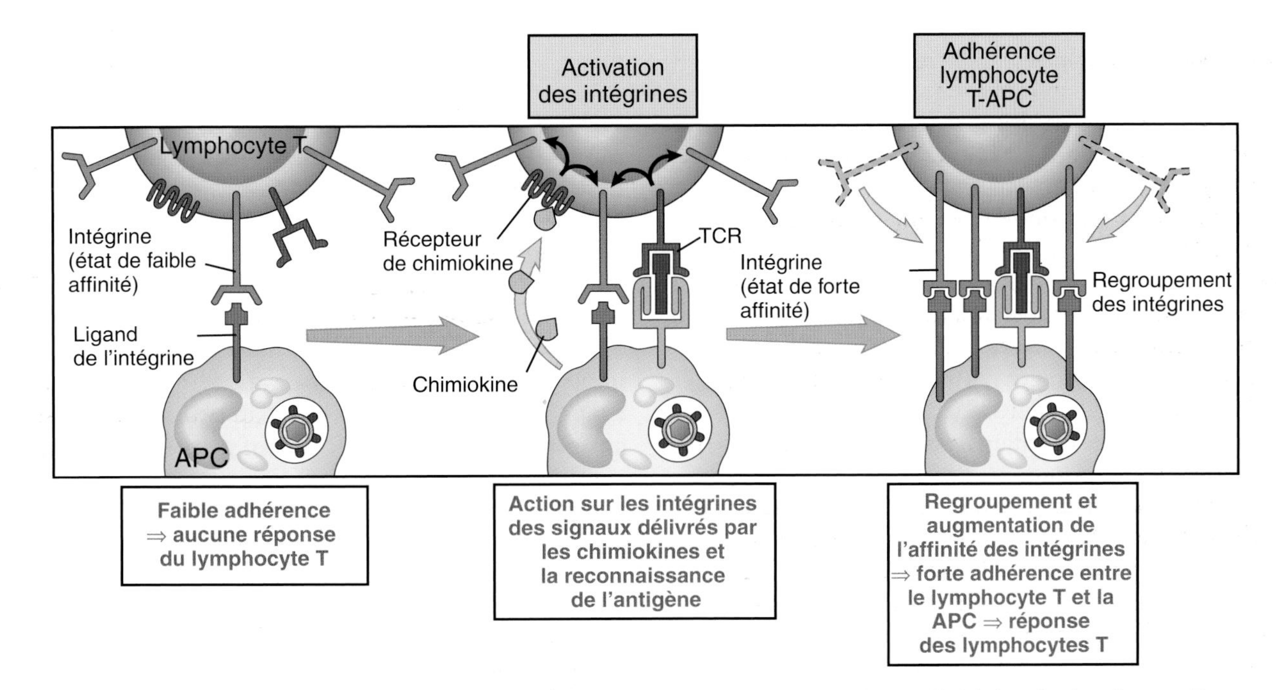

Figure 5.5 Régulation de l'avidité des intégrines. Les intégrines sont présentes à l'état de faible affinité dans les lymphocytes T au repos. Les chimiokines produites par les APC et les signaux induits par le TCR lorsqu'il reconnaît un antigène agissent conjointement sur les intégrines et entraînent le regroupement des intégrines et des changements conformationnels qui augmentent l'affinité des intégrines pour leurs ligands. Il en résulte que les intégrines se lient avec une forte avidité à leurs ligands sur les APC, favorisant d'autant l'activation des lymphocytes T.

© 2009 Elsevier Masson SAS. Tous droits réservés

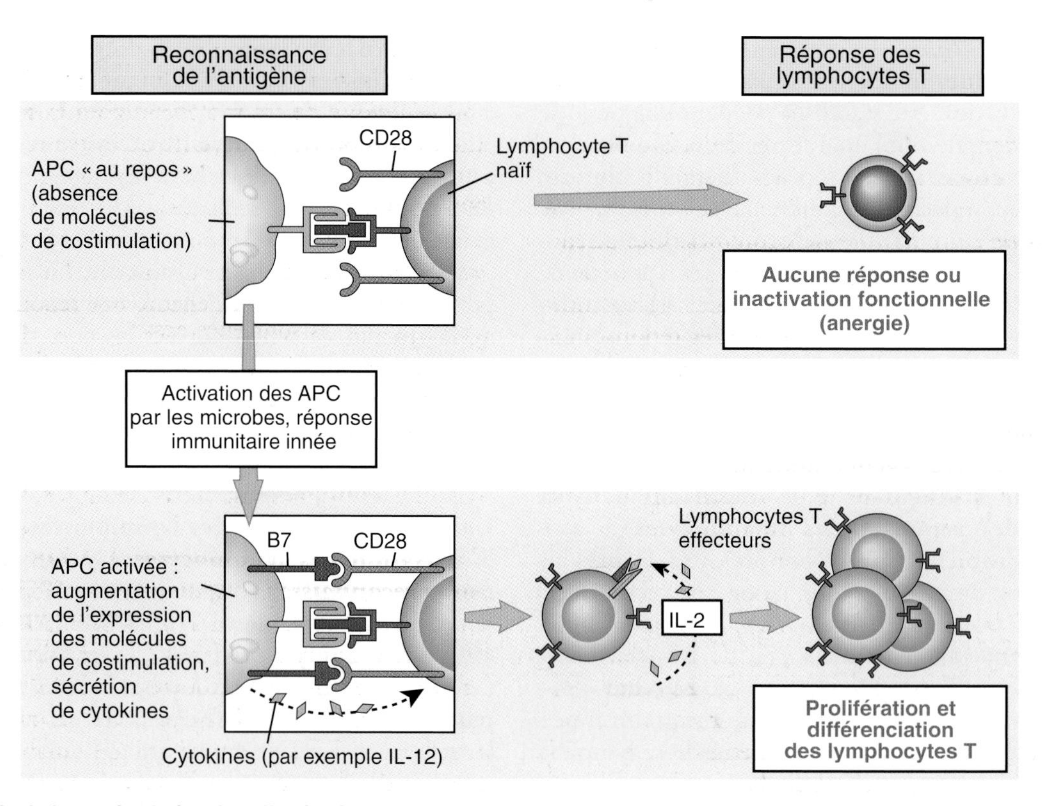

Figure 5.6 Rôle de la costimulation dans l'activation des lymphocytes T. Les APC au repos, qui n'ont pas été exposées aux microbes ou à des adjuvants, peuvent présenter des antigènes peptidiques, mais elles n'expriment pas de molécules de costimulation et sont incapables d'activer des lymphocytes T naïfs. Les lymphocytes T naïfs qui ont reconnu un antigène sans costimulation peuvent ne plus répondre à une exposition ultérieure à l'antigène, même si des molécules de costimulation sont présentes, et cet état de non-réponse porte le nom d'anergie. Les microbes et les cytokines produites au cours des réponses immunitaires innées dirigées contre les microbes induisent l'expression de molécules de costimulation, par exemple les molécules B7, sur les APC. Les molécules de costimulation B7 sont reconnues par les récepteurs CD28 se trouvant sur les lymphocytes T naïfs, fournissant le « signal 2 », ce qui, conjointement à la reconnaissance de l'antigène (« signal 1 »), déclenche les réponses des lymphocytes T.

microbes. Ces protéines B7 sont reconnues par un récepteur appelé CD28, qui est exprimé sur tous les lymphocytes T. Les signaux provenant de la liaison du CD28 sur les lymphocytes T aux protéines B7 situées sur les APC agissent conjointement aux signaux générés par la liaison du TCR et du corécepteur aux complexes peptide-CMH sur les mêmes APC. La signalisation assurée par CD28 est essentielle pour déclencher les réponses des lymphocytes T naïfs ; en l'absence d'interactions entre CD28 et B7, l'engagement du TCR seul ne peut activer les lymphocytes T. La nécessité d'une costimulation permet que les lymphocytes T naïfs soient complètement activés par les antigènes microbiens, et non par des molécules étrangères inoffensives, les microbes stimulant l'expression des molécules de costimulation B7 sur les APC, comme expliqué plus haut.

Un autre ensemble de molécules participant au renforcement des signaux de costimulation destinés aux lymphocytes T sont le ligand de CD40 (CD40L ou CD154) sur les lymphocytes T et CD40 sur les APC. Ces molécules ne stimulent pas directement l'activation des lymphocytes T. En revanche, la molécule CD40L exprimée sur un lymphocyte stimulé par l'antigène se lie à CD40 sur les APC, et stimule l'expression par ces APC de molécules de costimulation B7, ainsi que la sécrétion de cytokines, par exemple l'IL-12, qui favorisent la différenciation des lymphocytes T. Par conséquent, l'interaction CD40L-CD40 favorise l'activation des lymphocytes T en améliorant la fonction des APC.

Le rôle de la costimulation dans l'activation des lymphocytes T explique une observation ancienne que nous avons mentionnée dans les chapitres précédents. Les antigènes protéiques, notamment ceux qui sont utilisés comme vaccins, ne parviennent pas à déclencher des réponses immunitaires dépendantes des lymphocytes T, sauf si ces antigènes sont administrés avec des substances qui activent les macrophages et d'autres APC (et peut-être les cellules B également). Ces substances, appelées **adjuvants**, fonctionnent principalement en induisant l'expression de molécules de costimulation sur les APC et en faisant sécréter, par ces cellules, des cytokines qui activent les lymphocytes T. La plupart des adjuvants sont des produits provenant de microbes (par exemple des mycobactéries tuées) ou des substances qui simu-

© 2009 Elsevier Masson SAS. Tous droits réservés

lent les microbes. Ainsi, les adjuvants transforment des antigènes protéiques inertes en imitations de microbes pathogènes.

La compréhension de la nature et de la biologie des molécules de costimulation est en pleine évolution, mais beaucoup reste à apprendre sur la structure et les fonctions de cette famille de protéines. Ces phénomènes sont d'une grande importance pratique, car la stimulation de l'expression des molécules de costimulation peut s'avérer utile pour favoriser les réponses par les lymphocytes T (par exemple contre des tumeurs), tandis que le blocage des molécules de costimulation peut constituer une stratégie pour inhiber des réponses non recherchées. Des agents bloquant les interactions B7/CD28 sont utilisés dans le traitement de l'arthrite rhumatoïde et d'autres maladies inflammatoires, et des anticorps bloquant les interactions CD40/CD40L sont testés dans des maladies inflammatoires et chez des patients transplantés afin de réduire ou d'empêcher le rejet du greffon.

Des protéines homologues de CD28 sont également nécessaires pour limiter et mettre fin aux réponses immunitaires. Ainsi, différents membres de la famille CD28 sont impliqués dans l'activation et l'inhibition des cellules T. Les prototypes des récepteurs inhibiteurs sont CTLA-4, qui, comme CD28, reconnaît B7 sur les APC, et PD-1, qui reconnaît des ligands différents mais apparentés sur de nombreux types cellulaires. Les deux sont induits dans les cellules T activées, et une délétion génétique de ces molécules chez la souris aboutit à une expansion lymphocytaire excessive et à une maladie auto-immune. La molécule CTLA-4 est aussi impliquée dans les réponses inhibitrices envers certaines tumeurs, et PD-1 inhibe des réponses à certaines infections et permet à celles-ci de devenir chroniques. Plusieurs questions fondamentales attendent encore une réponse : quand ces voies inhibitrices sont-elles activées ? comment le choix entre activation et inhibition se fait-il ? comment ces récepteurs inhibiteurs fonctionnent-ils pour désactiver les lymphocytes ?

Stimulus pour l'activation des cellules T CD8$^+$

L'activation des lymphocytes T CD8$^+$ est stimulée par la reconnaissance des peptides associés aux molécules du CMH de classe I et nécessite une costimulation et/ou des lymphocytes T auxiliaires (figure 5.7). Les réponses des lymphocytes T CD8$^+$ ont certaines particularités qui les distinguent des réponses des autres lymphocytes T. Une caractéristique inhabituelle de l'activation des lymphocytes T CD8$^+$ est que son déclenchement requiert souvent que l'antigène cytoplasmique d'une cellule soit présenté d'une manière croisée par des cellules dendritiques (voir la figure 3.5, au chapitre 3).

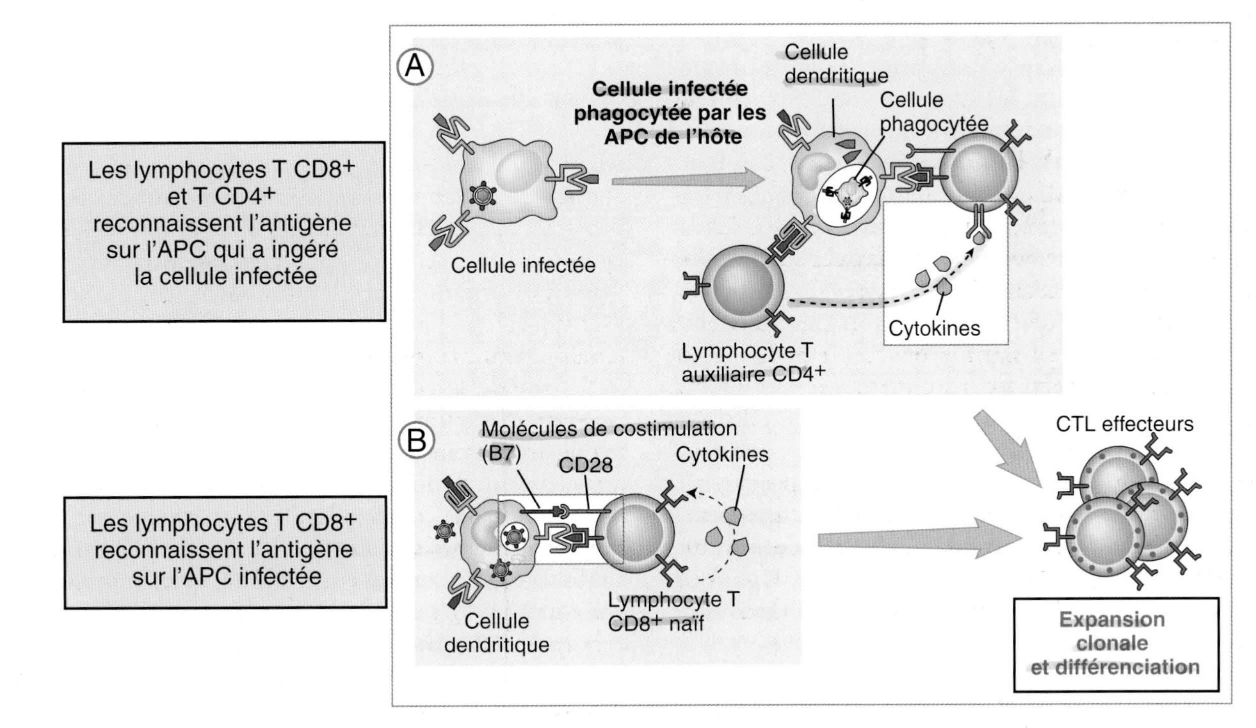

Figure 5.7 Activation des lymphocytes T CD8$^+$. A. Au cours de certaines infections, les APC peuvent ingérer des cellules infectées et présenter les antigènes microbiens aux lymphocytes T CD8$^+$ et aux lymphocytes T auxiliaires CD4$^+$. Les lymphocytes T auxiliaires produisent ensuite des cytokines qui stimulent l'expansion et la différenciation des lymphocytes T CD8$^+$. Il semble également que les lymphocytes puissent activer les APC afin de les rendre compétentes pour stimuler les lymphocytes T CD8$^+$ (non représenté). B. Le lymphocyte T CD8$^+$ reconnaît les peptides associés aux molécules du CMH de classe I et reçoit des signaux de costimulation si une APC héberge un microbe cytoplasmique.

© 2009 Elsevier Masson SAS. Tous droits réservés

Une autre caractéristique des lymphocytes T CD8+ est que leur différenciation en CTL peut requérir l'activation concomitante des cellules T auxiliaires CD4+. Lorsque des cellules infectées par un virus sont ingérées par des cellules dendritiques et les antigènes viraux sont présentés de manière croisée par les APC, la même APC peut présenter des antigènes à partir du cytosol sous forme de complexes avec des molécules du CMH de classe I et à partir de vésicules sous forme de complexes avec des molécules du CMH de classe II. Ainsi, les lymphocytes T CD8+ et les lymphocytes T CD4+ spécifiques des antigènes viraux sont activés à proximité les uns des autres. Les lymphocytes T CD4+ peuvent produire des cytokines ou des molécules membranaires qui contribuent à l'activation des lymphocytes T CD8+. Ceci peut vraisemblablement expliquer l'absence de réponses par les CTL à de nombreux virus chez des patients infectés par le virus de l'immunodéficience humaine (VIH), qui tue les lymphocytes CD4+, mais non les CD8+. Pour des raisons encore inconnues, les réponses par les CTL à certains virus ne semblent pas nécessiter la contribution des lymphocytes T CD4+.

Après cette description des stimulus nécessaires à l'activation des lymphocytes T naïfs, nous allons décrire maintenant les voies biochimiques déclenchées par la reconnaissance de l'antigène et d'autres stimulus.

Voies biochimiques de l'activation des lymphocytes T

Lors de la reconnaissance des antigènes et des molécules de costimulation, les lymphocytes T expriment des protéines qui participent à la prolifération, à la différenciation et aux fonctions effectrices des lymphocytes (figure 5.8). Les lymphocytes T naïfs qui n'ont pas rencontré d'antigènes (appelés cellules au repos) présentent un faible niveau de synthèse de protéines. Quelques minutes après la reconnaissance de l'antigène, une transcription et une synthèse protéique nouvelles sont observées dans les lymphocytes T activés. Les fonctions d'un grand nombre de ces protéines nouvellement exprimées ont été présentées précédemment.

Les voies biochimiques qui relient la reconnaissance de l'antigène aux réponses des lymphocytes T se composent de l'activation des enzymes, du recrutement de protéines adaptatrices et de la production de facteurs de transcription actifs (figure 5.9). Ces voies biochimiques sont déclenchées par l'agrégation des TCR (interconnexion), et se déroulent au niveau ou à proximité des complexes des TCR. Plusieurs TCR et corécepteurs sont rassemblés lorsqu'ils se lient aux complexes CMH-peptide, qui se jouxtent sur les APC. En outre, il se produit une redistribution très organisée d'autres protéines sur les membranes des APC et des lymphocytes T au niveau du point de contact intercellulaire, de

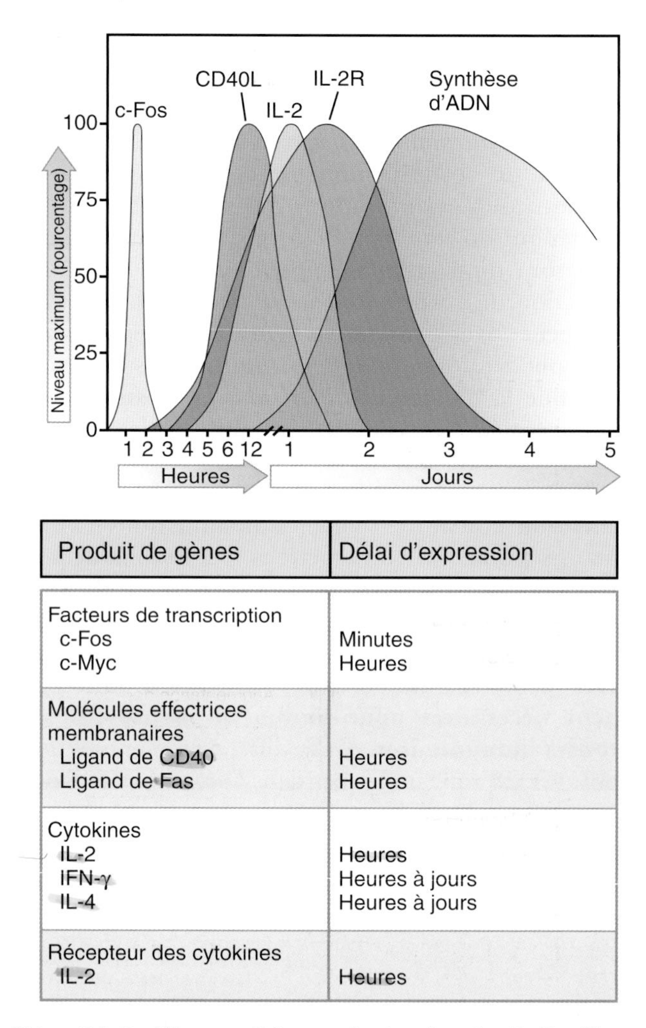

Produit de gènes	Délai d'expression
Facteurs de transcription c-Fos c-Myc	 Minutes Heures
Molécules effectrices membranaires Ligand de CD40 Ligand de Fas	 Heures Heures
Cytokines IL-2 IFN-γ IL-4	 Heures Heures à jours Heures à jours
Récepteur des cytokines IL-2	 Heures

Figure 5.8 Protéines produites par les lymphocytes T stimulés par les antigènes. La reconnaissance de l'antigène par les lymphocytes T entraîne la synthèse et l'expression d'un certain nombre de protéines, dont certains exemples sont présentés dans le tableau. La cinétique de production de ces protéines est approximative et peut varier selon les différents lymphocytes T et les types de stimulus. Les effets possibles de la costimulation sur les profils ou la cinétique de l'expression des gènes ne sont pas présentés.

telle manière que les complexes TCR, les corécepteurs CD4/CD8 et CD28 coalescent au centre et les intégrines se déplacent pour former un anneau périphérique. Cette redistribution ordonnée des molécules d'adhérence et de signalisation jouerait un rôle important pour une induction optimale des signaux d'activation du lymphocyte T. Cette région de contact entre la APC et le lymphocyte T, qui comprend les protéines membranaires redistribuées, est appelée **synapse immunologique**. Bien que la synapse ait d'abord été décrite comme un site de transduction des signaux activateurs, elle pourrait exercer d'autres fonctions. Certaines molécules effectrices et des cytokines peuvent être sécrétées à travers cette région, ce qui évite qu'elles ne diffusent loin des cellules concernées. Des enzymes qui servent à la dégradation ou à l'inhibition

© 2009 Elsevier Masson SAS. Tous droits réservés

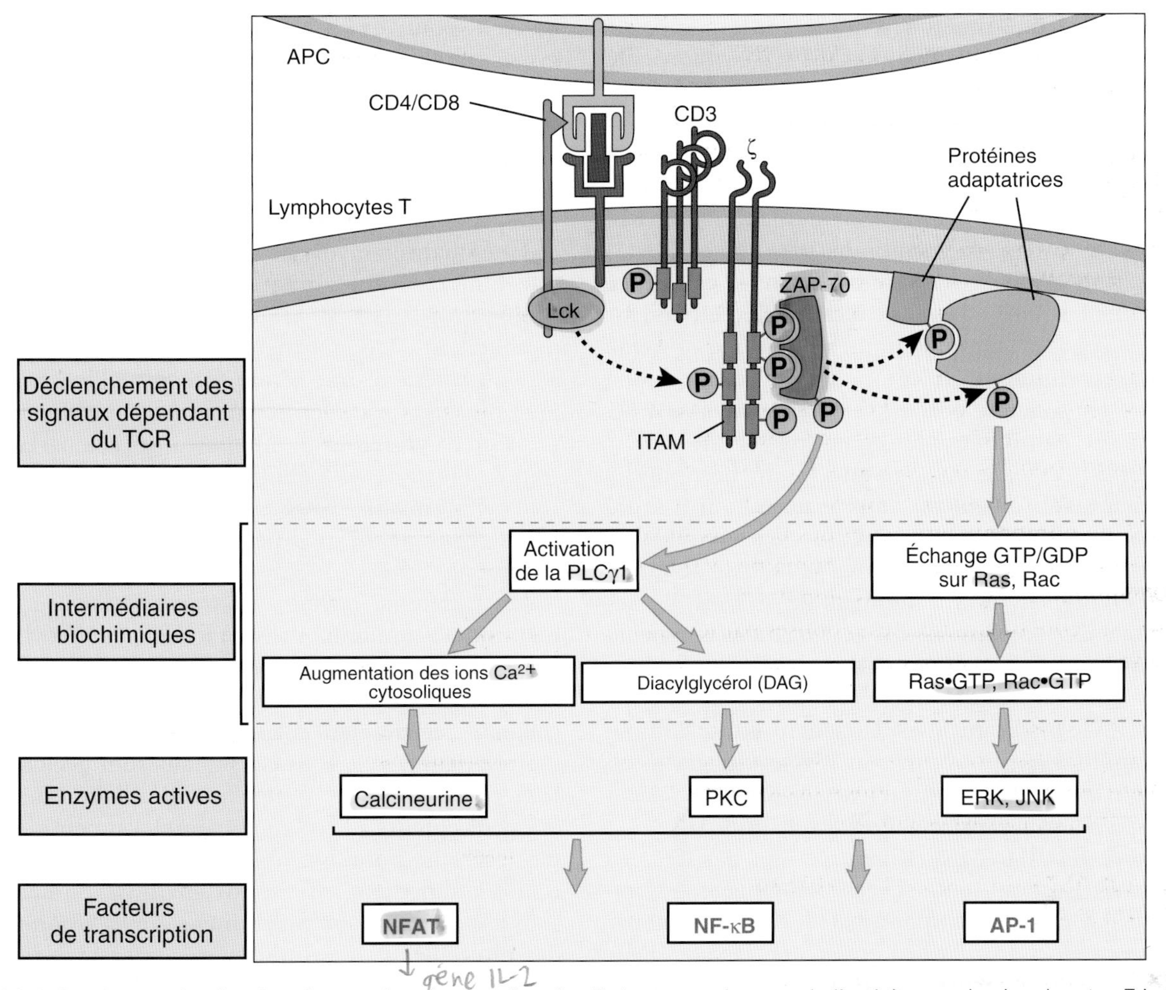

Figure 5.9 Voies de transduction des signaux dans les lymphocytes T. La reconnaissance de l'antigène par les lymphocytes T induit des événements précoces de signalisation qui comprennent la phosphorylation des tyrosines des molécules du complexe du TCR et le recrutement de protéines adaptatrices au niveau du site de reconnaissance de l'antigène par le lymphocyte T. Ces événements précoces conduisent à l'activation de plusieurs intermédiaires biochimiques, qui à leur tour activent des facteurs de transcription qui stimulent la transcription de gènes dont les produits assurent les réponses des lymphocytes T. Les effets possibles de la costimulation sur ces voies de signalisation ne sont pas présentés. PLCγ1 fait référence à l'isoforme γ1 de la phospholipase C spécifique du phosphatidyl-inositol.

des molécules de signalisation sont également recrutées dans la synapse, ce qui pourrait contribuer à l'arrêt de l'activation lymphocytaire.

Le regroupement des corécepteurs CD4 ou CD8 active une tyrosine kinase, appelée Lck, qui est fixée de manière non covalente à la queue cytoplasmique de ces corécepteurs. Comme indiqué dans le chapitre 4 et plus haut dans ce chapitre, plusieurs protéines de signalisation transmembranaires sont associées au TCR, notamment les chaînes CD3 et ζ. Les chaînes CD3 et ζ contiennent des motifs riches en tyrosine, appelés **ITAM** (*immunoreceptor tyrosine-based activation motifs*), qui jouent un rôle essentiel dans la signalisation. Lorsqu'elle est activée, la kinase Lck provoque la phosphorylation des résidus tyrosine contenus dans les ITAM des protéines ζ et CD3. Les ITAM phosphorylés de la chaîne ζ deviennent des sites d'arrimage pour une tyrosine kinase appelée ZAP-70 (*ζ-associated protein of 70 kD*), qui est également phosphorylée par Lck et par conséquent rendue active enzymatiquement. La ZAP-70 activée effectue ensuite la phosphorylation de différentes protéines adaptatrices et de plusieurs enzymes, qui se rassemblent à proximité du complexe du TCR et assurent d'autres événements de signalisation. Les trois voies principales de signalisation liées à la phosphorylation de la chaîne ζ et à ZAP-70 sont la voie calcique (calcium-NFAT), la voie Ras (Ras/Rac-MAP kinase) et la voie PKCθ– NF-κB, que nous allons décrire maintenant.

Le **facteur nucléaire des lymphocytes T activés (NFAT,** *nuclear factor of activated T cells*) est un facteur de transcription dont l'activation dépend des ions Ca^{2+}. La voie calcium-NFAT est déclenchée par la phosphorylation effectuée par ZAP-70 et l'activation d'une enzyme appelée phospholipase Cγ (PLCγ), qui catalyse

© 2009 Elsevier Masson SAS. Tous droits réservés

l'hydrolyse d'un phospholipide d'inositol de la membrane plasmique appelé phosphatidylinositol 4,5 bisphosphate (PIP_2). L'un des sous-produits de la dégradation de PIP_2 par la PLCγ, l'inositol 1,4,5-trisphosphate (IP_3), stimule la libération des ions Ca^{2+} à partir du réticulum endoplasmique, ce qui augmente la concentration du Ca^{2+} cytoplasmique. En réponse à l'élévation du calcium, un canal calcique s'ouvre dans la membrane plasmique, entraînant un afflux de Ca^{2+} extracellulaire dans la cellule, ce qui maintient la concentration calcique élevée pendant des heures. Le Ca^{2+} cytoplasmique se lie à une protéine appelée calmoduline, et le complexe Ca^{2+}-calmoduline active une phosphatase portant le nom de calcineurine. Cette enzyme élimine les phosphates de NFAT, qui est présent dans le cytoplasme. Lorsqu'il est déphosphorylé, NFAT est capable de migrer dans le noyau, où il se lie aux promoteurs de plusieurs gènes afin de les activer. Les gènes concernés codent notamment le facteur de croissance des lymphocytes T, l'interleukine-2 (IL-2), et les composants du récepteur de l'IL-2. Un médicament, la **ciclosporine**, se lie à la calcineurine et inhibe son action, bloquant ainsi la production de cytokines par les lymphocytes T. Ce médicament est largement utilisé comme immunosuppresseur pour prévenir le rejet des greffons ; sa découverte a été l'un des facteurs majeurs du succès des transplantations d'organes (voir le chapitre 10).

Les **voies Ras/Rac-MAP kinase** passent par les protéines, Ras et Rac, qui sont activées biologiquement lorsqu'elles lient la guanosine triphosphate (GTP), ensuite par plusieurs protéines adaptatrices et par une cascade d'enzymes qui finalement activent l'un des représentants de la famille des MAP (*mitogen-activated protein*)-kinases. Ces voies sont déclenchées par la phosphorylation dépendante de ZAP-70 et par le regroupement de protéines adaptatrices à la membrane plasmique, conduisant au recrutement des protéines Ras ou Rac et à leur activation par échange de GTP et de guanosine diphosphate (GDP). Ras•GTP et Rac•GTP déclenchent différentes cascades enzymatiques, conduisant à l'activation de MAP kinases distinctes. Les MAP kinases terminales de ces voies, appelées ERK (*extracellular signal-regulated kinase*) et JNK (*c-Jun N-terminal kinase*), favorisent l'expression d'une protéine, c-Fos, et la phosphorylation d'une autre, c-Jun. Les protéines c-Fos et c-Jun phosphorylées se combinent pour former le facteur de transcription actif AP-1 (*activating-protein-1*), qui amplifie la transcription de plusieurs gènes des lymphocytes T.

La troisième voie principale participant à la signalisation du TCR comprend l'activation de l'isoforme θ de la sérine-thréonine kinase dite **protéine kinase C (PKC-θ)** et l'activation d'un facteur de transcription, **NF-κB** (*nuclear factor-κB*). La PKC est activée par le diacylglycérol qui, comme l'IP_3, provient de l'hydrolyse de lipides membranaires à inositol par la phospholipase C. PKC-θ agit *via* des protéines adaptatrices qui sont recrutées au complexe du TCR pour activer NF-κB. NF-κB est présent dans le cytoplasme des lymphocytes T au repos sous une forme inactive, lié à un inhibiteur, IκB. Les signaux provenant du TCR, générés par la reconnaissance de l'antigène, aboutissent à la phosphorylation et à la dissociation de l'inhibiteur de NF-κB, qui est alors libéré et peut gagner le noyau, où il active la transcription de plusieurs gènes.

Une quatrième voie de transduction du signal implique l'intervention d'une lipide kinase, la **phosphatidylinositol-3 (PI-3) kinase,** qui phosphoryle le PIP_2 membranaire pour générer PIP_3. Ce phospholipide active finalement une sérine-thréonine kinase, Akt, qui joue plusieurs rôles, entre autres la stimulation de l'expression de protéines antiapoptotiques et ainsi la promotion de la survie des cellules T stimulées par l'antigène. La voie PI-3 kinase/Akt est déclenchée non seulement par le TCR, mais aussi par CD28 et les récepteurs de l'IL-2.

Les différents facteurs de transcription qui ont été mentionnés, notamment NFAT, AP-1 et NF-κB, stimulent la transcription et la production consécutive de cytokines, de récepteurs de cytokines, d'inducteurs du cycle cellulaire et de molécules effectrices comme CD40L (voir la figure 5.9). Tous ces signaux sont déclenchés par la reconnaissance de l'antigène, car la liaison du TCR et des corécepteurs à l'antigène (complexes peptide-CMH) est nécessaire pour assembler les molécules de signalisation et induire leur activité enzymatique.

Il a été indiqué précédemment que la reconnaissance des molécules de costimulation, par exemple les molécules B7, par leurs récepteurs (c'est-à-dire CD28) était essentielle pour que les lymphocytes T élaborent des réponses complètes. Les signaux transduits par CD28 lors de la liaison aux molécules de costimulation B7 sont encore moins bien définis que les signaux déclenchés par le TCR. Il est possible que l'engagement de CD28 amplifie les signaux du TCR ou que CD28 initie un ensemble distinct de signaux qui complètent les signaux du TCR.

Maintenant que nous avons décrit les stimulus et les voies biochimiques dans l'activation des cellules T, nous terminerons en décrivant comment les cellules T répondent aux antigènes et se différencient en cellules effectrices capables de combattre les infections.

Réponses fonctionnelles des lymphocytes T aux antigènes et à la costimulation

La reconnaissance de l'antigène et des molécules de costimulation par les lymphocytes T déclenche un ensemble parfaitement régulé de réponses qui culminent avec l'expansion des clones de lymphocytes T spécifiques de l'antigène et la différenciation des lymphocytes T naïfs en lymphocytes effecteurs ou en cellules mémoire (voir la figure 5.2). Plusieurs réponses élaborées par les lymphocytes T sont assurées par des cytokines qui sont sécrétées

© 2009 Elsevier Masson SAS. Tous droits réservés

par les lymphocytes T et agissent sur les lymphocytes T eux-mêmes, ainsi que sur de nombreux autres types de cellules participant aux défenses immunitaires. Dans la section suivante, chacun des composants des réponses biologiques des lymphocytes T sera présenté.

Sécrétion de cytokines et expression des récepteurs de cytokines

En réponse à l'antigène et aux costimulateurs, les lymphocytes T, en particulier les lymphocytes T CD4+, sécrètent rapidement plusieurs types de cytokines qui exercent des activités diverses (figure 5.10). Les cytokines constituent un vaste groupe de protéines qui agissent comme médiateurs de l'immunité et de l'inflammation. Nous avons déjà décrit le rôle, dans les réponses de l'immunité innée, des cytokines produites principalement par les macrophages (voir le chapitre 2). Dans l'immunité adaptative, les cytokines sont sécrétées par les lymphocytes T. Ces protéines partagent certaines propriétés importantes (voir la figure 5.10A), bien que les différentes cytokines exercent des activités distinctes et jouent des rôles variés au cours des réponses immunitaires.

La première cytokine à être produite par les lymphocytes T CD4+, dans un délai de 1 à 2 heures après l'activation, est l'interleukine-2 (IL-2). Le terme d'interleukine fait référence au fait qu'un grand nombre de ces protéines est produit par les leucocytes et agit sur les leucocytes. En outre, l'activation stimule rapidement la capacité des lymphocytes T à se lier et à répondre à l'IL-2, en régulant l'expression du récepteur de l'IL-2 (figure 5.11). Le récepteur à haute affinité pour l'IL-2 est une molécule à trois chaînes. Les lymphocytes T naïfs expriment deux chaînes de signalisation pour ce récepteur, mais n'expriment pas la chaîne qui permet au récepteur de se lier à l'IL-2 avec une haute affinité. Quelques heures après l'activation par les antigènes et les molécules de costimulation, les lymphocytes T produisent la troisième chaîne du récepteur, après quoi le récepteur pour l'IL-2 désormais complet est en mesure de lier fortement l'IL-2. Ainsi, l'IL-2 produite par un lymphocyte T stimulé par un antigène se lie de préférence au même lymphocyte T

Ⓐ **Propriétés générales des cytokines**

Propriété	Mécanisme
Produites de manière transitoire en réponse à un antigène	Les signaux du TCR et la costimulation induisent la transcription des gènes codant pour les cytokines
Agit généralement sur la même cellule que celle qui produit la cytokine (autocrine) ou sur les cellules avoisinantes (paracrine)	L'activation du lymphocyte T induit l'expression des cytokines et des récepteurs à haute affinité pour les cytokines
Pléiotropie : chaque cytokine a de multiples actions biologiques	De nombreux types cellulaires différents peuvent exprimer des récepteurs pour une cytokine particulière
Redondance : différentes cytokines peuvent partager la même activité biologique ou des activités similaires	De nombreuses cytokines utilisent les mêmes voies de signalisation conservées

Ⓑ **Actions biologiques de certaines cytokines des lymphocytes T**

Cytokine	Action principale	Source(s) cellulaire(s)
Interleukine-2 (IL-2)	Survie, prolifération et différenciation des lymphocytes T effecteurs et régulateurs	Lymphocytes T CD4+ et CD8+
IL-4	Lymphocyte B : commutation pour les IgE	Lymphocytes T CD4+, mastocytes
IL-5	Activation des éosinophiles	Lymphocytes T CD4+, mastocytes
Interféron-γ (IFN-γ)	Activation des macrophages	Lymphocytes T CD4+ et CD8+, cellules NK
TGF-β	Inhibition de l'activation des lymphocytes T ; différenciation des cellules T régulatrices	Lymphocytes T CD4+ ; nombreux autres types de cellules

Figure 5.10 Propriétés des principales cytokines produites par les lymphocytes T auxiliaires CD4+. A. Les propriétés générales de toutes les cytokines et les mécanismes responsables de ces propriétés sont résumés dans le tableau. B. Les actions biologiques de certaines cytokines participant à l'immunité assurée par les lymphocytes T sont résumées. Le TGF-β agit principalement comme inhibiteur des réponses immunitaires; son rôle est décrit dans le chapitre 9. Les cytokines de l'immunité innée sont présentées à la figure 2.13.

© 2009 Elsevier Masson SAS. Tous droits réservés

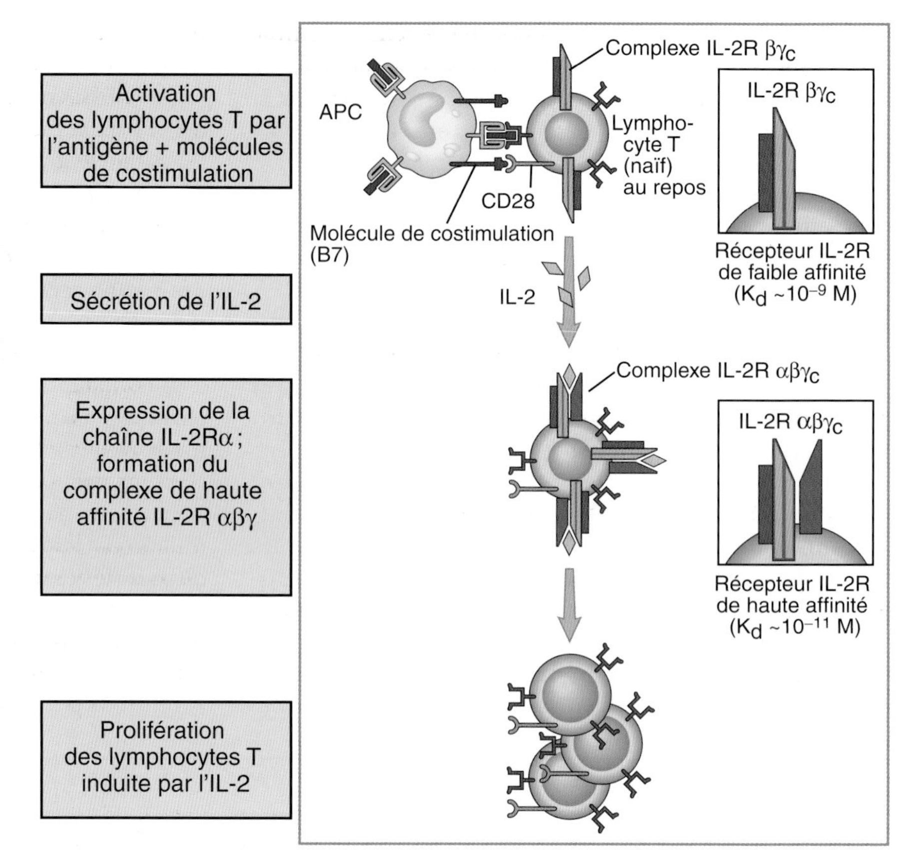

Figure 5.11 Rôle de l'IL-2 et des récepteurs de l'IL-2 dans la prolifération des lymphocytes T. Les lymphocytes T naïfs expriment le complexe du récepteur pour l'IL-2 de faible affinité (IL-2R), constitué des chaînes β et γ_c («γ_c» fait référence à la chaîne «γ commune» dans la mesure où il s'agit d'un composant des récepteurs de plusieurs autres cytokines). Lors de l'activation par la reconnaissance de l'antigène et par la costimulation, les lymphocytes produisent l'IL-2 et expriment la chaîne α de l'IL-2R, qui s'associe aux chaînes β et γ_c pour former le récepteur de l'IL-2 de haute affinité. La liaison de l'IL-2 à son récepteur déclenche la prolifération des lymphocytes T qui ont reconnu l'antigène.

et agit sur celui-ci. La principale action de l'IL-2 est de stimuler la prolifération des lymphocytes T ; pour cette raison, l'IL-2 porte également le nom de facteur de croissance des lymphocytes T. (Comme nous le verrons au chapitre 9, l'IL-2 est aussi indispensable pour soutenir les cellules T régulatrices et assurer ainsi le contrôle des réponses immunitaires.) L'IL-2 stimule les lymphocytes T pour qu'ils s'engagent dans le cycle cellulaire et commencent à se diviser, ce qui entraîne une augmentation du nombre des lymphocytes T spécifiques de l'antigène. Les lymphocytes T CD4+ effecteurs différenciés produisent plusieurs autres cytokines dont les fonctions des principales d'entre elles seront décrites ultérieurement.

Les lymphocytes T CD8+ qui reconnaissent l'antigène et les molécules de costimulation ne semblent pas sécréter de grandes quantités d'IL-2 ; néanmoins, comme on le verra plus loin, ces lymphocytes prolifèrent de façon considérable au cours des réponses immunitaires. Il est possible que la reconnaissance de l'antigène soit capable d'induire la prolifération des lymphocytes T CD8+ sans nécessiter une quantité importante d'IL-2.

Expansion clonale

Un à deux jours après l'activation, les lymphocytes T commencent à proliférer, ce qui entraîne une expansion des clones spécifiques de l'antigène. Cette expansion produit rapidement un large pool de lymphocytes spécifiques de l'antigène à partir desquels des lymphocytes effecteurs peuvent être générés afin de combattre l'infection. L'amplitude de l'expansion clonale est remarquable, en particulier pour les lymphocytes T CD8+. Par exemple, avant une infection, le nombre de lymphocytes T CD8+ spécifiques d'un antigène protéique microbien particulier est d'environ un sur 10^5 ou 10^6 lymphocytes de l'organisme. Au pic de certaines infections virales, qui peut survenir 1 semaine après l'infection, jusqu'à 10 à 20 % de tous les lymphocytes présents dans les organes lymphoïdes peuvent être spécifiques de ce virus. Cela signifie que les clones spécifiques de l'antigène ont augmenté d'un facteur supérieur à 100 000, avec un temps de doublement estimé à environ 6 heures. Plusieurs caractéristiques de cette expansion clonale sont surprenantes. En premier lieu, cette expansion considérable des lymphocytes T spécifiques d'un microbe n'est pas accompagnée d'une augmentation détectable des autres lymphocytes qui ne sont pas en mesure de reconnaître ce microbe. En second lieu, même dans les infections provoquées par des microbes complexes contenant de nombreux antigènes protéiques, la majorité des clones ayant subi l'expansion ne sont spécifiques que de quelques peptides immunodominants de ce microbe, souvent moins

© 2009 Elsevier Masson SAS. Tous droits réservés

de cinq. L'expansion des lymphocytes T CD4⁺ semble être beaucoup moins importante, vraisemblablement de l'ordre d'un facteur compris entre 100 et 1000. Cette différence d'amplitude dans l'expansion clonale entre les lymphocytes T CD8⁺ et les lymphocytes T CD4⁺ pourraient refléter des variations de leurs fonctions. Les CTL CD8⁺ sont des cellules effectrices qui tuent elles-mêmes les cellules infectées, et de nombreux CTL peuvent être nécessaires pour tuer un grand nombre de cellules infectées. En revanche, les lymphocytes CD4⁺ effecteurs secrètent des cytokines qui activent d'autres cellules effectrices, comme cela sera décrit ultérieurement, et un faible nombre de cellules productrices de cytokines peut suffire.

Différenciation des lymphocytes T naïfs en lymphocytes effecteurs

Les cellules filles des lymphocytes qui prolifèrent après stimulation antigénique commencent à se différencier en cellules effectrices dont la fonction est d'éradiquer les infections. Ce processus de différenciation est le résultat de changements dans l'expression génique (par exemple l'activation des gènes codant pour les cytokines dans les lymphocytes T CD4⁺ et CD8⁺ ou pour des protéines cytotoxiques dans les CTL CD8⁺). Cela commence en parallèle avec l'expansion clonale, et les lymphocytes effecteurs différenciés apparaissent dans un délai de 3 ou 4 jours après l'exposition aux microbes. Ces lymphocytes quittent les organes lymphoïdes périphériques et migrent vers le site de l'infection. À cet endroit, les lymphocytes effecteurs rencontrent à nouveau les antigènes microbiens qui stimulent leur développement. Lors de la reconnaissance de l'antigène, les lymphocytes effecteurs répondent de manière à éradiquer l'infection. Les lymphocytes effecteurs des populations CD4⁺ et CD8⁺ exercent des fonctions différentes, et il est préférable de les décrire séparément.

Les lymphocytes T auxiliaires CD4⁺ se différencient en lymphocytes effecteurs répondant à l'antigène en produisant des molécules de surface et des cytokines dont la fonction est principalement d'activer les macrophages et les lymphocytes B (figure 5.12). La protéine la plus importante de la surface cellulaire participant

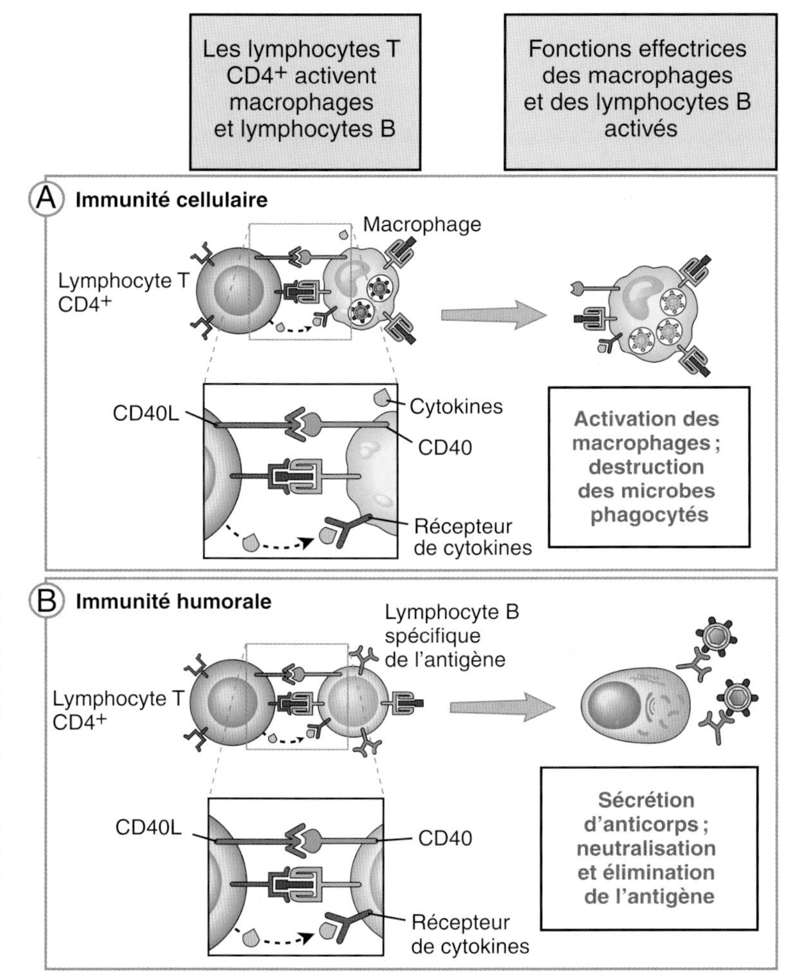

Figure 5.12 Molécules participant aux fonctions effectrices des lymphocytes T auxiliaires CD4⁺. Les lymphocytes T CD4⁺ qui se sont différenciés en cellules effectrices expriment CD40L et sécrètent des cytokines. CD40L se lie à CD40 sur les macrophages ou les lymphocytes B, et les cytokines se lient à leurs récepteurs sur les mêmes cellules. La combinaison des signaux délivrés par CD40 et les récepteurs des cytokines activent les macrophages dans l'immunité cellulaire (A), et font produire des anticorps par les lymphocytes B au cours des réponses immunitaires humorales (B).

© 2009 Elsevier Masson SAS. Tous droits réservés

à la fonction effectrice des lymphocytes T CD4+ est le ligand de CD40 (CD40L). Le gène codant pour CD40L est transcrit dans les lymphocytes T CD4 en réponse à la reconnaissance de l'antigène et à la costimulation, ce qui entraîne l'expression de CD40L sur les lymphocytes T auxiliaires après leur activation. Il se lie à son récepteur, CD40, qui est exprimé principalement sur les macrophages, les lymphocytes B et les cellules dendritiques. La liaison de CD40 active ces cellules, ce qui fait de CD40L un acteur important de l'activation des macrophages et des lymphocytes B par les lymphocytes T auxiliaires (voir les chapitres 6 et 7). Comme indiqué précédemment, l'interaction de CD40L présent sur les lymphocytes T avec CD40 situé sur les cellules dendritiques stimule l'expression des molécules de costimulation se trouvant sur ces APC, et la production de cytokines activant les lymphocytes T, ce qui produit un mécanisme de rétroaction positive (amplification) pour l'activation des lymphocytes T induite par les APC.

L'analyse de la production des cytokines par les lymphocytes auxiliaires a permis d'éclairer l'une des questions restées longtemps sans réponse en immunologie. Il avait été observé depuis de nombreuses années que le système immunitaire répondait de manière très variable à différents microbes. Par exemple, les microbes intracellulaires, comme les mycobactéries, sont ingérés par les phagocytes, mais résistent à la destruction intracellulaire. La réponse immunitaire adaptative à ce type de microbes entraîne l'activation des phagocytes qui tuent les microbes ingérés. Au contraire, il est frappant de constater que les parasites de type helminthe sont trop volumineux pour être phagocytés, et la réponse immunitaire aux helminthes est dominée par la production d'anticorps IgE et l'activation des éosinophiles. Les anticorps IgE recouvrent (opsonisation) les helminthes, et les éosinophiles utilisent leurs récepteurs Fc spécifiques des IgE pour se lier aux helminthes et les détruire. Les deux types de réponses immunitaires dépendent des lymphocytes T auxiliaires CD4+, mais pendant de nombreuses années, la manière dont les lymphocytes auxiliaires CD4+ étaient capables de stimuler des mécanismes immunitaires effecteurs aussi distincts n'avait pas été clairement élucidée. Ce mystère a été résolu par la découverte de l'existence de différents types de lymphocytes T effecteurs CD4+ qui assurent des fonctions distinctes, dont la description fait l'objet des paragraphes suivants.

Les lymphocytes T auxiliaires CD4+ peuvent se différencier en sous-populations de cellules effectrices qui produisent différents groupes de cytokines assumant des fonctions variées (figure 5.13). Les sous-populations qui furent définies d'abord sont appelées lymphocytes T_H1 et T_H2 (pour lymphocytes T auxiliaires de type 1 et lymphocytes T auxiliaires de type 2) ; plus récemment, une troisième population a été identifiée et appelée T_H17 en raison de la cytokine principale qu'elle produit. (Les cellules T régulatrices constituent encore une autre sous-population de cellules T CD4+. Puisque leur rôle est de supprimer les réponses immunitaires, nous les décrirons dans le chapitre 9, dans le contexte de la tolérance immunologique [absence de réponse]). Les cellules T_H1 et T_H2 peuvent être distinguées non seulement par les cytokines qu'elles produisent mais aussi par les récepteurs de cytokines et les molécules d'adhérence qu'elles expriment (figure 5.13B). De tels éléments de comparaison manquent encore pour la sous-population T_H17. Il est également probable que de nombreuses cellules T CD4+ activées produisent des mélanges variés de cytokines et sont dès lors difficilement classables dans ces sous-populations.

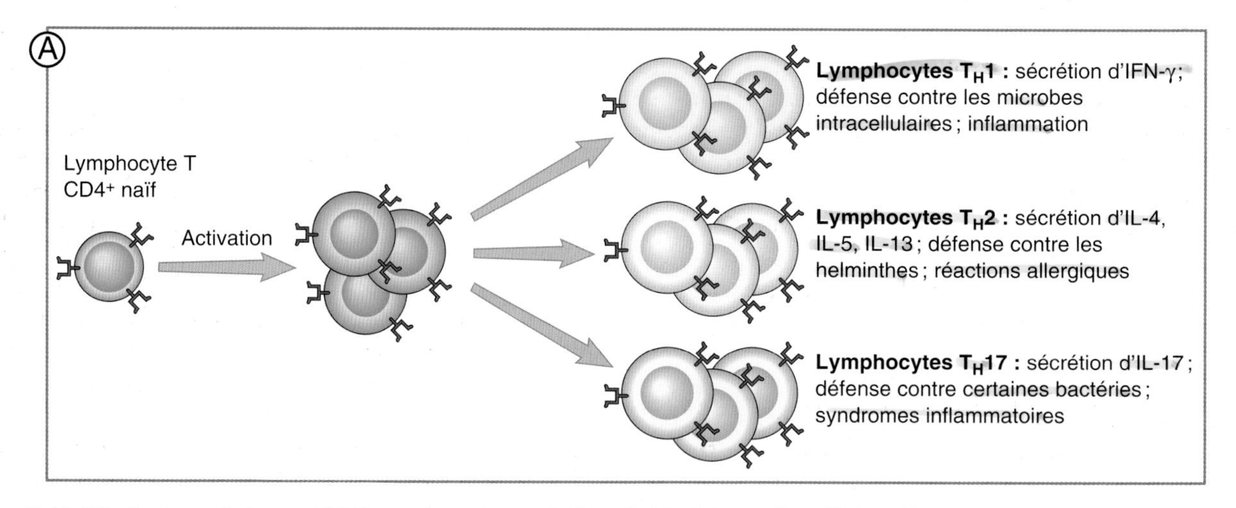

Figure 5.13 Développement et caractéristiques des sous-populations de lymphocytes T auxiliaires CD4+. A. Une cellule T naïve CD4+ T peut se différencier en sous-populations qui produisent différentes cytokines et exercent différentes fonctions.

© 2009 Elsevier Masson SAS. Tous droits réservés

(B) Propriété	Sous-population T_H1	Sous-population T_H2
Cytokines produites		
IFN-γ, IL-2, TNF	+++	–
IL-4, IL-5, IL-13	–	+++
IL-10	+/–	++
IL-3, GM-CSF	++	++
Expression des récepteurs de cytokines		
Chaîne IL-12R β	++	–
IL-18R	++	–
Expression des récepteurs de chimiokines		
CCR3, CCR4	+/–	++
CXCR3, CCR5	++	+/–
Ligand pour les sélectines E et P	++	+/–
Isotypes d'anticorps stimulés	IgG2a (souris)	IgE ; IgG1 (souris)/ IgG4 (homme)
Stimulation de l'activité microbicide des macrophages	+++	–

Figure 5.13 suite B. Les différences principales entre les sous-populations T_H1 et T_H2 de cellules T auxiliaires sont résumées. Notez que de nombreuses cellules T auxiliaires ne sont pas facilement classées dans ces sous-populations distinctes et polarisées. Les récepteurs de chimiokine sont appelés CCR ou CXCR car ils lient des chimiokines classées en deux groupes, CC ou CXC, sur base de la présence de cystéines importantes soit adjacentes soit séparées par un acide aminé. Différents récepteurs de chimiokines contrôlent la migration des différents types cellulaires et, en association avec les sélectines, déterminent si les cellules T_H1 ou T_H2 domineront dans différentes réactions inflammatoires dans divers tissus.

Les cellules TH1 stimulent l'ingestion et la lyse des microbes par les phagocytes, un processus essentiel de l'immunité cellulaire (figure 5-14). La cytokine la plus importante produite par les lymphocytes T_H1 est l'**interféron-γ** (IFN-γ), appelé ainsi car il a été découvert grâce à son activité inhibitrice (ou interférant avec) sur l'infection virale. L'IFN-γ est un activateur puissant des macrophages. (Les interférons de type I [voir le chapitre 2] sont des cytokines antivirales beaucoup plus puissantes que l'IFN-γ). L'IFN-γ stimule également la production d'isotypes d'anticorps favorisant la phagocytose des microbes, dans la mesure où ces anticorps se lient directement aux récepteurs de Fc des phagocytes et activent le complément, entraînant l'élaboration de produits qui se lient aux récepteurs du complément présents sur les phagocytes. Ces fonctions exercées par les anticorps sont décrites dans le chapitre 8. L'IFN-γ stimule également l'expression des molécules du CMH de classe II et des molécules de costimulation B7 sur les macrophages et les cellules dendritiques et cette activité de l'IFN-γ pourrait servir à amplifier les réponses lymphocytaires T.

Les lymphocytes T_H2 stimulent l'activité immunitaire des éosinophiles, qui est indépendante des phagocytes et particulièrement efficace contre les helminthes (figure 5.15). Les cellules T_H2 produisent l'IL-4, qui stimule la production des anticorps IgE, et l'IL-5, qui active les éosinophiles. L'IgE active les mastocytes et se lie aux éosinophiles. Les réactions dépendantes de l'IgE et assurées par les mastocytes et les éosinophiles sont importantes pour la destruction des parasites helminthiques. De plus, certaines des cytokines produites par les lymphocytes T_H2, par exemple l'IL-4 et l'IL-13, favorisent l'expulsion des parasites des muqueuses et inhibent l'entrée des microbes par stimulation de la sécrétion de mucus. Ce type de défense est parfois appelé « immunité de barrière », car elle bloque l'entrée des microbes à hauteur des barrières muqueuses. Les cytokines des cellules T_H2 peuvent aussi activer des macrophages. Au contraire de l'activation dépendante des T_H1, qui stimule l'aptitude des macrophages à tuer les microbes ingérés, l'activation macrophagique dépendante des T_H2 amplifie d'autres fonctions comme la synthèse de protéines de la matrice extracellulaire intervenant dans la réparation tissulaire. Ce type de réponse a été appelé activation « alternative » des macrophages. Certaines des cytokines produites par les cellules T_H2, comme l'IL-4, l'IL-10 et l'IL-13, inhibent les activités microbicides des macrophages et suppriment l'immunité assurée par les cellules T_H1. Dès lors, l'efficacité des réponses immunitaires cellulaires contre un microbe peut être déterminée par un équilibre entre l'activation des lymphocytes T_H1 et T_H2 en réponse à ce microbe. Nous reviendrons, dans le chapitre 6, à ce concept et à son importance dans les maladies infectieuses.

© 2009 Elsevier Masson SAS. Tous droits réservés

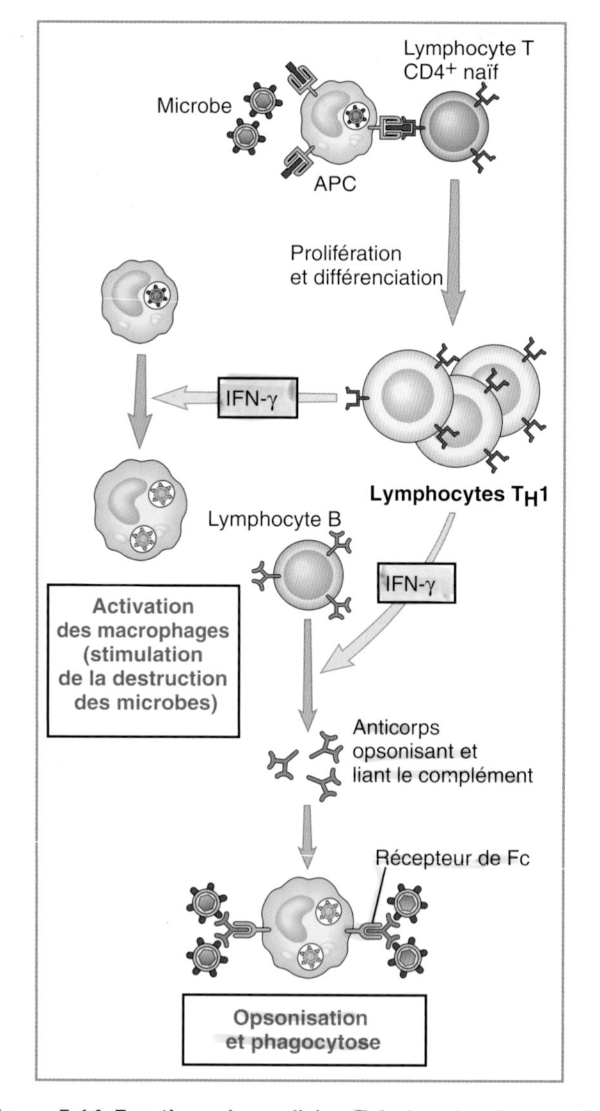

Figure 5.14 Fonctions des cellules T_H1. Les lymphocytes T_H1 produisent une cytokine, l'interféron-γ (IFN-γ), qui active les phagocytes pour qu'ils détruisent les microbes ingérés et stimulent la production d'anticorps qui favorisent l'ingestion des microbes par les phagocytes.

Les lymphocytes T_H17 sécrètent la cytokine IL-17 et l'IL-22 et sont les principaux médiateurs de l'inflammation dans plusieurs réactions immunitaires. Cette sous-population fut découverte en raison de son rôle dans des modèles animaux de maladies comme la sclérose en plaques, l'inflammation chronique intestinale et l'arthrite rhumatoïde; elle est impliquée de plus en plus dans les maladies humaines correspondantes. Des études de modèles expérimentaux suggèrent que les cellules T_H17 interviennent dans la défense contre les infections bactériennes et fongiques.

Le développement des lymphocytes T_H1, T_H2 et T_H17 n'est pas un processus aléatoire, mais il est régulé par les stimulus que reçoivent les lymphocytes T CD4+ naïfs lorsqu'ils rencontrent les antigènes microbiens. La différenciation T_H1 est induite par la combinaison des cytokines IL-12 et IFN-γ (figure 5.16). En réponse à de nombreuses bactéries et virus, les cellules dendritiques et les macrophages produisent une cytokine appelée IL-12, et les cellules NK produisent l'IFN-γ. Lorsque les lymphocytes T naïfs reconnaissent les antigènes de ces microbes, ils sont exposés en même temps à l'IL-12 et à l'IFN-γ. Ces deux cytokines activent des facteurs de transcription qui favorisent la différenciation des lymphocytes T en sous-population T_H1. Celle-ci produit ensuite de l'IFN-γ, qui non seulement active l'activité microbicide des macrophages mais favorise aussi l'expansion des T_H1. Cette séquence illustre un principe important qui a été mentionné dans les chapitres précédents : la réponse de l'immunité innée – dans ce cas, la production d'IL-12 par les APC et d'IFN-γ par les cellules NK – influence la nature de la réponse immunitaire acquise qui en découle, en l'orientant vers la production de lymphocytes T_H1.

Le développement des cellules T_H2 est stimulé par la cytokine IL-4 (figure 5.17). Ce qui, à première vue, est troublant, puisque la source principale d'IL-4 est la sous-population T_H2 elle-même. Comment est-il possible qu'une cytokine induise des cellules chargées de la produire? Il apparaît que, si le microbe infectieux ne déclenche pas la production d'IL-12 par les APC, comme cela peut être le cas avec des helminthes, les lymphocytes T eux-mêmes produisent de l'IL-4. De plus, les helminthes peuvent faire sécréter de l'IL-4 par des cellules qui appartiennent au lignage des mastocytes. Dans les cellules T stimulées par l'antigène, l'IL-4 active les facteurs de transcription qui orientent la différenciation vers la sous-population T_H2. Le développement et le maintien des cellules T_H17 requièrent des cytokines inflammatoires comme l'IL-6, l'IL-1 (produites par les macrophages et les cellules dendritiques), l'IL-23 (qui est apparenté à l'IL-12 et est produite par les mêmes cellules) et le TGF-β (particulièrement chez les souris). Identifier les stimulus responsables du développement de cette sous-population de cellules T fait l'objet de recherches intensives. Les cellules T_H17 favorisent le recrutement des neutrophiles et des monocytes, et cela pourrait être leur rôle principal dans les affections inflammatoires.

La différenciation des lymphocytes T auxiliaires CD4+ en sous-populations T_H1, T_H2 et T_H17 est un excellent exemple de la spécialisation de l'immunité adaptative, illustrant comment les réponses immunitaires contre différents types de microbes visent à être les plus efficaces contre ces microbes. En outre, lorsque qu'une des sous-populations se développe à partir de lymphocytes T auxiliaires stimulés par les antigènes, elle produit des cytokines qui favorisent la différenciation lymphocytaire vers cette même sous-population, et inhibe parallèlement le développement dans une autre direction. Cette « régu-

© 2009 Elsevier Masson SAS. Tous droits réservés

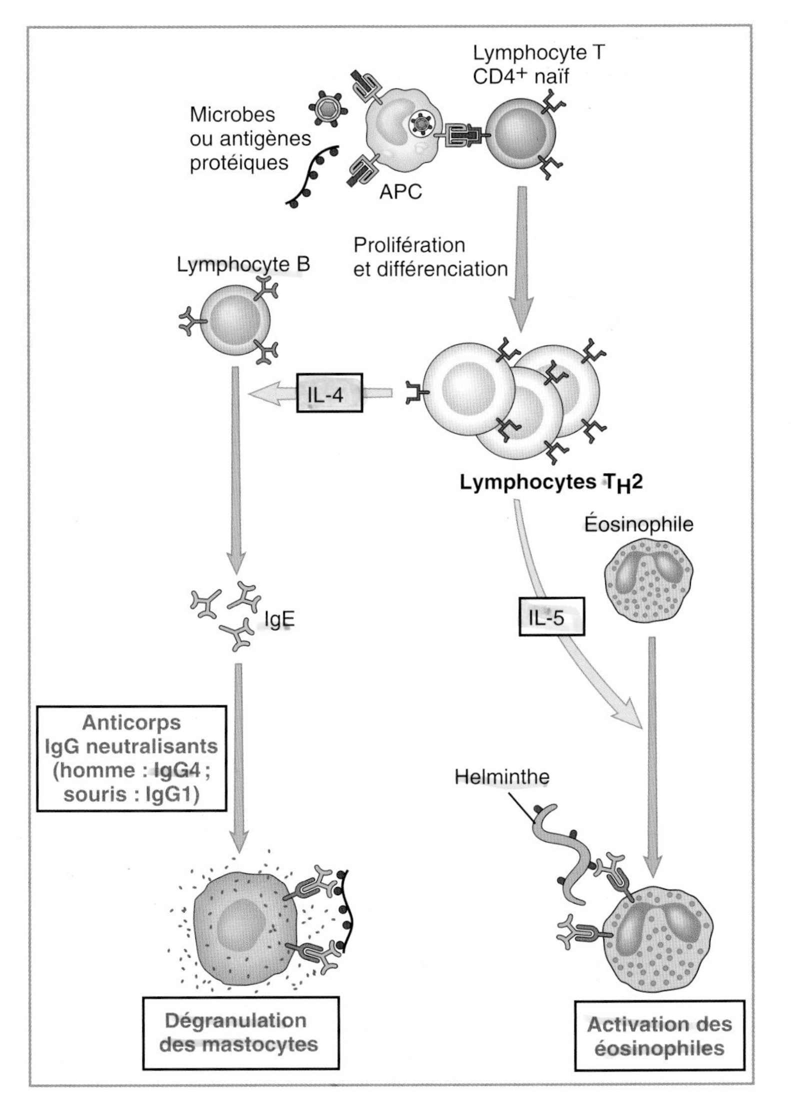

Figure 5.15 Fonctions des cellules T_H2. Les lymphocytes T_H2 produisent la cytokine IL-4, qui stimule la production d'anticorps IgE, et la cytokine IL-5, qui active les éosinophiles. Les IgE participent à l'activation des mastocytes par des antigènes protéiques et recouvrent les helminthes pour qu'ils soient détruits par les éosinophiles. Les cellules T_H2 stimulent la production d'autres isotypes d'anticorps qui peuvent neutraliser des microbes et des toxines, mais qui n'opsonisent pas les microbes en vue de leur phagocytose ou n'activent pas le complément par la voie classique.

lation croisée» peut conduire à une polarisation accrue d'un type de réponse.

Les lymphocytes T CD8⁺ activés par l'antigène et les molécules de costimulation se différencient en CTL qui ont la capacité de tuer les cellules infectées exprimant l'antigène. Les CTL effecteurs détruisent les cellules infectées en secrétant des protéines qui forment des pores dans la membrane des cellules infectées, et induisent la fragmentation de l'ADN et la mort par apoptose de ces cellules. La différenciation des lymphocytes T CD8⁺ naïfs en CTL effecteurs s'accompagne de la synthèse de molécules qui éliminent les cellules infectées. Les mécanismes de cette destruction assurée par les CTL sont décrits plus en détail dans le chapitre 6.

Développement des lymphocytes T mémoire

Une fraction des lymphocytes activés par un antigène se différencient en cellules mémoire à longue vie. Elles survivent même après l'éradication de l'infection et après la disparition des antigènes et des réactions immunitaires innées contre le pathogène. Ces cellules T mémoire peuvent se trouver dans les organes lymphoïdes, dans les muqueuses et en circulation. Elles requièrent des signaux provenant de certaines cytokines, entre autres l'IL-7, afin de rester en vie. Nous ignorons quels sont les facteurs qui déterminent l'orientation de la descendance de lymphocytes stimulés par un antigène vers la fonction de cellules effectrices ou de cellules mémoire. Les cellules T mémoire arrêtent la production des cytokines ou leur activité destructrice des cellules infectées, mais elles peuvent les reprendre rapidement lors d'une rencontre avec l'antigène qu'elles reconnaissent. Ainsi, les cellules mémoire constituent une réserve de lymphocytes attendant le retour d'une infection. Une sous-population de cellules T mémoire, appelées cellules mémoire centrales, peuplent les organes lymphoïdes et sont responsables d'une expansion clonale rapide après un nouveau contact

© 2009 Elsevier Masson SAS. Tous droits réservés

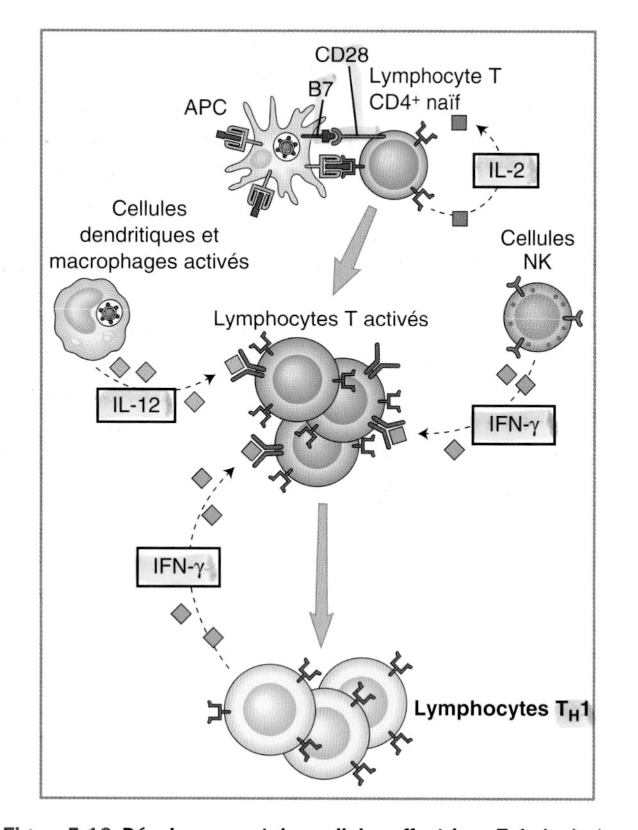

Figure 5.16 Développement des cellules effectrices T_H1. Après leur activation par l'antigène et les molécules de costimulation, les lymphocytes T auxiliaires naïfs peuvent se différencier en lymphocytes T_H1 ou T_H2 sous l'influence des cytokines. Les cytokines qui induisent le développement des T_H1 sont typiquement produites par les cellules présentatrices d'antigène (APC) en réponse à des signaux venant des TLR ; il s'agit de l'IL-12 (et de l'IL-18) produite par des cellules dendritiques et des macrophages activés par des microbes. L'interféron-γ (IFN-γ) produit par les cellules NK ou par les cellules T répondeuses elles-mêmes joue également un rôle critique dans le développement des T_H1. D'autres cytokines qui peuvent induire cette voie de différenciation comprennent les interférons de type I. Les facteurs de transcription qui sont impliqués dans la différenciation T_H1 sont T-bet (induit par l'IFN-γ) et Stat4 (induit par l'IL-12).

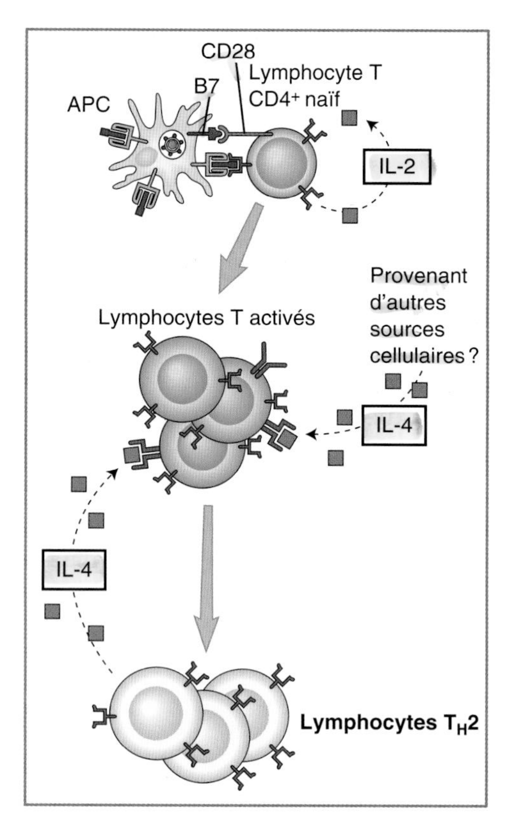

Figure 5.17 Développement des cellules effectrices T_H2. Les cellules T_H2 sont induites par l'IL-4, qui peut être produite par les lymphocytes T eux-mêmes en absence d'IL-12 ou par d'autres cellules comme les mastocytes. Les facteurs de transcription qui sont impliqués dans la différenciation T_H2 sont GATA-3 (induit peut-être par des signaux provenant du récepteur de la cellule T) et Stat6 (induit par l'IL-4).

avec l'antigène. Une autre sous-population, composée de cellules mémoire effectrices, est présente dans les muqueuses et exerce des fonctions effectrices rapides lors de la réintroduction de l'antigène dans ces sites.

Déclin de la réponse immunitaire

En raison de l'expansion remarquable des lymphocytes spécifiques de l'antigène au sommet de la réponse immunitaire, on peut prédire qu'une fois la réponse terminée, le système reviendra à l'état de repos, c'est-à-dire à l'homéostasie, afin d'être prêt à réagir à nouveau lors d'une prochaine infection. Au cours de la réponse, la survie et la prolifération des cellules T sont soutenues par l'antigène et les signaux costimulateurs venant de CD28 et de cytokines comme l'IL-2. Lorsque l'infection est éliminée et que les stimulus responsables de l'activation des lymphocytes ont disparu, un grand nombre des cellules qui ont proliféré en réponse à la présence de l'antigène sont privées de facteurs de survie. Il en résulte que ces cellules meurent par un processus d'apoptose (mort cellulaire programmée). La réponse persiste pendant 1 à 2 semaines après l'éradication de l'infection, et le seul signe qu'une réaction immunitaire élaborée par les lymphocytes T s'est produite est la présence d'un pool de lymphocytes mémoire survivants.

L'élaboration d'une réponse utile par les lymphocytes T doit surmonter plusieurs difficultés, et les lymphocytes T ont développé de nombreux mécanismes permettant d'atteindre cet objectif. En premier lieu, les lymphocytes T naïfs doivent trouver l'antigène. Le problème de la localisation de l'antigène est résolu par les APC qui

© 2009 Elsevier Masson SAS. Tous droits réservés

capturent l'antigène et le concentrent dans les organes lymphoïdes spécialisés à travers lesquels les lymphocytes T naïfs recirculent. En second lieu, le type adapté de lymphocytes T (les lymphocytes T auxiliaires $CD4^+$ ou les CTL $CD8^+$) doit répondre à la présence des antigènes provenant des compartiments extracellulaire et intracellulaire. Cette sélectivité est déterminée par la spécificité des corécepteurs CD4 et CD8 pour les molécules du CMH de classe II et de classe I, et par la ségrégation des antigènes protéiques extracellulaires (vacuolaires) et intracellulaires (cytoplasmiques) afin qu'ils soient présentés respectivement par les molécules du CMH de classe II et de classe I. En troisième lieu, les lymphocytes T doivent interagir avec les APC portant l'antigène pendant suffisamment longtemps pour être activés. Les molécules d'adhérence qui stabilisent la liaison des lymphocytes T aux APC assurent des contacts lymphocytes T-APC suffisamment longs. En quatrième lieu, les lymphocytes T doivent répondre aux antigènes microbiens, mais non aux protéines inoffensives. Cette préférence pour les microbes est maintenue parce que l'activation des lymphocytes T nécessite des molécules de costimulation qui sont induites sur les APC par les microbes. Enfin, la reconnaissance de l'antigène par un faible nombre de lymphocytes T doit être convertie en une réponse suffisamment large pour être efficace. Cette conversion est maximisée par plusieurs mécanismes d'amplification qui sont induits par les microbes et par les lymphocytes T activés eux-mêmes, ce qui conduit à une augmentation de l'activation des lymphocytes T.

© 2009 Elsevier Masson SAS. Tous droits réservés

Réviser

Résumé

- Les lymphocytes T sont les cellules de l'immunité cellulaire, la branche du système immunitaire adaptatif qui lutte contre les germes intracellulaires, qui peuvent être des microbes ayant été ingérés par les phagocytes et vivant à l'intérieur de ces cellules ou bien des microbes ayant infecté des cellules non phagocytaires.
- Les réponses des lymphocytes T se déroulent en plusieurs étapes : reconnaissance, par les lymphocytes T naïfs, des microbes associés aux cellules, expansion des clones spécifiques de l'antigène par prolifération, et différenciation des cellules filles en lymphocytes effecteurs et lymphocytes mémoire.
- Les lymphocytes T utilisent leurs récepteurs d'antigène pour reconnaître les antigènes peptidiques présentés par les molécules du CMH sur les cellules présentatrices d'antigènes (ce qui explique la spécificité de la réponse qui s'ensuit) et les résidus polymorphes des molécules du CMH (expliquant la restriction par le CMH des réponses des lymphocytes T).
- La reconnaissance de l'antigène par le TCR déclenche des signaux qui sont délivrés à l'intérieur des lymphocytes par des molécules associées au TCR (les chaînes CD3 et ζ) et par les corécepteurs, CD4 ou CD8, qui reconnaissent respectivement les molécules du CMH de classe II ou de classe I.
- La liaison des lymphocytes T aux APC est favorisée par des molécules d'adhérence, notamment les intégrines, dont l'affinité pour leurs ligands est augmentée par des chimiokines produites en réponse aux microbes et par la reconnaissance de l'antigène par le TCR.
- Les APC exposées aux microbes ou aux cytokines produites dans le cadre des réactions immunitaires innées dirigées contre les microbes expriment des molécules de costimulation qui sont reconnues par des récepteurs situés sur les lymphocytes T, et délivrent les « seconds signaux » nécessaires à l'activation des lymphocytes T.
- Les signaux biochimiques déclenchés dans les lymphocytes T par la reconnaissance de l'antigène et la costimulation entraînent l'activation de différents facteurs de transcription qui stimulent l'expression de gènes codant des cytokines, des récepteurs de cytokines et d'autres molécules participant aux réponses des lymphocytes T.
- En réponse à la reconnaissance de l'antigène et à la costimulation, les lymphocytes T sécrètent des cytokines, qui, pour certaines, induisent la prolifération des lymphocytes T stimulés par l'antigène et, pour d'autres, assurent les fonctions effectrices des lymphocytes T.
- Les lymphocytes T auxiliaires CD4^{+} peuvent se différencier en sous-populations de lymphocytes effecteurs qui produisent des ensembles limités de cytokines et exercent différentes fonctions. Les lymphocytes T_H1, qui produisent l'IFN-γ, activent les phagocytes pour éliminer les microbes ingérés et stimulent la production d'anticorps opsonisants et fixant le complément. Les lymphocytes T_H2, qui produisent l'IL-4 et l'IL-5, stimulent la production d'IgE et activent les éosinophiles, qui agissent principalement dans la défense contre les helminthes. Les cellules TH17, qui produisent l'IL-17, sont impliquées dans plusieurs maladies inflammatoires et peuvent jouer un rôle dans la défense contre des infections bactériennes.
- Les lymphocytes T CD8^{+} reconnaissent les peptides d'antigènes protéiques intracellulaires (cytoplasmiques) et peuvent nécessiter la collaboration des lymphocytes T CD4^{+} pour se différencier en CTL effecteurs. La fonction des CTL est de détruire les cellules produisant des antigènes microbiens cytoplasmiques.

Contrôle des connaissances

1. Quels sont les composants du complexe du TCR ? Parmi ces composants, lesquels sont responsables de la reconnaissance de l'antigène et lesquels assurent la transduction des signaux ?
2. Citer quelques-unes des molécules accessoires que les lymphocytes utilisent pour initier leurs réponses contre les antigènes, et dire quelles sont les fonctions de ces molécules.
3. Qu'est-ce que la costimulation ? Quelle est la signification physiologique de la costimulation ? Citer quelques-uns des couples ligand-récepteur qui participent à la costimulation.
4. Résumer les liens entre la reconnaissance de l'antigène, les principales voies biochimiques de signalisation dans les lymphocytes T et la production de facteurs de transcription.
5. Quel est le principal facteur de croissance des lymphocytes T ? Pourquoi les lymphocytes T spécifiques de l'antigène subissent-ils une expansion plus importante que les autres lymphocytes T lors de l'exposition à un antigène ?
6. Quels sont les principales sous-populations de lymphocytes T auxiliaires CD4^{+}, et par quoi diffèrent-elles ?
7. Quels signaux sont nécessaires à l'induction des réponses des lymphocytes T CD8^{+} ?

© 2009 Elsevier Masson SAS. Tous droits réservés

Chapitre 6

Mécanismes effecteurs de l'immunité cellulaire

Éradication des microbes intracellulaires

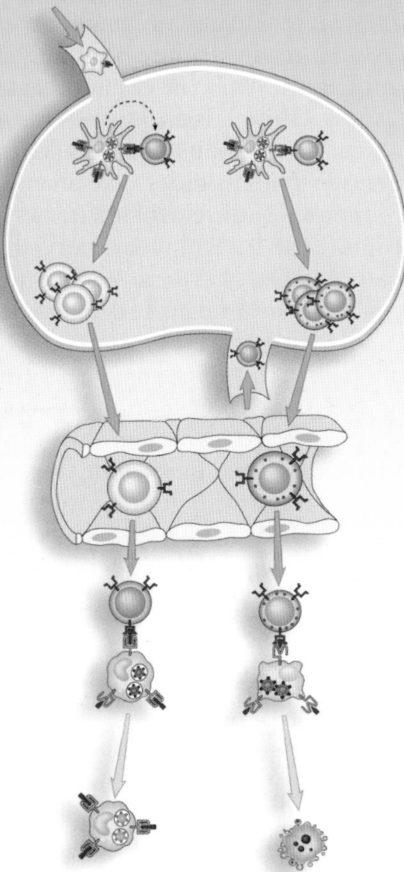

Les mécanismes immunitaires spécialisés dont la fonction est d'éradiquer les microbes intracellulaires constituent l'immunité cellulaire. La phase effectrice de l'immunité est assurée par les lymphocytes T, les anticorps ne jouant aucun rôle dans l'éradication des infections causées par les microbes qui vivent à l'intérieur des cellules de l'hôte. Les phases de l'immunité cellulaire sont les suivantes : activation des lymphocytes T naïfs afin qu'ils prolifèrent et se différencient en cellules effectrices, et élimination des microbes associés aux cellules par l'action de ces lymphocytes T effecteurs. Dans le chapitre 3 ont été présentées les fonctions des molécules du complexe majeur d'histocompatibilité (CMH) dans la présentation des antigènes des microbes intracellulaires afin qu'ils soient

Les bases de l'immunologie fondamentale et clinique
© 2009 Elsevier Masson SAS. Tous droits réservés

reconnus par les lymphocytes T. Le chapitre 5 a ensuite décrit la manière dont les lymphocytes T naïfs reconnaissent ces antigènes dans les organes lymphoïdes et se développent en lymphocytes effecteurs. Dans ce chapitre, les questions suivantes seront traitées.

- Comment les lymphocytes T effecteurs localisent-ils les microbes intracellulaires dans n'importe quel site de l'organisme ?
- Comment les lymphocytes effecteurs éradiquent-ils les infections provoquées par ces microbes ?

Différents types d'immunité cellulaire

Il existe deux modes de réactions immunitaires cellulaires pouvant éliminer différents types de microbes intracellulaires : les lymphocytes T auxiliaires CD4⁺ activent les phagocytes afin qu'ils détruisent les microbes résidant dans les vacuoles de ces phagocytes, tandis que les lymphocytes T CD8⁺ détruisent toute cellule contenant des microbes ou des protéines microbiennes dans le cytoplasme, éliminant ainsi le réservoir de l'infection (figure 6.1). Cette séparation des fonctions effectrices des lymphocytes T n'est pas absolue. Certains lymphocytes T CD4⁺ sont capables de tuer les macrophages infectés, et des lymphocytes T CD8⁺ activent les macrophages afin qu'ils éliminent les microbes phagocytés. Néanmoins, l'activation des phagocytes, qui est la principale fonction des lymphocytes T CD4⁺ dans l'immunité cellulaire, et la destruction par les lymphocytes CD8⁺ des cellules infectées sont des réactions immunitaires fondamentalement différentes, qui seront donc décrites séparément.

Les infections microbiennes peuvent survenir n'importe où dans l'organisme, et certains pathogènes sont capables d'infecter et de vivre à l'intérieur des cellules. Les germes pathogènes qui infectent les cellules et qui survivent à l'intérieur de celles-ci comprennent (1) de nombreuses bactéries et quelques protozoaires qui sont ingérés par les phagocytes, mais résistent aux mécanismes de destruction de ces phagocytes et survivent dans des vacuoles ou dans le cytoplasme, et (2) des virus qui infectent des cellules phagocytaires ou non phagocytaires et vivent dans le cytoplasme de ces cellules (voir la figure 5.1, dans le chapitre 5). Les lymphocytes T effecteurs dont la fonction est d'éradiquer ces microbes sont issus de lymphocytes T naïfs qui ont été stimulés par les antigènes microbiens dans les ganglions lymphatiques et dans la rate (voir le chapitre 5). Les lymphocytes T effecteurs différenciés migrent ensuite vers le site de l'infection. Dans ces sites, les phagocytes qui ont ingéré les microbes dans des vacuoles intracellulaires présentent des fragments peptidiques des protéines microbiennes fixés à des molécules du CMH de classe II afin qu'ils soient reconnus par les lymphocytes T effecteurs de la sous-population CD4⁺. Les antigènes peptidiques provenant des microbes vivant dans le cytoplasme des cellules infectées sont présentés par des molécules du CMH de classe I afin qu'ils soient reconnus par des lymphocytes T effecteurs CD8⁺. La reconnaissance des antigènes par les lymphocytes T effecteurs entraîne alors ceux-ci à éliminer les pathogènes. Ainsi, dans l'immunité cellulaire, les lymphocytes T reconnaissent les antigènes protéiques lors de deux étapes distinctes : les lymphocytes T naïfs reconnaissent les antigènes dans les tissus lymphoïdes et

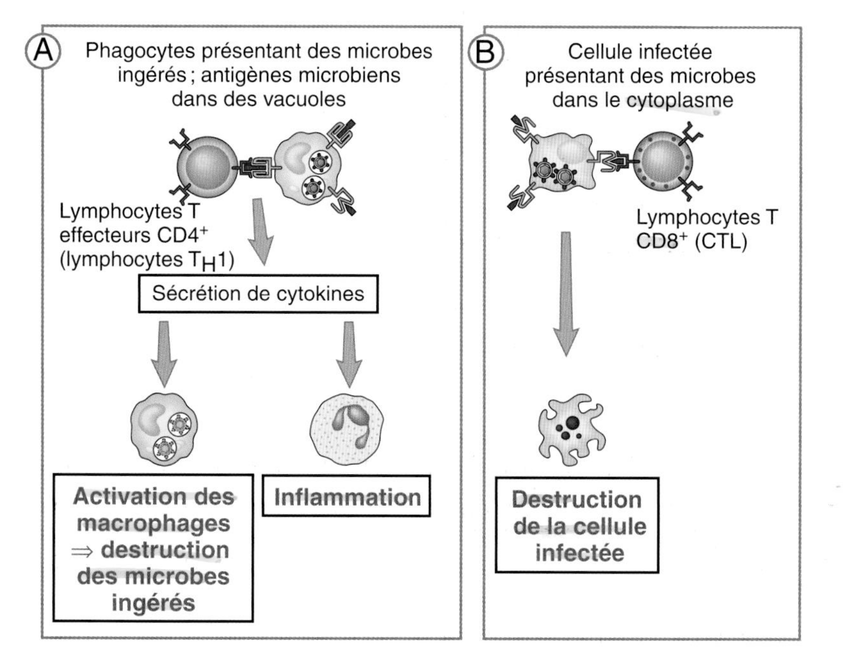

Figure 6.1 Immunité cellulaire dirigée contre les microbes intracellulaires. A. Les lymphocytes T effecteurs de la sous-population T_H1 CD4⁺ reconnaissent les antigènes des microbes ingérés par les phagocytes, et activent les phagocytes afin qu'ils détruisent les microbes et induisent une inflammation. L'activation des phagocytes et l'inflammation sont des réponses aux cytokines produites par les lymphocytes T (il en sera question ultérieurement). Les lymphocytes T CD8⁺ produisent également des cytokines qui déclenchent les mêmes réactions, mais les lymphocytes T CD8⁺ reconnaissent les antigènes microbiens présents dans le cytoplasme des cellules infectées (non représentés). B. Les CTL CD8⁺ détruisent les cellules infectées par des microbes localisés dans le cytoplasme. CTL : lymphocytes T cytotoxiques.

© 2009 Elsevier Masson SAS. Tous droits réservés

répondent par une prolifération et une différenciation en cellules effectrices, puis celles-ci reconnaissent les mêmes antigènes n'importe où dans l'organisme et répondent en éliminant ces microbes (figure 6.2).

Dans la suite de ce chapitre, nous décrirons en premier lieu comment les lymphocytes T effecteurs différenciés localisent les microbes dans les tissus, puis comment les lymphocytes CD4⁺ et CD8⁺ éliminent ces microbes.

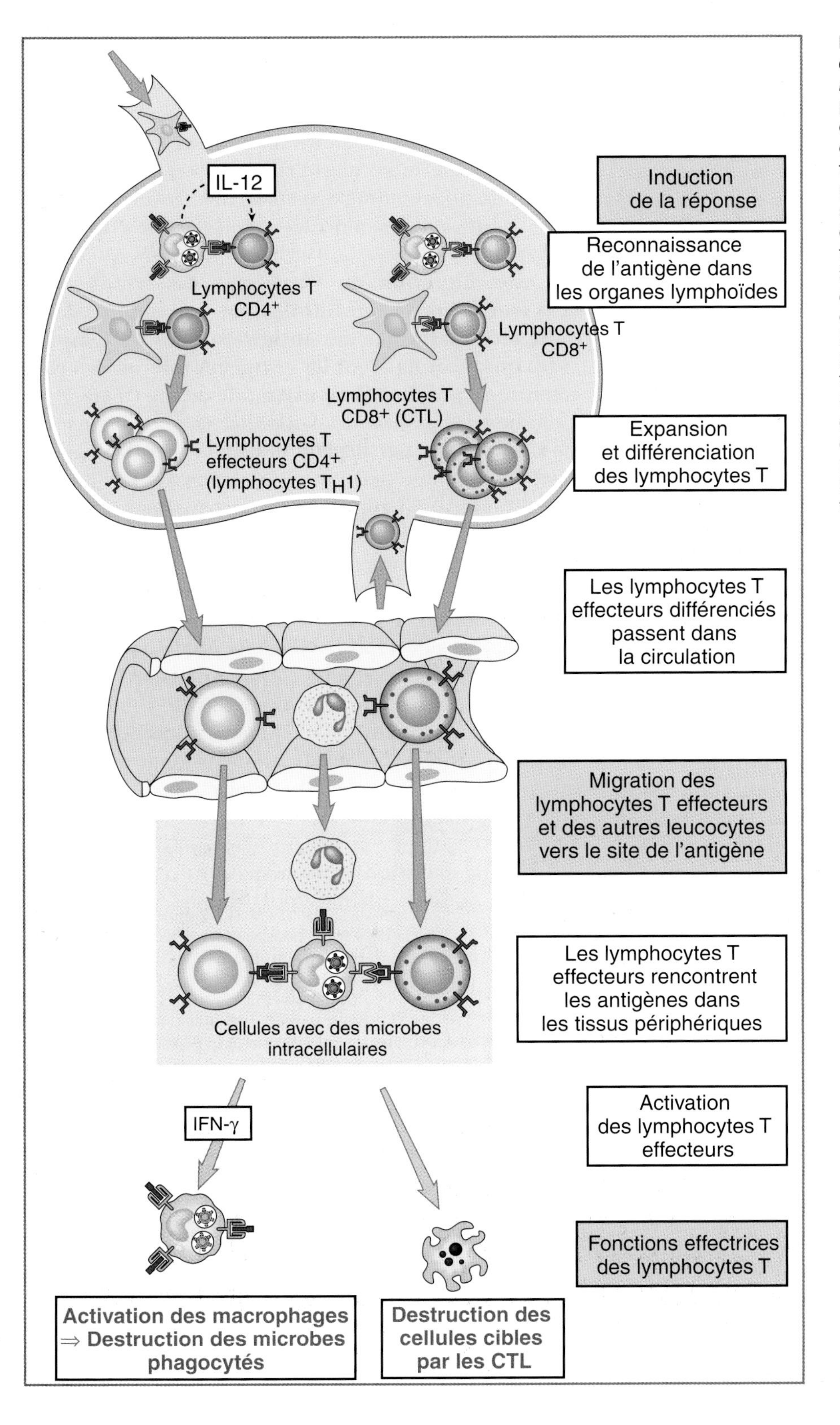

Figure 6.2 Phases inductrice et effectrice de l'immunité cellulaire. (1) *Induction de la réponse* : les lymphocytes T CD4⁺ et les lymphocytes T CD8⁺ reconnaissent des peptides qui proviennent d'antigènes protéiques et sont présentés par des cellules présentatrices d'antigènes dans les organes lymphoïdes périphériques. Les lymphocytes T stimulés prolifèrent et se différencient en cellules effectrices qui gagnent la circulation. (2) *Migration des lymphocytes T effecteurs et des autres leucocytes vers le site de l'antigène* : les lymphocytes T effecteurs et les autres leucocytes migrent à travers les vaisseaux sanguins dans les tissus périphériques en se liant aux cellules endothéliales qui ont été activées par des cytokines produites en réponse à l'infection dans ces tissus. (3) *Fonctions des cellules T effectrices* : les cellules T CD4⁺ activent les phagocytes afin de détruire les microbes et les lymphocytes T cytotoxiques CD8⁺ (CTL) tuent les cellules infectées.

© 2009 Elsevier Masson SAS. Tous droits réservés

Migration des lymphocytes T effecteurs vers les foyers infectieux

Les lymphocytes T effecteurs migrent vers les sites de l'infection, d'une part, car ces lymphocytes expriment des quantités élevées de molécules d'adhérence qui se lient à des ligands exprimés sur l'endothélium suite à l'exposition aux microbes, et d'autre part, parce que des cytokines chimioattractives sont produites au niveau du site de l'infection. Le processus de différenciation des lymphocytes T naïfs en lymphocytes effecteurs s'accompagne de changements dans les profils d'expression des molécules d'adhérence et des récepteurs de chimiokines sur ces cellules (figure 6.3). Les cellules T activées diminuent l'expression des récepteurs spécifiques des chimiokines produites dans les zones T des ganglions lymphatiques et, en même temps, elles augmentent l'expression du récepteur pour un phospholipide, la sphingosine 1-phosphate, qui est présent à haute concentration dans le sang. Par conséquent, les lymphocytes T activés sont amenés à sortir des ganglions lymphatiques. La migration des cellules T activées dans les tissus périphériques est contrôlée par les mêmes interactions que celles qui dirigent la diapédèse des autres leucocytes dans les tissus (voir dans le chapitre 2, la figure 2.7), dont voici un rappel des points principaux. Les cellules T activées expriment en forte densité des ligands glycoprotéiques pour les sélectines E et P, et les formes à haute affinité des intégrines LFA-1 (*leukocyte function-associated antigen-1*) et VLA-4 (*very late antigen-4*), qui apparaît plus tardivement que LFA-1 au cours de l'activation des lymphocytes T. Dans le foyer infectieux, l'endothélium est exposé à des cytokines comme le TNF (*tumor necrosis factor*) et l'interleukine-1 (IL-1), qui font exprimer davantage par les cellules endothéliales les sélectines E et P ainsi que les ligands des intégrines, en particulier ICAM-1 (*intercellular adhesion molecule-1*, le ligand de LFA-1) et VCAM-1 (*vascular cell adhesion molecule-1*, le ligand de l'intégrine VLA-4). Les lymphocytes T effecteurs qui traversent les vaisseaux sanguins dans le site de l'infection se lient d'abord aux sélectines et roulent sur la surface endothéliale. Les cellules T effectrices expriment aussi des récepteurs pour les chimiokines qui sont produites par les macrophages et les cellules endothéliales dans ces foyers infectieux et qui sont présentes à la surface de l'endothélium. Les lymphocytes T roulant sur cette surface reconnaissent ces chimiokines, qui induisent une augmentation de l'affinité de liaison des intégrines pour leurs ligands et ainsi une adhérence ferme des cellules T à l'endothélium. Après que les lymphocytes T effecteurs se sont arrêtés sur l'endothélium, les chimiokines qui sont produites par les macrophages dans les tissus adjacents stimulent la motilité des leucocytes adhérents. Le résultat de cette adhérence et de l'attraction exercée par les chimiokines est la migration des cellules T hors des vaisseaux sanguins et vers le site de l'infection.

Après activation, les cellules T diminuent l'expression non seulement des récepteurs de chimiokines produites dans les ganglions lymphatiques mais aussi de la sélectine L, la molécule d'adhérence qui attire les cellules T naïves dans les ganglions. Dès lors, les cellules T activées tendent à rester en dehors des ganglions lymphatiques. Certains microbes cependant infectent fréquemment les phagocytes ganglionnaires. Dans de telles circonstances, une réaction inflammatoire antimicrobienne locale entraîne l'expression de molécules d'adhérence et la production de chimiokines comme dans tout autre foyer inflammatoire, ce qui ramène ainsi les cellules T effectrices dans les ganglions.

Cette migration ou « homing » des lymphocytes effecteurs vers le site d'infection est indépendante de la reconnaissance des antigènes, mais les lymphocytes qui reconnaissent les antigènes microbiens sont retenus de préférence au niveau de ce site (figure 6.4). Comme la migration des lymphocytes T effecteurs vers les sites d'infections dépend des molécules d'adhérence et des chimiokines, et non de la reconnaissance de l'antigène, tous les lymphocytes effecteurs présents dans le sang qui ont été générés en réponse aux différentes infections microbiennes peuvent pénétrer dans le site de n'importe quelle infection. Cette migration non sélective semble être destinée à maximiser la capacité des lymphocytes effecteurs à dénicher les microbes qu'ils peuvent reconnaître et à les éliminer de manière spécifique. Cependant, ce manque de sélectivité peut créer un problème : comment les lymphocytes spécifiques d'un microbe se focalisent-ils suffisamment longtemps sur ce microbe pour exercer leur fonction ? Une réponse probable est qu'un lymphocyte T effecteur qui a quitté la circulation sanguine et pénétré dans un tissu reconnaît de manière spécifique un antigène microbien, entraînant une nouvelle activation du lymphocyte. L'une des conséquences de l'activation est une augmentation de l'expression et de l'affinité de liaison des intégrines VLA sur les lymphocytes T. Certaines de ces intégrines se lient de manière spécifique aux molécules présentes dans la matrice extracellulaire, par exemple l'acide hyaluronique et la fibronectine. Par conséquent, les lymphocytes stimulés par l'antigène adhèrent fermement aux tissus situés à proximité de l'antigène, et les cellules restent là suffisamment longtemps pour répondre aux microbes et éradiquer l'infection. Les lymphocytes qui pénètrent dans le tissu, mais ne reconnaissent pas un antigène, ne sont pas activés pour adhérer au tissu. Ils pénètrent dans les vaisseaux lymphatiques drainant le tissu et retournent dans la circulation, se préparant à migrer vers un autre site d'infection à la recherche de l'antigène microbien dont ils sont spécifiques.

© 2009 Elsevier Masson SAS. Tous droits réservés

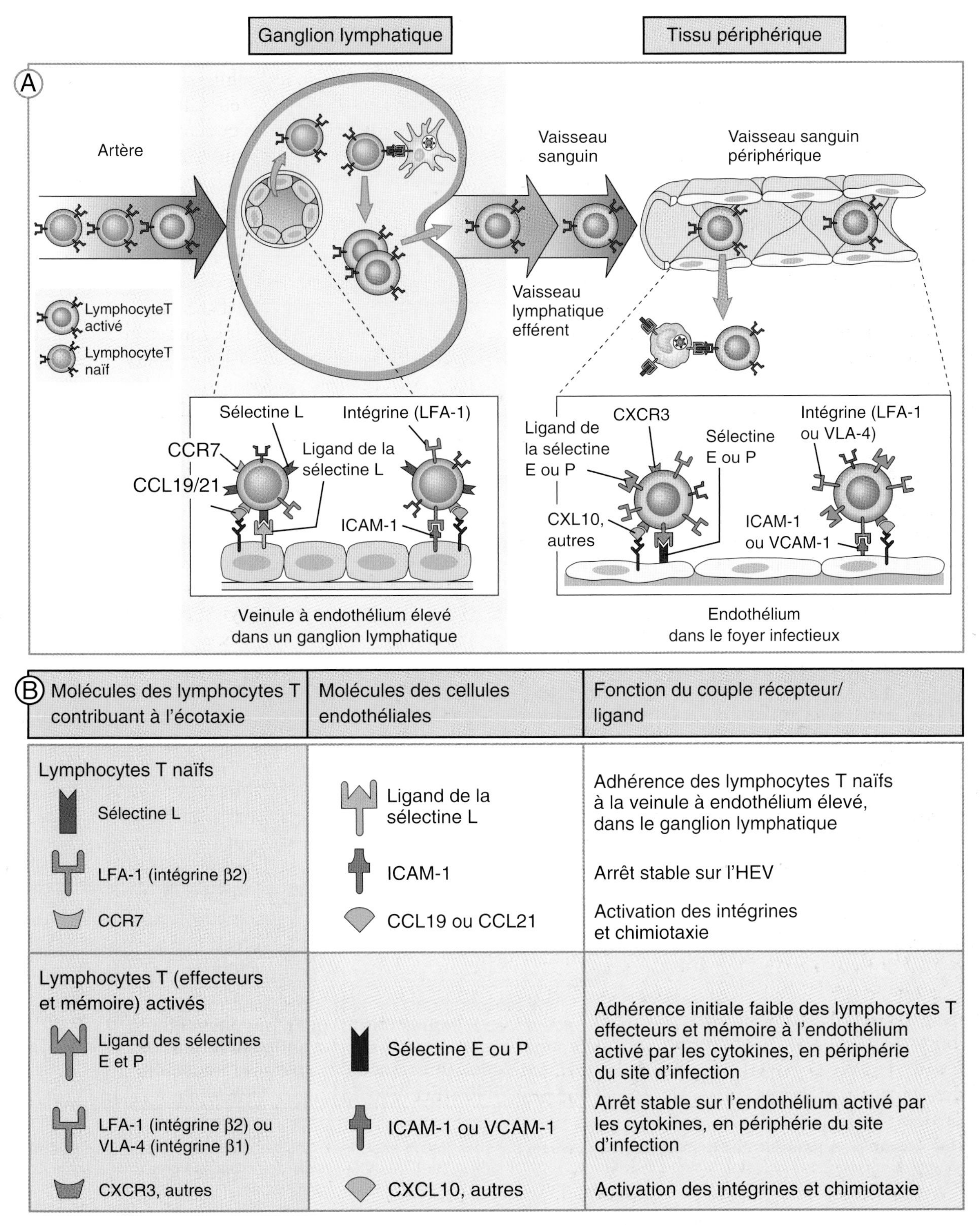

Molécules des lymphocytes T contribuant à l'écotaxie	Molécules des cellules endothéliales	Fonction du couple récepteur/ligand
Lymphocytes T naïfs		
Sélectine L	Ligand de la sélectine L	Adhérence des lymphocytes T naïfs à la veinule à endothélium élevé, dans le ganglion lymphatique
LFA-1 (intégrine β2)	ICAM-1	Arrêt stable sur l'HEV
CCR7	CCL19 ou CCL21	Activation des intégrines et chimiotaxie
Lymphocytes T (effecteurs et mémoire) activés		
Ligand des sélectines E et P	Sélectine E ou P	Adhérence initiale faible des lymphocytes T effecteurs et mémoire à l'endothélium activé par les cytokines, en périphérie du site d'infection
LFA-1 (intégrine β2) ou VLA-4 (intégrine β1)	ICAM-1 ou VCAM-1	Arrêt stable sur l'endothélium activé par les cytokines, en périphérie du site d'infection
CXCR3, autres	CXCL10, autres	Activation des intégrines et chimiotaxie

Figure 6.3 Migration des lymphocytes T naïfs et effecteurs. A. Les lymphocytes T naïfs rejoignent les ganglions lymphatiques suite aux liaisons de la sélectine L et des intégrines à leurs ligands sur les veinules à endothélium élevé (HEV, *high endothelial venule*). Les chimiokines exprimées dans les ganglions lymphatiques se lient à des récepteurs des cellules T naïves, augmentent ainsi l'adhérence dépendant des intégrines et favorisent la migration à travers la paroi des HEV. Les lymphocytes T activés, qui comprennent les lymphocytes effecteurs, rejoignent (*homing*) les foyers infectieux dans les tissus périphériques, et cette migration est assurée par la sélectine E, la sélectine P, des intégrines et des chimiokines sécrétées dans les sites inflammatoires. B. Les fonctions des principaux récepteurs et de leurs ligands responsables de l'écotaxie (*homing*) des lymphocytes T sont présentées dans le tableau.

© 2009 Elsevier Masson SAS. Tous droits réservés

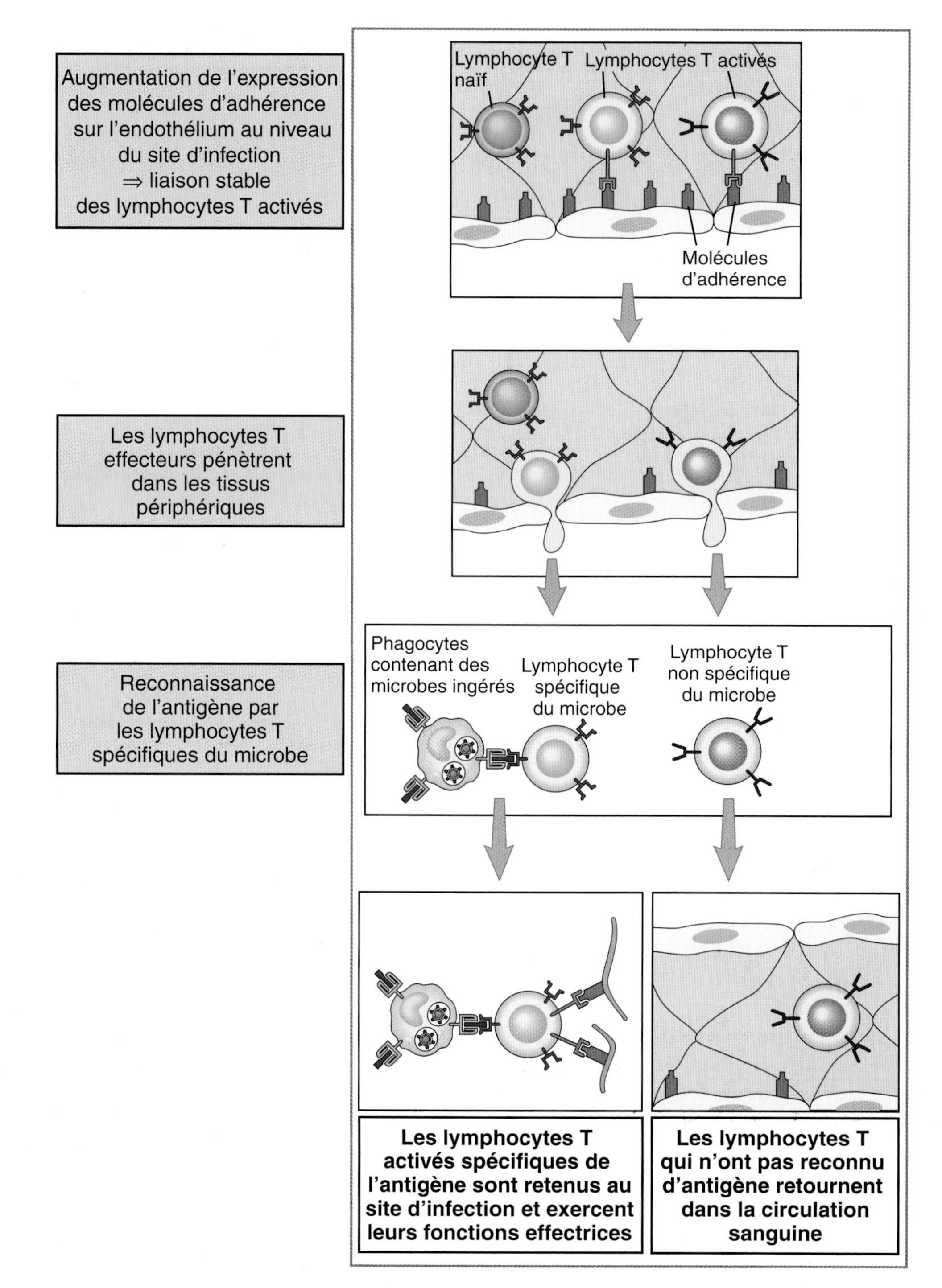

Figure 6.4 Migration et rétention des lymphocytes T effecteurs dans les foyers infectieux. Les lymphocytes T effecteurs migrent vers les foyers infectieux au moyen de récepteurs qui se fixent à des ligands induits sur l'endothélium par des cytokines produites au cours des réactions immunitaires innées dirigées contre les microbes. Les lymphocytes T qui reconnaissent les antigènes microbiens dans les tissus extravasculaires sont retenus dans ces sites par adhérence à la matrice extracellulaire par l'intermédiaire des intégrines. Ces lymphocytes T spécifiques de l'antigène exercent leurs fonctions effectrices destinées à éradiquer l'infection, tandis que les lymphocytes T qui n'ont pas décelé d'antigène regagnent la circulation sanguine en passant par les vaisseaux lymphatiques.

Le résultat de cette séquence de migration et de rétention cellulaire est que les lymphocytes T effecteurs, produits dans les organes lymphoïdes périphériques en réponse à une infection, sont capables de localiser ce microbe infectieux n'importe où dans l'organisme. Ces lymphocytes effecteurs sont activés par le microbe et répondent afin de l'éliminer. Contrairement à l'activation des lymphocytes T naïfs, qui nécessite la présenta-

© 2009 Elsevier Masson SAS. Tous droits réservés

tion de l'antigène et une costimulation par des cellules dendritiques, les lymphocytes effecteurs différenciés sont activés par la reconnaissance de l'antigène et semblent être moins dépendants d'une costimulation que les lymphocytes naïfs. En raison de cette différence, la prolifération et la différenciation des lymphocytes T naïfs sont confinées aux organes lymphoïdes dans lesquels les cellules dendritiques présentent les antigènes, les lymphocytes T effecteurs pouvant exercer leurs fonctions contre n'importe quelle cellule présentant des antigènes microbiens, et non pas seulement contre les cellules dendritiques.

Puisque les lymphocytes T auxiliaires $CD4^+$ et les lymphocytes T cytotoxiques (CTL) $CD8^+$ recourent à des mécanismes distincts pour combattre les infections, nous décrirons les mécanismes effecteurs de ces classes lymphocytaires individuellement. Nous conclurons par la description du mode de coopération utilisé par ces deux classes de lymphocytes pour éliminer les microbes intracellulaires.

Fonctions effectrices des lymphocytes T auxiliaires $CD4^+$

L'immunité cellulaire a été découverte comme une forme d'immunité dirigée contre une infection bactérienne intracellulaire et qui pouvait être transférée à partir d'animaux immunisés à des animaux naïfs par l'intermédiaire de cellules (dont on sait aujourd'hui qu'il s'agit des lymphocytes T), mais non par des anticorps sériques (figure 6.5). Les premières études avaient permis de déterminer que la spécificité de l'immunité à médiation cellulaire contre différents microbes était une fonction des lymphocytes, mais que l'élimination des microbes incombait aux macrophages activés. Les rôles des lymphocytes T et des phagocytes dans l'immunité cellulaire sont aujourd'hui bien compris.

Dans l'immunité cellulaire, les lymphocytes T $CD4^+$ de la sous-population T_H1 activent les macrophages qui ont phagocyté des microbes, entraînant une augmentation de l'action microbicide des phagocytes et la destruction des germes ingérés. La capacité des lymphocytes T à activer les macrophages dépend de la reconnaissance de l'antigène, assurant ainsi la spécificité de cette réaction. La même réaction peut être déclenchée par l'injection d'une protéine microbienne dans la peau d'un individu qui a été immunisé contre le microbe par une infection antérieure ou une vaccination. Cette réaction est appelée **hypersensibilité retardée (HSR)**, parce qu'elle reflète une augmentation de la sensibilité vis-à-vis de l'exposition à l'antigène et parce qu'elle se déclenche 24 à 48 heures après l'administration d'une protéine microbienne à un individu immunisé. Le laps de temps est dû au fait qu'un délai de 24 à 48 heures est nécessaire aux lymphocytes T effecteurs circulants pour se rendre dans le site d'injection de l'antigène, répondre localement à l'antigène et induire une réaction détectable. Les

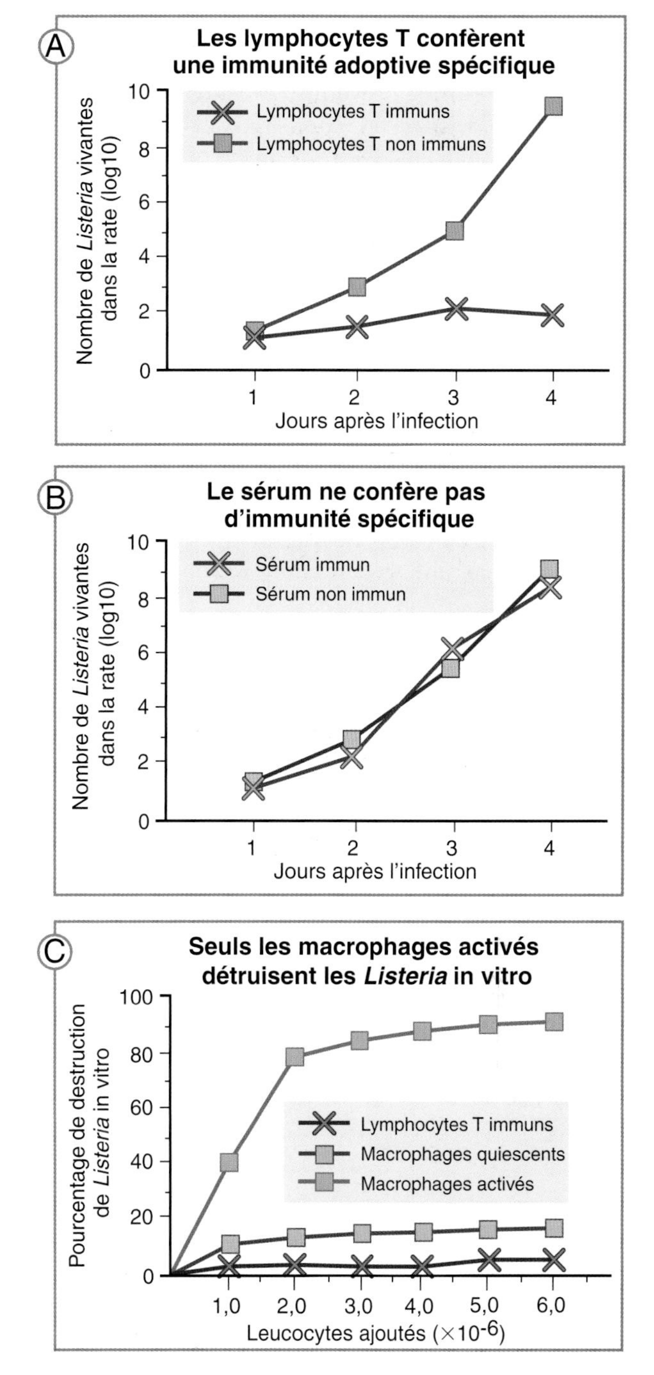

Figure 6.5 Immunité cellulaire contre une bactérie intracellulaire, *Listeria monocytogenes*. Dans cette expérience, des lymphocytes ou du sérum (une source d'anticorps) ont été prélevés chez une souris ayant précédemment été exposée à une dose sublétale de *Listeria* (souris immunisée) et transférés à une souris normale (naïve), puis on a inoculé la bactérie à la souris receveuse de ce « transfert adoptif ». On a alors compté les bactéries dans sa rate afin de déterminer si le transfert l'avait protégée. La protection contre la bactérie (se manifestant par une diminution de la récupération de bactéries vivantes) a été induite par le transfert de cellules lymphoïdes immunes, identifiées comme des lymphocytes T (A), mais non par le transfert de sérum (B). Les bactéries ont été tuées *in vitro* par des macrophages activés mais non par des lymphocytes T (C). Par conséquent, la protection dépend des lymphocytes T spécifiques de l'antigène, mais la destruction des bactéries est une fonction qui incombe aux macrophages activés.

© 2009 Elsevier Masson SAS. Tous droits réservés

réactions d'HSR se manifestent par un infiltrat tissulaire de lymphocytes T et de monocytes sanguins, un œdème et un dépôt de fibrine provoqué par l'augmentation de la perméabilité vasculaire en réponse aux cytokines produites par les lymphocytes T CD4$^+$, ainsi que des lésions tissulaires causées par les produits des macrophages activés par les lymphocytes T (figure 6.6). Les réactions d'HSR sont souvent utilisées pour déterminer si des individus ont rencontré précédemment un antigène et s'ils y ont répondu. Par exemple, une réaction d'HSR à l'antigène mycobactérien PPD (*purified protein derivative*) ou dérivé protéique purifié est un indicateur de réponse lymphocytaire T aux mycobactéries. Cette réaction constitue la base du test cutané au PPD, qui est fréquemment utilisé dans la détection d'une infection mycobactérienne passée ou présente.

La section suivante décrit comment les lymphocytes T activent les macrophages et comment les macrophages éliminent les microbes phagocytés.

Activation des macrophages par les lymphocytes T

Les lymphocytes T effecteurs de la sous-population T_H1 qui reconnaissent les antigènes associés aux macrophages activent les macrophages par des interactions entre le ligand de CD40 (CD40L) et CD40, et en sécrétant l'interféron-γ (IFN-γ), une cytokine activant les macrophages (figure 6.7). Comme nous l'avons décrit dans le chapitre 3, les macrophages ingèrent les microbes dans des vacuoles intracellulaires, appelées phagosomes, qui fusionnent avec les lysosomes pour former des phagolysosomes. Les protéines microbiennes sont apprêtées dans ces vacuoles, et quelques peptides microbiens sont présentés par les molécules de classe II du CMH à la surface des macrophages. Les lymphocytes T CD4$^+$ effecteurs spécifiques de ces peptides reconnaissent les peptides associés aux molécules de classe II. Les lymphocytes T répondent en exprimant à leur surface une molécule effectrice, le ligand de CD40 (CD40L ou CD154), qui se lie au récepteur CD40 qui est exprimé sur les macrophages. Parallèlement, les lymphocytes T effecteurs, appartenant à la sous-population T_H1, sécrètent une cytokine activant les macrophages, l'IFN-γ, qui se lie à son récepteur sur les macrophages. La liaison de l'IFN-γ à son récepteur a lieu parallèlement à l'engagement de CD40 afin de déclencher des voies de signalisation biochimiques entraînant la production de plusieurs facteurs de transcription. Ces facteurs de transcription activent la transcription de gènes codant des protéases et des enzymes lysosomiales qui stimulent la synthèse d'in-

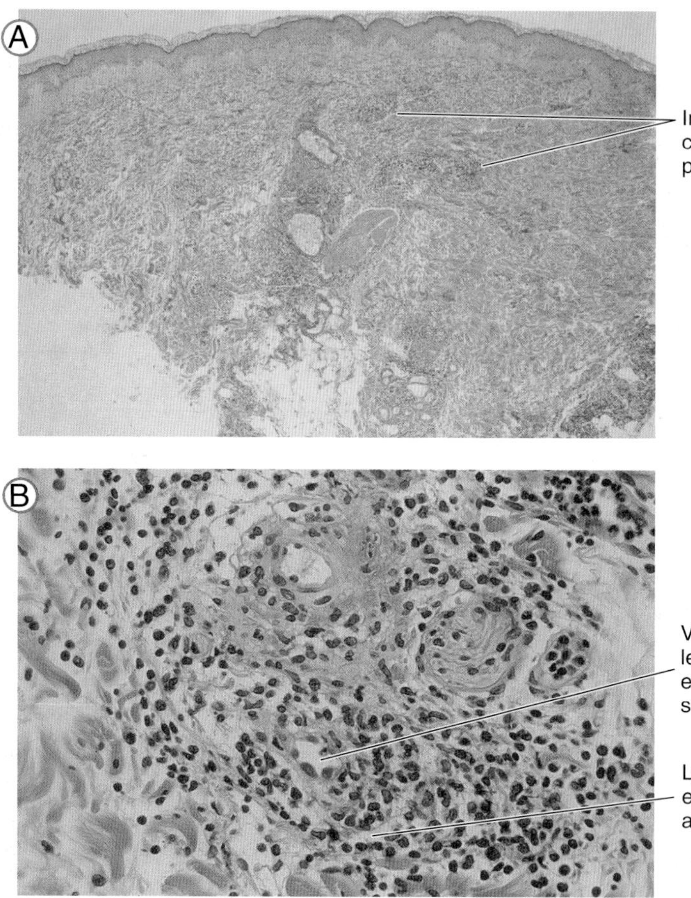

Figure 6.6 Morphologie d'une réaction d'hypersensibilité retardée. Chez un individu précédemment exposé à un antigène, une injection de cet antigène dans la peau déclenche une réaction d'hypersensibilité retardée (HSR). L'examen histopathologique de la réaction dans le derme montre des infiltrats périvasculaires de cellules mononucléées (A). À fort grossissement, l'infiltrat apparaît composé de lymphocytes et de macrophages activés entourant de petits vaisseaux sanguins dans lesquels les cellules endothéliales sont activées (B). Avec l'autorisation du Dr J. Faix, Department of Pathology, Stanford University School of Medicine, Palo Alto, Californie.

© 2009 Elsevier Masson SAS. Tous droits réservés

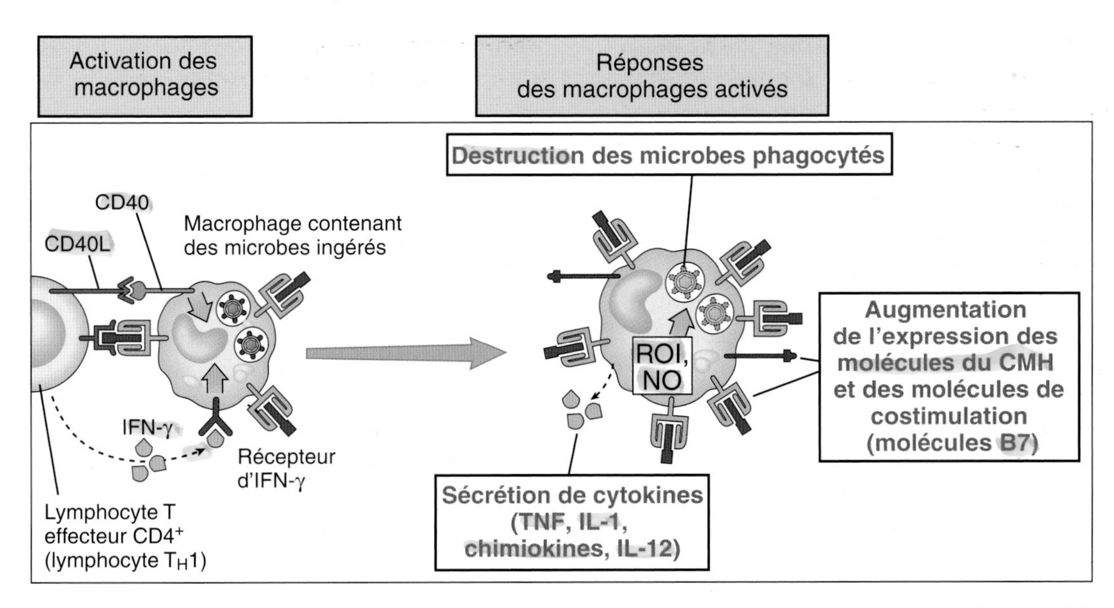

Figure 6.7 Activation des macrophages par les lymphocytes T. Les lymphocytes effecteurs reconnaissent les antigènes de microbes ingérés à la surface des macrophages. En réponse à cette reconnaissance, les lymphocytes T expriment CD40L, qui se lie à CD40 sur les macrophages. Les lymphocytes T sécrètent ensuite l'IFN-γ, qui se lie aux récepteurs de l'IFN-γ sur les macrophages. Cette combinaison de signaux fait produire par les macrophages des substances microbicides qui détruisent les microbes ingérés. Les macrophages activés sécrètent également des cytokines qui induisent l'inflammation par le facteur de nécrose tumorale (TNF), l'interleukine-1 (IL-1) et des chimiokines et qui activent les lymphocytes T (IL-12). Ils expriment également davantage de molécules du CMH et des molécules de costimulation, ce qui amplifie les réponses des lymphocytes T. L'illustration montre un lymphocyte T CD4+ reconnaissant des peptides associés à des molécules du CMH de classe II et activant le macrophage, mais la même réaction peut être déclenchée par un lymphocyte T CD8+ qui reconnaît des peptides présentés par des molécules du CMH de classe I provenant d'antigènes microbiens cytoplasmiques.

termédiaires réactifs de l'oxygène et de monoxyde d'azote aux propriétés microbicides. La nécessité de l'interaction entre les protéines de membrane CD40 et CD40L assure que les macrophages qui sont en contact direct avec les lymphocytes T sont ceux qui bénéficient de l'activation la plus importante. Les macrophages qui sont en contact avec les lymphocytes T sont également ceux qui présentent les antigènes des microbes phagocytés, et ce sont ces phagocytes qu'il est nécessaire d'activer. L'IFN-γ sécrété augmente l'activation des macrophages et amplifie la réaction microbicide.

L'interaction entre macrophages et lymphocytes T est un excellent exemple d'interactions bidirectionnelles entre cellules des systèmes immunitaires inné et adaptatif (c'est-à-dire les macrophages et les lymphocytes T) [figure 6.8]. Les macrophages qui ont phagocyté des microbes produisent la cytokine IL-12. Celle-ci stimule la différenciation des lymphocytes T CD4+ naïfs en sous-population T_H1, qui produit l'IFN-γ lors de la rencontre avec les antigènes microbiens associés aux macrophages ; l'IL-12 augmente également la quantité d'IFN-γ produit par ces lymphocytes T. L'IFN-γ active ensuite les phagocytes afin qu'ils détruisent les microbes ingérés, achevant ainsi le cycle. Il stimule également la production d'IL-12, et amplifie ainsi la réponse.

Outre l'activation des macrophages, les lymphocytes T CD4+ assurent d'autres fonctions dans les réactions immunitaires de type cellulaire. Les lymphocytes T CD4+ stimulés par l'antigène sécrètent des cytokines, comme le TNF, qui agissent sur l'endothélium vasculaire pour augmenter l'expression des molécules d'adhérence et la production de chimiokines. Les cellules T_H17 peuvent

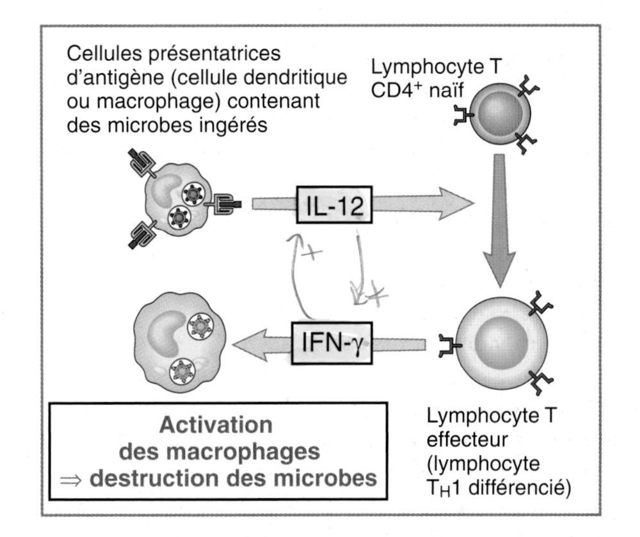

Figure 6.8 Interactions assurées par les cytokines entre les lymphocytes T et les macrophages au cours de l'immunité cellulaire. Les APC qui rencontrent des microbes sécrètent la cytokine IL-12, qui stimule les lymphocytes T CD4+ naïfs afin qu'ils se différencient en lymphocyte T_H1 sécréteurs d'IFN-γ, et augmente la production d'IFN-γ. L'IFN-γ active les macrophages, qui détruisent alors les microbes ingérés.

© 2009 Elsevier Masson SAS. Tous droits réservés

sécréter des chimiokines qui attirent les neutrophiles et les monocytes. Il en résulte qu'un nombre plus important de lymphocytes T et d'autres leucocytes sont recrutés sur le site de l'infection. Par conséquent, la réponse des lymphocytes T est amplifiée, et des phagocytes supplémentaires sont mis à contribution pour éradiquer l'infection. Cette infiltration cellulaire stimulée par les lymphocytes T et la réaction vasculaire qui l'accompagne sont typiques de l'inflammation. L'inflammation est un composant des réactions assurées par les lymphocytes T, comme l'HSR, et elle apparaît également au cours des réactions immunitaires innées antimicrobiennes (voir le chapitre 2). Outre leur rôle consistant à favoriser l'éradication par les macrophages des microbes phagocytés, les lymphocytes T $CD4^+$ aident les lymphocytes T $CD8^+$ à se différencier en CTL actifs et aident les lymphocytes B à se différencier en cellules productrices d'anticorps (voir les chapitres 5 et 7).

Les lymphocytes T $CD8^+$ qui reconnaissent les peptides microbiens associés aux molécules du CMH de classe I sur les macrophages sont également en mesure d'activer les macrophages afin qu'ils détruisent les microbes intracellulaires. Il faut rappeler que les peptides associés aux molécules du CMH de classe I sont produits à partir de protéines cytoplasmiques, qui peuvent provenir de microbes phagocytés (et bien entendu également de l'infection de cellules non phagocytaires). Certains microbes sont ingérés par les macrophages dans des vacuoles, puis les microbes ou leurs protéines traversent les membranes de ces vacuoles pour pénétrer dans le cytoplasme, où ils sont apprêtés en peptides se liant aux molécules de classe I du CMH. Dans ce type d'infections, les lymphocytes T $CD8^+$ ont également pour fonction d'activer les macrophages, par l'intermédiaire d'un mécanisme fondamentalement identique à celui utilisé par les lymphocytes T $CD4^+$, à savoir une activation assurée par CD40L et l'IFN-γ. L'activation des macrophages n'est pas efficace dans la défense contre des microbes, comme les virus, qui vivent et se répliquent uniquement dans le cytoplasme, dans la mesure où les mécanismes microbicides des macrophages sont en grande partie limités aux vacuoles. Bien entendu, l'activation des macrophages joue également un rôle négligeable dans l'élimination des infections virales dans des cellules autres que ces phagocytes.

Élimination des microbes par les macrophages activés

L'activation des macrophages conduit à l'expression d'enzymes qui catalysent la production de substances microbicides dans les phagosomes et les phagolysosomes (voir la figure 6.7). Nous avons décrit les mécanismes microbicides des phagocytes activés dans le chapitre 2, lorsque le rôle des phagocytes dans l'immunité innée a été discuté (voir la figure 2.9, dans le chapitre 2). Rappelons les points essentiels : les principales substances microbicides produites dans les lysosomes des macrophages sont les intermédiaires réactifs de l'oxygène (ROI), le monoxyde d'azote (NO) et les enzymes protéolytiques. Ces mécanismes sont activés dans l'immunité innée lorsque les macrophages rencontrent les microbes. Comme cela a été décrit précédemment, les lymphocytes T_H1 effecteurs sont de puissants activateurs de ces mêmes mécanismes microbicides dans l'immunité cellulaire. Celle-ci est essentielle dans les défenses de l'hôte dans deux types de situations : lorsque les macrophages ne sont pas activés par les microbes eux-mêmes (c'est-à-dire lorsque l'immunité innée est inefficace), et lorsque les microbes pathogènes ont évolué pour résister aux mécanismes de défense de l'immunité innée. Dans ces situations, l'activation supplémentaire des macrophages par les lymphocytes T modifie l'équilibre entre les microbes et les défenses de l'hôte en faveur des macrophages, ce qui permet ainsi d'éradiquer les infections intracellulaires.

Les substances toxiques pour les microbes peuvent léser les tissus normaux si elles sont libérées dans le milieu extracellulaire, dans la mesure où ces substances ne sont pas à même de distinguer les microbes des cellules de l'hôte. C'est la raison des lésions tissulaires (comme l'indique le terme « hypersensibilité ») dans les réactions d'HSR, qui accompagnent souvent l'immunité cellulaire protectrice. C'est également la raison pour laquelle l'activation prolongée des macrophages dans les réactions immunitaires cellulaires chroniques est associée à des lésions très importantes des tissus normaux adjacents. Par exemple, dans les infections à mycobactéries, qui sont difficiles à éradiquer, une grande partie de la pathologie est provoquée par la réponse prolongée des lymphocytes T et des macrophages qui tentent d'isoler les bactéries. Sur le plan histologique, de telles réponses immunitaires cellulaires chroniques se traduisent souvent par la formation de granulomes, qui sont des accumulations de lymphocytes et de macrophages activés accompagnées de fibrose et de nécrose tissulaire.

Les macrophages activés assurent plusieurs rôles, outre l'élimination des microbes, qui sont importants dans l'immunité cellulaire (voir la figure 2.8, dans le chapitre 2). Les macrophages activés sécrètent des cytokines, notamment le TNF et l'IL-1, et des chimiokines, qui stimulent le recrutement des neutrophiles, des monocytes et des lymphocytes T effecteurs dans le foyer infectieux. Les macrophages produisent d'autres cytokines, comme le facteur de croissance dérivé des plaquettes (PDGF), qui stimule la croissance et les activités des fibroblastes et des cellules endothéliales, favorisant la réparation des tissus après élimination de l'infection. L'activation des macrophages conduit également à l'augmentation de l'expression des molécules du CMH de classe II et des molécules de costimulation sur ces cellules, favorisant

© 2009 Elsevier Masson SAS. Tous droits réservés

ainsi leur fonction de présentation de l'antigène, qui permet l'activation des lymphocytes T et amplifie la réaction immunitaire cellulaire.

Rôle des lymphocytes T_H2 dans l'immunité cellulaire

La sous-population T_H2 de lymphocytes T CD4$^+$ induit une inflammation riche en éosinophiles, et intervient également dans l'atténuation des conséquences nocives de l'activation des macrophages. Lorsque les lymphocytes T_H2 différenciés reconnaissent les antigènes, ces cellules produisent les cytokines IL-4 et IL-5 (ainsi que l'IL-10, également produite par de nombreuses autres populations cellulaires). L'IL-4 stimule la production d'anticorps IgE, tandis que l'IL-5 active les éosinophiles. Cette réaction est importante pour la défense contre les infections à helminthes. En effet, les helminthes sont tués par les protéines des granules des éosinophiles activés et par l'activation des mastocytes qui dépend de l'IgE. Les mastocytes libèrent des médiateurs qui sont toxiques pour les parasites ou favorisent leur expulsion de l'intestin.

Plusieurs cytokines produites par les lymphocytes T_H2, notamment l'IL-4, l'IL-10 et l'IL-13, inhibent les activités microbicides des macrophages. L'IL-4 et l'IL-13 peuvent aussi faire exprimer des récepteurs du mannose par les macrophages, et l'IL-13 fait augmenter la synthèse de collagène par les fibroblastes et donc la fibrose. Ce type de réponse des macrophages est appelé activation alternative des macrophages afin de la distinguer de l'activation classique, qui amplifie les fonctions microbicides. L'activation alternative des macrophages par les cytokines de type T_H2 peut jouer un rôle dans la réparation tissulaire, mais peut aussi contribuer à des lésions tissulaires en favorisant des infections parasitaires chroniques et les maladies allergiques.

L'activation relative des cellules T_H1 et T_H2 en réponse à un agent pathogène peut déterminer l'issue de l'infection (figure 6.9). Par exemple, *Leishmania major*, un protozoaire parasite, vit à l'intérieur des macrophages, et son élimination nécessite l'activation des macrophages par les lymphocytes T_H1 spécifiques de *L. major*. La plupart des souches pures de souris développent contre le parasite une réponse efficace de type T_H1 et sont donc capables d'éradiquer l'infection. Chez certaines souches pures de souris, la réponse à *L. major* est dominée par les lymphocytes T_H2, et ces souris succombent à l'infection. *Mycobacterium leprae*, la bactérie responsable de la lèpre, est un agent pathogène pour l'homme qui vit également à l'intérieur des macrophages et peut être éliminé par

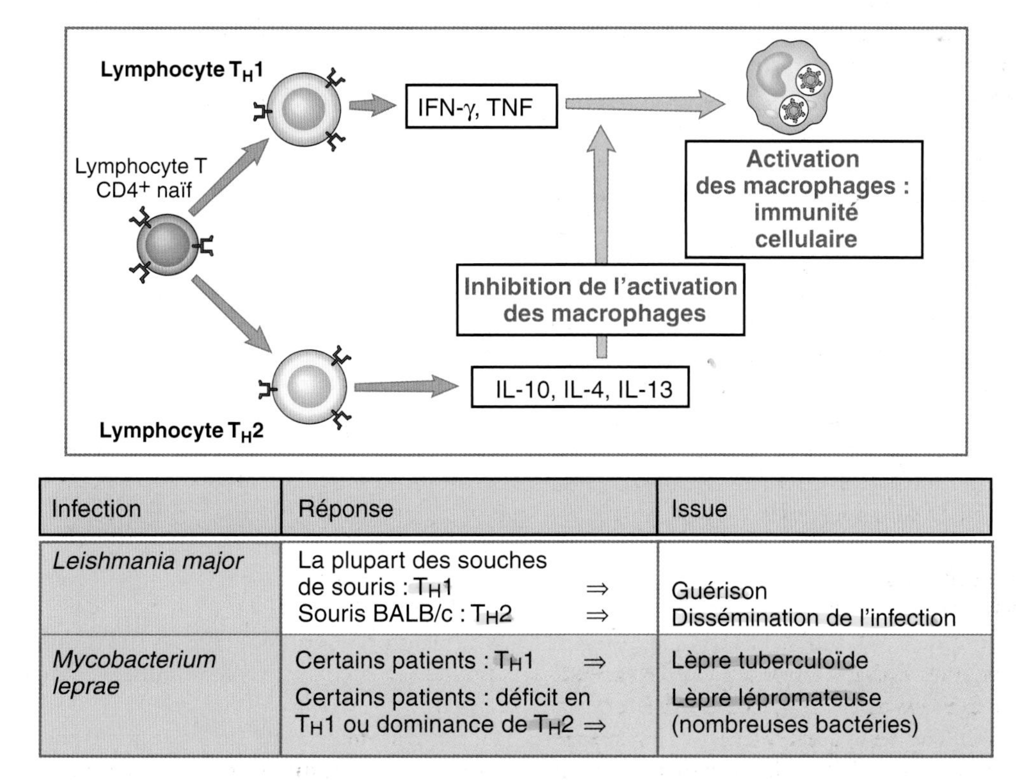

Infection	Réponse	Issue
Leishmania major	La plupart des souches de souris : TH1 ⇒ Souris BALB/c : TH2 ⇒	Guérison Dissémination de l'infection
Mycobacterium leprae	Certains patients : TH1 ⇒ Certains patients : déficit en TH1 ou dominance de TH2 ⇒	Lèpre tuberculoïde Lèpre lépromateuse (nombreuses bactéries)

Figure 6.9 L'équilibre entre l'activation des lymphocytes T_H1 et T_H2 détermine l'issue des infections intracellulaires. Les lymphocytes T CD4$^+$ peuvent se différencier en lymphocytes T_H1, qui activent les phagocytes afin qu'ils détruisent les microbes ingérés, et en lymphocytes T_H2, qui inhibent l'activation des macrophages. L'équilibre entre ces deux sous-populations peut influencer l'issue des infections, comme l'illustrent l'infection à *Leishmania* chez la souris et la lèpre chez l'homme.

© 2009 Elsevier Masson SAS. Tous droits réservés

l'immunité cellulaire. Certaines personnes infectées par *M. leprae* sont incapables d'éradiquer l'infection, qui, si elle n'est pas traitée, évolue vers les lésions destructrices typiques de la lèpre lépromateuse. En revanche, d'autres patients développent une forte immunité cellulaire avec des lymphocytes T et des macrophages activés autour de l'infection, laissant peu de bactéries survivantes; cette forme moins destructrice de la maladie est appelée lèpre tuberculoïde. Certaines études ont montré que la forme tuberculoïde était associée à l'activation de lymphocytes T_H1 spécifiques de *M. leprae*, tandis que la forme lépromateuse destructrice était associée à un défaut d'activation des lymphocytes T_H1, et à une réponse essentiellement de type T_H2. Ce principe, selon lequel le profil des cytokines sécrétées par les lymphocytes T en réponse à un pathogène joue un rôle déterminant dans l'évolution de l'infection, pourrait se révéler pertinent pour de nombreuses autres maladies infectieuses.

Comme il a été mentionné précédemment, les macrophages activés sont très efficaces pour détruire les microbes qui sont confinés dans des vacuoles; en revanche, les germes qui pénètrent directement dans le cytoplasme (par exemple des virus) ou qui s'échappent des phagosomes dans le cytoplasme (par exemple certaines bactéries phagocytées) sont relativement résistants aux mécanismes microbicides des phagocytes. L'éradication de ce type de pathogènes nécessite le second mécanisme effecteur principal de l'immunité, à savoir l'intervention des CTL.

Fonctions effectrices des lymphocytes T cytotoxiques CD8⁺

Les CTL CD8⁺ reconnaissent les peptides associés aux molécules du CMH de classe I sur les cellules infectées et les tuent, éliminant ainsi le réservoir de l'infection (figure 6.10). Les sources de peptides associés aux molécules de classe I sont les antigènes protéiques synthétisés dans le cytoplasme et les antigènes protéiques des microbes phagocytés qui se sont échappés des vacuoles phagocytaires pour pénétrer dans le cytoplasme (voir le chapitre 3). Les CTL CD8⁺ différenciés reconnaissent les complexes peptides-molécules du CMH de classe I à la surface des cellules infectées par leur récepteur des lymphocytes T (TCR) et le corécepteur CD8. Ces cellules infectées sont également appelées « cibles » des CTL, car elles sont destinées à être tuées par les CTL. Les lymphocytes T cytotoxiques adhèrent fortement aux cellules principalement grâce aux intégrines des CTL se liant à leurs ligands sur les cellules infectées. Les récepteurs d'antigène et les corécepteurs du CTL se regroupent au site de contact avec la cellule cible, formant une synapse immunologique (voir le chapitre 5). Les CTL sont activés par la reconnaissance de l'antigène et une forte adhérence; à ce stade de leur vie, les CTL ne nécessitent pas de costimulation ni d'aide des lymphocytes T pour leur

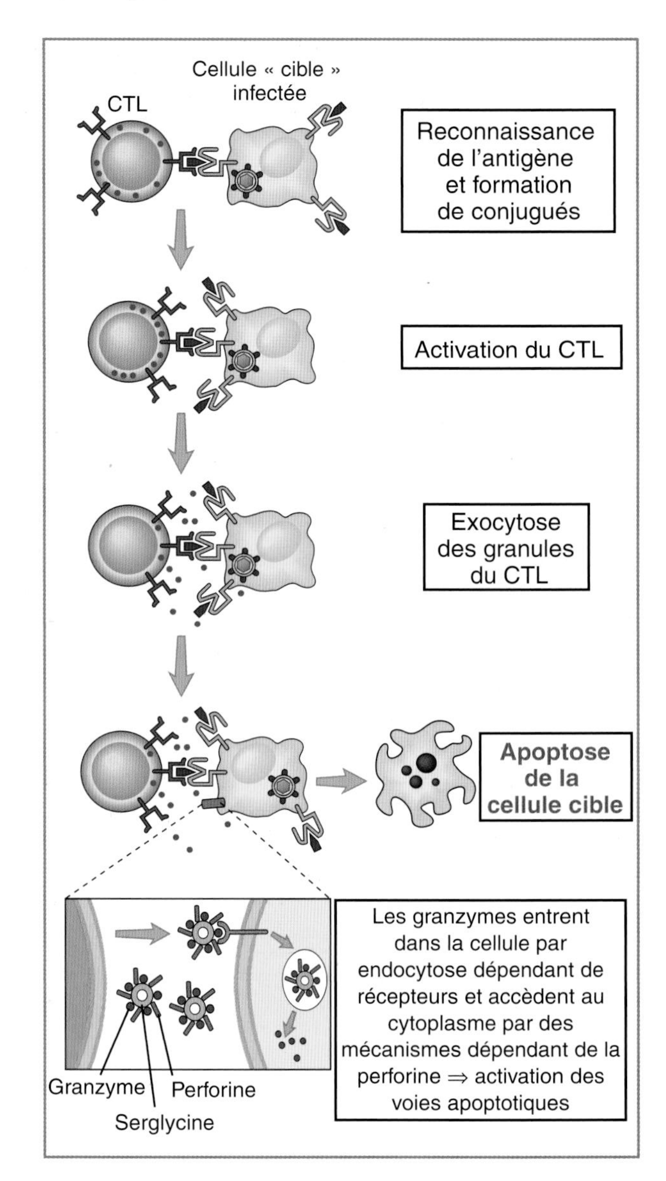

Figure 6.10 Mécanismes de destruction des cellules infectées par les lymphocytes T cytotoxiques CD8⁺ (CTL). Les CTL reconnaissent, dans les cellules infectées, les peptides des microbes cytoplasmiques associés aux molécules du CMH de classe I et adhèrent étroitement à ces cellules. Les molécules d'adhérence, notamment les intégrines, stabilisent la liaison des CTL aux cellules infectées (non représenté). Les CTL activés libèrent (par « exocytose ») le contenu de leurs granules vers la cellule infectée (« cible » des CTL). Le contenu des granules pénètre dans la cellule cible par endocytose dépendante de récepteurs et les granzymes sont libérés dans le cytoplasme par un mécanisme dépendant de la perforine. Les granzymes induisent alors l'apoptose.

activation. Par conséquent, les CTL différenciés sont en mesure de tuer toute cellule infectée dans n'importe quel tissu.

La reconnaissance de l'antigène par les CTL effecteurs déclenche l'activation des voies de transduction de signaux qui conduisent à l'exocytose du contenu des granules des CTL au niveau de la région de contact avec les cellules cibles. Les CTL tuent leurs cibles surtout en

© 2009 Elsevier Masson SAS. Tous droits réservés

délivrant, dans celles-ci, les protéines de leurs granules. Cette activité dépend essentiellement de deux types de protéines, les granzymes et la perforine. Les **granzymes** sont des enzymes qui clivent et activent ainsi des enzymes appelées caspases qui sont présentes dans le cytoplasme des cellules cibles et qui induisent l'apoptose lorsqu'elles sont activées. Les caspases tirent leur nom du fait qu'il s'agit de cystéine protéases qui clivent les protéines à hauteur des résidus d'acide aspartique ; leur fonction principale est d'induire l'apoptose. La **perforine** est nécessaire à la décharge des granzymes dans le cytoplasme de la cible. La perforine et les granzymes peuvent entrer dans les cellules par endocytose dépendant de récepteurs, les deux protéines se liant à une glycoprotéine sulfatée appelée serglycine. La perforine peut alors s'insérer dans la membrane endosomiale et faciliter le transfert transmembranaire dans le cytoplasme. Les CTL activés expriment aussi une protéine membranaire appelée, ligand de Fas, qui se lie à un récepteur inducteur de mort, appelé Fas (CD95) sur les cellules cibles (voir, dans le chapitre 9, la figure 9.6). L'interaction de Fas active les caspases et induit l'apoptose de la cible ; ce mode de mise à mort par les CTL ne requiert pas d'exocytose granulaire et constitue probablement une voie moins importante. Ces mécanismes effecteurs des CTL aboutissent à la mort des cellules infectées. Les cellules en apoptose sont rapidement phagocytées puis éliminées. Les mécanismes qui induisent la fragmentation de l'ADN de la cellule cible, qui est l'élément caractéristique de l'apoptose, sont également en mesure de dégrader l'ADN des microbes vivant à l'intérieur des cellules infectées. Chaque CTL peut tuer une cellule cible, se détacher, et continuer à en tuer d'autres.

Comme mentionné précédemment, les lymphocytes T CD8$^+$ secrètent de l'IFN-γ, une cytokine qui active les macrophages afin qu'ils détruisent les microbes phagocytés et qui favorise le recrutement de leucocytes supplémentaires. Par conséquent, les CTL CD8$^+$, tout comme les lymphocytes auxiliaires CD4$^+$, contribuent à l'élimination des microbes ingérés par les phagocytes.

Bien que nous ayons décrit séparément les fonctions effectrices des lymphocytes T CD4$^+$ et des lymphocytes T CD8$^+$, il apparaît clairement dans cette présentation que ces types de lymphocytes T coopèrent pour éradiquer les microbes intracellulaires (figure 6.11). Si les microbes phagocytés restent séquestrés dans les vacuoles des macrophages, les lymphocytes T CD4$^+$ peuvent être en mesure, à eux seuls, d'éradiquer ces infections en sécrétant de l'IFN-γ et en activant les mécanismes microbicides des macrophages. Toutefois, si les microbes parviennent à s'échapper des vacuoles dans le cytoplasme, ils deviennent insensibles à l'activation des macrophages par les lymphocytes T, et leur élimination nécessite l'intervention des CTL CD8$^+$ pour détruire les cellules infectées.

Résistance des microbes pathogènes à l'immunité cellulaire

Des microbes ont mis au point différents mécanismes de résistance aux défenses assurées par les lymphocytes T (figure 6.12). De nombreuses bactéries intracellulaires,

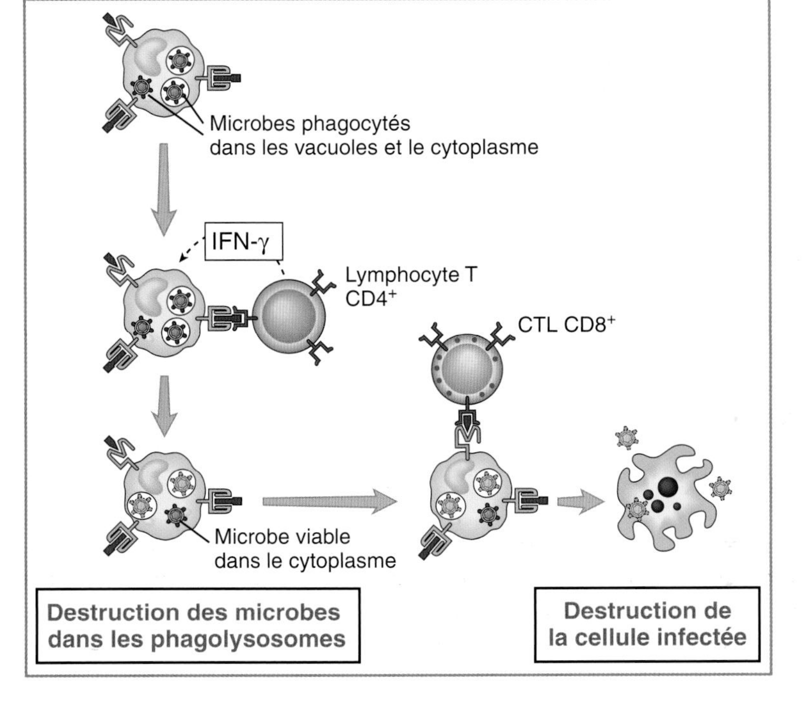

Figure 6.11 Coopération entre lymphocytes T CD4$^+$ et CD8$^+$ pour l'éradication des infections intracellulaires. Dans un macrophage infecté par une bactérie intracellulaire, certaines des bactéries sont séquestrées dans des vacuoles (phagosomes) et d'autres peuvent s'échapper dans le cytoplasme. Les lymphocytes T CD4$^+$ reconnaissent les antigènes dérivés des microbes vacuolaires et activent le macrophage afin qu'il détruise les microbes se trouvant dans les vacuoles. Les lymphocytes T CD8$^+$ reconnaissent les antigènes provenant des bactéries cytoplasmiques et sont nécessaires pour tuer la cellule infectée, éliminant ainsi le réservoir de l'infection.

© 2009 Elsevier Masson SAS. Tous droits réservés

Microbe	Mécanisme
Mycobactérie	Inhibition de la fusion des phagolysosomes
Virus herpès simplex (HSV)	Inhibition de la présentation de l'antigène : le peptide du HSV interfère avec le transporteur TAP
Cytomégalovirus (CMV)	Inhibition de la présentation de l'antigène : inhibition de l'activité du protéasome; élimination des molécules du CMH de classe I du réticulum endoplasmique (RE)
Virus d'Epstein-Barr (EBV)	Inhibition de la présentation de l'antigène : inhibition de l'activité du protéasome
Virus d'Epstein-Barr (EBV)	Production d'IL-10, inhibition de l'activation des macrophages et des cellules dendritiques
Poxvirus	Inhibition de l'activation des lymphocytes effecteurs : production de récepteurs de cytokines solubles

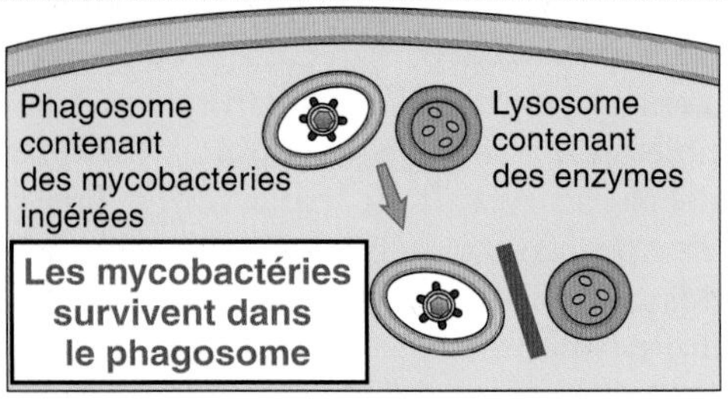

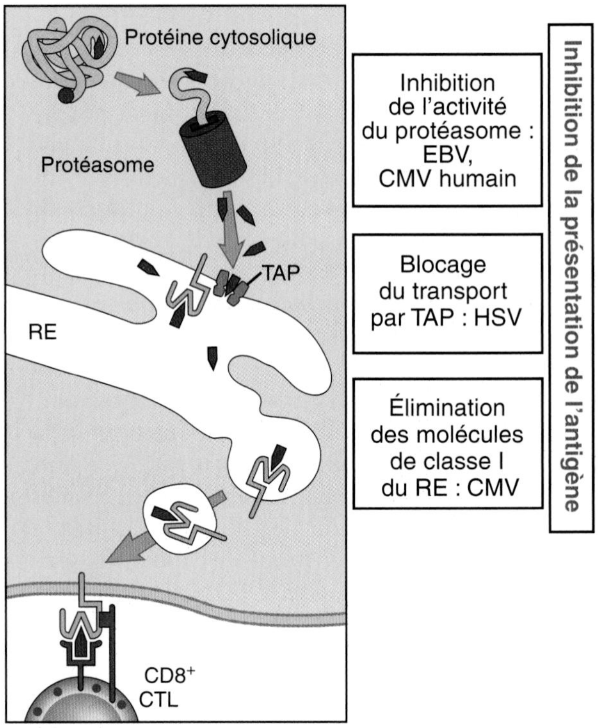

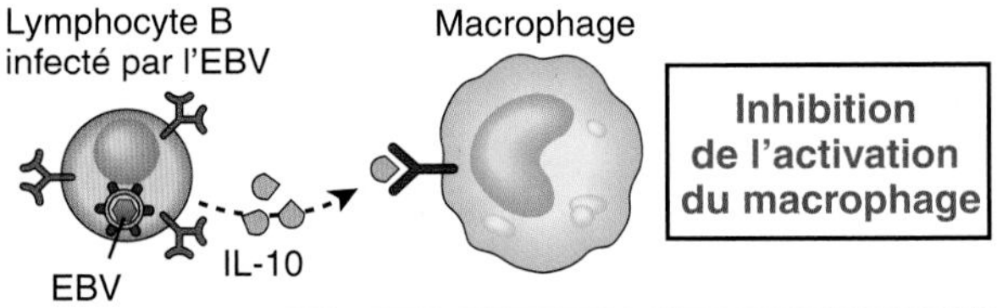

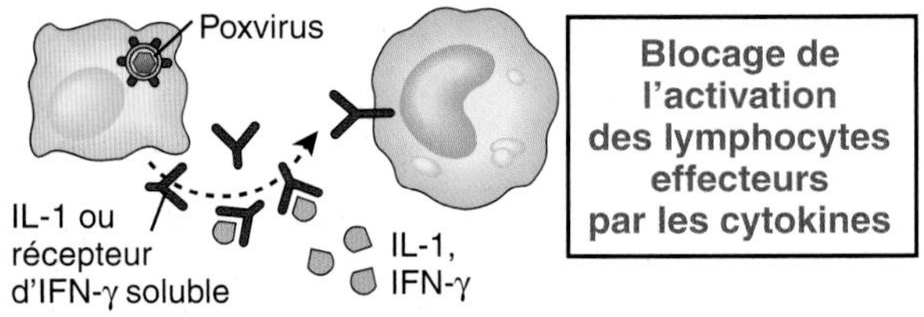

Figure 6.12 Échappement des microbes à l'immunité cellulaire. Diverses bactéries et virus résistent aux mécanismes effecteurs de l'immunité cellulaire par différents mécanismes, dont certains sont représentés dans le schéma. TAP : *transporter associated with antigen processing* ou transporteur associé à l'apprêtement de l'antigène.

© 2009 Elsevier Masson SAS. Tous droits réservés

notamment *Mycobacterium tuberculosis*, *Legionella pneumophila* et *Listeria monocytogenes*, inhibent la fusion des phagosomes avec les lysosomes, et créent des pores dans les membranes des phagosomes pour s'échapper dans le cytoplasme. Par conséquent, ces microbes sont en mesure de résister aux mécanismes germicides des phagocytes, de survivre, et même de se répliquer, à l'intérieur des phagocytes. De nombreux virus inhibent l'apprêtement de l'antigène associé aux molécules du CMH de classe I, en empêchant leur production ou leur expression, en bloquant le transport des peptides antigéniques du cytosol au réticulum endoplasmique (RE), ou en éliminant du RE les molécules de classe I nouvellement synthétisées. Tous ces mécanismes viraux réduisent la charge en peptides viraux des molécules du CMH de classe I. Ce chargement défectueux entraîne une réduction de l'expression des molécules du CMH de classe I à la surface cellulaire, puisque les molécules de classe I vides sont instables et ne sont pas exprimées à la surface des cellules. Il est intéressant de noter que les cellules NK sont activées par des cellules présentant un déficit en molécules de classe I (voir le chapitre 2). Par conséquent, les défenses de l'hôte ont évolué pour contrecarrer les mécanismes d'échappement des virus : les CTL reconnaissent les peptides viraux associés aux molécules du CMH de classe I, mais comme les virus inhibent l'expression de ces molécules, les cellules NK ont évolué pour détecter leur absence. D'autres virus produisent des cytokines inhibitrices ou des récepteurs de cytokines solubles (« leurres ») qui se lient aux cytokines comme l'IFN-γ et les « absorbent », réduisant ainsi la quantité de cytokines disponibles pour déclencher des réactions immunitaires cellulaires. Certains virus évitent l'élimination et s'installent de manière chronique en stimulant l'expression du récepteur inhibiteur PD-1 (voir le chapitre 5) sur les cellules T $CD8^+$ et inhibent ainsi les fonctions effectrices des CTL. D'autres virus infectent directement les lymphocytes T et les tuent ; le meilleur exemple d'un tel virus est le virus de l'immunodéficience humaine, qui est capable de survivre chez les personnes infectées en tuant les lymphocytes T $CD4^+$. L'issue de ces infections est influencée par la puissance des défenses de l'hôte et la capacité des agents pathogènes à résister à ces défenses. Le même principe reste applicable lorsque l'on considère les mécanismes effecteurs de l'immunité humorale.

L'une des approches permettant de faire pencher l'équilibre entre l'hôte et les microbes en faveur de l'immunité protectrice est de vacciner les individus pour stimuler les réponses immunitaires. Les principes des stratégies vaccinales sont décrits à la fin du chapitre 8, après la description de l'immunité humorale.

© 2009 Elsevier Masson SAS. Tous droits réservés

Résumé

- L'immunité cellulaire est la branche de l'immunité adaptative qui éradique des infections provoquées par des microbes intracellulaires. Les réactions de l'immunité cellulaire sont de deux types : les lymphocytes T CD4$^+$ activent les macrophages qui détruisent alors les microbes ingérés et capables de survivre dans les vacuoles des phagocytes, tandis que les CTL CD8$^+$ tuent les cellules hébergeant des microbes dans leur cytoplasme, supprimant ainsi les réservoirs de l'infection.
- Les lymphocytes T effecteurs sont générés dans les organes lymphoïdes périphériques, principalement dans les ganglions lymphatiques drainant les sites d'entrée des microbes, par l'activation des lymphocytes T naïfs. Les lymphocytes T effecteurs sont capables de migrer vers n'importe quel site d'infection.
- La migration des lymphocytes T effecteurs est contrôlée par des molécules d'adhérence, qui sont induites sur ces cellules après leur activation et qui se lient à leurs ligands eux-mêmes induits sur les cellules endothéliales par les microbes et par les cytokines produites au cours des réponses immunitaires innées déclenchées par ces microbes. La migration des lymphocytes T est indépendante de l'antigène, mais les lymphocytes qui reconnaissent les antigènes microbiens dans les tissus sont retenus dans ces sites.
- Les lymphocytes effecteurs de la sous-population T_H1 des lymphocytes T CD4$^+$ reconnaissent les antigènes des microbes qui ont été ingérés par les macrophages. Ces lymphocytes T expriment le ligand de CD40 et sécrètent de l'IFN-γ, qui activent de concert les macrophages.
- Les macrophages activés produisent des substances, notamment les intermédiaires réactifs de l'oxygène, le monoxyde d'azote et les enzymes lysosomiales, qui tuent les microbes ingérés. Les macrophages produisent également des cytokines qui induisent l'inflammation et d'autres cytokines qui favorisent la fibrose et la réparation des tissus.
- Les lymphocytes T CD4$^+$ effecteurs de la sous-population T_H2 déclenchent une inflammation à éosinophiles et inhibent l'activation des macrophages. Les éosinophiles jouent un rôle important dans les défenses contre les infections parasitaires à helminthes. L'équilibre entre l'activation des lymphocytes T_H1 et T_H2 détermine l'issue de nombreuses infections, les lymphocytes T_H1 favorisant les défenses contre les microbes intracellulaires, et les lymphocytes T_H2 les réprimant.
- Les lymphocytes T CD8$^+$ se différencient en CTL capables de tuer les cellules infectées, principalement en induisant la fragmentation de l'ADN et l'apoptose. Les lymphocytes T CD4$^+$ et CD8$^+$ coopèrent souvent pour éradiquer les infections intracellulaires.
- Un grand nombre d'agents pathogènes ont mis au point des mécanismes pour résister à l'immunité cellulaire. Ces mécanismes comprennent l'inhibition de la fusion des phagolysosomes, l'échappement des vacuoles des phagocytes, l'inhibition de la formation des complexes peptide-molécule du CMH de classe I et la production de cytokines inhibitrices ou de récepteurs de cytokines leurres.

Contrôle des connaissances

1. Quels sont les types de réactions immunitaires assurés par les lymphocytes T qui permettent d'éliminer les microbes séquestrés dans les vacuoles des phagocytes et les microbes vivant dans le cytoplasme des cellules infectées ?
2. Pourquoi les lymphocytes T effecteurs différenciés (qui ont été activés par un antigène) migrent-ils de préférence vers les tissus qui sont des sites d'infection et non vers les ganglions lymphatiques ?
3. Quels sont les mécanismes par lesquels les lymphocytes T activent les macrophages, et quelles sont les réponses des macrophages qui entraînent la destruction des microbes ingérés ?
4. Quels sont les rôles des lymphocytes T_H1 et T_H2 dans les défenses dirigées contre les microbes intracellulaires et les infections parasitaires à helminthes ?
5. Comment les CTL CD8$^+$ tuent-ils les cellules infectées par des virus ?
6. Décrivez certains des mécanismes par lesquels les microbes intracellulaires résistent aux mécanismes effecteurs de l'immunité cellulaire.

© 2009 Elsevier Masson SAS. Tous droits réservés

Chapitre 7

Réponses immunitaires humorales
Activation des lymphocytes B et production d'anticorps

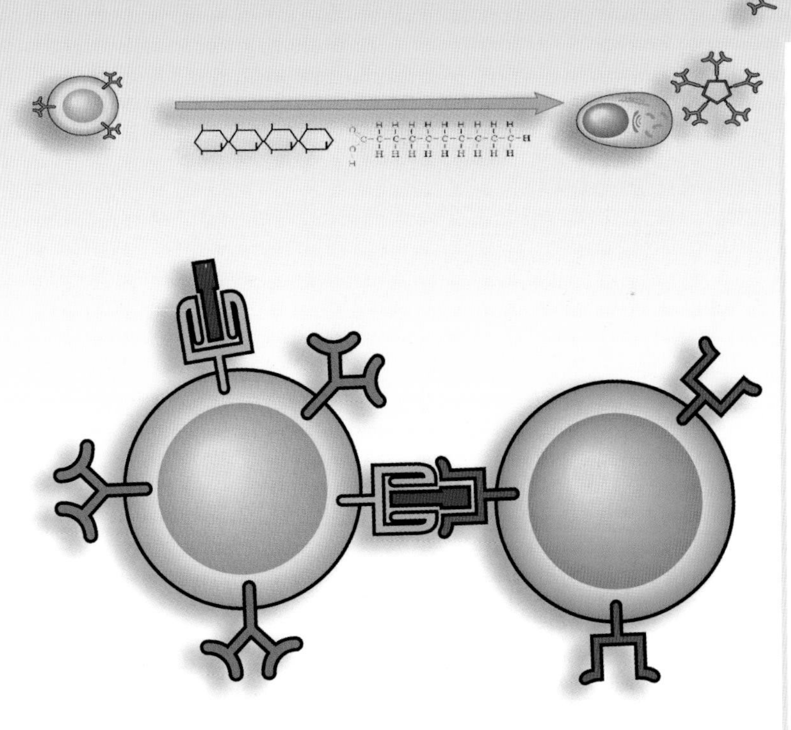

Les anticorps assurent l'immunité humorale qui constitue la branche du système immunitaire adaptatif dont la fonction est de neutraliser et d'éliminer les microbes extracellulaires et les toxines microbiennes. L'immunité humorale joue un rôle plus important que l'immunité cellulaire dans les défenses contre les microbes possédant des capsules riches en polysaccharides et en lipides, et contre les toxines polysaccharidiques et lipidiques. En effet, les lymphocytes B répondent à de nombreux types de molécules en produisant des anticorps

© 2009 Elsevier Masson SAS. Tous droits réservés

spécifiques contre celles-ci, tandis que les lymphocytes T, les médiateurs de l'immunité cellulaire, ne reconnaissent et ne répondent qu'aux antigènes protéiques. Les anticorps sont produits par les lymphocytes B et leur descendance. Les lymphocytes B naïfs reconnaissent les antigènes, mais ne sécrètent pas d'anticorps. Il est nécessaire d'activer ces cellules afin de stimuler leur différenciation en cellules effectrices sécrétant des anticorps. Dans ce chapitre, le processus et les mécanismes de l'activation des lymphocytes B et de la production d'anticorps seront décrits, en s'attachant plus particulièrement à répondre aux questions suivantes :

- Comment les lymphocytes B exprimant des récepteurs sont-ils activés et convertis en cellules sécrétant des anticorps ?
- Comment le processus d'activation des lymphocytes B est-il régulé de telle sorte que les types d'anticorps les plus utiles soient produits en réponse aux différents types de microbes ?

Le chapitre 8 décrit comment les anticorps produits au cours des réponses de l'immunité humorale agissent pour défendre les individus contre les microbes et les toxines.

Phases et types de réponses de l'immunité humorale

Les lymphocytes B naïfs expriment deux classes d'anticorps liés à la membrane, les IgM et les IgD, qui servent de récepteurs d'antigène. Ces lymphocytes B naïfs sont activés par les antigènes et par d'autres signaux qui seront décrits plus loin dans ce chapitre. L'activation des lymphocytes B entraîne la prolifération de cellules spécifiques de l'antigène, appelée **expansion clonale**, ainsi que leur différenciation en cellules effectrices, les **plasmocytes**, qui sécrètent activement des anticorps (figure 7.1). Les anticorps sécrétés présentent la même spécificité que les récepteurs membranaires des lymphocytes B naïfs qui ont reconnu l'antigène déclencheur de la réponse. Une cellule B activée peut générer jusqu'à 4000 plasmocytes, qui peuvent produire jusqu'à 10^{12} molécules d'anticorps par jour. De cette manière, l'immunité humorale peut se développer en parallèle avec la prolifération rapide des microbes. Au cours de leur différenciation, certains lymphocytes B peuvent commencer à produire des anticorps présentant différentes classes de chaînes lourdes (ou isotypes), qui assurent différentes fonctions effectrices et sont spécialisées dans la lutte contre différents types de

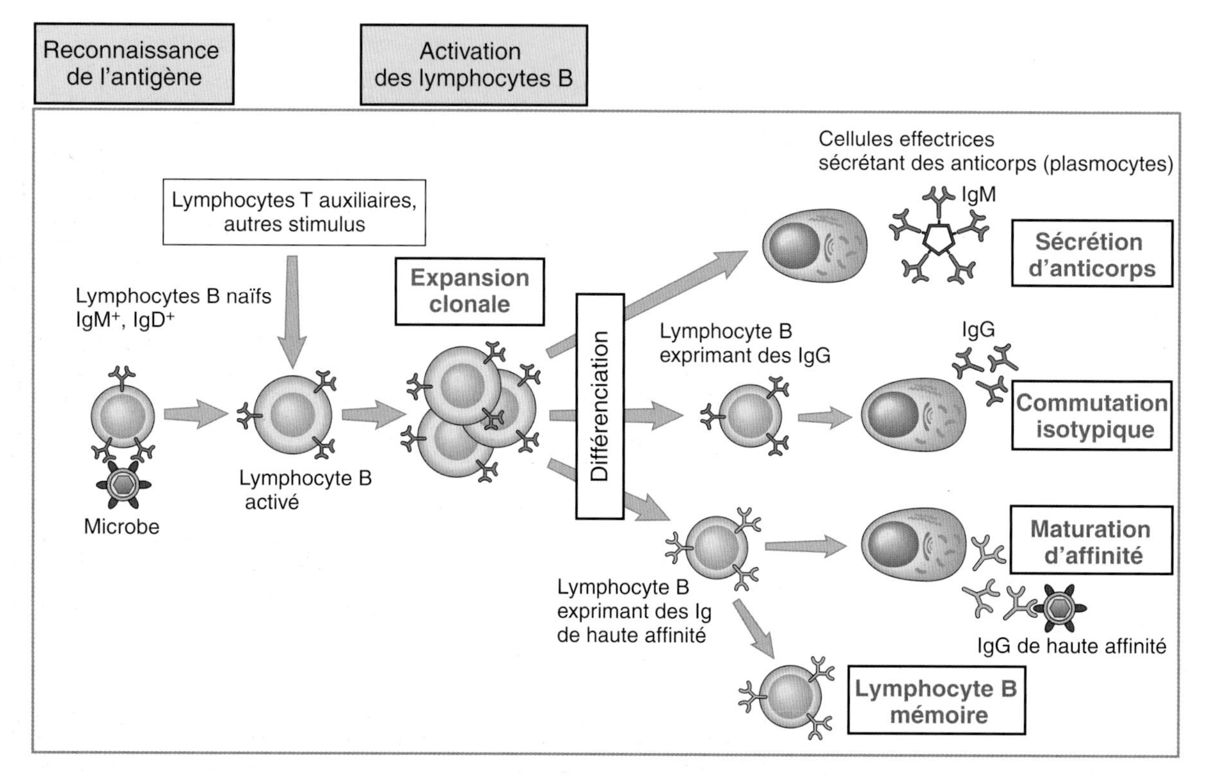

Figure 7.1 Phases des réponses immunitaires humorales. Les lymphocytes B naïfs reconnaissent les antigènes, et sous l'influence des lymphocytes T auxiliaires et d'autres stimulus (non représentés), ils prolifèrent, donnant ainsi naissance à une expansion clonale, et se différencient en cellules effectrices sécrétant des anticorps. Certains lymphocytes B activés subissent une commutation isotypique et une maturation d'affinité, tandis que d'autres deviennent des cellules mémoire à durée de vie prolongée.

© 2009 Elsevier Masson SAS. Tous droits réservés

microbes. Ce processus est dit de **commutation de classes des chaînes lourdes** (ou commutation isotypique). L'exposition répétée à un antigène protéique entraîne la production d'anticorps avec une affinité croissante pour l'antigène. Ce processus est appelé **maturation d'affinité**, et il conduit à la production d'anticorps dotés d'une meilleure capacité de lier et de neutraliser les microbes et leurs toxines.

Les réponses à anticorps dirigées contre différents antigènes sont classées en T-dépendantes ou T-indépendantes selon qu'elles nécessitent ou non la collaboration des lymphocytes T. Les lymphocytes B reconnaissent et sont activés par une large variété d'antigènes : des protéines, des polysaccharides, des lipides et de petites molécules chimiques. Les antigènes protéiques sont apprêtés dans les cellules présentatrices d'antigènes et sont reconnus par les lymphocytes T auxiliaires. Ceux-ci jouent un rôle important dans l'activation des lymphocytes B et sont de puissants inducteurs de commutation isotypique et de maturation d'affinité. On les a qualifiés d'auxiliaires lorsque l'on a découvert leur contribution à la production d'anticorps par les lymphocytes B. Sans l'aide des lymphocytes T, les antigènes protéiques déclenchent peu ou pas de réponses anticorps. Par conséquent, les antigènes protéiques, ainsi que les réponses à anticorps qu'ils suscitent, sont dits « T-dépendants ». Les polysaccharides, les lipides et les autres antigènes non protéiques stimulent la production d'anticorps sans la participation des lymphocytes T auxiliaires. Par conséquent, ces antigènes non protéiques, et les réponses à anticorps dirigés contre eux, sont qualifiés de « T-indépendants ». Les anticorps produits en réponse à des antigènes T-indépendants montrent relativement peu de commutation isotypique et de maturation d'affinité.

Différentes sous-populations de lymphocytes B répondent préférentiellement aux antigènes protéiques et non protéiques (figure 7.2). Une majorité de lymphocytes B sont dits **B folliculaires** car ils résident dans les follicules des organes lymphoïdes. Ces lymphocytes B folliculaires produisent de manière T-dépendante la plus grande partie des anticorps antiprotéiques, dotés d'une forte affinité et pouvant changer de classes ; ce sont eux qui se différencient en plasmocytes à longue durée de vie. Les **lymphocytes B de la zone marginale**, que l'on trouve dans les zones marginales de la pulpe blanche splénique, répondent aux antigènes polysaccharidiques provenant du sang. Quant aux lymphocytes B, dits B-1, ils répondent aux antigènes non protéiques dans les

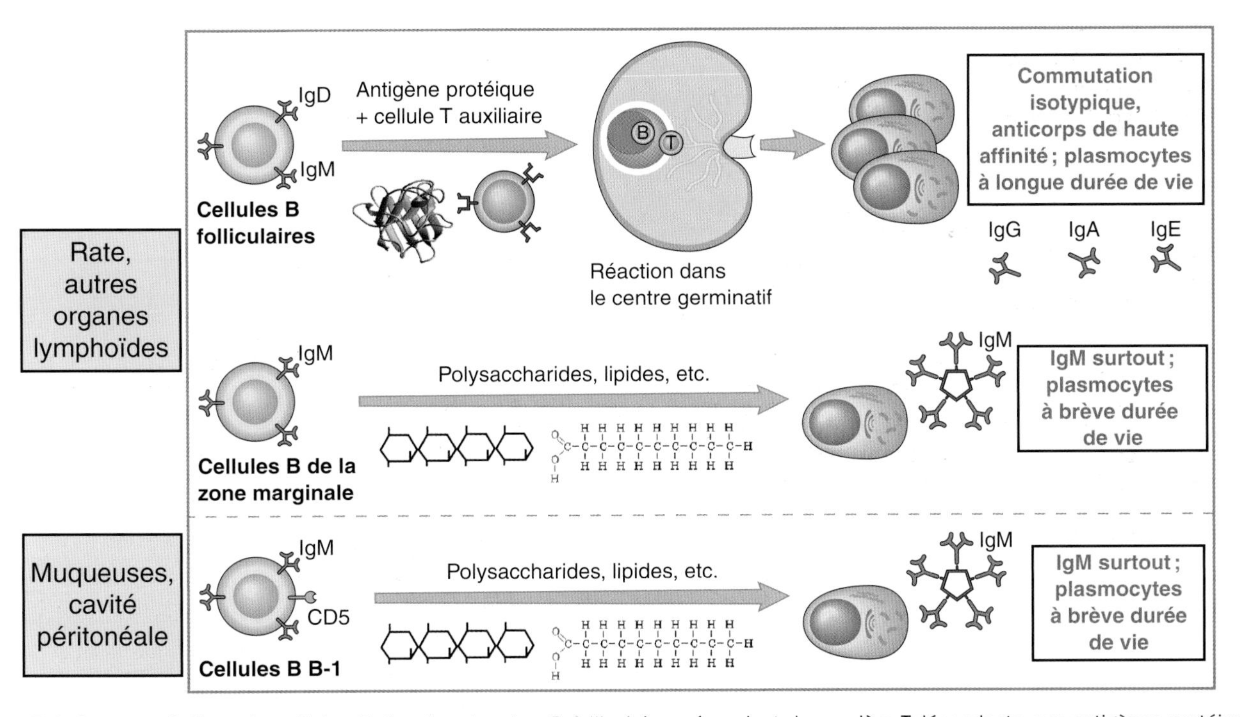

Figure 7.2 Sous-populations de cellules B. Les lymphocytes B folliculaires répondent de manière T-dépendante aux antigènes protéiques, alors que les lymphocytes B de la zone marginale et les B-1 assurent la majeure partie de la production T-indépendante d'anticorps. Chez la souris, on a montré que les lymphocytes B-1 apparaissent plus tôt au cours du développement à partir de progéniteurs présents dans le foie fœtal, alors que les cellules B folliculaires et de la zone marginale arrivent plus tard et à partir de précurseurs de la moelle osseuse. Ces différences dans l'origine de ces sous-populations n'ont pas été trouvées chez l'homme. Notez que les différences dans le type de réponse ne sont pas absolues ; des cellules B folliculaires peuvent répondre de manière T-indépendante et les cellules B de la zone marginale B peuvent parfois répondre de manière T-dépendante.

© 2009 Elsevier Masson SAS. Tous droits réservés

muqueuses et le péritoine. Les lymphocytes B de la zone marginale et les cellules B-1 expriment des récepteurs d'antigène de diversité limitée et produisent surtout des IgM ; ces réponses diffèrent nettement des réponses anti-protéiques T-dépendantes.

La production d'anticorps lors du premier et des contacts ultérieurs avec l'antigène, appelée réponse primaire et secondaire, diffère quantitativement et qualitativement (figure 7.3). Les quantités d'anticorps produites après la première rencontre avec un antigène lors des réponses primaires sont inférieures aux quantités d'anticorps produites après réimmunisation (réponses secondaires). Pour les antigènes protéiques, les réponses secondaires montrent également une amplification de la commutation isotypique et de la maturation d'affinité, en parallèle avec une augmentation du nombre de lymphocytes T auxiliaires à la suite de la stimulation antigénique.

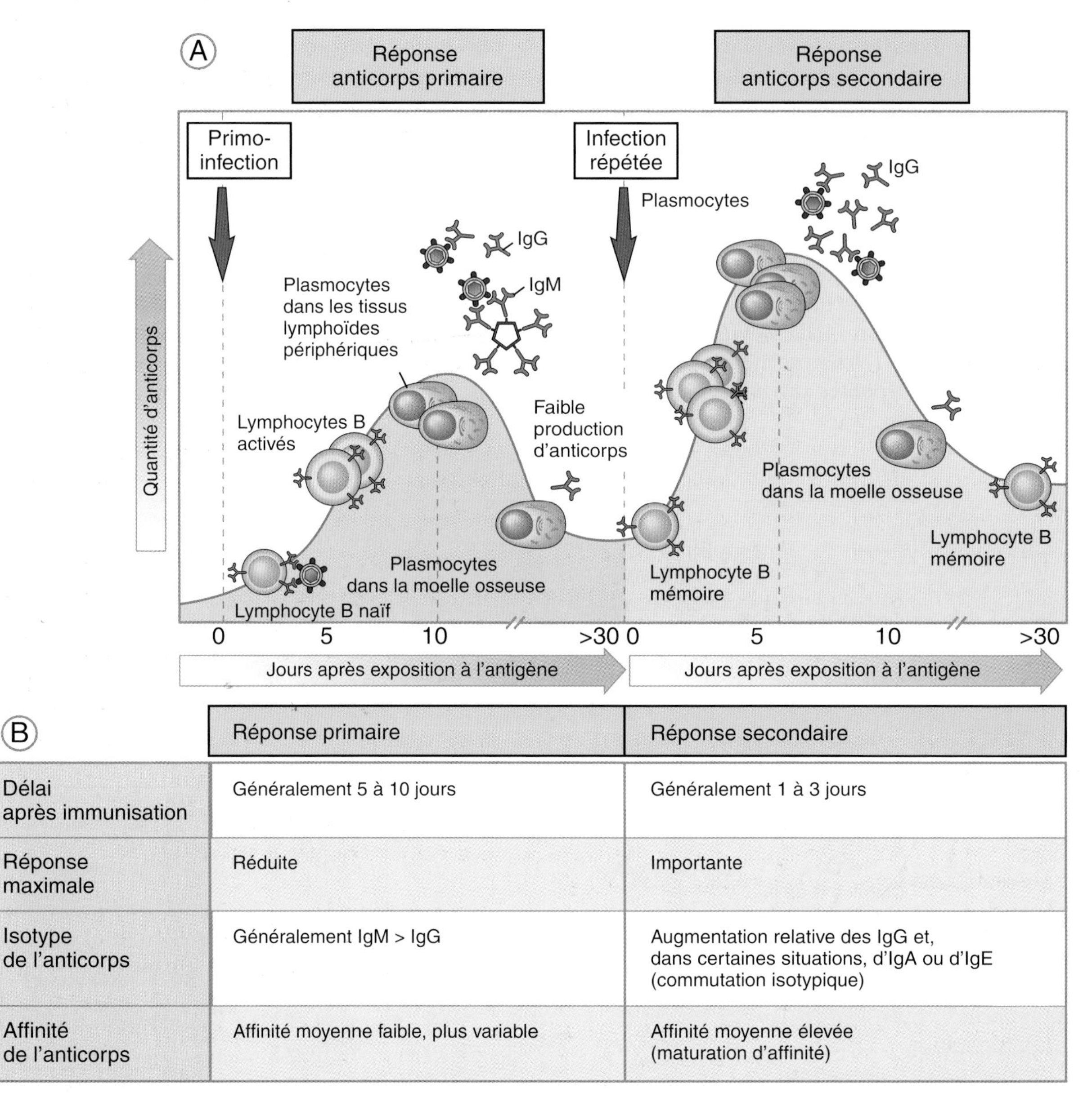

	Réponse primaire	Réponse secondaire
Délai après immunisation	Généralement 5 à 10 jours	Généralement 1 à 3 jours
Réponse maximale	Réduite	Importante
Isotype de l'anticorps	Généralement IgM > IgG	Augmentation relative des IgG et, dans certaines situations, d'IgA ou d'IgE (commutation isotypique)
Affinité de l'anticorps	Affinité moyenne faible, plus variable	Affinité moyenne élevée (maturation d'affinité)

Figure 7.3 Caractéristiques des réponses humorales primaire et secondaire. Les réponses humorales primaire et secondaire diffèrent par divers aspects, illustrés schématiquement dans A et résumés dans B. Lors d'une réponse primaire, les lymphocytes B naïfs dans les tissus lymphoïdes périphériques sont activés afin de proliférer et de se différencier en lymphocytes sécrétant des anticorps (plasmocytes) et en lymphocytes mémoire. Certains plasmocytes peuvent migrer et survivre dans la moelle osseuse pendant de longues périodes. Lors d'une réponse secondaire, les lymphocytes B mémoire sont activés afin de produire de grandes quantités d'anticorps, souvent avec davantage de commutation isotypique et de maturation d'affinité. Un grand nombre des caractéristiques des réponses secondaires (commutation isotypique et maturation d'affinité) sont observées principalement dans les réponses dirigées contre les antigènes protéiques, dans la mesure où ces changements affectant les lymphocytes B sont stimulés par les lymphocytes T auxiliaires, et où seules des protéines peuvent activer les lymphocytes T. La cinétique des réponses peut varier selon les différents antigènes et les différents types d'immunisation.

© 2009 Elsevier Masson SAS. Tous droits réservés

Après cette introduction, nous passons à la description de l'activation des lymphocytes B et de la production d'anticorps en commençant par les réponses des lymphocytes B lors du premier contact avec l'antigène.

Stimulation des lymphocytes B par l'antigène

Les réponses immunitaires humorales sont induites lorsque, les lymphocytes B spécifiques d'un antigène se trouvant dans les follicules lymphoïdes de la rate, des ganglions lymphatiques et des tissus lymphoïdes des muqueuses reconnaissent les antigènes. Certains antigènes microbiens qui pénètrent dans les tissus ou sont présents dans le sang sont transportés et concentrés dans les follicules riches en lymphocytes B et les zones marginales des organes lymphoïdes périphériques. Dans les ganglions lymphatiques, les macrophages qui bordent le sinus sous-capsulaire peuvent capter les antigènes et les présenter aux cellules B dans les follicules adjacents. Les lymphocytes B spécifiques d'un antigène utilisent les immunoglobulines (Ig) membranaires qui leur servent de récepteurs pour reconnaître l'antigène dans sa conformation native (c'est-à-dire sans nécessité d'apprêtement). La reconnaissance de l'antigène déclenche des voies de signalisation qui activent des lymphocytes B. Comme pour les lymphocytes T, l'activation d'un lymphocyte B requiert des signaux supplémentaires à celui qui provient de l'interaction avec l'antigène. La plupart de ces signaux sont produits au cours des réactions immunitaires innées antimicrobiennes. Dans la prochaine section, nous décrirons les mécanismes de l'activation des cellules B et ensuite les conséquences fonctionnelles de la reconnaissance de l'antigène.

Signalisation induite par les antigènes dans les cellules B

Le regroupement induit par l'antigène des récepteurs Ig membranaires déclenche des signaux biochimiques qui sont transmis (transduits) par des molécules de signalisation associées à ces récepteurs (figure 7.4). Le processus d'activation des lymphocytes B est similaire, dans son principe, à celui de l'activation des lymphocytes T (voir le chapitre 5). Dans les lymphocytes B, la transduction des signaux assurée par le récepteur Ig nécessite le pontage d'au moins deux molécules de récepteurs. Le pontage survient lorsque deux, ou plus, molécules antigéniques dans un agrégat, ou des épitopes répétés au sein d'une molécule antigénique, se lient à des molécules d'Ig adjacentes dans la membrane de la cellule B. Les polysaccharides, les lipides et les autres antigènes non protéiques contiennent souvent plusieurs épitopes identiques par molécule et sont par conséquent capables de se lier en même temps à plusieurs récepteurs Ig sur un lymphocyte B.

Les signaux induits par le pontage des récepteurs d'antigène sont transduits par des protéines associées aux récepteurs. Les IgM et les IgD membranaires, les récepteurs d'antigène des lymphocytes B naïfs, sont des protéines hautement variables présentant des domaines cytoplasmiques courts. Ces récepteurs membranaires reconnaissent les antigènes, mais ils sont incapables de transduire les signaux. Les récepteurs sont liés de manière non covalente à deux protéines, appelées Igα et Igβ, l'ensemble formant ainsi le **complexe du récepteur des cellules B (BCR)**, analogue au complexe du récepteur des cellules T (TCR) sur les lymphocytes T. Les domaines cytoplasmiques des protéines Igα et Igβ contiennent des motifs d'activation conservés à base de tyrosine (ITAM, *immunoreceptor tyrosine-based activation motifs*), qui se retrouvent dans les sous-unités de signalisation de nombreux autres récepteurs activateurs du système immunitaire (par exemple les protéines CD3 et ζ du complexe du TCR; voir le chapitre 5). Lorsqu'au moins deux récepteurs d'antigène d'un lymphocyte B sont regroupés, les tyrosines des motifs ITAM d'Igα et d'Igβ sont phosphorylées par des kinases associées au complexe BCR. Ces tyrosines phosphorylées deviennent des sites d'ancrage pour des protéines adaptatrices qui elles-mêmes sont phosphorylées et recrutent ensuite diverses molécules de signalisation. Les cascades de signalisation induites par les récepteurs des lymphocytes B ne sont pas aussi bien comprises que celles qui sont induites dans les lymphocytes T, mais les événements de signalisation sont pratiquement similaires dans les deux populations de lymphocytes (voir, dans le chapitre 5, la figure 5.9). Il résulte de cette signalisation induite par les récepteurs des lymphocytes B une activation de facteurs de transcription spécifiques de gènes codant les protéines impliquées dans la prolifération et la différenciation des lymphocytes B. Quelques-unes des protéines les plus importantes sont décrites plus loin dans ce chapitre.

Rôle des protéines du complément dans l'activation des lymphocytes B

Les lymphocytes B expriment un récepteur pour une protéine du système du complément qui fournit des signaux d'activation aux lymphocytes (figure 7.5). Le système du complément est un ensemble de protéines plasmatiques qui sont activées par les microbes et par les anticorps fixés à ces microbes. Sa fonction dans les mécanismes effecteurs de défense est bien connue (voir le chapitre 8). Lorsque le système du complément est activé par un microbe, le microbe est recouvert par des produits de dégradation de la protéine du complément la plus abondante, C3. L'un de ces produits de dégradation est un fragment appelé C3d. Les lymphocytes B expriment un récepteur, dit récepteur du complément de type 2 (CR2 ou CD21), qui se lie à C3d.

© 2009 Elsevier Masson SAS. Tous droits réservés

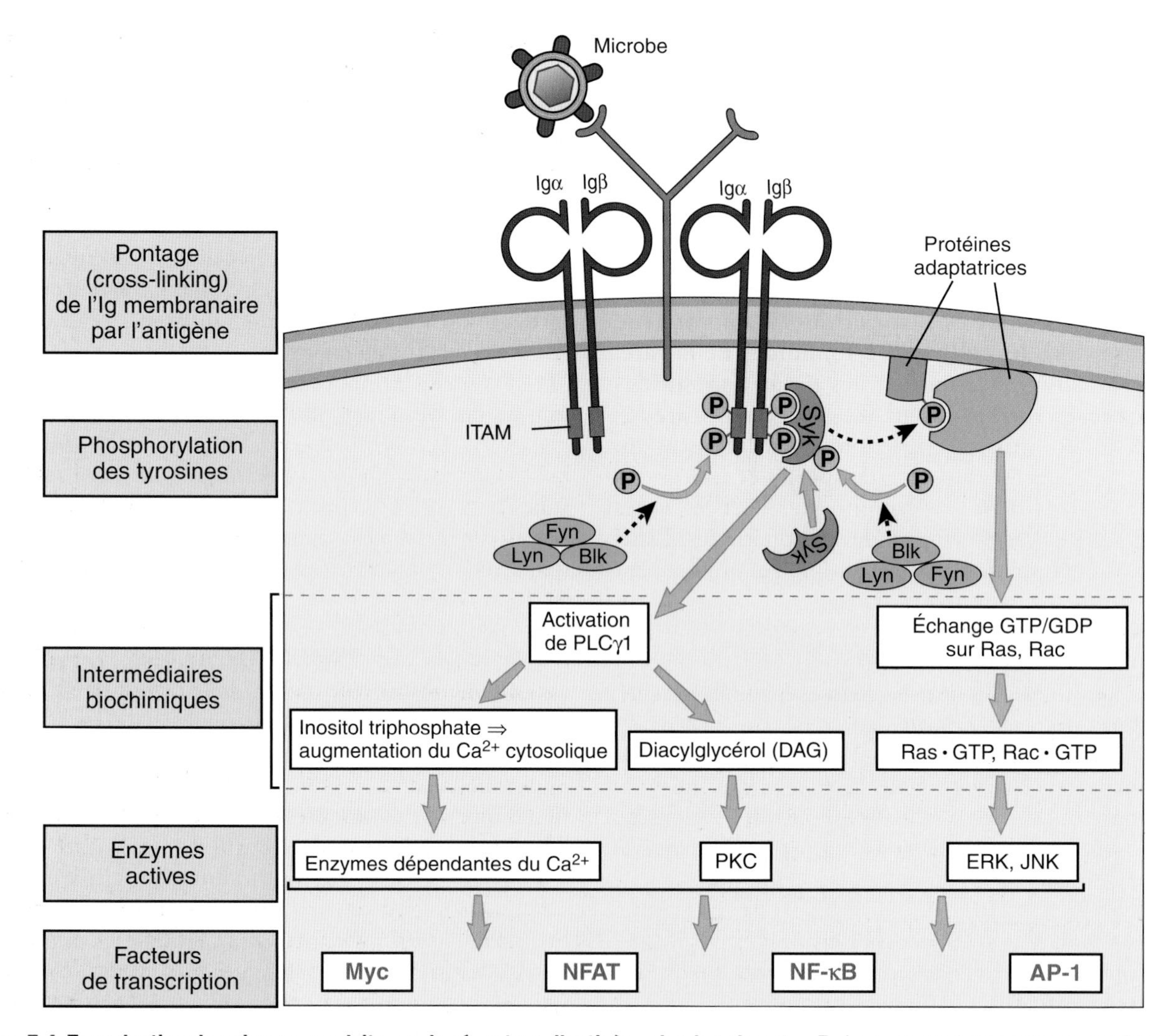

Figure 7.4 Transduction des signaux produits par le récepteur d'antigène des lymphocytes B. Le pontage (*cross-linking*) des Ig membranaires des lymphocytes B par l'antigène déclenche des signaux biochimiques qui sont transmis par les protéines Igα et Igβ associées aux Ig. Ces signaux induisent une phosphorylation des tyrosines, l'activation de différents intermédiaires biochimiques et d'enzymes et l'activation de facteurs de transcription. Des événements de signalisation comparables sont observés dans les lymphocytes T après la reconnaissance de l'antigène. Notez que cette signalisation nécessite le pontage par les antigènes d'au moins deux récepteurs Ig, mais seul un récepteur unique est représenté ici pour plus de simplicité.

Les lymphocytes B spécifiques des antigènes microbiens reconnaissent l'antigène par leurs récepteurs Ig et reconnaissent simultanément C3d lié au microbe par le récepteur CR2. L'engagement de CR2 stimule fortement l'activation des lymphocytes B par l'antigène. Par conséquent, les protéines du complément fournissent les seconds signaux nécessaires à l'activation des lymphocytes B, et fonctionnent en collaboration avec l'antigène (qui constitue le « signal 1 ») afin de déclencher la prolifération et la différenciation des lymphocytes B. Ce rôle joué par le complément dans les réponses immunitaires humorales illustre à nouveau une idée déjà mentionnée selon laquelle les microbes ou les réponses immunitaires innées dirigées contre les microbes fournissent des signaux complémentaires à l'antigène qui sont nécessaires à l'activation lymphocytaire. Dans l'immunité humorale, l'activation du complément constitue la réponse immunitaire innée adéquate, et C3d constitue le second signal pour les lymphocytes B, comme le font les molécules de costimulation des cellules présentatrices d'antigènes pour les lymphocytes T.

Conséquences fonctionnelles de l'activation des lymphocytes B par l'antigène

Les conséquences de l'activation des lymphocytes B par l'antigène (et les seconds signaux) sont de déclencher la prolifération et la différenciation des lymphocytes B, et de les préparer à interagir avec les lymphocytes T

© 2009 Elsevier Masson SAS. Tous droits réservés

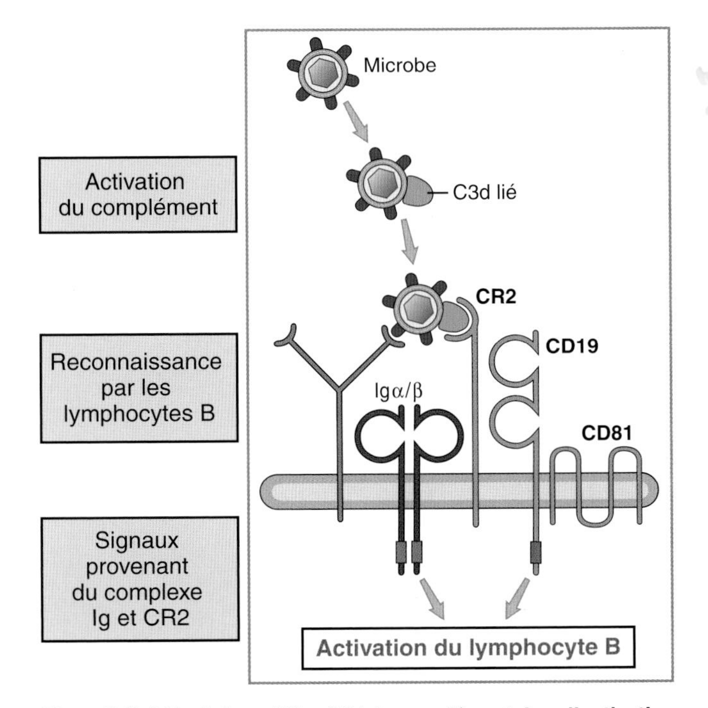

Figure 7.5 Rôle de la protéine C3d du complément dans l'activation des lymphocytes B. L'activation du complément par les microbes conduit à la liaison d'un produit de dégradation du complément, C3d, aux microbes. Le lymphocyte B reconnaît simultanément un antigène microbien (par le récepteur Ig) et se lie à C3d (par le récepteur CR2). Le récepteur CR2 est fixé à un complexe de protéines (CD19, CD81) qui transmet des signaux d'activation dans le lymphocyte B.

auxiliaires (si l'antigène est une protéine) [figure 7.6]. Les lymphocytes B activés entrent dans leur cycle cellulaire et commencent à proliférer, entraînant une expansion des clones spécifiques de l'antigène. Les lymphocytes peuvent également commencer à synthétiser plus d'IgM, et à produire certaines de ces IgM sous forme sécrétée. Par conséquent, la stimulation par l'antigène induit la phase précoce de la réponse immunitaire humorale. Cette réponse est maximale lorsque l'antigène est multivalent, qu'il connecte plusieurs récepteurs d'antigène et qu'il active fortement le complément. Toutes ces conditions sont généralement réunies avec les polysaccharides et les autres antigènes T-indépendants (ces différents points seront discutés plus en détail dans la suite du chapitre). La plupart des antigènes protéiques solubles contiennent peu d'épitopes identiques et ne sont donc pas capables de former des ponts entre plusieurs récepteurs sur les lymphocytes B. Par conséquent, seuls, ils n'induisent que faiblement la prolifération et la différenciation des cellules B. Cependant, les antigènes protéiques induisent des signaux dans les lymphocytes B qui provoquent d'importants changements ; ils augmentent la capacité de ces cellules d'interagir avec les lymphocytes T auxiliaires. L'activation des lymphocytes B entraîne une augmentation de l'expression, d'une part, des molécules de costimulation B7, qui fournissent des seconds signaux pour l'activation des lymphocytes T et, d'autre part, des récepteurs de cytokines, qui sont les médiateurs sécrétés par les lymphocytes T auxiliaires. Les lymphocytes B activés réduisent également l'expression de leurs récepteurs pour les chimiokines produites dans les follicules lymphoïdes, et dont la fonction est de maintenir les lymphocytes B dans ces follicules. Il en résulte que les lymphocytes B activés migrent à l'extérieur des follicules, et se dirigent vers le compartiment anatomique dans lequel les lymphocytes T auxiliaires sont concentrés.

Jusqu'à présent, nous avons décrit comment les lymphocytes B reconnaissent les antigènes et reçoivent les signaux qui déclenchent les réponses immunitaires humorales. Comme nous l'indiquions dans l'introduction du chapitre, les réponses à anticorps dirigées contre les antigènes protéiques nécessitent la participation des lymphocytes T auxiliaires. Aussi, la prochaine section sera consacrée à la description des interactions entre les lymphocytes T auxiliaires et les lymphocytes B au cours des réponses aux antigènes protéiques. Les réponses aux antigènes indépendants sont décrites à la fin du chapitre.

Fonctions des lymphocytes T auxiliaires dans les réponses immunitaires humorales dirigées contre les antigènes protéiques

Pour qu'un antigène protéique stimule une réponse humorale, les lymphocytes B et les lymphocytes T auxiliaires spécifiques de cet antigène doivent être réunis dans les organes lymphoïdes et interagir de telle sorte que la prolifération et la différenciation des lymphocytes B soient stimulées. Nous savons que ce processus fonctionne très efficacement, puisque les antigènes protéiques déclenchent des réponses à anticorps très puissantes dans un délai de 3 à 7 jours après l'exposition à l'antigène. L'efficacité de ce processus soulève plusieurs questions. Comment les lymphocytes B et les lymphocytes T spécifiques des épitopes du même antigène parviennent-ils à se rencontrer, étant donné que les deux types de lymphocytes spécifiques d'un antigène donné sont rares, probablement moins de 1 lymphocyte sur 100 000 ? Comment les lymphocytes T auxiliaires spécifiques d'un antigène interagissent-ils avec les lymphocytes B spécifiques du même antigène et non avec des lymphocytes B non concernés ? Quels signaux sont délivrés par les lymphocytes T auxiliaires afin de stimuler non seulement la sécrétion d'anticorps, mais également les processus particuliers propres à la réponse à anticorps contre les protéines, c'est-à-dire la commutation isotypique et la maturation d'affinité ? Comme le montre la suite de ce chapitre, les réponses à ces questions sont désormais bien comprises.

© 2009 Elsevier Masson SAS. Tous droits réservés

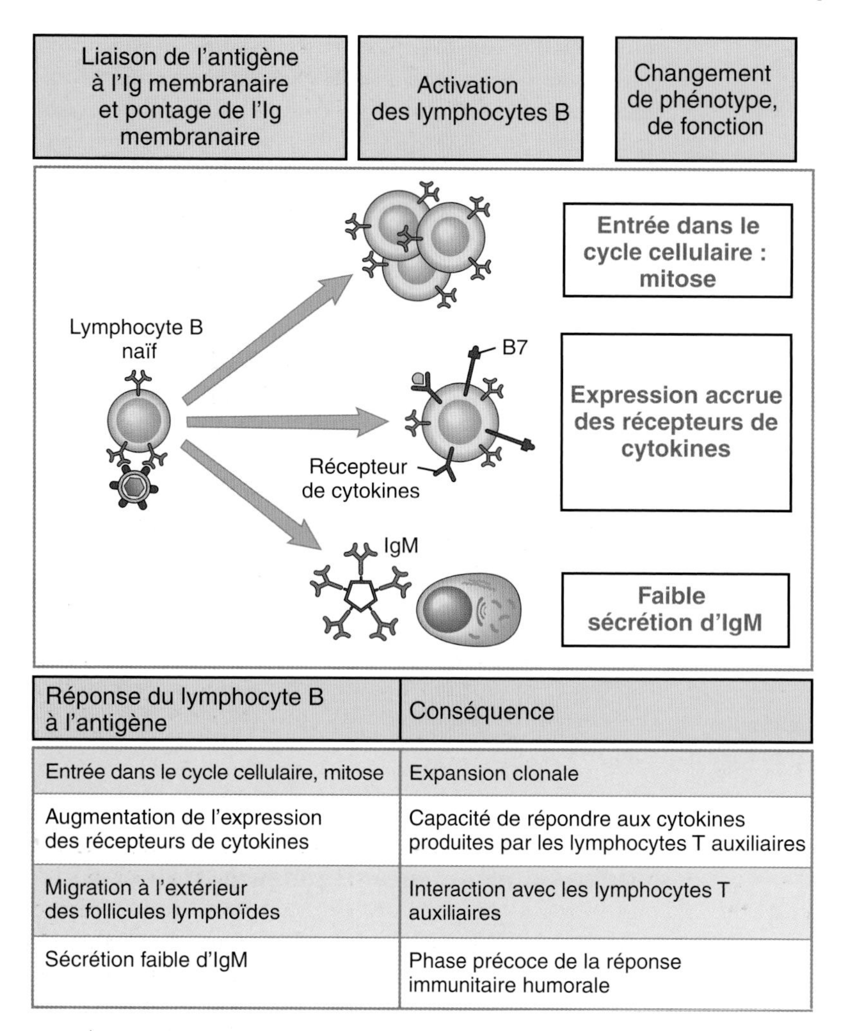

Réponse du lymphocyte B à l'antigène	Conséquence
Entrée dans le cycle cellulaire, mitose	Expansion clonale
Augmentation de l'expression des récepteurs de cytokines	Capacité de répondre aux cytokines produites par les lymphocytes T auxiliaires
Migration à l'extérieur des follicules lymphoïdes	Interaction avec les lymphocytes T auxiliaires
Sécrétion faible d'IgM	Phase précoce de la réponse immunitaire humorale

Figure 7.6 Conséquences fonctionnelles de l'activation du lymphocyte B par les Ig. Les lymphocytes B activés par l'antigène dans les organes lymphoïdes prolifèrent et sécrètent de l'IgM. Cette activation « prépare » le lymphocyte B à activer les lymphocytes T auxiliaires et à répondre à l'aide de ceux-ci en les rejoignant dans les zones des organes lymphoïdes où ils sont abondants.

Activation et migration des lymphocytes T auxiliaires

Les lymphocytes T auxiliaires qui ont été activés afin de se différencier en cellules effectrices interagissent avec les lymphocytes B stimulés par l'antigène en bordure des follicules lymphoïdes des organes lymphoïdes périphériques (figure 7.7). Les lymphocytes T auxiliaires CD4⁺ naïfs se mettent à proliférer et à se différencier en lymphocytes effecteurs producteurs de cytokines suite à la reconnaissance de l'antigène sur les cellules présentatrices d'antigène professionnelles (APC) des organes lymphoïdes. Le processus d'activation des lymphocytes T a été décrit dans le chapitre 5. Rappelons ici les points importants. L'activation initiale des lymphocytes T nécessite la reconnaissance de l'antigène et une costimulation. Les antigènes qui stimulent les lymphocytes T auxiliaires $CD4^+$ proviennent de microbes et de protéines extracellulaires qui sont apprêtés et présentés par les molécules du complexe majeur d'histocompatibilité (CMH) de classe II des APC, dans les zones riches en lymphocytes T des tissus lymphoïdes périphériques. L'activation des lymphocytes T la plus efficace est induite par les antigènes microbiens et par des antigènes protéiques administrés avec des adjuvants, qui stimulent l'expression des molécules de costimulation sur les APC professionnelles. Les lymphocytes T $CD4^+$ peuvent se différencier en lymphocytes effecteurs capables de produire différentes cytokines ; les sous-populations T_H1, T_H2 et T_H17 décrites dans le chapitre 5 sont des exemples de ce type de lymphocytes effecteurs différenciés. Les lymphocytes T effecteurs différenciés commencent à migrer en dehors des sites où ils résident habituellement. Comme indiqué dans le chapitre 6, certains de ces lymphocytes T gagnent la circulation sanguine, trouvent les antigènes microbiens dans des sites distants puis éliminent les microbes par les réactions de l'immunité cellulaire. Parallèlement, d'autres lymphocytes T auxiliaires différenciés migrent vers les bords des follicules lymphoïdes tandis que les lymphocytes B stimulés par l'antigène à l'intérieur des follicules commencent à migrer vers l'extérieur. Cette migration des lymphocytes B et des lymphocytes T en direction les uns des autres dépend de changements d'ex-

© 2009 Elsevier Masson SAS. Tous droits réservés

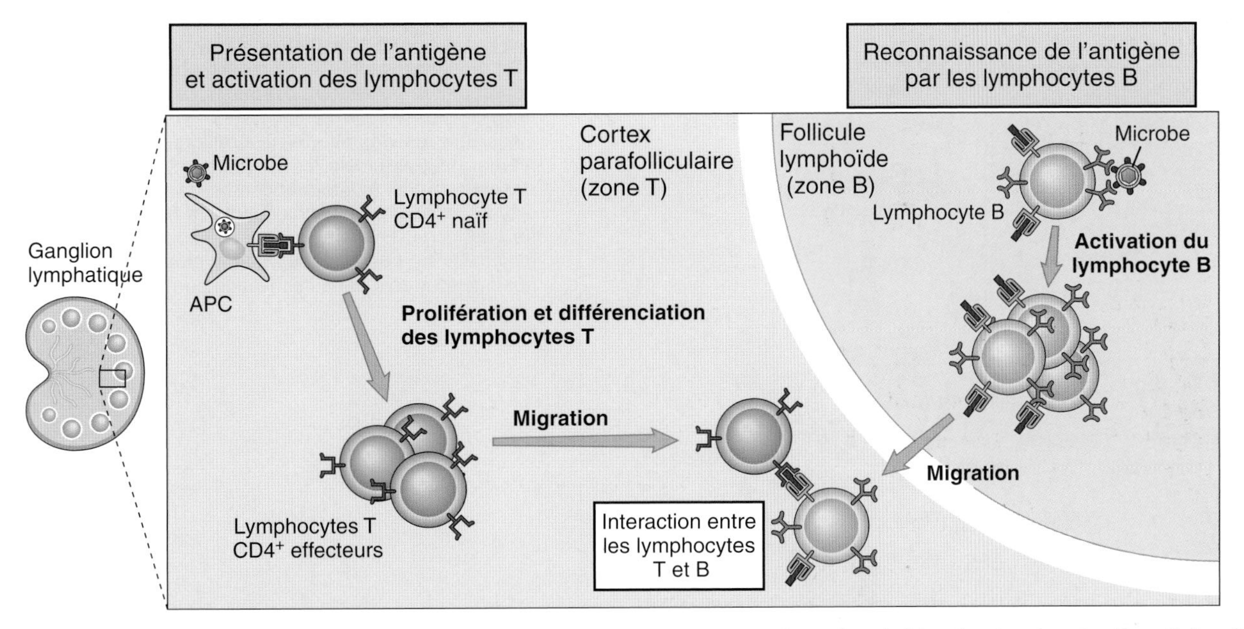

Figure 7.7 Interaction des lymphocytes T auxiliaires et des lymphocytes B dans les tissus lymphoïdes. Les lymphocytes T auxiliaires CD4$^+$ reconnaissent les antigènes protéiques apprêtés et présentés par des cellules dendritiques ; activés, ils se mettent alors à proliférer et à se différencier en cellules effectrices. Ces lymphocytes T effecteurs commencent à migrer en direction des follicules lymphoïdes. Les lymphocytes B naïfs, qui résident dans les follicules, reconnaissent les antigènes, ce qui les conduit à migrer à l'extérieur des follicules. Les deux populations de lymphocytes se rencontrent dans les zones bordant les follicules et interagissent.

pression de certains récepteurs de chimiokines sur les lymphocytes activés. Lors de leur activation, les cellules T réduisent l'expression du récepteur de chimiokine, CCR7, qui reconnaît des chimiokines produites dans les zones des cellules T, et les cellules B réduisent l'expression du récepteur d'une chimiokine produite dans les follicules. Les lymphocytes B et les lymphocytes T migrent les uns vers les autres et se rencontrent en bordure des follicules lymphoïdes, où l'étape suivante de leur interaction peut se dérouler.

Présentation des antigènes par les lymphocytes B aux lymphocytes T auxiliaires

Les lymphocytes B qui se lient aux antigènes protéiques par l'intermédiaire de leurs récepteurs d'antigènes spécifiques ingèrent ces antigènes par endocytose, les apprêtent dans les vésicules endosomiales, et présentent les peptides associés aux molécules du CMH de classe II afin qu'ils soient reconnus par les lymphocytes T auxiliaires CD4$^+$ (figure 7.8). Les Ig membranaires des lymphocytes B sont des récepteurs de haute affinité qui permettent aux lymphocytes B de se lier de manière spécifique à un antigène particulier, même si la concentration extracellulaire de cet antigène est très faible. En outre, l'antigène lié par l'Ig membranaire est ingéré par endocytose de manière très efficace, et transporté dans les vésicules endosomiales intracellulaires dans lesquelles les protéines sont dégradées en peptides qui se lient aux molécules du CMH de classe II (voir le chapitre 3). Par conséquent, les lymphocytes B sont des APC très efficaces pour les antigènes qu'ils reconnaissent de manière spécifique. Notez que tout lymphocyte B peut se lier à l'épitope conformationnel d'un antigène protéique, internaliser et dégrader la protéine, puis présenter de multiples peptides de cette protéine pour qu'ils soient reconnus par des lymphocytes T. Par conséquent, les lymphocytes B et les lymphocytes T reconnaissent différents épitopes du même antigène protéique. Dans la mesure où les lymphocytes B présentent l'antigène pour lequel ils possèdent des récepteurs spécifiques, et que les lymphocytes T auxiliaires reconnaissent de manière spécifique les peptides provenant du même antigène, l'interaction qui s'ensuit reste spécifique de l'antigène. Comme nous l'avons mentionné précédemment, les lymphocytes B activés par l'antigène expriment également des molécules de costimulation, comme les molécules B7, lesquelles stimulent les lymphocytes T auxiliaires qui reconnaissent l'antigène présenté par les lymphocytes B. Les cellules B sont capables d'activer des cellules T effectrices déjà différenciées, mais sont incapables de déclencher des réponses des cellules T naïves.

Mécanismes de l'activation des lymphocytes B par les lymphocytes T auxiliaires

Les lymphocytes T auxiliaires qui reconnaissent l'antigène présenté par les lymphocytes B activent ces derniers en exprimant le ligand de CD40 (CD40L) et en sécrétant des cytokines (figure 7.9). Le processus d'activation

© 2009 Elsevier Masson SAS. Tous droits réservés

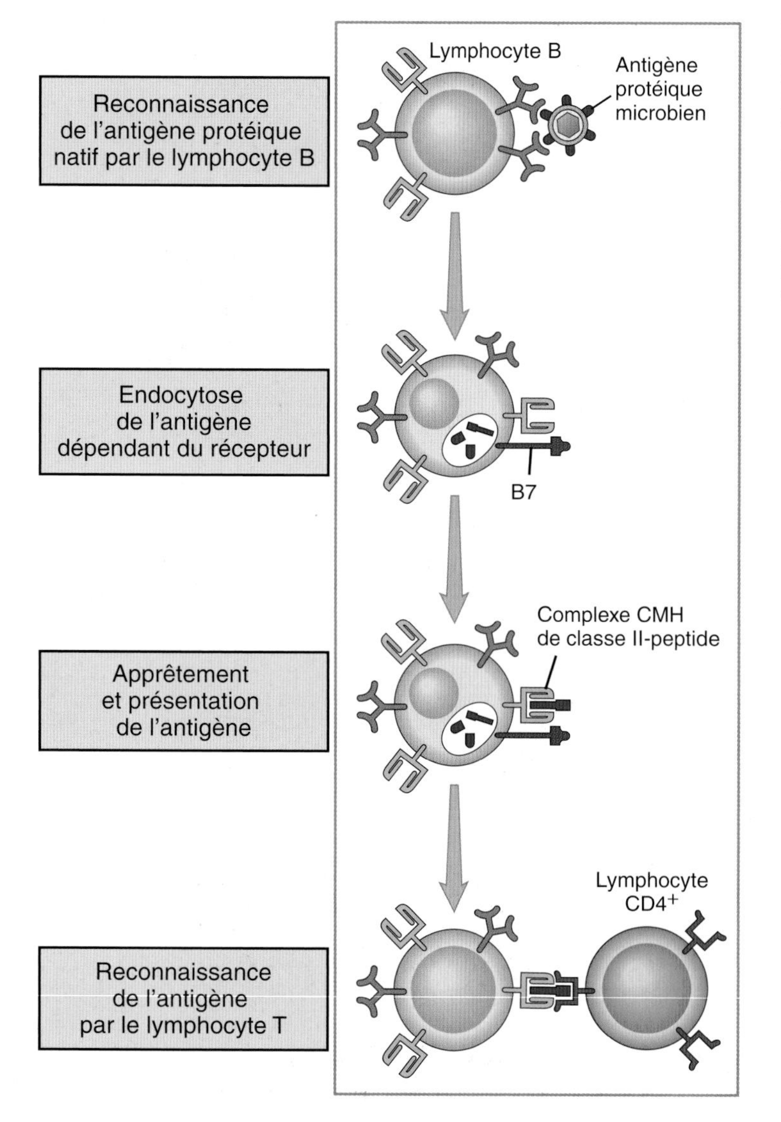

Figure 7.8 Présentation de l'antigène par les lymphocytes B aux lymphocytes T auxiliaires. Les lymphocytes B spécifiques d'un antigène protéique lient cet antigène, l'internalisent, l'apprêtent et présentent des peptides liés aux molécules du CMH de classe II aux lymphocytes T auxiliaires. Les lymphocytes B et les lymphocytes T auxiliaires sont spécifiques du même antigène, mais les lymphocytes B reconnaissent les épitopes natifs (conformationnels) tandis que les lymphocytes T auxiliaires reconnaissent les fragments peptidiques de l'antigène. Les lymphocytes B expriment également des molécules de costimulation (par exemple les molécules B7) qui jouent un rôle dans l'activation du lymphocyte T.

des lymphocytes B par les lymphocytes T auxiliaires est analogue à celui utilisé par les lymphocytes T pour activer les macrophages au cours d'une réaction immunitaire cellulaire (voir le chapitre 6). Le CD40L sur les lymphocytes T auxiliaires activés se lie à CD40 exprimé sur les lymphocytes B. L'engagement de CD40 permet de délivrer aux lymphocytes B des signaux qui stimulent leur prolifération (expansion clonale), ainsi que la synthèse et la sécrétion d'anticorps. Parallèlement, les cytokines produites par les lymphocytes T auxiliaires se lient aux récepteurs correspondants sur les lymphocytes B et stimulent davantage la prolifération des lymphocytes B et la production d'Ig. La nécessité de l'interaction CD40L-CD40 garantit que seuls les lymphocytes T et B en contact physique interagissent de manière productive. Comme il a été décrit précédemment, les lymphocytes spécifiques de l'antigène sont ceux qui interagissent physiquement, assurant ainsi que les lymphocytes B spécifiques de l'antigène sont également ceux qui sont activés.

Les signaux des lymphocytes T auxiliaires stimulent également la commutation isotypique et la maturation d'affinité, qui caractérisent les réponses humorales élaborées contre les antigènes protéiques T-dépendants.

Commutation isotypique (de classe) des chaînes lourdes

Après stimulation par des lymphocytes T auxiliaires, la descendance des lymphocytes B, qui exprimaient à la fois des IgM et des IgD, se met à produire des anticorps de différentes classes de chaînes lourdes (isotypes) [figure 7.10]. Les différents isotypes d'anticorps exercent des fonctions différentes et, dès lors, la commutation isotypique élargit les capacités d'adaptation des réponses immunitaires humorales. Par exemple, un mécanisme de défense important contre les stades extracellulaires de la plupart des bactéries et des virus consiste à recouvrir (opsonisation) ces microbes avec des

© 2009 Elsevier Masson SAS. Tous droits réservés

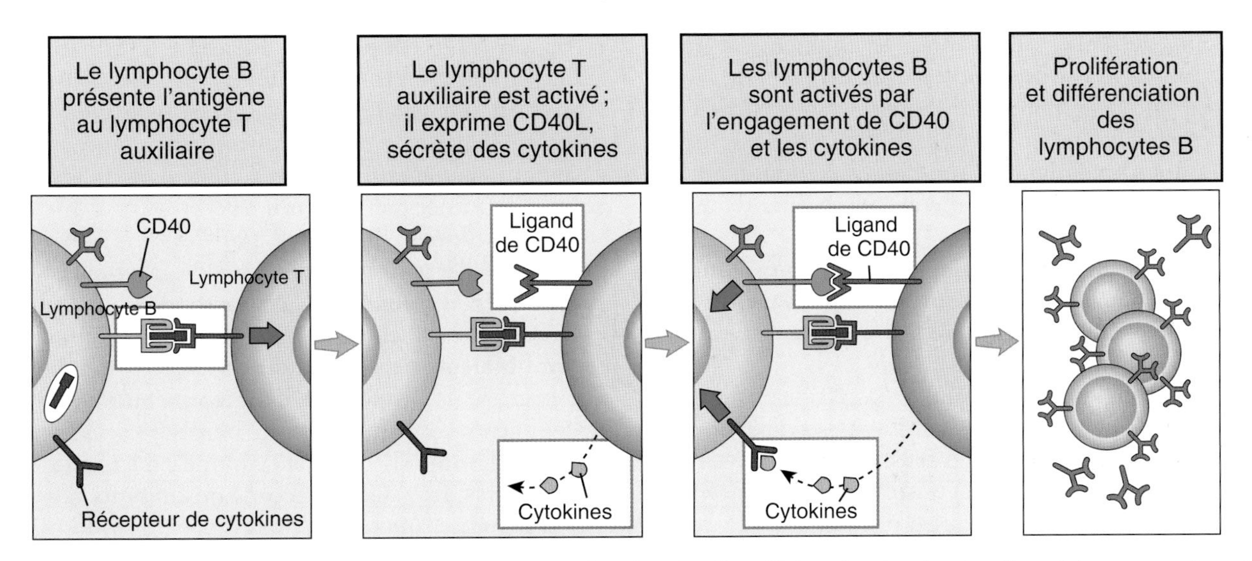

Figure 7.9 Mécanismes d'activation des lymphocytes B par les lymphocytes T auxiliaires. Les lymphocytes T auxiliaires reconnaissent les antigènes peptidiques présentés par les lymphocytes B et les molécules de costimulation (par exemple les molécules B7) sur les lymphocytes B. L'activation des lymphocytes T auxiliaires induit l'expression du ligand de CD40 (CD40L) et la sécrétion des cytokines, qui se lient à leurs récepteurs sur les lymphocytes B et activent ces cellules.

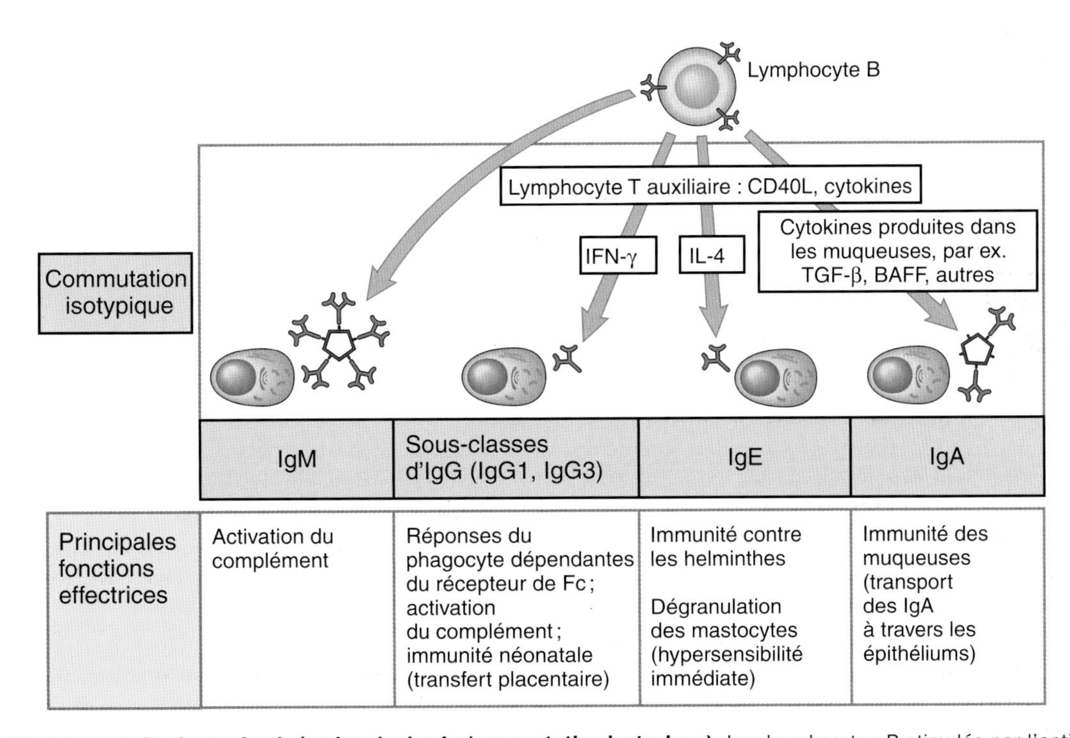

Figure 7.10 Changement de classe de chaîne lourde des Ig (commutation isotypique). Les lymphocytes B stimulés par l'antigène peuvent se différencier en cellules sécrétant des anticorps IgM, ou, sous l'influence de CD40L et des cytokines, certains lymphocytes B peuvent se différencier en cellules produisant différentes classes de chaînes lourdes d'Ig. Les principales fonctions effectrices de certaines de ces classes sont indiquées dans le tableau ; toutes les classes peuvent agir pour neutraliser les microbes et les toxines. BAFF est une cytokine qui active les lymphocytes B et qui peut être impliquée dans la commutation IgA lors de réponses T-indépendantes.

anticorps pour induire leur phagocytose par les neutrophiles et les macrophages. Cette réaction est optimale avec des classes d'anticorps comme l'IgG1 et l'IgG3 chez l'homme. Ces anticorps se lient aux récepteurs de Fc de haute affinité, qui sont spécifiques de la chaîne lourde γ et sont présents sur les phagocytes (voir le chapitre 8). En revanche, les helminthes sont éliminés plus efficacement par les éosinophiles. C'est pourquoi les défenses contre ces parasites reposent sur leur recouvrement par des anticorps auxquels se lient les éosinophiles. La classe d'anticorps qui est en mesure de répondre à cette condition est celle des IgE, car les éosinophiles possèdent des

© 2009 Elsevier Masson SAS. Tous droits réservés

récepteurs de haute affinité pour le fragment Fc de la chaîne lourde ε. Ainsi, l'efficacité des défenses de l'hôte nécessite que le système immunitaire élabore différents isotypes d'anticorps en réponse à différents microbes, même si tous les lymphocytes B naïfs spécifiques de tous ces microbes expriment les mêmes récepteurs d'antigènes, qui sont d'isotypes IgM et IgD.

La commutation isotypique des chaînes lourdes est induite par la combinaison des signaux émis par CD40L et par des cytokines. Les signaux délivrés par CD40L et les cytokines agissent sur les lymphocytes B activés et induisent la commutation dans une partie de la descendance de ces lymphocytes. En l'absence de CD40 ou de CD40L, les lymphocytes B sécrètent exclusivement des IgM et ne peuvent changer d'isotypes. Ce phénomène souligne le rôle essentiel de cette paire ligand-récepteur dans la commutation. Le **syndrome hyper-IgM lié à l'X** est provoqué par des mutations qui inactivent le gène du CD40L situé sur le chromosome X. Dans cette maladie, la plupart des anticorps sériques sont des IgM puisque le mécanisme de commutation est déficient. Les patients souffrent également d'un déficit de l'immunité cellulaire contre les microbes intracellulaires, car le CD40L joue un rôle important dans l'immunité assurée par les lymphocytes T (voir le chapitre 6). Les cytokines déterminent le type de classe de chaîne lourde qu'adoptera un lymphocyte B donné ainsi que sa descendance après la commutation isotypique.

La base moléculaire de la commutation isotypique a été déterminée de façon assez précise (figure 7.11). Les lymphocytes B produisant des IgM, qui n'ont pas subi de commutation, contiennent dans leur locus codant pour la chaîne lourde d'Ig un gène VDJ réarrangé adjacent au groupe de gènes codant pour la première région constante, qui est Cμ. L'ARNm de la chaîne lourde est produit par épissage de l'ARN composé de VDJ et de Cμ ; il est traduit en la chaîne lourde μ, qui s'associe à une chaîne légère pour donner naissance à un anticorps IgM. Le premier anticorps produit par les lymphocytes B est donc de type IgM. Les signaux provenant de CD40 et des récepteurs de cytokines stimulent la transcription jusqu'à l'une des régions constantes qui se trouve en aval de Cμ. Dans l'intron en 5' de chaque région constante (à l'exception de Cδ) se trouve une séquence de nucléotides dite région « switch » ou de commutation. Lorsqu'une région constante en aval devient active sur le plan transcriptionnel, la région switch en 3' de Cμ recombine avec la région switch en 5' de cette région constante en aval, et tout l'ADN intermédiaire est éliminé. La **désaminase induite par activation** (**AID**, *activation-induced deaminase*) joue un rôle essentiel dans ces événements en rendant les nucléotides sensibles au clivage et donc accessibles à la recombinaison. Comme on pouvait le prévoir, les signaux de CD40 induisent l'expression de l'AID. Cette **recombinaison de commutation** consiste à placer la région VDJ en position adjacente à une région C située en aval. C'est ainsi que le lymphocyte B se met à produire une nouvelle classe de chaîne lourde (qui est déterminée par la région C de l'anticorps) avec la même spécificité que le lymphocyte B de départ (la spécificité étant déterminée par la région VDJ).

Les cytokines produites par les lymphocytes T auxiliaires déterminent la classe de la chaîne lourde produite en influençant le choix du gène de la région constante de la chaîne lourde qui participera à la recombinaison de commutation (voir la figure 7.10). Par exemple, la production d'anticorps opsonisants, qui se lient aux récepteurs de Fc des phagocytes, est stimulée par l'interféron-γ (IFN-γ), la cytokine caractéristique des lymphocytes T_H1. Ces anticorps opsonisants favorisent la phagocytose, une étape préliminaire à la destruction du microbe par les phagocytes. L'IFN-γ est également une cytokine activant les phagocytes, et il stimule les fonctions microbicides des phagocytes. Ainsi, les actions de l'IFN-γ sur les lymphocytes B complètent celles de cette cytokine sur les phagocytes. Un grand nombre de bactéries et de virus stimulent les réponses des lymphocytes T_H1, activant les mécanismes effecteurs les plus efficaces pour l'élimination de ces microbes. En revanche, la commutation vers la classe IgE est stimulée par l'interleukine-4 (IL-4), la cytokine caractéristique des lymphocytes T_H2. La fonction des IgE est d'éliminer les helminthes, en agissant en collaboration avec les éosinophiles, qui sont activés par la seconde cytokine des lymphocytes T_H2, l'IL-5. Comme cela est prévisible, les helminthes induisent de fortes réponses T_H2. Par conséquent, le type de sous-population de lymphocytes T auxiliaires répondant à un microbe guide la réponse anticorps qui en découle, ce qui la rend optimale pour combattre l'agresseur. Ces exemples illustrent bien comment différents composants du système immunitaire sont régulés de manière coordonnée et collaborent dans les défenses contre différents pathogènes, les lymphocytes T auxiliaires assurant la fonction de contrôleur « en chef » des réponses immunitaires.

La nature des classes d'anticorps produites est également influencée par le site des réponses immunitaires. Par exemple, les anticorps IgA constituent le principal isotype produit dans les tissus lymphoïdes associés aux muqueuses. Les cellules B destinées à la production d'IgA migrent préférentiellement dans ces tissus et les cytokines qui stimulent cette commutation sont produites dans les muqueuses. Les IgA constituent la principale classe d'anticorps activement sécrétés dans les muqueuses (voir le chapitre 8), et c'est probablement la raison pour laquelle les tissus lymphoïdes associés aux muqueuses sont les principaux sites de production d'IgA. Les cellules B de type B-1 paraissent constituer aussi une source importante d'IgA dans les muqueuses, spécialement contre les antigènes non protéiques. Les cytokines qui induisent la

© 2009 Elsevier Masson SAS. Tous droits réservés

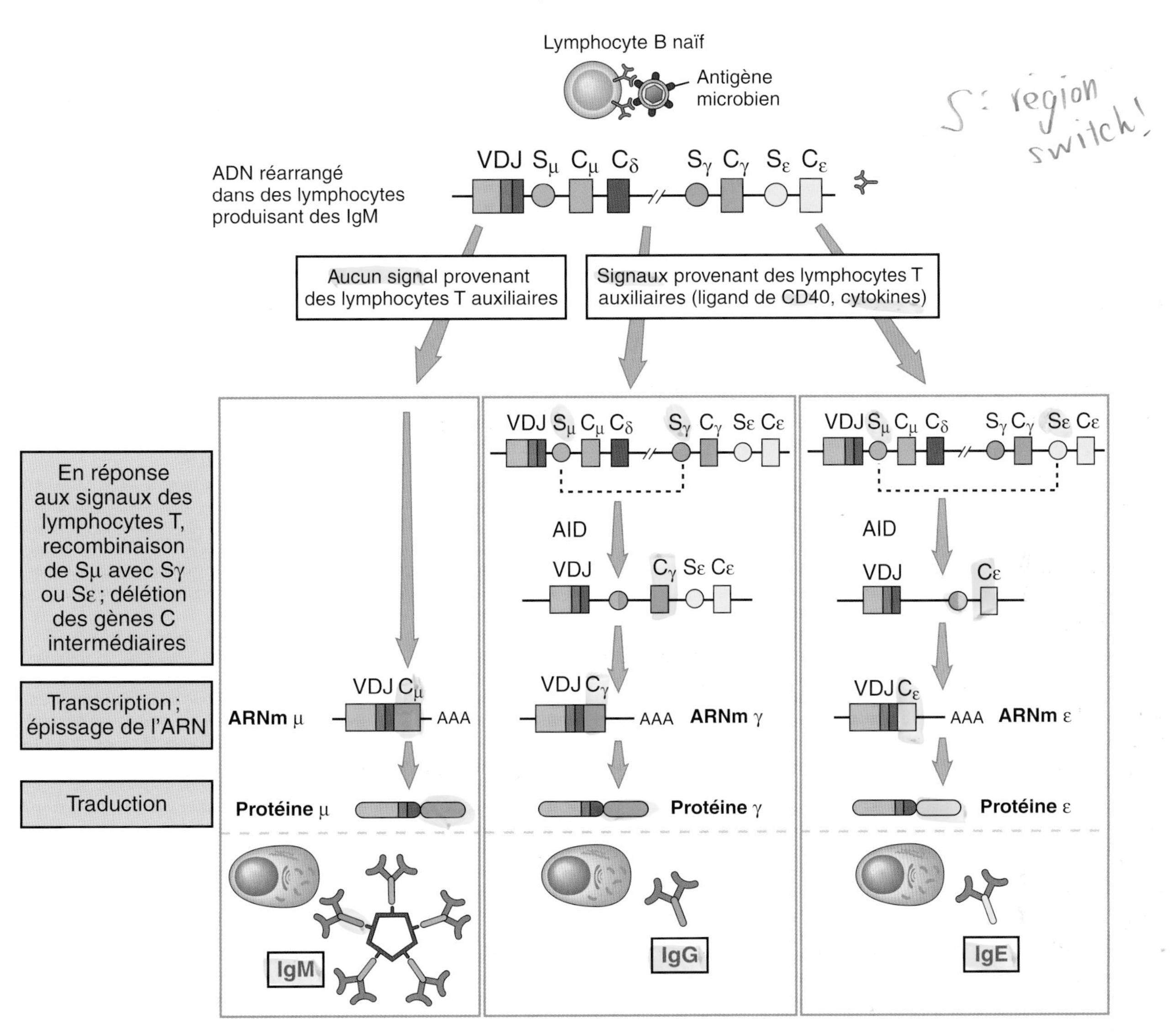

Figure 7.11 Mécanisme de la commutation isotypique. Dans un lymphocyte B sécrétant des IgM (partie gauche), le transcrit primaire du gène réarrangé codant la chaîne lourde subit un épissage en ARNμ afin de produire une chaîne lourde μ et un anticorps IgM, car le gène μ est le plus proche du gène VDJ. Les signaux provenant des lymphocytes T auxiliaires (ligand de CD40 et cytokines) peuvent induire une recombinaison des régions de commutation (S, *switch*) de telle sorte que le gène VDJ réarrangé est rapproché d'un gène C en aval de Cμ. Une enzyme, la désaminase induite par activation (AID, *activation-induced deaminase*), modifie les nucléotides dans les régions de commutation de telle manière qu'elles peuvent être clivées par d'autres enzymes et jointes à d'autres régions de commutation en aval. La recombinaison de commutation est représentée en pointillé. Ensuite, l'ARN primaire VDJ subit un épissage pour obtenir l'ARN provenant du gène C en aval, produisant une chaîne lourde comprenant une nouvelle région constante et, par conséquent, une nouvelle classe d'Ig. Les deux *panneaux de droite* illustrent comment la descendance d'un lymphocyte B activé peut subir une commutation isotypique afin de produire deux classes différentes d'anticorps, IgG et IgE. Par simplification, les exons codant les chaînes lourdes γ et α ne sont pas représentés.

© 2009 Elsevier Masson SAS. Tous droits réservés

commutation dans cette sous-population de cellules B ne sont pas complètement définies.

Maturation d'affinité

La maturation d'affinité est le processus par lequel l'affinité des anticorps produits en réponse à un antigène protéique augmente suite à une exposition prolongée ou répétée à cet antigène. Grâce à la maturation d'affinité, la capacité des anticorps de se lier à un microbe ou à un antigène microbien augmente si l'infection est persistante ou récurrente. Cette augmentation de l'affinité est due à des mutations ponctuelles des régions V des anticorps produits, et en particulier de leurs régions hypervariables de liaison à l'antigène (figure 7.12). La maturation d'affinité est observée uniquement dans les réponses aux antigènes protéiques dépendants des lymphocytes T auxiliaires, ce qui suggère que les lymphocytes T auxiliaires jouent un rôle essentiel dans ce processus. Ces résultats soulèvent deux questions intrigantes : comment les lymphocytes B subissent-ils des mutations des gènes codant pour les Ig, et comment les

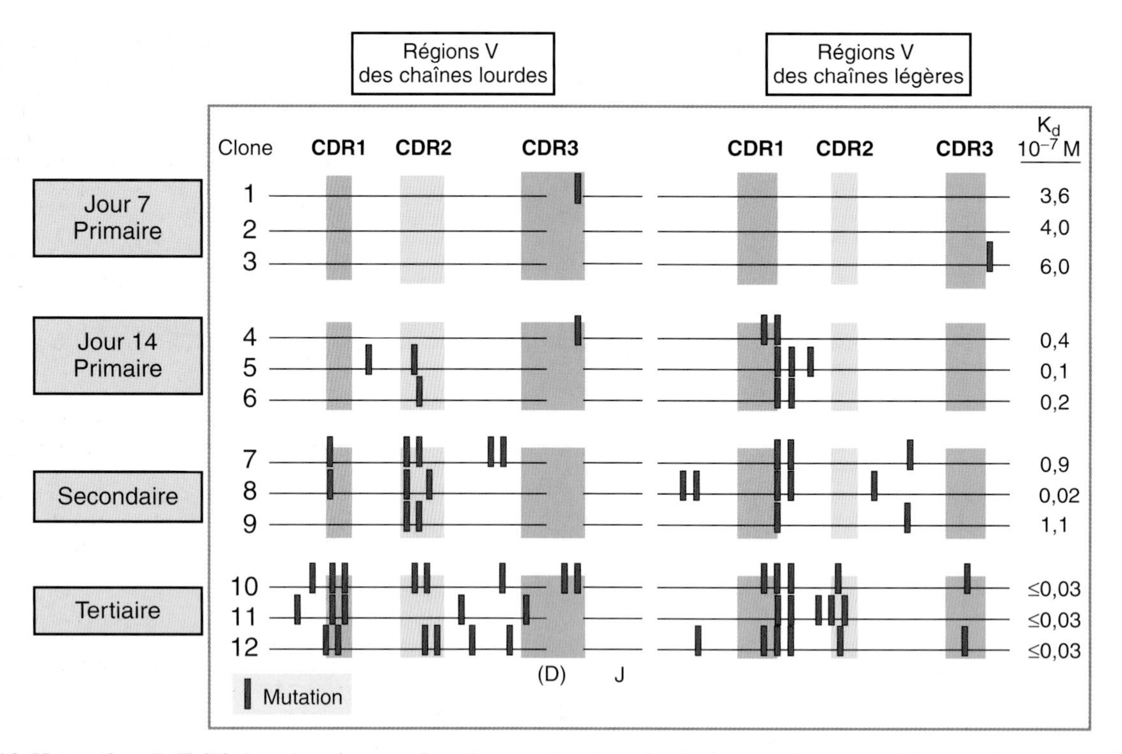

Figure 7.12 Maturation d'affinité dans les réponses à anticorps. L'analyse de plusieurs anticorps produits par des clones différents de lymphocytes B spécifiques d'un antigène, aux stades des réponses immunitaires primaire, secondaire et tertiaire montre qu'avec le temps et des immunisations répétées, les anticorps produits contiennent un nombre croissant de mutations dans leurs régions de liaison à l'antigène (CDR, *complementary-determining regions*). Les anticorps montrent également des affinités croissantes pour l'antigène, comme le montrent les constantes de dissociation plus faibles (K_d) *à droite*. Ces résultats impliquent que les mutations sont responsables de l'augmentation de l'affinité des anticorps pour l'antigène immunisant. Les réponses secondaire et tertiaire correspondent aux réponses déclenchées après une deuxième et une troisième immunisation avec le même antigène. D'après Berek C., Milstein C. Mutation drift and repertoire shift in the maturation of the immune response. Immunol Rev 1987 ; 96 : 23-41, avec autorisation.

lymphocytes B de haute affinité (c'est-à-dire les plus utiles) sont-ils sélectionnés pour devenir progressivement les plus nombreux ?

La maturation d'affinité survient dans les centres germinatifs des follicules lymphoïdes, et résulte d'une hypermutation somatique des gènes d'Ig dans les lymphocytes B en division, suivie par la sélection des lymphocytes B de haute affinité par l'antigène (figure 7.13). Certaines cellules filles des lymphocytes B activés pénètrent dans les follicules lymphoïdes et forment les centres germinatifs. À l'intérieur de ces centres germinatifs, les lymphocytes B prolifèrent rapidement, avec un temps de doublement d'environ 6 heures, de telle sorte qu'un lymphocyte peut produire environ 5000 cellules filles en 1 semaine. Le terme de « centre germinatif » provient de l'observation morphologique d'une coloration plus claire au centre de certains follicules, la coloration claire provenant du nombre important de cellules en division ; on a cru jadis que c'était le site de production des lymphocytes. Au cours de cette prolifération, les gènes codant les Ig des lymphocytes B deviennent sensibles à des mutations ponctuelles. L'enzyme AID, dont il était question plus haut et qui est requise pour la commutation isotypique, joue également un rôle essentiel dans les mutations somatiques en changeant les nucléotides dans les gènes d'Ig et en les rendant sensibles au mécanisme des mutations. La fréquence des mutations des gènes des Ig a été estimée à une pour 10^3 paires de bases par cellule en division, ce qui est 1000 fois plus important que le taux de mutations dans la plupart des gènes. Pour cette raison, l'ensemble de ces mutations des Ig est appelé **hypermutation somatique**. Ces nombreuses mutations entraînent la création de différents clones de lymphocytes B dont les molécules d'Ig peuvent se lier selon des affinités extrêmement variables à l'antigène ayant induit la réponse.

Les lymphocytes B des centres germinatifs meurent par apoptose sauf s'ils sont sauvés par la reconnaissance d'un antigène. Pendant que les hypermutations somatiques des gènes codant les Ig se déroulent dans les centres germinatifs, l'anticorps qui avait été sécrété au début de la réponse immunitaire s'est lié à l'antigène résiduel. Les complexes antigènes-anticorps ainsi formés peuvent alors activer le complément et être présentés par les **cellules** dites **dendritiques folliculaires**, qui résident dans le centre germinatif et expriment les récepteurs de Fc

© 2009 Elsevier Masson SAS. Tous droits réservés

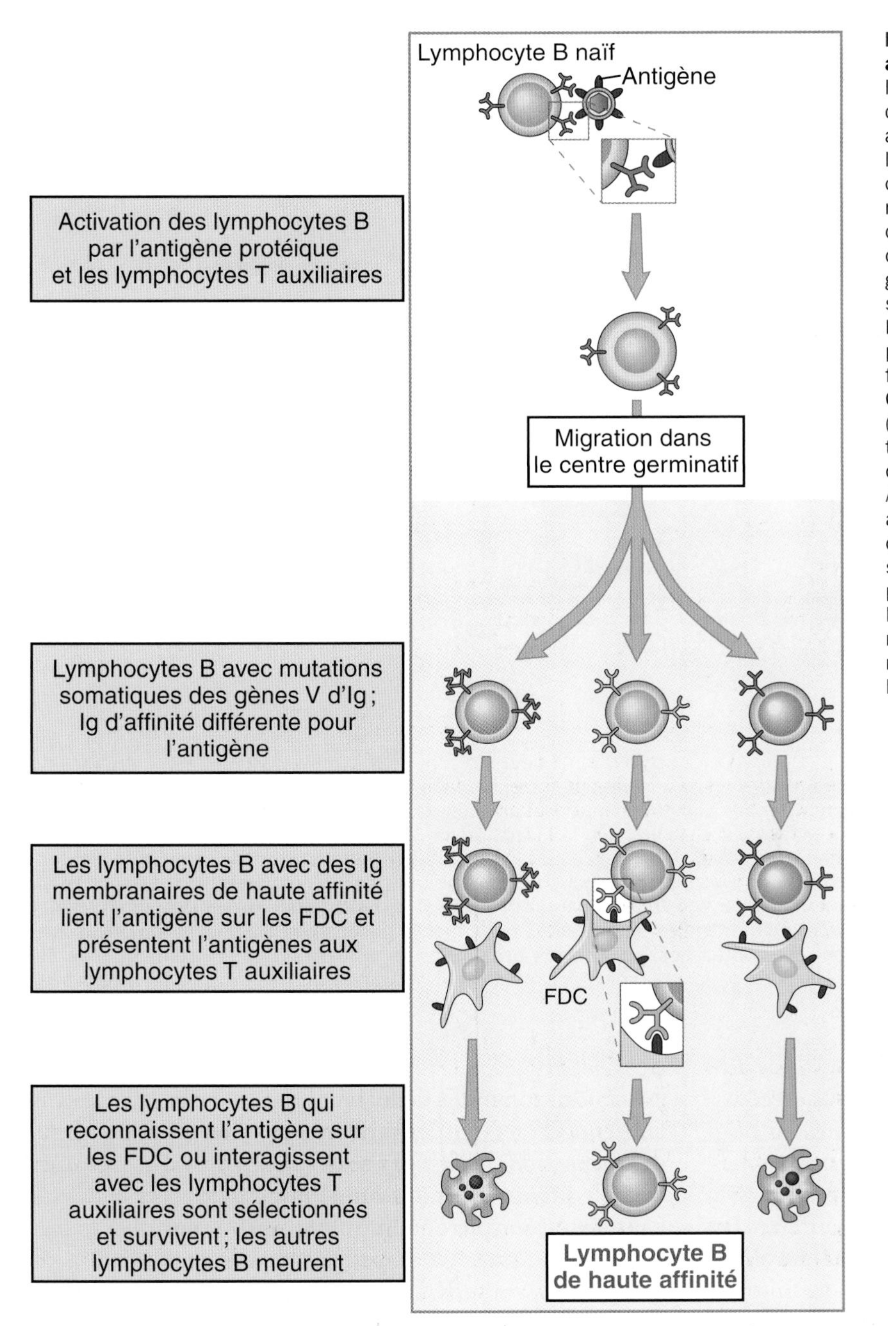

Figure 7.13 Sélection des lymphocytes B de haute affinité dans les centres germinatifs. Certains lymphocytes B activés par l'antigène, avec l'aide des lymphocytes T, migrent dans les follicules afin de former les centres germinatifs, où ils prolifèrent rapidement et accumulent des mutations dans les gènes codant les régions V des Ig. Les mutations engendrent des lymphocytes B avec différentes affinités pour l'antigène. Les cellules dendritiques folliculaires (FDC) présentent l'antigène, et seuls les lymphocytes B qui reconnaissent l'antigène sont sélectionnés pour survivre. Les FDC présentent les antigènes par les complexes immuns liés aux récepteurs de Fc ou du facteur C3 du complément. Les récepteurs de C3 interagissent avec les fragments C3b et C3d (*non représenté*). Les cellules B lient aussi l'antigène, l'apprêtent et le présentent aux lymphocytes T auxiliaires dans les centres germinatifs. Au fur et à mesure que la quantité d'anticorps augmente, celle de l'antigène disponible diminue, de telle sorte que les lymphocytes B qui sont sélectionnés doivent exprimer des récepteurs de plus haute affinité pour lier l'antigène. Les FDC et les lymphocytes T des centres germinatifs expriment CD40L (*non représenté*) qui pourrait être la molécule qui délivre des signaux de survie aux lymphocytes B.

des anticorps et des produits du complément. Ainsi, les lymphocytes B ayant subi l'hypermutation somatique peuvent se lier à l'antigène sur les cellules dendritiques folliculaires et échapper à la mort. Les cellules B peuvent aussi lier l'antigène libre, l'apprêter et présenter les peptides aux cellules T auxiliaires du centre germinatif, qui fournissent alors des signaux de survie. Pendant que la réponse immunitaire se développe, ou en cas d'immunisation répétée, la quantité d'anticorps produits augmente. Il en résulte que la quantité d'antigène disponible diminue. Les lymphocytes B qui sont sélectionnés pour survivre doivent être capables de se lier à l'antigène présent à des concentrations de plus en plus faibles, et ce sont par conséquent des lymphocytes dont les récepteurs d'antigène présentent une affinité de plus en plus élevée. Les lymphocytes B sélectionnés quittent le centre germinatif et sécrètent des anticorps, ce qui entraîne une augmentation de l'affinité des anticorps produits au fur et à mesure que la réponse se développe.

Les différentes étapes des réponses à anticorps contre les antigènes protéiques T-dépendants se déroulent séquentiellement dans différents compartiments anatomiques des organes lymphoïdes (figure 7.14). Les lymphocytes B naïfs matures reconnaissent les antigènes dans

© 2009 Elsevier Masson SAS. Tous droits réservés

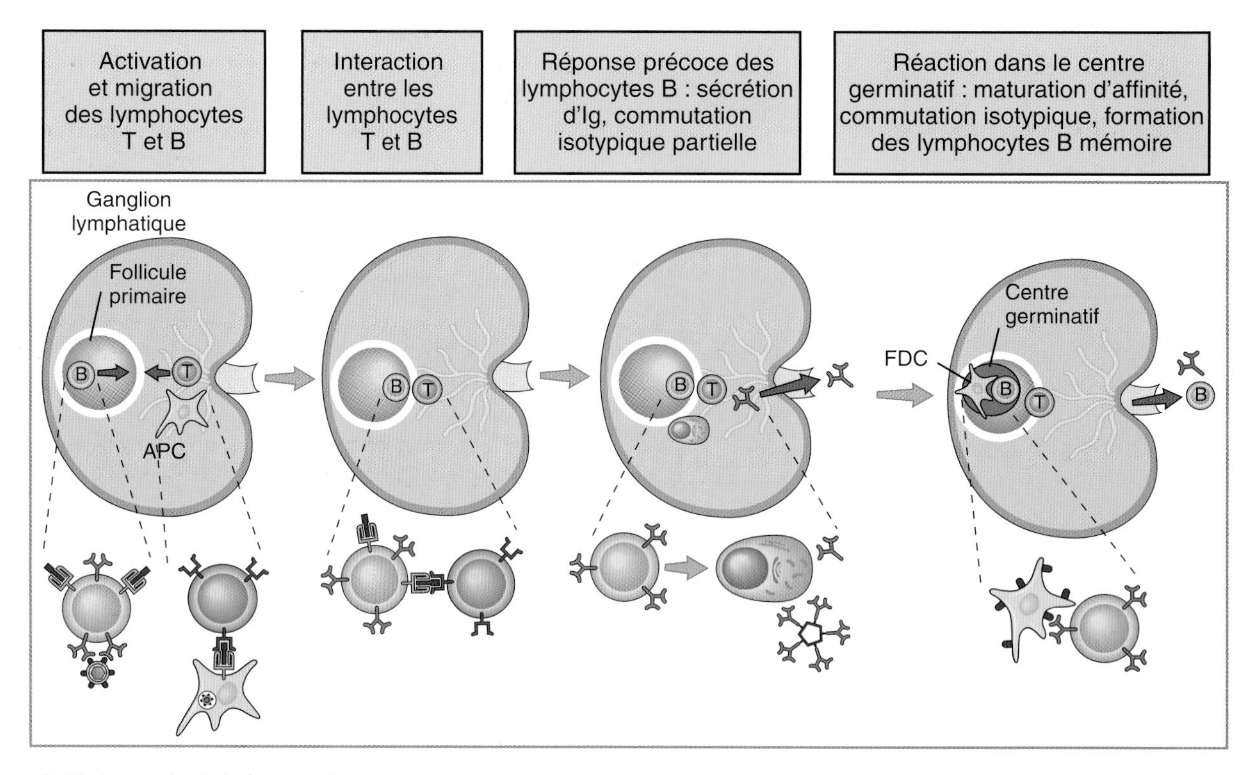

Figure 7.14 Anatomie des réponses immunitaires humorales. Dans les réponses immunitaires humorales, l'activation initiale des lymphocytes B et des lymphocytes T auxiliaires se produit dans différents compartiments anatomiques des organes lymphoïdes périphériques. Les lymphocytes B naïfs reconnaissent les antigènes dans les follicules, tandis que les lymphocytes T auxiliaires reconnaissent les antigènes dans les zones riches en lymphocytes T à l'extérieur des follicules. Les deux types de lymphocytes interagissent en bordure des follicules. La différenciation des lymphocytes B en cellules sécrétant des anticorps se produit principalement à l'extérieur des follicules lymphoïdes. La maturation d'affinité se déroule dans les centres germinatifs, et la commutation isotypique peut se produire à l'extérieur des follicules et dans les centres germinatifs. Certains plasmocytes sécrétant des anticorps migrent dans la moelle osseuse, et continuent à produire des anticorps, même après l'élimination de l'antigène (non représenté). Les lymphocytes B mémoire se développent principalement dans les centres germinatifs et gagnent la circulation sanguine. L'illustration montre ces réactions dans un ganglion lymphatique, mais le schéma est pratiquement identique dans la rate.

les follicules lymphoïdes et migrent à l'extérieur de ceux-ci pour rencontrer les lymphocytes T auxiliaires en bordure des follicules. Cette interface entre les zones riches en lymphocytes B et les zones riches en lymphocytes T est le lieu où débutent la prolifération et la différenciation des lymphocytes B en cellules sécrétant des anticorps. Les plasmocytes qui se développent à la suite de cette interaction résident dans les organes lymphoïdes, généralement à l'extérieur des follicules riches en lymphocytes B, et les anticorps sécrétés passent dans la circulation sanguine. La commutation isotypique des chaînes lourdes débute en dehors des follicules, mais la maturation d'affinité et une commutation isotypique beaucoup plus intense se développent dans les centres germinatifs qui se forment dans les follicules. Tous ces événements peuvent être observés dans la semaine qui suit le contact avec l'antigène. Les plasmocytes qui émergent du centre germinatif migrent dans la moelle osseuse, où ils peuvent vivre plusieurs mois ou plusieurs années, en continuant à produire des anticorps mêmes après l'élimination de l'antigène. On estime que plus de la moitié des anticorps présents dans la circulation sanguine d'un adulte normal est produite par ces cellules à longue durée de vie. Par conséquent, les anticorps circulants reflètent l'historique des expositions à l'antigène de chaque individu. Ces anticorps assurent une protection immédiate dans le cas où l'antigène (un microbe ou une toxine) serait réintroduit dans l'organisme. Une fraction des lymphocytes B activés, qui est souvent constituée par les cellules filles de lymphocytes B de haute affinité ayant subi une commutation isotypique, ne se différencie pas en cellules sécrétant activement des anticorps, mais évolue au contraire en **cellules mémoire**. Les lymphocytes B mémoire ne sécrètent pas d'anticorps, mais circulent dans le sang et survivent plusieurs mois ou plusieurs années en l'absence de nouvelle exposition à l'antigène, prêts à répondre rapidement si l'antigène est réintroduit.

Réponses anticorps contre les antigènes T-indépendants

Les polysaccharides, les lipides et les autres antigènes non protéiques déclenchent des réponses anticorps sans la participation des lymphocytes T auxiliaires. Rappelons

© 2009 Elsevier Masson SAS. Tous droits réservés

que ces antigènes non protéiques ne peuvent pas se lier aux molécules du CMH, et qu'ils ne peuvent donc pas être détectés par les lymphocytes T (voir le chapitre 3). De nombreuses bactéries produisent des capsules riches en polysaccharides, et les défenses contre ces bactéries sont principalement assurées par les anticorps qui se lient aux polysaccharides capsulaires, afin de faire des bactéries des cibles pour la phagocytose. Malgré l'importance des réponses anticorps contre ce type d'antigènes T-indépendants, la manière dont ces réponses sont induites reste mal connue. En l'état actuel des connaissances, les réponses anticorps contre les antigènes T-indépendants diffèrent par de nombreux aspects des réponses dirigées contre les protéines, et la plupart de ces différences sont attribuables aux rôles joués par les lymphocytes T auxiliaires dans les réponses anticorps contre les protéines (figure 7.15). Parce que les antigènes polysaccharidiques et lipidiques contiennent souvent des alignements multivalents du même épitope, ils sont capables d'interconnecter plusieurs récepteurs d'antigène sur un lymphocyte B spécifique. Ces nombreux pontages peuvent activer les lymphocytes B de façon suffisante pour stimuler leur prolifération et leur différenciation sans la collaboration des lymphocytes T. Les antigènes protéiques naturels ne sont généralement pas multivalents, et c'est la raison pour laquelle ils ne parviennent pas à susciter des réponses complètes de la part des lymphocytes B, mais dépendent des lymphocytes T auxiliaires pour stimuler la production d'anticorps. Ce sont surtout les cellules B de la zone marginale de la rate qui assurent les réponses humorales T-indépendantes envers les antigènes microbiens dans les muqueuses et dans le péritoine.

Régulation des réponses immunitaires humorales : rétroaction des anticorps

Après que les lymphocytes B se sont différenciés en cellules sécrétant les anticorps et en cellules mémoire, une fraction de ces cellules survit pendant de longues périodes, mais la plupart des lymphocytes B activés meurent proba-

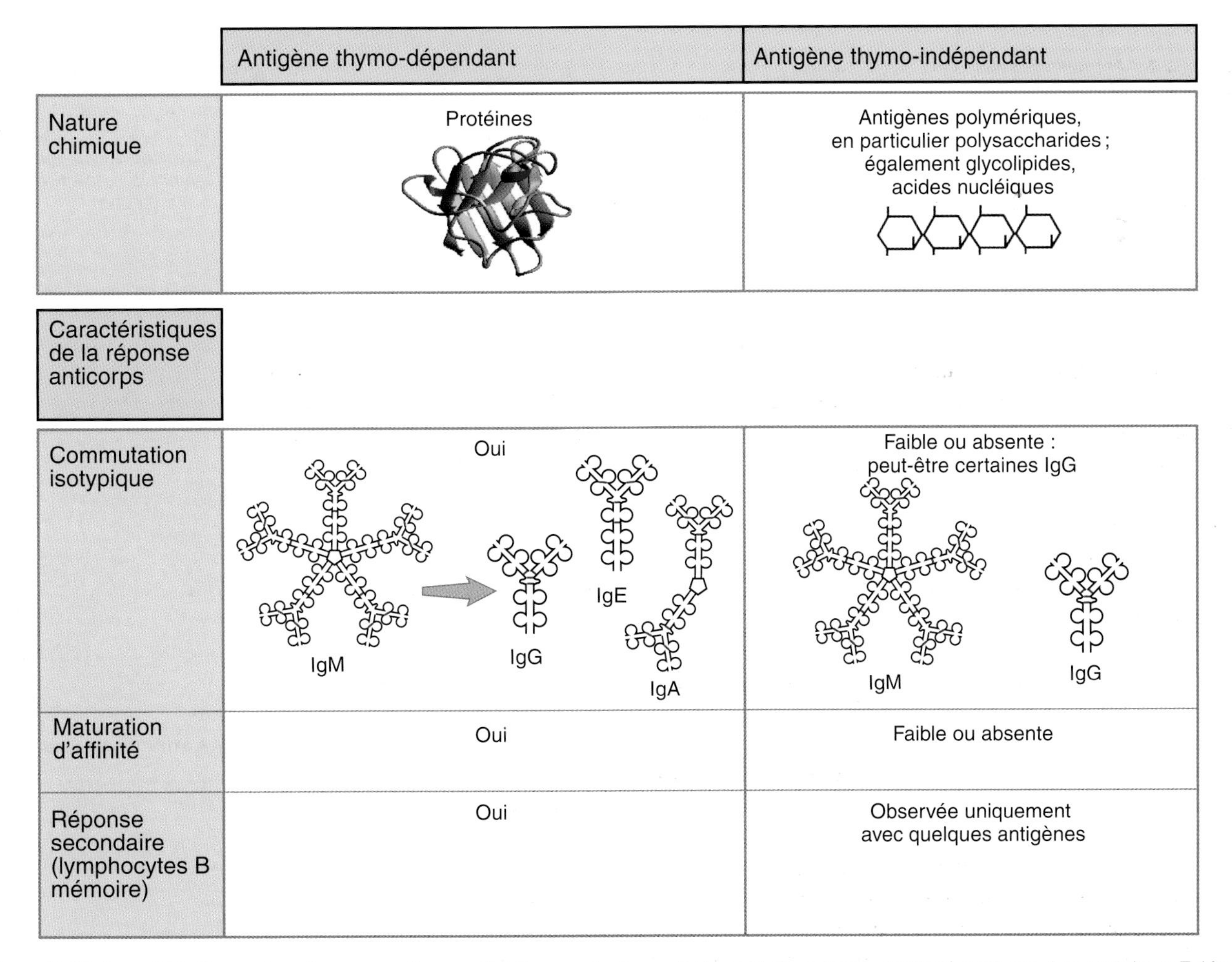

Figure 7.15 Caractéristiques des réponses anticorps dirigées contre les antigènes T-dépendants et T-indépendants. Les antigènes T-dépendants (protéiques) et les antigènes T-indépendants (non protéiques) induisent des réponses anticorps présentant différentes caractéristiques, qui reflètent largement l'influence des lymphocytes T auxiliaires dans les réponses dirigées contre les antigènes protéiques.

© 2009 Elsevier Masson SAS. Tous droits réservés

blement en subissant un processus de mort cellulaire programmée. Cette perte graduelle des lymphocytes B activés contribue au déclin physiologique de la réponse immunitaire humorale. Les lymphocytes B utilisent également un mécanisme spécifique pour interrompre la production d'anticorps. Lorsque les anticorps IgG sont produits et circulent à travers l'organisme, ils se lient aux antigènes qui sont encore disponibles dans le sang et les tissus, et forment des complexes immuns. Les lymphocytes B spécifiques de l'antigène peuvent se lier à l'antigène appartenant au complexe immun par leurs récepteurs Ig. Parallèlement, la partie Fc de l'anticorps IgG peut être reconnue par un récepteur particulier de Fc exprimé sur les lymphocytes B, appelé FcγRII (figure 7.16). Ce récepteur de Fc délivre des signaux négatifs qui suppriment les signaux induits par les récepteurs d'antigène, interrompant ainsi les réponses des lymphocytes B. Ce processus, au cours duquel l'anticorps lié à l'antigène inhibe une production supplémentaire d'anticorps, est appelé **rétroaction des anticorps**. Il sert à mettre fin aux réponses immunitaires humorales lorsque des quantités suffisantes d'anticorps IgG ont été produites. Un traitement efficace pour certaines maladies inflammatoires est l'administration de préparations d'IgG humaines, qui sont injectées par voie intraveineuse (IVIG, *intravenous immunoglobulin*). Ce traitement fut développé de manière empirique. On croit actuellement que les IVIG agissent en se liant au récepteur de Fc des cellules B (et peut-être sur les cellules dendritiques), supprimant ainsi les réponses immunitaires nocives.

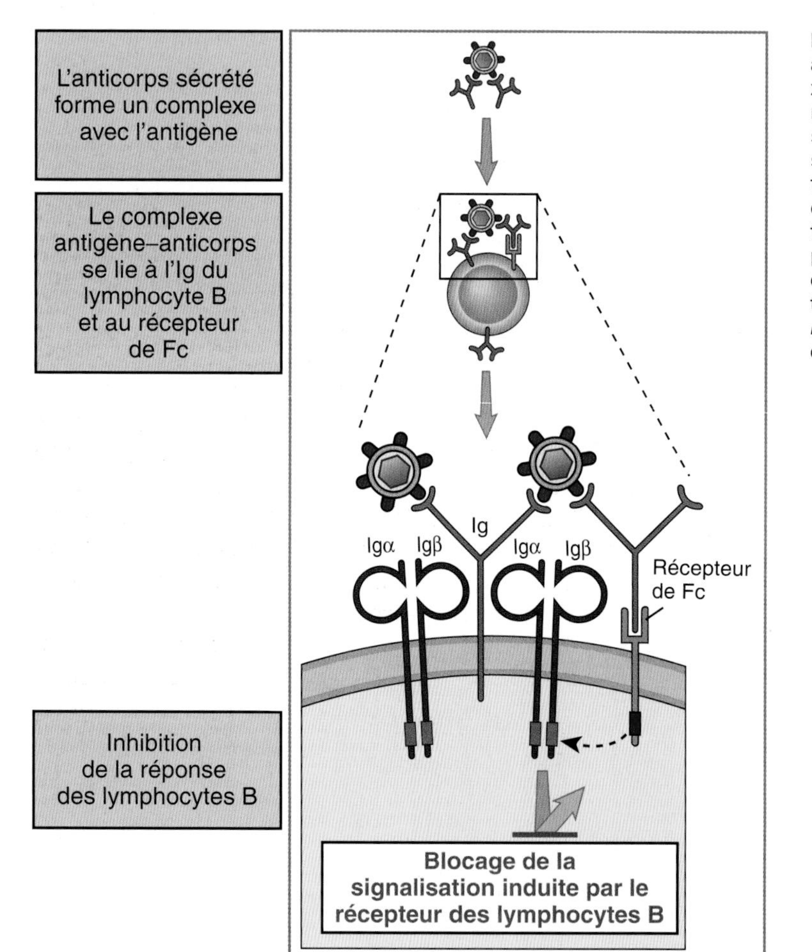

Figure 7.16 Mécanismes de la régulation négative des anticorps. Les anticorps IgG sécrétés forment des complexes immuns (complexes antigène-anticorps) avec l'antigène résiduel. Les complexes interagissent avec les lymphocytes B spécifiques de l'antigène, les Ig membranaires reconnaissant les épitopes de l'antigène et un certain type de récepteur de Fc (FcγRII) reconnaissant l'anticorps. Les récepteurs de Fc bloquent les signaux d'activation provenant du récepteur d'antigène, et interrompent ainsi l'activation du lymphocyte B. Le domaine cytoplasmique du récepteur FcγRII du lymphocyte B contient un motif d'inhibition à base de tyrosine (ITIM, *immunoreceptor tyrosine-based inhibition motif*) qui se lie à des enzymes inhibitrices de l'activation du lymphocyte B par le récepteur d'antigène.

© 2009 Elsevier Masson SAS. Tous droits réservés

Résumé

- L'immunité humorale est assurée par les anticorps, qui neutralisent et contribuent à éliminer les microbes extracellulaires et leurs toxines, qui sont ainsi neutralisés ou préparés en vue de leur destruction par les phagocytes et le système du complément.
- Les réponses immunitaires humorales débutent par la reconnaissance de l'antigène par des récepteurs constitués par des immunoglobulines (Ig) spécifiques présentes sur les lymphocytes B naïfs. La liaison de l'antigène interconnecte (*cross-link*) les récepteurs Ig des lymphocytes B spécifiques, et des signaux biochimiques sont délivrés à l'intérieur des lymphocytes B par des protéines de signalisation associées aux Ig. Un produit de dégradation de la protéine du complément C3 est reconnu par un récepteur se trouvant sur les lymphocytes B, fournissant les « seconds signaux » nécessaires à l'activation des lymphocytes B. Ces signaux induisent une expansion clonale des lymphocytes B et une sécrétion d'IgM.
- Les réponses humorales à un antigène protéique, dites T-dépendantes, sont induites par la liaison de la protéine aux récepteurs Ig spécifiques des cellules B naïves dans les follicules lymphoïdes. Des signaux sont ainsi générés qui préparent la cellule B à son interaction avec les lymphocytes T auxiliaires. Par ailleurs, les lymphocytes B spécifiques internalisent cet antigène et l'apprêtent, puis présentent les peptides liés aux molécules du CMH de classe II à des lymphocytes T auxiliaires également spécifiques de cet antigène. Les lymphocytes T auxiliaires expriment CD40L et sécrètent des cytokines, qui agissent de concert pour stimuler fortement la prolifération et la différenciation des lymphocytes B.
- La commutation de classe des chaînes lourdes (ou commutation isotypique) est un processus par lequel l'isotype, mais non la spécificité, des anticorps produits en réponse à un antigène change au fur et à mesure du déroulement de la réponse humorale. La commutation isotypique dépend de l'association de CD40L et de cytokines, les deux types de molécules étant produits par les T auxiliaires. Différentes cytokines induisent une commutation pour différentes classes d'anticorps, permettant ainsi au système immunitaire de répondre de la manière la plus efficace à différents types de microbes.
- La maturation d'affinité est le processus par lequel l'affinité des anticorps pour des antigènes protéiques augmente avec la durée ou la répétition de l'exposition aux antigènes. Le processus est induit par des signaux venant des lymphocytes T auxiliaires, aboutissant à la migration des lymphocytes B dans les follicules et à la formation des centres germinatifs. Là, les lymphocytes B prolifèrent rapidement et leurs gènes codant pour les régions V des Ig subissent de nombreuses mutations somatiques. L'antigène lié aux anticorps sécrétés est présenté par les cellules dendritiques folliculaires dans les centres germinatifs. Les lymphocytes B qui reconnaissent l'antigène avec une affinité élevée sont sélectionnés et survivent; c'est la maturation d'affinité de la réponse à anticorps.
- Les polysaccharides, les lipides et les autres antigènes non protéiques sont qualifiés d'antigènes T-indépendants, car ils induisent des réponses à anticorps sans l'aide des lymphocytes T. La plupart des antigènes T-indépendants contiennent de nombreux épitopes identiques qui sont capables d'interconnecter plusieurs Ig membranaires d'un lymphocyte B, déclenchant des signaux qui stimulent les réponses des cellules B, même en l'absence d'activation par les T auxiliaires. Au cours des réponses à anticorps contre les antigènes T-indépendants, la commutation isotypique et la maturation d'affinité sont plus faibles que pendant les réponses aux antigènes protéiques T-dépendants.
- Les anticorps sécrétés forment des complexes immuns avec l'antigène résiduel et inhibent l'activation des lymphocytes B en activant un récepteur de Fc inhibiteur situé sur les lymphocytes B.

© 2009 Elsevier Masson SAS. Tous droits réservés

Contrôle des connaissances

1. Quels sont les signaux qui induisent les réponses des lymphocytes B (1) contre les antigènes protéiques et (2) contre les antigènes polysaccharidiques ?
2. Citer quelques-unes des différences existant entre les réponses anticorps primaire et secondaire dirigées contre un antigène protéique ?
3. Comment les lymphocytes T auxiliaires spécifiques d'un antigène interagissent-ils avec les lymphocytes B spécifiques du même antigène ? Dans quelle partie du ganglion lymphatique ces interactions se déroulent-elles principalement ?
4. Quels sont les mécanismes par lesquels les lymphocytes T auxiliaires stimulent la prolifération et la différenciation des lymphocytes B ? Quelles sont les similitudes entre ces mécanismes et les mécanismes d'activation des macrophages par les lymphocytes T ?
5. Quels sont les signaux qui induisent la commutation isotypique, et quelle est l'importance de ce phénomène pour les défenses de l'hôte contre différents microbes ?
6. Qu'est-ce que la maturation d'affinité ? Comment est-elle induite, et comment des lymphocytes B de haute affinité sont-ils sélectionnés pour survivre ?
7. Quelles sont les caractéristiques des réponses anticorps contre les polysaccharides et les lipides ? Quels types de bactéries stimulent principalement ce type de réponses à anticorps ?

© 2009 Elsevier Masson SAS. Tous droits réservés

Chapitre 8

Mécanismes effecteurs de l'immunité humorale

Élimination des microbes et des toxines extracellulaires

L'immunité humorale est le type de défense qui est assurée par les anticorps sécrétés. Elle joue un rôle important dans la protection contre les microbes extracellulaires et leurs toxines. La prévention des infections est une fonction majeure du système immunitaire adaptatif et seuls les anticorps peuvent l'assurer. Les anticorps préviennent les infections en empêchant que les microbes ne se fixent aux cellules et n'y pénètrent. Les anticorps se lient également aux toxines microbiennes et les empêchent d'endommager les cellules de l'hôte. En outre, les anticorps servent à éliminer les microbes, les toxines et les cellules infectées de l'organisme. Les anticorps et les lymphocytes T participent à la destruction des microbes qui ont colonisé et infecté l'organisme. Les anticorps constituent le seul mécanisme de l'immunité acquise capable de lutter contre les microbes extracellulaires, mais ils ne peuvent

© 2009 Elsevier Masson SAS. Tous droits réservés

pas atteindre les microbes qui vivent à l'intérieur des cellules. L'immunité humorale est cependant essentielle pour les défenses contre les microbes qui vivent et se divisent à l'intérieur des cellules, comme les virus, puisque les anticorps peuvent prévenir l'infection en se liant à ces microbes avant qu'ils ne pénètrent dans les cellules. Les défauts de production d'anticorps sont associés à une augmentation de la sensibilité aux infections par diverses bactéries, virus et parasites. La plupart des vaccins efficaces utilisés actuellement agissent en stimulant la production d'anticorps.

Ce chapitre décrit comment les anticorps fonctionnent dans les défenses contre les infections. Les questions suivantes seront traitées.

- Quels sont les mécanismes utilisés par les anticorps sécrétés pour combattre les différents types d'agents infectieux et leurs toxines?
- Quel est le rôle du système du complément dans les défenses contre les microbes?
- Comment les anticorps combattent-ils les microbes qui pénètrent par les tractus gastro-intestinal et respiratoire?
- Comment les anticorps protègent-ils le fœtus et le nouveau-né contre les infections?

Avant de décrire les mécanismes par lesquels les anticorps exercent leurs fonctions dans les défenses, nous allons rappeler brièvement les propriétés des molécules d'anticorps qui leur permettent d'exercer ces fonctions.

Propriétés des anticorps déterminant leurs fonctions effectrices

Les anticorps peuvent agir à distance de leur site de production. Les anticorps sont produits après stimulation des lymphocytes B par des antigènes dans les organes lymphoïdes périphériques (c'est-à-dire les ganglions lymphatiques, la rate et les tissus lymphoïdes associés aux muqueuses). Certains des lymphocytes B stimulés par les antigènes se différencient en cellules sécrétrices d'anticorps (plasmocytes), qui synthétisent et sécrètent des anticorps de différentes classes de chaînes lourdes (isotypes). Ces anticorps gagnent la circulation sanguine, d'où ils peuvent atteindre n'importe quel site périphérique d'infection, ainsi que les sécrétions des muqueuses, où ils peuvent prévenir les infections par des microbes essayant de pénétrer à travers les épithéliums. Par conséquent, les anticorps sont capables d'exercer leurs fonctions dans tout l'organisme.

Les anticorps protecteurs sont produits au cours de la première réponse (primaire) contre un microbe et en quantité plus importante lors des réponses ultérieures (secondaires) [voir la figure 7.3, dans le chapitre 7]. La production d'anticorps commence au cours de la première semaine qui suit l'infection ou la vaccination. Certains des plasmocytes sécrétant les anticorps migrent dans la moelle osseuse et vivent dans ce tissu, en continuant à sécréter de petites quantités d'anticorps pendant plusieurs mois voire plusieurs années. Si le microbe essaie à nouveau d'infecter l'hôte, les anticorps sécrétés en permanence apportent une protection immédiate. Certains lymphocytes B stimulés par les antigènes se différencient en lymphocytes mémoire, qui ne sécrètent pas d'anticorps, mais qui persistent dans l'organisme dans l'attente d'une nouvelle rencontre avec l'antigène. Lors d'une rencontre ultérieure avec le microbe, ces lymphocytes mémoire se différencient rapidement en cellules productrices d'anticorps, libérant une quantité importante de ceux-ci afin de renforcer la défense contre l'infection. L'un des objectifs de la vaccination est de stimuler le développement de cellules sécrétrices d'anticorps à vie longue et de lymphocytes mémoire.

Les anticorps utilisent leurs régions de liaison à l'antigène (Fab) pour se lier aux microbes et aux toxines et ainsi bloquer leurs effets nocifs. Ils utilisent leurs régions Fc pour activer différents mécanismes effecteurs destinés à éliminer ces microbes et ces toxines (figure 8.1). Cette ségrégation spatiale entre la reconnaissance de l'antigène et les fonctions effectrices des molécules d'anticorps a été présentée dans le chapitre 4. Les anticorps bloquent le pouvoir infectieux des microbes et les effets délétères des toxines microbiennes tout simplement en se liant aux microbes et aux toxines, et ils utilisent pour cela leurs régions Fab. Les autres fonctions des anticorps nécessitent la participation de différents composants des défenses, notamment les phagocytes et le système du complément. Les fragments Fc des molécules d'immunoglobulines (Ig), constitués des régions constantes des chaînes lourdes, contiennent les sites de liaison pour les phagocytes et le complément. La liaison efficace des phagocytes et du complément aux anticorps ne se produit que si plusieurs molécules d'Ig ont reconnu un microbe ou un antigène microbien et s'y sont fixées. Par conséquent, les fonctions des anticorps qui dépendent du fragment Fc nécessitent également la reconnaissance de l'antigène par les régions Fab. Cette caractéristique des anticorps garantit qu'ils n'activent les mécanismes effecteurs que lorsque cela est nécessaire, c'est-à-dire lorsqu'ils ont reconnu leurs cibles antigéniques.

Un type de récepteur de Fc, appelé **FcR néonatal (FcRn)**, est exprimé par le placenta, les endothéliums, et un petit nombre d'autres types cellulaires. Dans les endothéliums, il joue un rôle spécial dans la protection des anticorps IgG contre le catabolisme intracellulaire. Les FcRn se trouvent dans les endosomes des cellules endothéliales, où ils se lient à des IgG qui ont été captées par les cellules. Une fois liées aux FcRn, les IgG repassent dans la circulation, évitant ainsi la dégradation lysosomiale. Ce mécanisme de protection d'une protéine sanguine est la raison pour laquelle les anticorps IgG ont

© 2009 Elsevier Masson SAS. Tous droits réservés

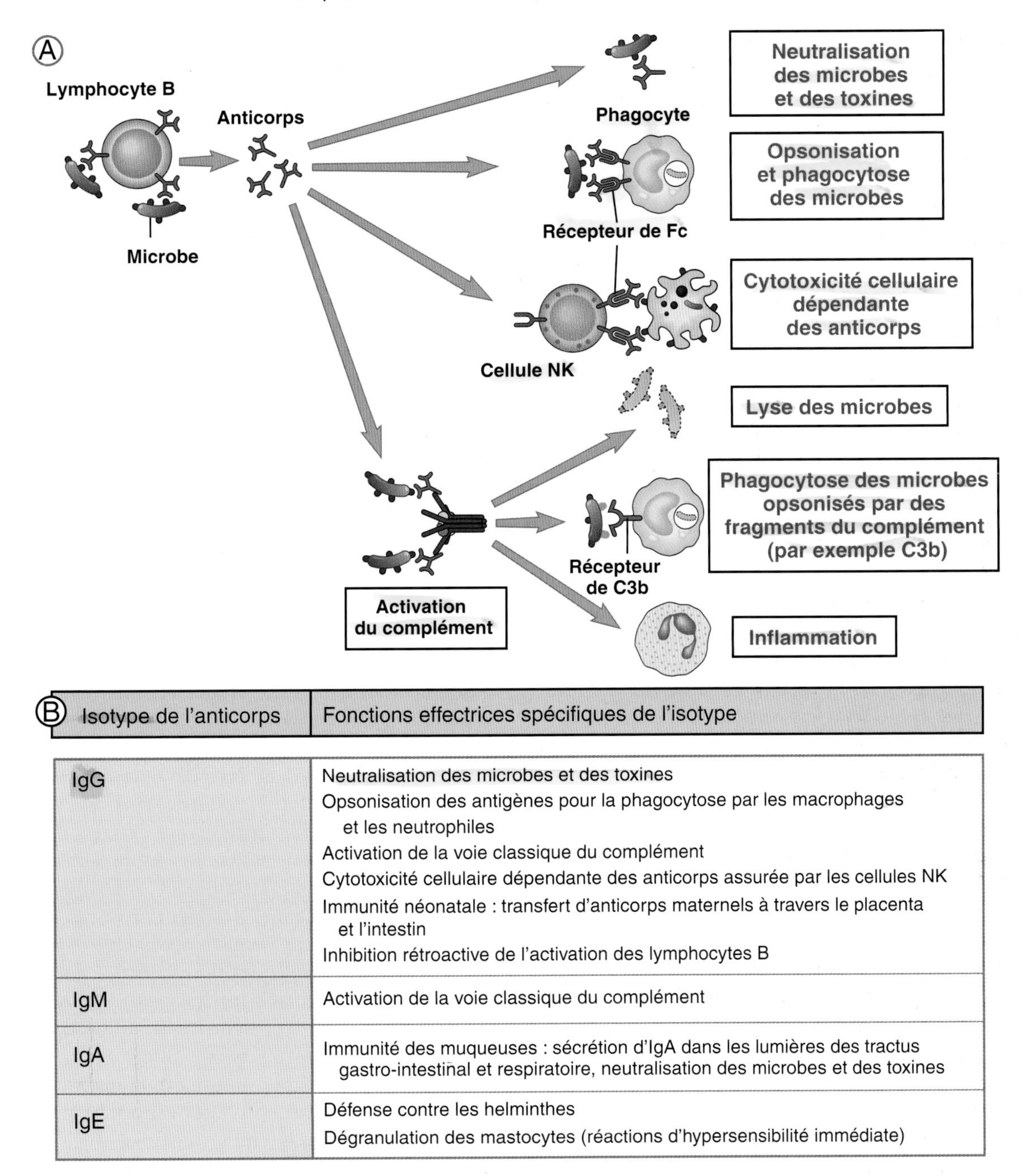

Isotype de l'anticorps	Fonctions effectrices spécifiques de l'isotype
IgG	Neutralisation des microbes et des toxines Opsonisation des antigènes pour la phagocytose par les macrophages et les neutrophiles Activation de la voie classique du complément Cytotoxicité cellulaire dépendante des anticorps assurée par les cellules NK Immunité néonatale : transfert d'anticorps maternels à travers le placenta et l'intestin Inhibition rétroactive de l'activation des lymphocytes B
IgM	Activation de la voie classique du complément
IgA	Immunité des muqueuses : sécrétion d'IgA dans les lumières des tractus gastro-intestinal et respiratoire, neutralisation des microbes et des toxines
IgE	Défense contre les helminthes Dégranulation des mastocytes (réactions d'hypersensibilité immédiate)

Figure 8.1 Fonctions effectrices des anticorps. Les anticorps sont produits suite à l'activation des lymphocytes B par les antigènes et d'autres signaux (*non représentés*). Les anticorps de différentes classes de chaînes lourdes (isotypes) assurent différentes fonctions effectrices, qui sont illustrées schématiquement dans la partie A de la figure et résumées dans la partie B. Certaines des propriétés des anticorps sont présentées à la figure 4.3, dans le chapitre 4.

une demi-vie d'environ 3 semaines, beaucoup plus longue que celle d'autres isotypes d'Ig. On a exploité cette propriété des régions Fc d'IgG pour allonger la survie d'autres protéines en couplant les protéines à une région Fc d'IgG. Un agent thérapeutique basé sur ce principe est la protéine de fusion dans laquelle le récepteur du facteur de nécrose tumorale (TNF) est attaché au fragment Fcγ, et qui sert d'antagoniste du TNF dans le traitement de diverses maladies inflammatoires. En couplant les récepteurs solubles à la portion Fc d'une molécule d'IgG humaine, on prolonge nettement la survie du récepteur.

Le changement de classe des chaînes lourdes (ou commutation isotypique) et la maturation d'affinité améliorent les fonctions protectrices des anticorps. La commutation isotypique et la maturation d'affinité sont deux types de changements qui surviennent dans les anticorps produits par les lymphocytes B stimulés par l'antigène, en particulier au cours des réponses dirigées

© 2009 Elsevier Masson SAS. Tous droits réservés

contre les antigènes protéiques (voir le chapitre 7). La commutation isotypique entraîne la production d'anticorps présentant des régions Fc distinctes, capables de différentes fonctions effectrices (voir la figure 8.1). Par conséquent, grâce à la commutation vers différentes classes d'anticorps en réponse à des microbes variés, le système immunitaire humoral est capable de mettre en jeu les mécanismes les mieux adaptés à la lutte contre ces microbes. Le processus de maturation d'affinité est induit par une stimulation antigénique prolongée ou répétée, et il conduit à la production d'anticorps présentant des affinités de plus en plus élevées pour l'antigène. Ce changement augmente la capacité des anticorps à se lier aux microbes, et ainsi à les neutraliser ou les éliminer, en particulier si les microbes sont persistants, ou capables d'infections récurrentes. Après cette introduction, le chapitre se poursuivra par la description des mécanismes utilisés par les anticorps pour combattre les infections. Une grande partie de ce chapitre sera consacrée aux mécanismes effecteurs qui ne sont pas influencés par des paramètres anatomiques, c'est-à-dire qui peuvent être actifs n'importe où dans l'organisme. Les caractéristiques spécifiques des fonctions des anticorps dans des sites anatomiques particuliers seront décrites à la fin du chapitre.

Neutralisation des microbes et des toxines microbiennes

Les anticorps, en se liant aux microbes et aux toxines, bloquent ou neutralisent le pouvoir infectieux des microbes et les interactions des toxines microbiennes avec les cellules de l'hôte (figure 8.2). La plupart des germes utilisent les molécules de leur enveloppe ou de leur paroi cellulaire pour se lier aux cellules et parvenir à pénétrer à l'intérieur de celles-ci. Les anticorps peuvent se fixer aux molécules de l'enveloppe microbienne ou de la paroi cellulaire et empêcher les microbes d'infecter et de coloniser l'hôte. La neutralisation est un mécanisme de défense très utile dans la mesure où elle bloque le développement de l'infection. Les vaccins actuellement les plus efficaces agissent en stimulant la production d'anticorps neutralisants, ce qui empêche les infections ultérieures. Les microbes qui infectent les cellules peuvent les endommager, ils sont alors libérés et peuvent infecter d'autres cellules adjacentes. Les anticorps décèlent les microbes au cours de leur passage d'une cellule à une autre et limitent ainsi leur propagation. Si un germe infectieux parvient à s'implanter, il peut exercer ses effets nocifs par ses endotoxines ou exotoxines, qui se lient à des récepteurs spécifiques sur les cellules de l'hôte. Les anticorps dirigés contre les toxines empêchent la liaison des toxines aux cellules et bloquent ainsi leurs effets délétères. La démonstration par Emil von Behring de ce type d'immunité humorale contre la toxine diphtérique a été la première mise en évidence formelle de l'immunité antimicrobienne, ce qui lui a valu le premier prix Nobel de médecine en 1901.

Opsonisation et phagocytose

Les anticorps recouvrent les microbes et favorisent leur ingestion par les phagocytes (figure 8.3). Le processus consistant à recouvrir des particules afin de favoriser une phagocytose ultérieure s'appelle **opsonisation**, et les molécules qui recouvrent les microbes et favorisent leur phagocytose portent le nom d'**opsonines**. Lorsque plusieurs molécules d'anticorps se lient à un microbe, une rangée de régions Fc, orientées vers l'extérieur, se forme à la surface du microbe. Si les anticorps appartiennent à certains isotypes (IgG1 et IgG3 chez l'homme), leurs régions Fc se lient à un récepteur de haute affinité pour les régions Fc des chaînes γ, appelé FcγRI (CD64), qui est exprimé à la surface des neutrophiles et des macrophages. Il en résulte que le phagocyte déploie sa membrane plasmique autour du microbe opsonisé et l'ingère dans une vacuole portant le nom de phagosome, qui fusionne avec les lysosomes. La liaison de l'extrémité de la région Fc des anticorps aux récepteurs FcγRI active également les phagocytes, car le récepteur FcγRI contient une chaîne de signalisation qui déclenche de nombreuses voies biochimiques dans les phagocytes. Le neutrophile ou le macrophage activé produit dans ses lysosomes de grandes quantités d'intermédiaires réactifs de l'oxygène, de monoxyde d'azote et d'enzymes protéolytiques, qui s'associent tous pour détruire le microbe ingéré. La phagocytose assurée par les anticorps est le principal mécanisme de défense contre les bactéries encapsulées, tels que les pneumocoques. Les capsules riches en polysaccharides de ces bactéries les protègent de la phagocytose en l'absence d'anticorps, mais l'opsonisation par les anticorps favorise la phagocytose et la destruction de ces bactéries. La rate contient un grand nombre de phagocytes et constitue un site important d'élimination par phagocytose des bactéries opsonisées. C'est la raison pour laquelle les patients ayant subi une splénectomie, par exemple pour une rupture traumatique de l'organe, sont sensibles à des infections généralisées par des bactéries encapsulées.

Cytotoxicité cellulaire dépendante des anticorps

Les cellules *natural killer* (NK) et les autres leucocytes peuvent se lier à des cellules recouvertes d'anticorps et les tuer (figure 8.4). Les cellules NK expriment un récepteur de Fc, appelé FcγRIII (CD16), qui se lie aux rangées d'anticorps IgG fixés à une cellule. À la suite des signaux émis par le récepteur FcγRIII, les cellules NK sont activées

© 2009 Elsevier Masson SAS. Tous droits réservés

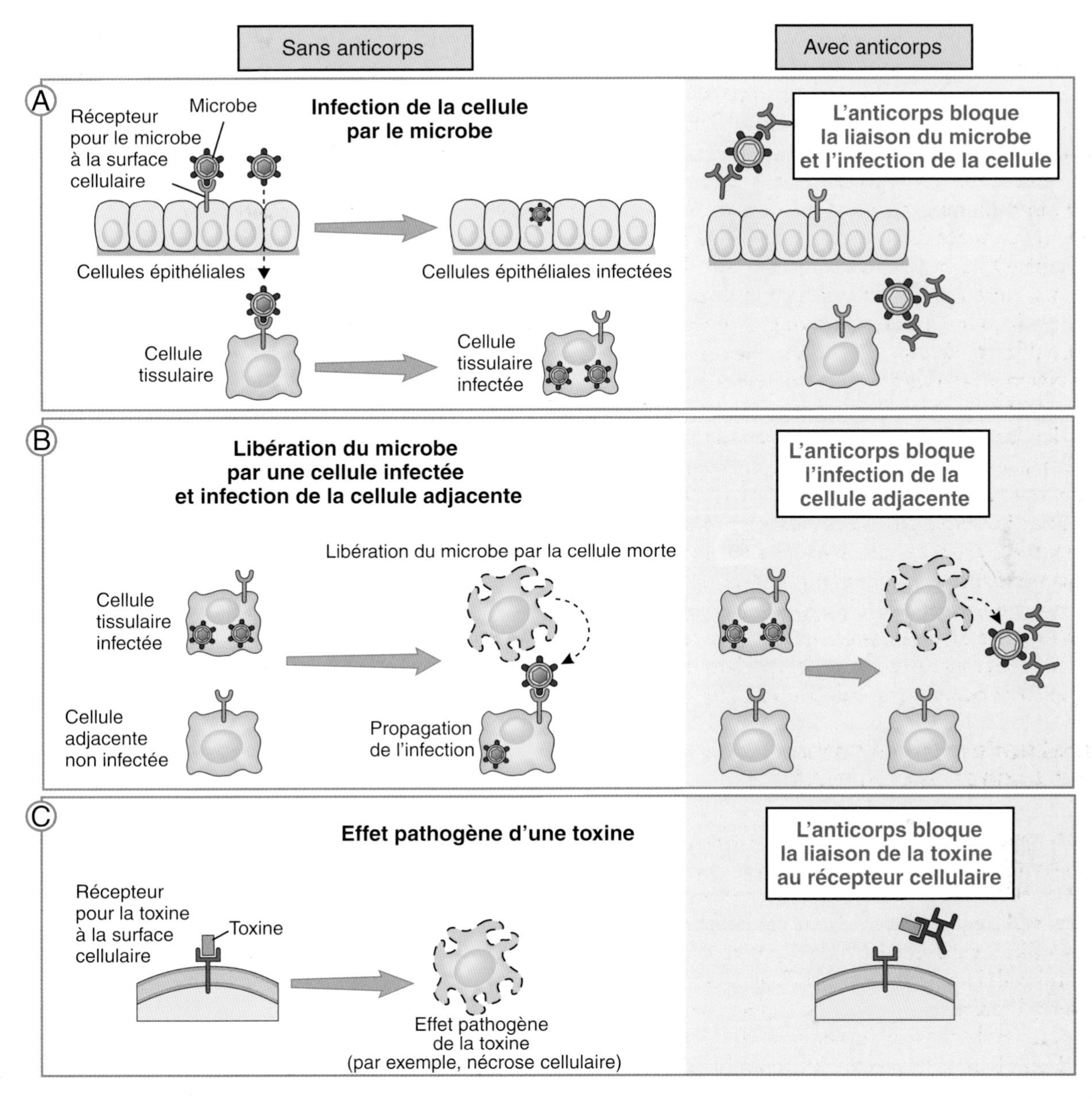

Figure 8.2 Neutralisation des microbes et des toxines par les anticorps. A. Les anticorps empêchent la liaison des microbes aux cellules, qui sont ainsi protégées de l'infection. B. Les anticorps inhibent la dissémination des microbes d'une cellule infectée à une cellule adjacente non infectée. C. Les anticorps bloquent la liaison des toxines aux cellules, inhibant ainsi les effets pathogènes des toxines.

et déchargent leurs granules, qui contiennent des protéines capables de tuer les cibles opsonisées. Ce processus est dit de **cytotoxicité cellulaire dépendante des anticorps** (**ADCC**, *antibody-dependent cellular cytotoxicity*). On ignore si des cellules infectées expriment habituellement des molécules de surface reconnaissables par des anticorps, ni dans quels types d'infections ce mécanisme effecteur est actif. En fait, il est probable que l'ADCC ne joue pas un rôle aussi important que la phagocytose des microbes opsonisés dans les défenses dirigées contre la plupart des bactéries et des virus.

Réactions dépendantes de l'IgE des mastocytes et des éosinophiles

Les anticorps IgE activent les mastocytes et les éosinophiles qui jouent un rôle important dans les défenses contre les infections à helminthes et qui sont impliqués dans les maladies allergiques. La plupart des helminthes ont une taille trop importante pour être phagocytés et ils possèdent des téguments épais qui les rendent résistants à la plupart des substances microbicides produites par les neutrophiles et les macrophages.

© 2009 Elsevier Masson SAS. Tous droits réservés

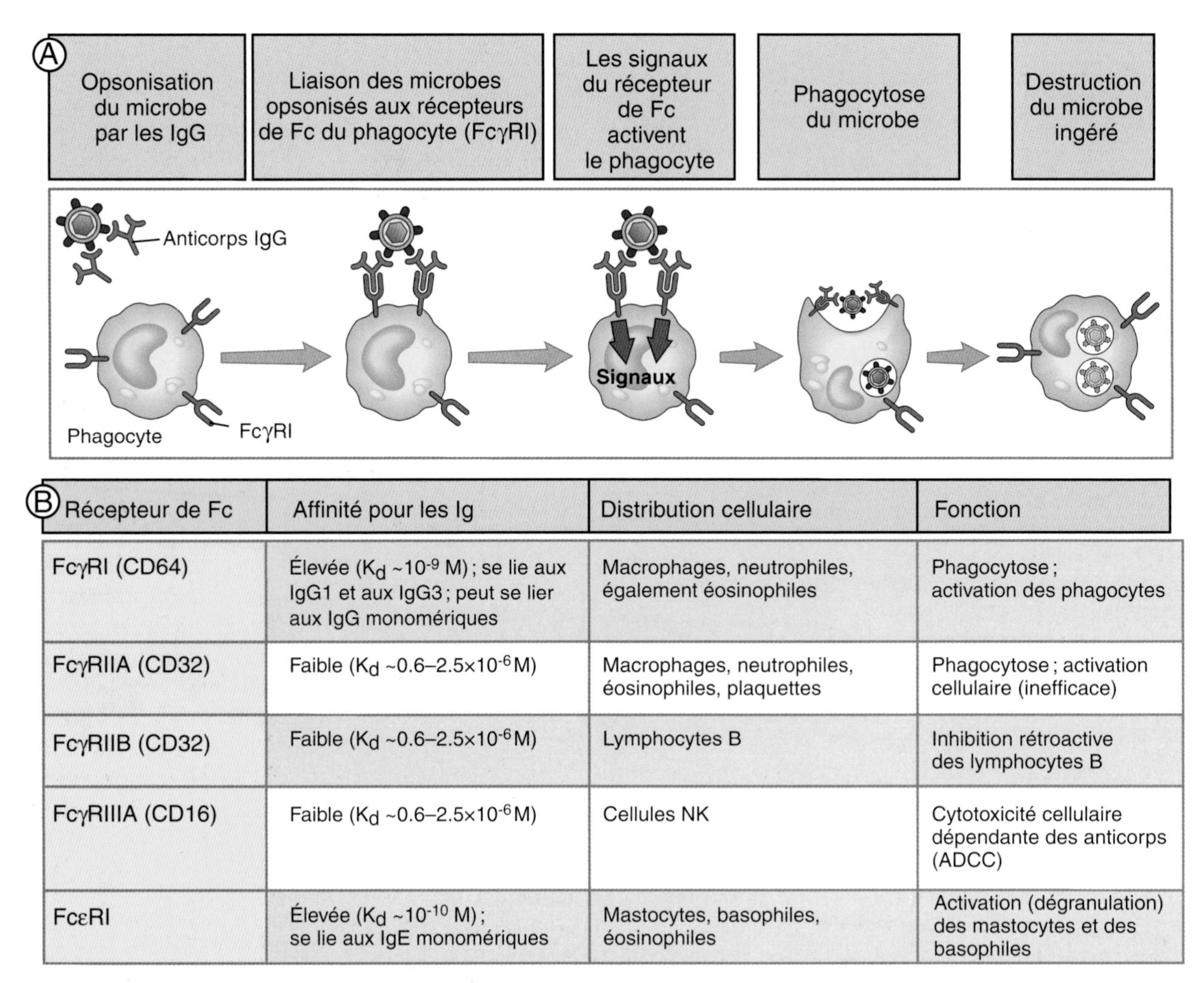

Récepteur de Fc	Affinité pour les Ig	Distribution cellulaire	Fonction
FcγRI (CD64)	Élevée (K_d ~10^{-9} M) ; se lie aux IgG1 et aux IgG3 ; peut se lier aux IgG monomériques	Macrophages, neutrophiles, également éosinophiles	Phagocytose ; activation des phagocytes
FcγRIIA (CD32)	Faible (K_d ~0.6–2.5×10^{-6} M)	Macrophages, neutrophiles, éosinophiles, plaquettes	Phagocytose ; activation cellulaire (inefficace)
FcγRIIB (CD32)	Faible (K_d ~0.6–2.5×10^{-6} M)	Lymphocytes B	Inhibition rétroactive des lymphocytes B
FcγRIIIA (CD16)	Faible (K_d ~0.6–2.5×10^{-6} M)	Cellules NK	Cytotoxicité cellulaire dépendante des anticorps (ADCC)
FcεRI	Élevée (K_d ~10^{-10} M) ; se lie aux IgE monomériques	Mastocytes, basophiles, éosinophiles	Activation (dégranulation) des mastocytes et des basophiles

Figure 8.3 Opsonisation et phagocytose des microbes dépendant des anticorps. A. Les anticorps de certaines sous-classes d'IgG se lient aux microbes et sont ensuite reconnus par les récepteurs de Fc sur les phagocytes. Les signaux provenant des récepteurs de Fc favorisent la phagocytose des microbes opsonisés et activent les phagocytes afin qu'ils détruisent les microbes. B. Liste des différents types de récepteurs de Fc chez l'homme, ainsi que leur distribution cellulaire et leurs fonctions.

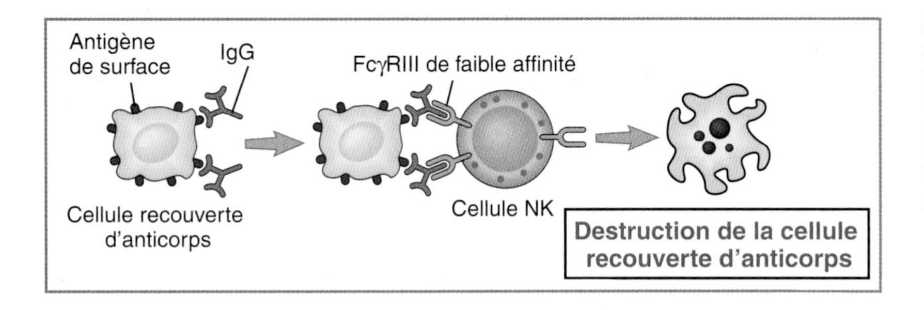

Figure 8.4 Cytotoxicité cellulaire dépendante des anticorps (ADCC). Les anticorps de certaines sous-classes d'IgG se lient aux cellules (par exemple des cellules infectées) et les régions Fc des anticorps liés sont reconnues par un récepteur de Fcγ situé sur les cellules NK. Les cellules NK sont activées et tuent les cellules recouvertes d'anticorps.

La réponse immunitaire humorale aux helminthes est dominée par les anticorps IgE, qui opsonisent les vers. Les anticorps IgE peuvent se lier aux vers et peuvent ainsi favoriser l'intervention des éosinophiles porteurs, comme les mastocytes, de récepteurs de Fc de haute affinité spécifique des IgE, appelés FcεRI. Chez l'homme, ce récepteur sur les éosinophiles paraît incapable de transmettre les signaux d'activation, et ces cellules sont probablement activées par des cytokines, comme l'IL-5, qui sont sécrétées par les cellules T dans le voisinage des parasites. Lorsqu'ils sont activés, les éosinophiles libèrent leurs granules, qui contiennent des protéines toxiques pour les helminthes. Les anticorps IgE liés peuvent activer également les mastocytes, qui sécrètent des cytokines, y compris des chimiokines, qui attirent plus de leucocytes contribuant à la destruction du parasite. Cette réaction

© 2009 Elsevier Masson SAS. Tous droits réservés

assurée par les IgE et les éosinophiles illustre comment la commutation isotypique des Ig est conçue pour optimiser les défenses de l'hôte : les lymphocytes B répondent aux helminthes par une commutation vers les IgE, qui sont efficaces contre les helminthes, tandis que les lymphocytes B répondent à la plupart des bactéries et des virus par une commutation vers les anticorps IgG, qui favorisent la phagocytose par l'intermédiaire du récepteur FcγRI. Comme il en était question dans les chapitres 5 et 7, ces profils de commutation isotypique sont déterminés par le type de cytokines produites par les lymphocytes T auxiliaires réagissant à différents types de microbes.

Les anticorps IgE sont aussi impliqués dans les maladies allergiques, qui seront décrites dans le chapitre 11.

Voies d'activation du complément

Il existe trois voies principales d'activation du complément, deux déclenchées par les microbes en absence d'anticorps, appelées voie alternative et voie des lectines, la troisième étant déclenchée par certains isotypes d'anticorps attachés à des antigènes; on l'appelle voie classique (figure 8.5). Plusieurs protéines, dans chaque voie, interagissent en suivant une séquence précise. La protéine du complément la plus abondante dans le plasma, appelée C3, joue un rôle central dans les trois voies. C3 est spontanément hydrolysé dans le plasma à faible taux, mais les produits générés sont instables, et par conséquent rapidement dégradés et perdus. La voie alternative est déclenchée lorsqu'un produit de dégradation de l'hydrolyse de C3, appelé C3b, est déposé à la surface d'un microbe. Là, C3b forme des liaisons covalentes stables avec les protéines ou les polysaccharides microbiens, ce qui le protège contre toute dégradation ultérieure. Comme cela sera décrit ultérieurement, différentes protéines régulatrices, qui sont présentes sur les cellules de l'hôte, mais absentes des microbes, empêchent la liaison stable de C3b avec les cellules normales de l'hôte. Le C3b lié aux microbes devient alors un substrat pour la liaison d'une autre protéine, appelée facteur B, qui est dégradée par une protéase plasmatique afin de générer le fragment Bb. Ce fragment reste fixé à C3b, et le complexe C3bBb a la capacité d'induire la dégradation enzymatique d'autres molécules de C3, d'où son nom de « C3 convertase de la voie alternative ». L'activité de cette convertase a comme effet qu'un nombre plus important de molécules C3b et C3bBb sont produites et se fixent aux microbes. Certaines des molécules C3bBb se lient à des molécules C3b supplémentaires, et le complexe C3bBb3b agit alors comme une C5 convertase, afin de dégrader la protéine du complément C5 et d'initier les étapes ultimes de l'activation du complément.

La **voie classique** est déclenchée lorsque des IgM ou certaines sous-classes d'IgG (IgG1 et IgG3 chez l'homme) se lient à des antigènes (par exemple à la surface cellulaire des microbes). Il en résulte que les régions Fc des anticorps deviennent accessibles aux protéines du complément et que deux ou plusieurs régions Fc se rapprochent les unes des autres. Lorsque ce phénomène se produit, la protéine du complément C1 se lie à deux régions Fc adjacentes. La protéine C1 fixée devient une enzyme active, entraînant ainsi la liaison et le clivage de deux autres protéines, C4 et C2. Le complexe C4b2a ainsi formé se fixe de manière covalente à l'anticorps et à la surface microbienne où l'anticorps s'est fixé. Ce complexe assure les fonctions de « C3 convertase de la voie classique ». Il dégrade C3, et le C3b, qui est à nouveau généré, se fixe au microbe. Une proportion de C3b se lie au complexe C4b2a et le complexe C4b2a3b qui en résulte agit comme une C5 convertase.

La **voie des lectines** est déclenchée en absence d'anticorps par la fixation de la lectine liant le mannose (MBL) aux microbes. La structure de MBL ressemble à celle d'un composant du C1 de la voie classique et son rôle est d'activer C4. Les étapes suivantes sont pratiquement identiques à celles de la voie classique.

Le résultat de ces étapes initiales de l'activation du complément est la fixation covalente de C3b en forte densité sur les microbes. Notez que la voie alternative et celle des lectines sont des mécanismes effecteurs de l'immunité innée, et que la voie classique est un mécanisme de l'immunité humorale adaptative. Ces voies diffèrent par la manière dont elles sont déclenchées, mais lorsqu'elles le sont, les étapes finales sont les mêmes.

L'activation terminale du complément (figure 8.6) fait suite à la liaison de C5 à la C5 convertase, qui lyse C5 et fournit le fragment C5b, auquel les autres composants, C6, C7, C8 et C9, se lient de manière séquentielle. La dernière protéine de la voie, C9, polymérise pour former un pore dans la membrane cellulaire au travers duquel l'eau et différents ions peuvent pénétrer, provoquant la mort de la cellule. Ce polymère de C9 est appelé **complexe d'attaque membranaire** (CAM) et sa formation constitue l'étape finale de l'activation du complément.

Fonctions du système du complément

Le système du complément joue un rôle important dans l'élimination des microbes au cours des réponses immunitaires innées et adaptatives. Les principales fonctions effectrices du système du complément sont illustrées dans la figure 8.7.

Les microbes recouverts de C3b sont phagocytés grâce à la propriété de C3b d'être reconnu par le récepteur du complément du type 1 (CR1 ou CD35) exprimé sur les phagocytes. Par conséquent, C3b agit comme une opsonine. L'opsonisation est probablement la fonction la plus importante du complément dans la défense contre

© 2009 Elsevier Masson SAS. Tous droits réservés

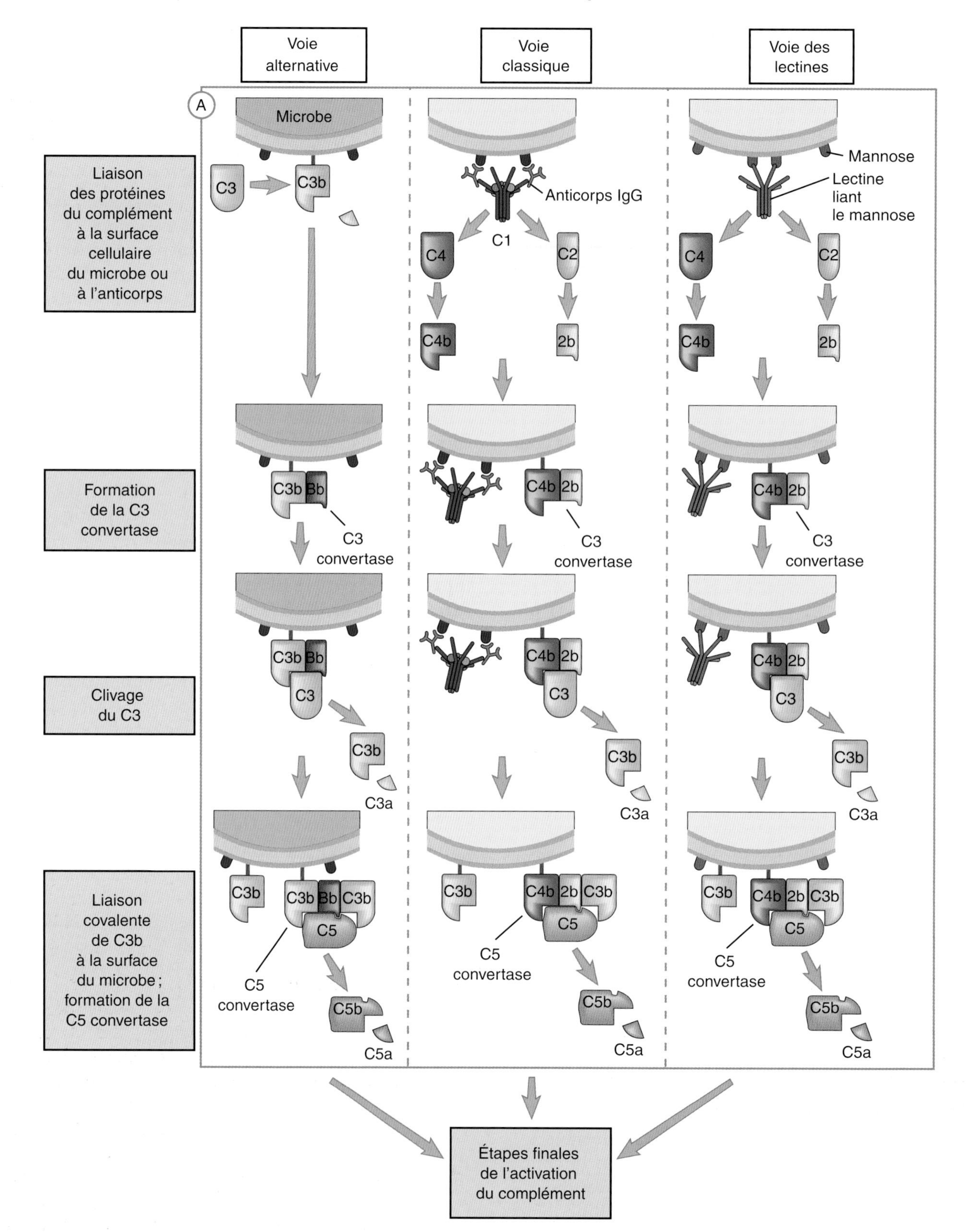

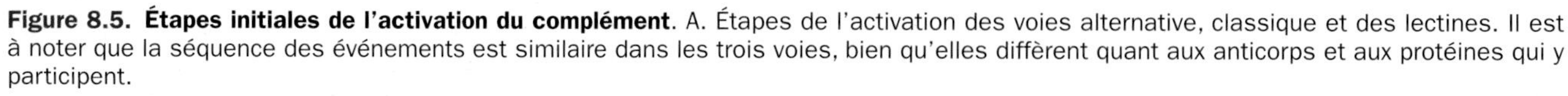

Figure 8.5. Étapes initiales de l'activation du complément. A. Étapes de l'activation des voies alternative, classique et des lectines. Il est à noter que la séquence des événements est similaire dans les trois voies, bien qu'elles diffèrent quant aux anticorps et aux protéines qui y participent.

© 2009 Elsevier Masson SAS. Tous droits réservés

B

Protéine	Concentration sérique (μg/ml)	Fonction
C3	1000–1200	C3b se lie à la surface d'un microbe où il agit comme une opsonine ou comme un composant des C3 et C5 convertases C3a stimule l'inflammation
Facteur B	200	Bb est une sérine protéase et l'enzyme active dans les C3 et C5 convertases
Facteur D	1–2	Sérine protéase plasmatique qui clive le facteur B lorsqu'il est lié à C3b
Properdine	25	Stabilise la C3 convertase (C3bBb) à la surface des microbes

C

Protéine	Concentration sérique (μg/ml)	Fonction
C1 ($C1qr_2s_2$)		Initie la voie classique ; C1q se lie à la région Fc de l'anticorps ; C1r et C1s sont des protéases responsables de l'activation de C4 et C2
C4	300–600	C4b se lie de manière covalente à la surface du microbe ou de la cellule sur laquelle l'anticorps est lié et où le complément est activé C4b se lie à C2 afin qu'un clivage soit effectué par C1s C4a stimule l'inflammation
C2	20	C2a est une sérine protéase fonctionnant comme une enzyme active dans les C3 et C5 convertases
Lectine liant le mannose (MBL)	0,8–1	Déclenche la voie des lectines ; la MBL se lie aux résidus mannose terminaux des glucides microbiens. Une protéase associée à la MBL active C4 et C2, comme dans la voie classique

Figure 8.5 suite B. Résumé des principales propriétés des protéines participant aux étapes initiales d'activation de la voie alternative du complément. C. Résumé des principales propriétés des protéines participant aux étapes initiales des voies classique et des lectines. Il est à noter que C3, qui figure sur la liste des protéines de la voie alternative (B), est également le principal composant de la voie classique et de la voie des lectines.

les microbes. Le complexe d'attaque membranaire peut induire une lyse osmotique des cellules, notamment des microbes. Cependant, cette activité lytique n'est efficace que sur les microbes qui ont des parois fines et peu ou pas de glycocalyx, comme les bactéries du genre *Neisseria*. Les petits fragments peptidiques des protéines C3, C4 et C5, produits par protéolyse, sont chimiotactiques pour les neutrophiles, stimulent la libération de médiateurs inflammatoires par différents leucocytes et agissent sur les cellules endothéliales pour augmenter la migration des leucocytes et la diffusion des protéines plasmatiques dans les tissus. De cette manière, les fragments du complément induisent des réactions inflammatoires qui contribuent à l'élimination des microbes.

Outre ses fonctions effectrices antimicrobiennes, le système du complément contribue à la stimulation des réponses immunitaires humorales. Lorsque C3 est activé par un microbe, l'un de ses produits de dégradation, C3d, est reconnu par le récepteur CR2 des lymphocytes B. Les signaux transmis par ce récepteur stimulent les réponses des lymphocytes B contre le microbe. Ce processus est décrit dans le chapitre 7 (figure 7.5) et constitue un exemple d'une réponse immunitaire innée dirigée contre un microbe (activation du complément) stimulant une réponse immunitaire adaptative contre le même microbe (activation des lymphocytes B et production d'anticorps). Les protéines du complément liées aux complexes antigène-anticorps sont reconnues par les cellules dendritiques folliculaires des centres germinatifs, ce qui permet une présentation plus efficace des antigènes aux lymphocytes B et la sélection des lymphocytes B de haute affinité. Cette présentation des antigènes dépendante du

© 2009 Elsevier Masson SAS. Tous droits réservés

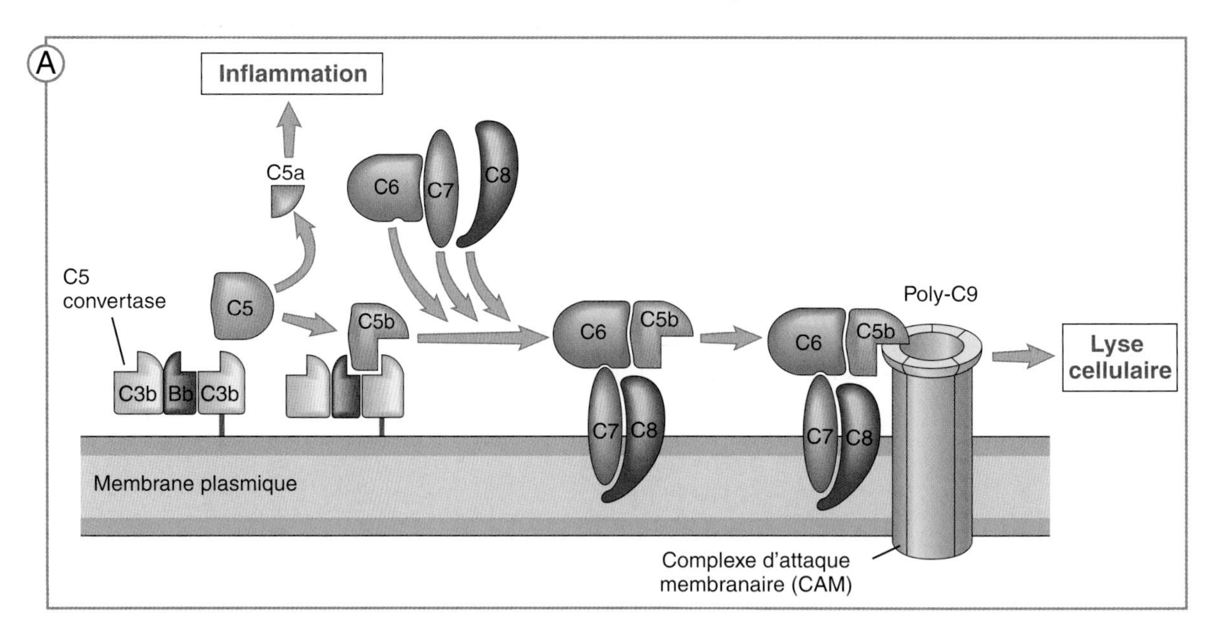

B

Protéine	Concentration sérique (µg/ml)	Fonction
C5	80	C5b induit l'assemblage du complexe d'attaque membranaire (CAM) C5a stimule l'inflammation
C6	45	Composant du CAM : se lie à C5b et accepte C7
C7	90	Composant du CAM : se lie à C5b, C6 et s'insère dans les membranes lipidiques
C8	60	Composant du CAM : se lie à C5b, C6, C7 et induit la liaison et la polymérisation de C9
C9	60	Composant du CAM : se lie à C5b, C6, C7, C8 et polymérise pour former des pores membranaires

Figure 8.6 Étapes finales de l'activation du complément. A. Étapes finales de l'activation du complément, qui commencent après la formation de la C5 convertase, et sont identiques dans les voies alternative et classique. Les produits générés au cours des étapes finales induisent l'inflammation (C5a) et la lyse cellulaire (complexe d'attaque membranaire, CAM). B. Propriétés des protéines participant aux étapes finales de l'activation du complément.

complément est une autre voie par laquelle le système du complément favorise la production d'anticorps.

Les déficits héréditaires en protéines du complément sont à l'origine de certaines pathologies chez l'homme. Un déficit en C3 entraîne une très forte sensibilité aux infections et conduit généralement au décès dans les premières années de la vie. De façon assez surprenante, des déficits en protéines initiales de la voie classique, C2 et C4, ne provoquent pas de déficit immunitaire. Les déficits en C2 et C4 sont associés à une augmentation de l'incidence de maladies à complexes immuns, ressemblant au lupus érythémateux disséminé, peut-être en raison du rôle de la voie classique dans l'élimination des complexes immuns du sang. Les déficits en C9 et en complexe d'attaque membranaire entraînent une augmentation de la sensibilité aux infections par *Neisseria*. Certains individus héritent de polymorphismes du gène qui code la lectine liant le mannose, ce qui entraîne la production d'une protéine défective sur le plan fonctionnel ; de tels défauts sont associés à une susceptibilité accrue aux infections.

Régulation de l'activation du complément

Les cellules des mammifères expriment des protéines régulatrices qui inhibent l'activation du complément,

© 2009 Elsevier Masson SAS. Tous droits réservés

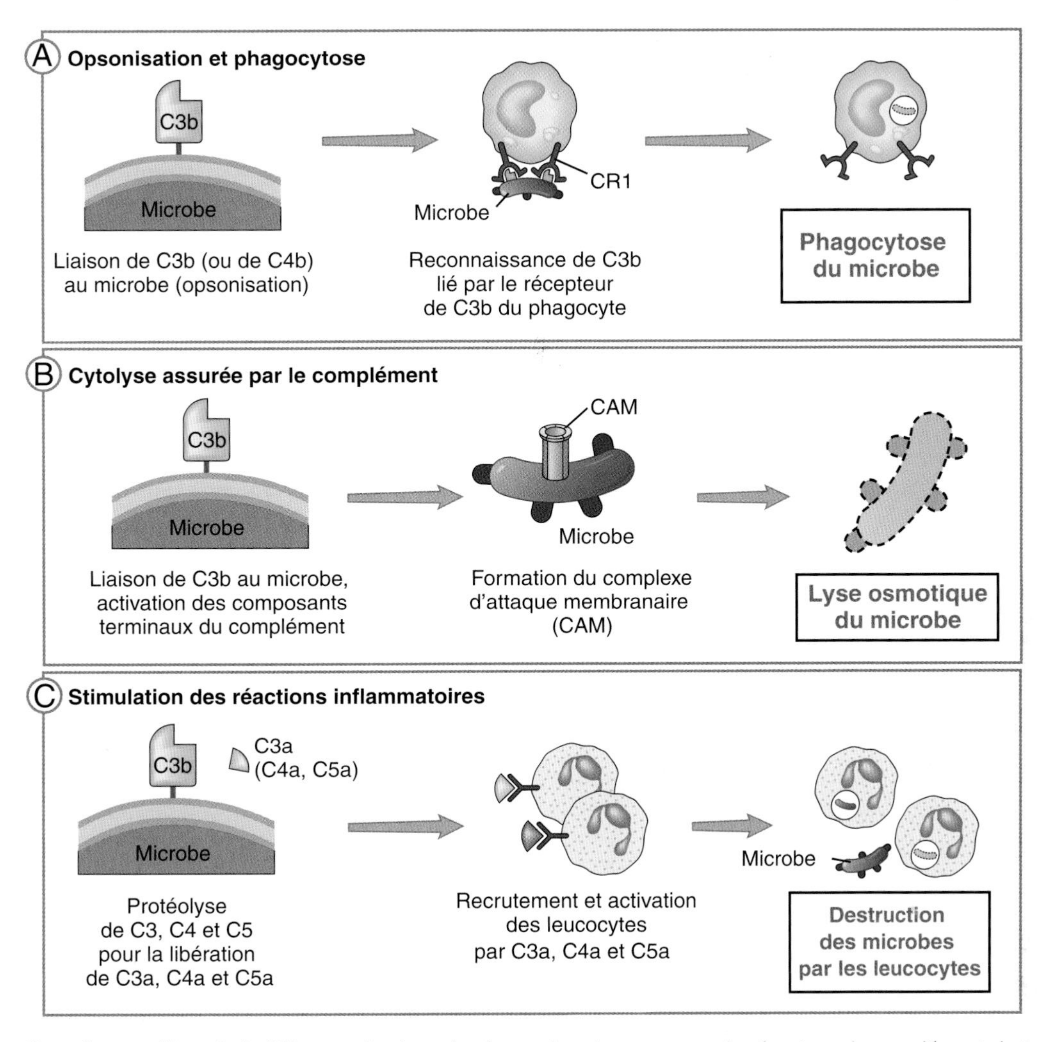

Figure 8.7 Fonctions du complément. A. C3b opsonise les microbes puis est reconnu par le récepteur du complément de type 1 (CR1) des phagocytes, entraînant l'ingestion et la destruction intracellulaire des microbes opsonisés. Par conséquent, C3b est une opsonine. CR1 reconnaît également C4b, qui peut assurer la même fonction. D'autres produits du complément, comme la forme inactivée de C3b (iC3b), se lient également aux microbes et sont reconnus par d'autres récepteurs situés sur les phagocytes (par exemple le récepteur du complément de type 3, un membre de la famille des intégrines). B. Le complexe d'attaque membranaire forme des pores dans les membranes cellulaires et induit une lyse osmotique des cellules. C. De petits peptides, libérés au cours de l'activation du complément, se lient à des récepteurs sur les neutrophiles et stimulent les réactions inflammatoires. Les peptides qui assurent cette fonction sont C5a, C3a et C4a (par ordre décroissant d'efficacité).

empêchant ainsi que les cellules ne soient lésées par le complément (figure 8.8). De nombreuses protéines régulatrices ont été décrites. Le facteur accélérant la dissociation (DAF, *decay accelerating factor*) est une protéine membranaire qui rompt la liaison du facteur B avec C3b, ou la liaison de C4b2a avec C3b, interrompant ainsi l'activation du complément à la fois par la voie alternative et par la voie classique. La protéine MCP (*membrane cofactor protein*) sert de cofacteur dans la protéolyse de C3b en fragments inactifs, un processus assuré par une enzyme plasmatique, le facteur I. Le récepteur du complément de type 1 (CR1) peut exercer les deux fonctions. Une protéine régulatrice, appelée inhibiteur de C1 (C1 INH), interrompt précocement l'activation du complément au stade de l'activation du C1. D'autres protéines régulent l'activation du complément au cours des étapes finales, comme la formation du complexe d'attaque membranaire. La présence de ces protéines régulatrices est une adaptation apparue chez les mammifères. Les microbes ne possèdent pas ces protéines régulatrices et ils sont par conséquent sensibles au complément. Dans les cellules de mammifères, la régulation peut être débordée par une activation du complément de plus en plus importante. Par conséquent, les cellules de mammifères peuvent devenir également des cibles du complément, si elles sont couvertes par des anticorps en grande quantité, comme dans certaines formes d'hypersensibilité immunitaire (voir le chapitre 11).

Les déficits héréditaires en protéines régulatrices provoquent une activation du complément excessive et

© 2009 Elsevier Masson SAS. Tous droits réservés

pathologique. Un déficit en C1 INH cause une maladie appelée **œdème angioneurotique héréditaire**, au cours de laquelle une activation excessive de C1 et la production de fragments protéiques vasoactifs entraînent une fuite de liquide (œdème) dans de nombreux tissus, entre autres le larynx, ce qui peut entraîner des troubles respiratoires graves. L'**hémoglobinurie nocturne paroxystique** est due à un déficit de l'enzyme qui synthétise l'ancre glycolipidique de plusieurs protéines membranaires, notamment les protéines régulatrices du complément, DAF et MCP. L'activation incontrôlée du complément chez ces patients entraîne la lyse des érythrocytes.

Fonctions des anticorps dans des sites anatomiques particuliers

Les mécanismes effecteurs de l'immunité humorale qui ont été décrits jusqu'à présent peuvent être actifs dans n'importe quel site de l'organisme où les anticorps peuvent accéder. Comme dit précédemment, les anticorps sont produits dans les organes lymphoïdes périphériques et gagnent facilement la circulation sanguine, à partir de laquelle ils peuvent diffuser partout. Les anticorps exercent aussi des fonctions protectrices dans deux sites anatomiques particuliers, les muqueuses et le fœtus. Il existe des mécanismes spéciaux pour le transport des anticorps à travers les épithéliums et à travers le placenta, les anticorps jouant un rôle essentiel dans la défense de ces sites.

Immunité associée aux muqueuses

Les anticorps IgA sont produits dans les tissus lymphoïdes associés aux muqueuses et transportés activement à travers les épithéliums. Ils se lient aux microbes qui pénètrent à travers les muqueuses et les neutralisent (figure 8.9). Les microbes sont souvent inhalés ou ingérés, et les anticorps qui sont sécrétés dans la lumière du tractus respiratoire ou du tractus gastro-intestinal se lient aux microbes, les empêchant ainsi

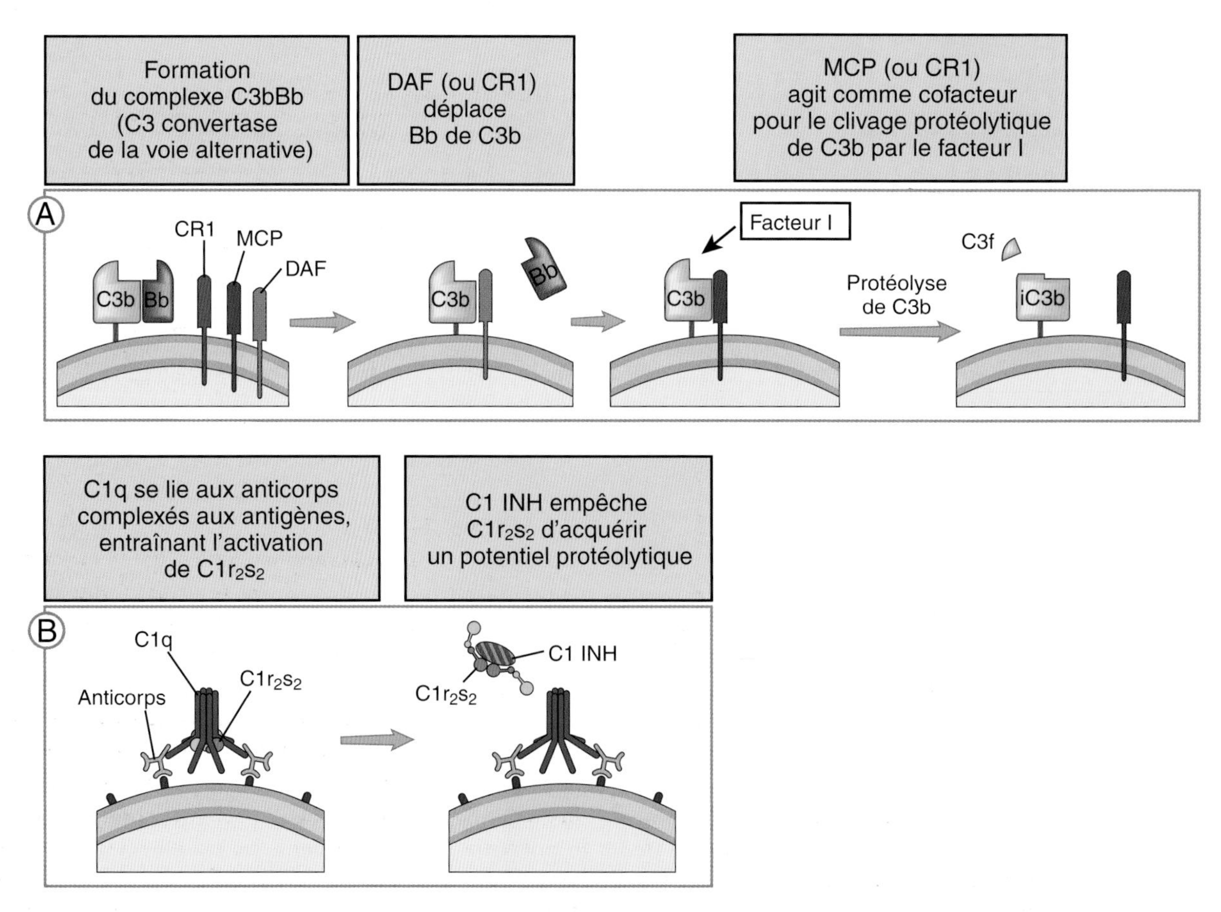

Figure 8.8 Régulation de l'activation du complément. A. Les protéines de la surface cellulaire DAF (*decay accelerating factor*) et CR1 (récepteur du complément de type 1) interfèrent avec la formation de la C3 convertase en dissociant Bb (dans la voie alternative) ou C4b (dans la voie classique, non représentée). La protéine MCP (*membrane cofactor protein*) et le CR1 servent de cofacteurs pour le clivage de C3b par une enzyme plasmatique appelée facteur I, détruisant ainsi toutes les protéines C3b qui peuvent être formées. B. L'inhibiteur du C1 (C1 INH) empêche l'assemblage du complexe C1 qui est composé des protéines C1q, C1r et C1s, et par conséquent bloque l'activation du complément par la voie classique.

© 2009 Elsevier Masson SAS. Tous droits réservés

Ⓒ **Protéines plasmatiques**

Protéine	Distribution	Fonction
Inhibiteur du C1 (C1 INH)	Plasma ; concentration 200 µg/ml	Inhibe l'activité sérine protéase de C1r et de C1s
Facteur I	Plasma ; concentration 35 µg/ml	Effectue un clivage protéolytique de C3b et C4b
Facteur H	Plasma ; concentration 480 µg/ml	Provoque la dissociation des sous-unités de la C3 convertase de la voie alterne Cofacteur du clivage de C3b effectué par le facteur I
Protéine liant C4 (C4BP, C4 binding protein)	Plasma ; concentration 300 µg/ml	Provoque la dissociation des sous-unités de la C3 convertase de la voie classique Cofacteur du clivage de C4b effectué par le facteur I

Protéines membranaires

Protéine	Distribution	Fonction
Protéine cofacteur de membrane (MCP, CD46)	Leucocytes, cellules épithéliales, cellules endothéliales	Cofacteur pour le clivage de C3b et de C4b par le facteur I
Facteur accélérant la dissociation (DAF)	Cellules sanguines, cellules endothéliales, cellules épithéliales	Provoque la dissociation des sous-unités de la C3 convertase
CD59	Cellules sanguines, cellules endothéliales, cellules épithéliales	Bloque la liaison de C9 et empêche la formation du CAM
Récepteur du complément de type 1 (CR1, CD35)	Phagocytes mononucléés, neutrophiles, lymphocytes B et T, érythrocytes, éosinophiles, cellules folliculaires dendritiques	Provoque la dissociation des sous-unités de la C3 convertase Cofacteur pour le clivage de C3b et de C4b par le facteur I

Figure 8.8 suite C. Nature et fonction des principales protéines régulatrices du système du complément.

de coloniser l'hôte. Ce type d'immunité porte le nom d'immunité liée aux muqueuses (ou immunité sécrétoire). Les anticorps produits dans les tissus muqueux appartiennent principalement à la classe des IgA. En fait, à cause de la surface importante des intestins, les IgA représentent 60 à 70 % des quelques 3 g d'anticorps produits quotidiennement par un adulte sain. La propension des tissus lymphoïdes associés aux muqueuses à produire des IgA est, au moins en partie, due au fait que la principale cytokine induisant la commutation vers cet isotype, à savoir le TGFβ (*transforming growth factor*-β), est produite abondamment dans ces tissus. De plus, certains anticorps IgA peuvent être produits par une sous-population de lymphocytes B, appelés lymphocytes B-1, qui migrent vers les muqueuses et sécrètent des IgA en réponse à des antigènes non protéiques, en l'absence de coopération avec des lymphocytes T.

Les tissus lymphoïdes associés aux muqueuses sont situés dans la *lamina propria* et les IgA sont produites dans ce site. L'IgA doit être transportée de la *lamina propria* dans la lumière (dans le sens inverse du transport transépithélial habituel des molécules ingérées). Ce transfert s'effectue grâce à un récepteur de Fc particulier, portant le nom de **récepteur poly-Ig**, exprimé au pôle basal des cellules épithéliales. Ce récepteur fixe les IgA, permet leur endocytose dans des vésicules et les transporte jusqu'à la surface luminale. À cet endroit, le récepteur est clivé par une protéase et les IgA sont libérées dans la lumière tout en restant liées à une partie du récepteur poly-Ig. Les anticorps peuvent ensuite reconnaître les microbes dans la lumière et bloquer leur adhérence et leur entrée à travers l'épithélium. L'immunité induite dans la muqueuse intestinale par le poliovirus atténué du vaccin oral prévient efficacement la poliomyélite.

© 2009 Elsevier Masson SAS. Tous droits réservés

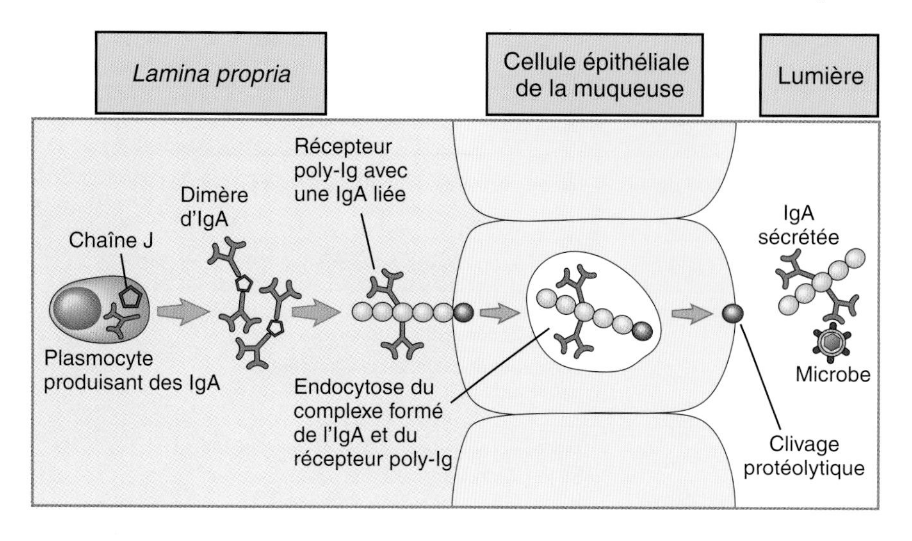

Figure 8.9 Transport des IgA à travers l'épithélium. Dans la muqueuse des tractus gastro-intestinal et respiratoire, les IgA sont produites par les plasmocytes dans la *lamina propria* et sont activement transportées à travers les cellules épithéliales par un récepteur de Fc spécifique des IgA (appelé récepteur poly-Ig car il reconnaît également les IgM). À la surface luminale, les IgA liées à une partie du récepteur sont libérées. À cet endroit, l'anticorps reconnaît les microbes ingérés ou inhalés, et bloque leur entrée à travers l'épithélium.

Immunité néonatale

Les anticorps maternels sont transportés activement à travers le placenta vers le fœtus et à travers l'épithélium intestinal du nouveau-né, afin de le protéger contre les infections. Les nouveau-nés des mammifères présentent un système immunitaire dont le développement est incomplet; ils sont incapables d'élaborer des réponses immunitaires efficaces contre un grand nombre de microbes. Au cours des premières années de leur vie, ils sont protégés des infections par les anticorps provenant de leur mère. Ceci constitue un excellent exemple d'immunité passive. Les nouveau-nés acquièrent les anticorps maternels de deux façons, toutes deux étant basées sur un récepteur de Fc particulier, appelé récepteur de Fc néonatal (FcRn). Au cours de la grossesse, certaines classes d'IgG maternelles se lient au récepteur de Fc néonatal exprimé dans le placenta, puis les IgG sont activement transportées dans la circulation fœtale. Après la naissance, les nouveau-nés ingèrent les anticorps maternels présents dans le lait. Les cellules épithéliales de l'intestin du nouveau-né expriment également le récepteur de Fc, qui fixe les anticorps ingérés et les transporte à travers l'épithélium. Par conséquent, les nouveau-nés acquièrent les profils d'anticorps IgG de leur mère et sont protégés contre les germes infectieux auxquels leur mère a été exposée ou contre lesquels elle a été vaccinée.

Comment des microbes échappent à l'immunité humorale

Les microbes ont développé de nombreux mécanismes pour échapper à l'immunité humorale (figure 8.10). Plusieurs types de bactéries et virus mutent leurs molécules antigéniques de surface et ne peuvent plus être reconnus par les anticorps produits en réponse à de précédentes infections. La variation antigénique est fréquente chez les virus, notamment le virus de la grippe, le virus de l'immunodéficience humaine (VIH) et les rhinovirus. Il existe tellement de variants du principal antigène du VIH, la glycoprotéine de surface appelée gp120, que les anticorps actifs contre un isolat de VIH peuvent ne pas avoir d'action protectrice contre d'autres isolats de VIH. C'est l'une des raisons pour laquelle les vaccins à base de gp120 n'ont que peu ou pas d'efficacité pour protéger les individus contre l'infection. Certaines bactéries, comme *Escherichia coli*, modifient les antigènes contenus dans leurs pili et peuvent ainsi échapper aux défenses assurées par les anticorps. Le trypanosome est un parasite qui exprime de nouvelles glycoprotéines de surface quand il rencontre des anticorps dirigés contre la glycoprotéine originale. Il en résulte que l'infection par ce protozoaire est caractérisée par des vagues de parasitémie, chaque vague correspondant à un nouveau parasite sur le plan antigénique, qui n'est pas reconnu par les anticorps produits contre les parasites de la vague précédente. D'autres microbes inhibent l'activation du complément ou résistent à la phagocytose.

Vaccination

La vaccination est le processus consistant à stimuler les réponses immunitaires adaptatives protectrices contre des microbes en exposant l'organisme à des formes non pathogènes ou à des composants des microbes. Le développement de vaccins contre les infections a été l'un des grands succès de l'immunologie. La seule maladie humaine ayant été intentionnellement éradiquée de la surface de la Terre est la variole, et ce résultat a été obtenu par un programme mondial de vaccination. La poliomyélite sera vraisemblablement la seconde maladie dans ce cas et, comme indiqué au chapitre 1, de nombreuses autres maladies ont été en grande partie contrôlées grâce à la vaccination (voir la figure 1.2, dans le chapitre 1). Plusieurs

© 2009 Elsevier Masson SAS. Tous droits réservés

Mécanisme d'échappement immunitaire	Exemples
Variation antigénique	De nombreux virus, par exemple le virus de la grippe, le VIH *Neisseria gonorrhoeae, Escherichia coli, Samonella typhimurium* 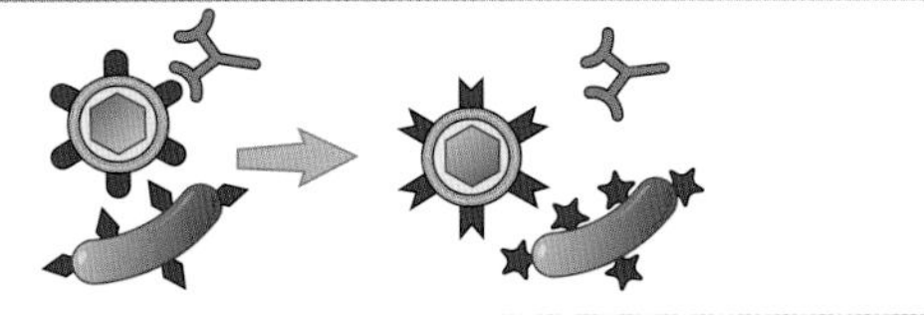
Inhibition de l'activation du complément	De nombreuses bactéries 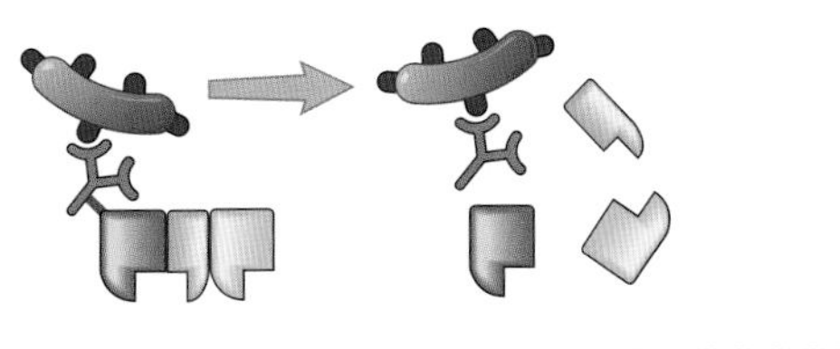
Résistance à la phagocytose	*Pneumococcus* 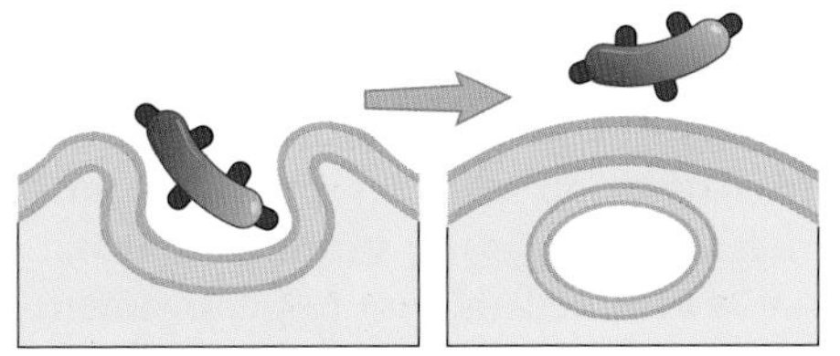

Figure 8.10 Échappement des microbes à l'immunité humorale. Exemples illustrant les principaux mécanismes par lesquels les microbes échappent à l'immunité humorale.

types de vaccins sont actuellement utilisés ou en voie de développement (figure 8.11). Certains des vaccins les plus efficaces sont composés de microbes atténués, qui ont été traités afin d'éliminer leur pouvoir infectieux et leur pouvoir pathogène, tout en conservant leur pouvoir antigénique. L'immunisation par ces microbes atténués stimule la production d'anticorps neutralisants dirigés contre les antigènes microbiens, protégeant ainsi les

Type de vaccin	Exemples	Type de protection
Bactéries vivantes atténuées ou bactéries tuées	BCG, choléra	Réponse anticorps
Virus vivants atténués	Poliomyélite, rage	Réponse anticorps ; réponse immunitaire cellulaire
Vaccins sous-unités (antigène)	Anatoxine tétanique, anatoxine diphtérique	Réponse anticorps
Vaccins conjugués	*Haemophilus influenzae*	Réponse anticorps dépendante des lymphocytes T auxiliaires
Vaccins synthétiques	Hépatite (protéine recombinante)	Réponse anticorps
Vecteurs viraux	Essais cliniques sur les antigènes du VIH en utilisant comme vecteur le virus de la variole du canari	Réponses immunitaires cellulaire et humorale
Vaccins à ADN	Essais cliniques en cours pour différentes infections	Réponses immunitaires cellulaire et humorale

Figure 8.11 Stratégies vaccinales. Exemples de différents types de vaccins et nature des réponses immunitaires protectrices induites.

© 2009 Elsevier Masson SAS. Tous droits réservés

individus vaccinés contre des infections ultérieures. Pour certaines infections, comme la poliomyélite, les vaccins sont administrés par voie orale, afin de stimuler les réponses productrices d'IgA sécrétoires qui protègent les individus contre l'infection naturelle, qui se produit également par voie orale. Les vaccins composés de protéines et de polysaccharides microbiens, désignés par le terme de vaccins « sous-unités », agissent de la même manière. Des antigènes polysaccharidiques microbiens (qui ne peuvent pas déclencher la coopération des lymphocytes T) sont couplés chimiquement à des protéines, de telle sorte que les lymphocytes T auxiliaires soient activés et que des anticorps de haute affinité soient produits contre les polysaccharides. Cette forme de vaccination utilise des vaccins dits conjugués, qui constituent un excellent exemple d'une application pratique de nos connaissances sur les interactions entre les lymphocytes T auxiliaires et les lymphocytes B. L'immunisation par des toxines microbiennes inactivées ou par des protéines microbiennes synthétisées en laboratoire stimule la formation d'anticorps qui se lient et neutralisent respectivement les toxines natives et les microbes.

L'un des défis permanents de la vaccination est de développer des vaccins qui stimulent l'immunité cellulaire contre les microbes intracellulaires. Les antigènes microbiens injectés ou ingérés sont des antigènes extracellulaires et ils induisent principalement des réponses anticorps. Pour déclencher les réponses immunitaires assurées par les lymphocytes T, il peut être nécessaire de faire pénétrer les antigènes à l'intérieur des cellules, en particulier des cellules présentatrices d'antigène professionnelles. Des virus atténués sont susceptibles d'atteindre un tel objectif, mais il n'existe que quelques exemples de virus ayant été modifiés avec succès, de telle sorte qu'ils restent capables d'infecter les cellules et soient à la fois immunogènes et inoffensifs. Un grand nombre de nouvelles approches destinées à stimuler l'immunité cellulaire par la vaccination sont en cours d'expérimentation. Ces approches comprennent l'incorporation d'antigènes microbiens dans des « vecteurs » viraux, qui infectent les cellules de l'hôte et produisent les antigènes à l'intérieur des cellules. Une nouvelle technique consiste à immuniser des individus avec de l'ADN codant un antigène microbien inséré dans un plasmide bactérien. Le plasmide est ingéré par les cellules présentatrices d'antigène de l'hôte, et l'antigène est ensuite produit à l'intérieur des cellules. Les antigènes intracellulaires induisent une immunité cellulaire (voir les chapitres 5 et 6), qui peut être efficace contre les infections provoquées par des microbes intracellulaires. Un grand nombre de ces stratégies font actuellement l'objet d'essais cliniques dans différentes infections.

© 2009 Elsevier Masson SAS. Tous droits réservés

Résumé

- L'immunité humorale est la forme d'immunité adaptative assurée par les anticorps. Les anticorps préviennent les infections en bloquant la capacité des microbes d'envahir les cellules de l'hôte et ils éliminent les microbes en activant plusieurs mécanismes effecteurs.
- Dans les molécules d'anticorps, les régions de liaison à l'antigène (Fab) sont séparées dans l'espace des régions effectrices (Fc). La capacité des anticorps à neutraliser les microbes et les toxines est une fonction qui incombe entièrement aux régions de liaison à l'antigène. De plus, les fonctions effectrices dépendantes de la région Fc ne sont activées qu'après la liaison des anticorps aux antigènes.
- Les anticorps sont produits dans les tissus lymphoïdes et la moelle osseuse, mais ils pénètrent dans la circulation sanguine et sont capables d'atteindre n'importe quel site d'infection. La commutation isotypique de la chaîne lourde et la maturation d'affinité augmentent les fonctions protectrices des anticorps.
- Les anticorps neutralisent le pouvoir infectieux des microbes et le pouvoir pathogène des toxines microbiennes en se liant aux microbes et aux toxines, et en interférant avec leur capacité à se fixer aux cellules de l'hôte.
- Les anticorps recouvrent (opsonisent) les microbes et favorisent leur phagocytose en se liant aux récepteurs de Fc situés sur les phagocytes. La liaison des régions Fc des anticorps aux récepteurs de Fc stimule également les fonctions microbicides des phagocytes.
- Le système du complément est un ensemble de protéines circulantes et membranaires qui assument d'importantes fonctions dans les défenses de l'hôte. Le système du complément peut être activé à la surface des microbes en l'absence d'anticorps (voie alternative, un élément de l'immunité innée) et après liaison des anticorps aux antigènes (voie classique, un élément de l'immunité humorale adaptative). Les protéines du complément sont clivées séquentiellement et des composants actifs, principalement C3b, se fixent de manière covalente aux surfaces sur lesquelles le complément est activé. Les étapes finales de l'activation du complément conduisent à la formation du complexe d'attaque membranaire cytolytique. Différents produits de l'activation du complément favorisent la phagocytose des microbes, induisent la lyse cellulaire et stimulent l'inflammation. Les mammifères expriment des protéines régulatrices à la surface des cellules et dans la circulation sanguine qui empêchent une activation inappropriée du complément contre les cellules de l'hôte.
- Les anticorps IgA sont produits dans la *lamina propria* des muqueuses, et sont activement transportés par un récepteur de Fc particulier à travers l'épithélium dans la lumière, où ils empêchent les microbes d'envahir l'épithélium.
- Les nouveau-nés acquièrent les anticorps IgG de leur mère par l'intermédiaire du placenta et, à partir du lait, par l'intermédiaire de l'épithélium intestinal, en utilisant un récepteur de Fc néonatal pour capturer et transporter les anticorps maternels.
- Les microbes ont développé des stratégies pour résister à l'immunité humorale ou lui échapper, par exemple en variant leurs antigènes et en acquérant une résistance au complément ou à la phagocytose.
- La plupart des vaccins actuellement utilisés agissent en stimulant la production d'anticorps neutralisants. Plusieurs approches sont en cours d'expérimentation pour développer des vaccins capables de stimuler les réponses immunitaires protectrices de type cellulaire.

Contrôle des connaissances

1. Quelles sont les régions des molécules d'anticorps qui participent aux fonctions des anticorps ?
2. Comment la commutation isotypique des chaînes lourdes et la maturation d'affinité améliorent-elles la capacité des anticorps de combattre les germes pathogènes infectieux ?
3. Dans quelles situations la capacité des anticorps de neutraliser les microbes protège-t-elle l'hôte des infections ?
4. Comment les anticorps participent-ils à l'élimination des microbes par les phagocytes ?
5. Comment le système du complément est-il activé, et pourquoi est-il efficace contre les microbes et ne réagit-il pas contre les cellules et les tissus de l'hôte ?
6. Quelles sont les fonctions du système du complément, et par quels composants du complément sont-elles assurées ?
7. Comment les anticorps préviennent-ils les infections provoquées par des microbes ingérés et inhalés ?
8. Comment les animaux nouveau-nés développent-ils la capacité de se protéger des infections avant même que leur système immunitaire ait atteint leur maturité ?

Réviser

© 2009 Elsevier Masson SAS. Tous droits réservés

Chapitre 9

Tolérance immunitaire et auto-immunité

Discrimination entre le soi et le non-soi dans le système immunitaire et ses échecs

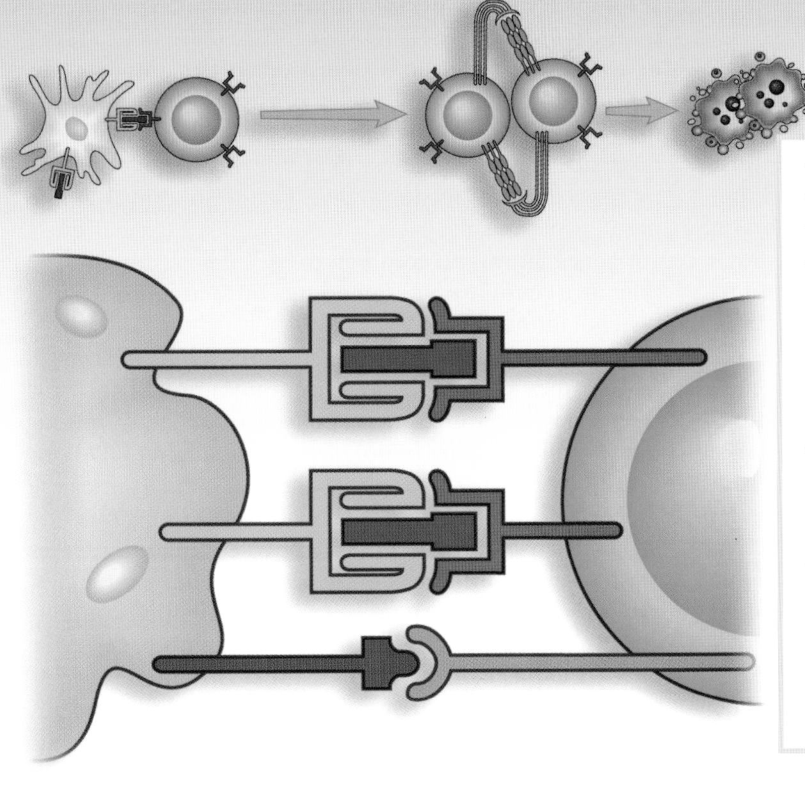

L'une des caractéristiques les plus remarquables du système immunitaire normal est qu'il est capable de répondre à une variété considérable de microbes sans pour autant réagir aux antigènes de l'individu (le soi). Cette absence de réponse aux antigènes du soi, qualifiée de **tolérance immunitaire**, se maintient bien que les mécanismes par lesquels les récepteurs des lymphocytes sont exprimés ne soient pas génétiquement déterminés à ne produire que des récepteurs d'antigènes étrangers (non-soi). En d'autres termes, des lymphocytes capables de reconnaître des antigènes du soi sont constamment formés au cours du processus normal de maturation des lymphocytes. En outre, le système immunitaire est facilement accessible à de nombreux antigènes du soi, de telle sorte que l'absence de réponse à ces antigènes ne peut pas simplement être maintenue en cachant ces antigènes aux lymphocytes. Il doit par conséquent exister des mécanismes qui empêchent le déclenchement de réponses immunitaires contre les antigènes du soi. Ces mécanismes sont responsables d'une des caractéristiques essentielles du

Les bases de l'immunologie fondamentale et clinique
© 2009 Elsevier Masson SAS. Tous droits réservés

système immunitaire, sa capacité à distinguer les antigènes du soi des antigènes du non-soi (généralement microbiens). Si ces mécanismes sont altérés, le système immunitaire risque de s'attaquer aux propres cellules et tissus de l'individu. De telles réactions portent le nom d'**auto-immunité**, et les maladies qu'elles déclenchent sont appelées maladies auto-immunes.

Dans ce chapitre, les questions suivantes seront traitées.

- Comment le système immunitaire maintient-il son absence de réponse aux antigènes du soi?
- Quels sont les facteurs qui peuvent contribuer au développement d'une auto-immunité?

Ce chapitre commence par la présentation des principes et des caractéristiques les plus importantes de la tolérance au soi. Ensuite, nous examinerons les différents mécanismes qui maintiennent cette tolérance aux antigènes du soi et comment les défaillances de chacun de ces mécanismes provoquent une auto-immunité.

Tolérance immunitaire : signification et mécanismes

La tolérance immunitaire est une absence de réponse aux antigènes induite par l'exposition des lymphocytes à ces antigènes. Lorsque les lymphocytes portant des récepteurs pour un antigène particulier sont exposés à cet antigène, trois phénomènes peuvent se produire. En premier lieu, les lymphocytes peuvent être activés, entraînant une réponse immunitaire. Les antigènes qui déclenchent ce type de réponse sont dits immunogènes. En second lieu, les lymphocytes peuvent être inactivés sur le plan fonctionnel ou détruits, permettant ainsi la tolérance. Les antigènes qui induisent une tolérance sont dits tolérogènes. Enfin, dans certaines situations, les lymphocytes spécifiques d'un antigène peuvent ne pas réagir du tout. Ce phénomène est désigné par le terme «ignorance», indiquant que les lymphocytes ignorent simplement la présence de l'antigène. Normalement, les microbes sont immunogènes, et les antigènes du soi sont soit tolérogènes, soit ignorés. Le choix des lymphocytes entre activation, tolérance et ignorance est déterminé par la nature des lymphocytes spécifiques de l'antigène et par la nature de l'antigène, ainsi que par la manière dont il est présenté au système immunitaire. En fait, le même antigène peut être administré d'une manière induisant une réponse immunitaire ou une tolérance. Cette observation expérimentale a été exploitée afin d'analyser quels facteurs déterminent si la rencontre avec un antigène a pour conséquence l'activation ou la tolérance.

Le phénomène de tolérance immunitaire est important pour plusieurs raisons. Tout d'abord, comme cela a été indiqué en début de chapitre, les antigènes du soi induisent normalement une tolérance. Ensuite, si nous connaissons la manière dont la tolérance est induite dans les lymphocytes spécifiques d'un antigène particulier, il sera alors possible d'utiliser ces connaissances pour empêcher ou contrôler des réactions immunitaires indésirables. Certaines stratégies visant à induire une tolérance sont actuellement à l'étude pour traiter les allergies ou les maladies auto-immunes et pour prévenir le rejet d'organes transplantés. Les mêmes stratégies peuvent s'appliquer à la thérapie génique, afin de prévenir les réponses immunitaires dirigées contre les produits de gènes ou de vecteurs nouvellement exprimés, et même en cas de transplantation de cellules souches si le donneur de celles-ci est génétiquement différent du receveur.

La tolérance immunitaire à différents antigènes du soi peut être induite lorsque les lymphocytes en développement rencontrent ces antigènes dans les organes lymphoïdes primaires (tolérance centrale), ou lorsque les lymphocytes matures rencontrent les antigènes du soi dans les tissus périphériques (tolérance périphérique) [figure 9.1]. La tolérance centrale est un mécanisme de tolérance concernant exclusivement les antigènes du soi qui sont présents dans les organes lymphoïdes primaires, c'est-à-dire la moelle osseuse et le thymus. La tolérance envers les antigènes du soi qui ne sont pas présents dans ces organes doit être induite et maintenue par des mécanismes périphériques. On ne sait pas quels antigènes du soi, ou combien d'entre eux, induisent une tolérance centrale ou périphérique, ou sont ignorés par le système immunitaire.

Avec cette brève introduction, nous allons décrire les mécanismes de la tolérance immunitaire et comment l'échec de chaque mécanisme peut aboutir à l'auto-immunité. La tolérance des lymphocytes T auxiliaires $CD4^+$ est décrite en premier lieu, parce que l'on connaît mieux le processus impliquant ce type cellulaire. Rappelons que les cellules T auxiliaires $CD4^+$ contrôlent quasi toutes les réponses immunitaires contre les antigènes protéiques. Par conséquent, si les lymphocytes T auxiliaires sont rendus insensibles aux antigènes protéiques du soi, cela peut suffire à empêcher à la fois les réponses immunitaires cellulaires et humorales contre ces antigènes. Inversement, l'échec de la tolérance des cellules T auxiliaires peut aboutir à une auto-immunité qui se manifeste par des attaques de type cellulaire contre des autoantigènes ou par la production d'autoanticorps contre les protéines du soi.

Tolérance centrale des lymphocytes T

Les mécanismes principaux de la tolérance centrale des lymphocytes T sont la mort cellulaire et, pour les cellules $CD4^+$, la génération de cellules T régulatrices (figure 9.2). Les lymphocytes qui se développent dans le thymus sont des cellules présentant des récepteurs capables de reconnaître de nombreux antigènes, à la fois propres à l'individu et étrangers. Si un lymphocyte

© 2009 Elsevier Masson SAS. Tous droits réservés

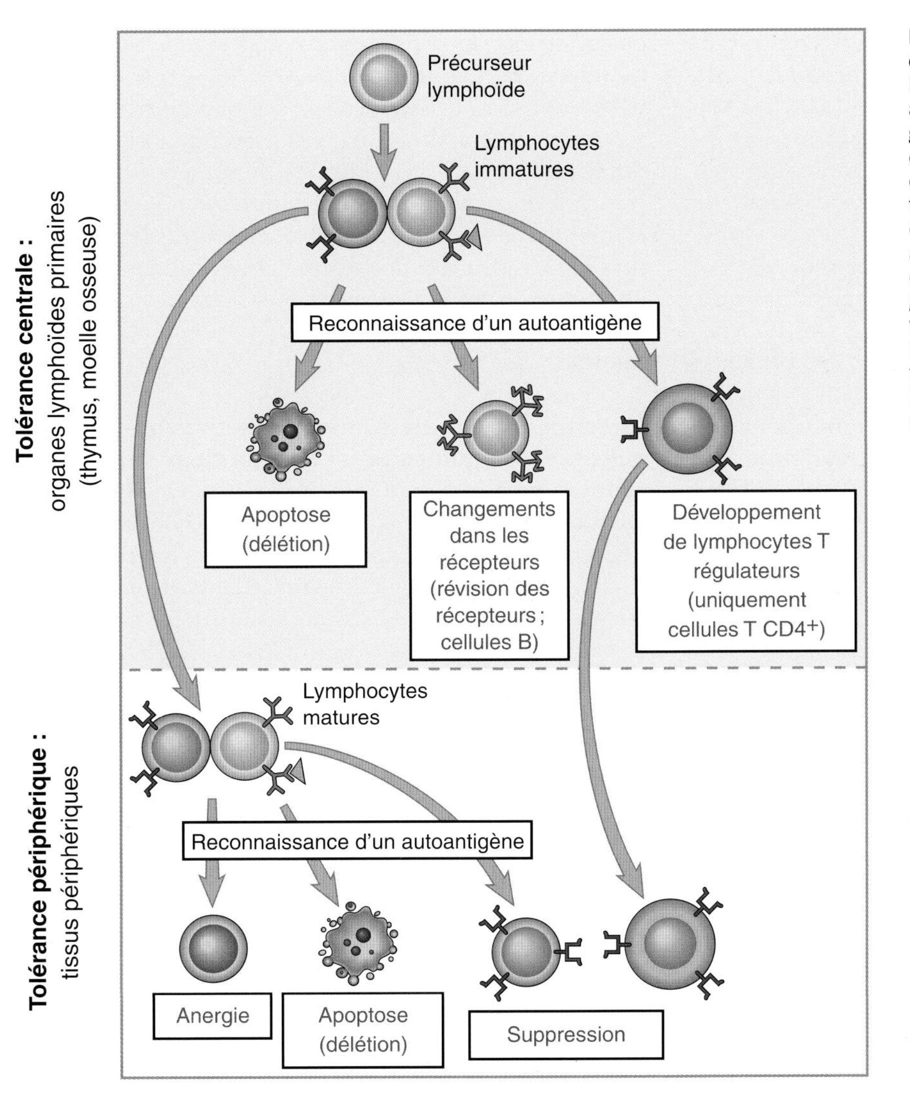

Figure 9.1 Tolérance centrale et périphérique aux antigènes du soi. *Tolérance centrale*. Les lymphocytes immatures spécifiques des antigènes du soi peuvent rencontrer ces antigènes dans les organes lymphoïdes primaires et être éliminés ; les lymphocytes B changent de spécificité (révision ou *editing* des récepteurs), certains lymphocytes T se différenciant en cellules T régulatrices. Des lymphocytes autoréactifs peuvent achever leur maturation et gagner les tissus périphériques. *Tolérance périphérique*. Les lymphocytes matures peuvent être inactivés ou supprimés lors de leur interaction avec des antigènes du soi dans les tissus périphériques. La figure représente des lymphocytes B, mais les principes généraux concernent également les lymphocytes T.

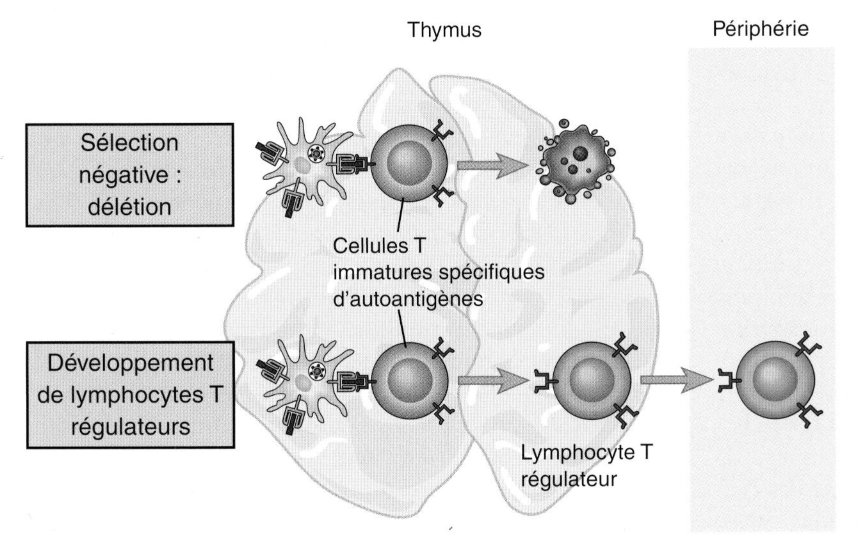

Figure 9.2 Tolérance centrale des lymphocytes T. Une forte interaction des cellules T immatures avec des autoantigènes dans le thymus peut entraîner la mort des lymphocytes (sélection négative ou délétion). La reconnaissance des autoantigènes dans le thymus peut également aboutir au développement de lymphocytes T régulateurs qui migrent dans les tissus périphériques.

© 2009 Elsevier Masson SAS. Tous droits réservés

immature interagit fortement avec un antigène du soi, présenté sous forme d'un peptide lié à une molécule du complexe majeur d'histocompatibilité (CMH) du soi, ce lymphocyte recevra des signaux déclenchant l'apoptose, et mourra avant d'avoir pu achever sa maturation. Ce processus est également désigné par le terme de « sélection négative » (voir le chapitre 4), et constitue un mécanisme important de la tolérance centrale. Les lymphocytes immatures peuvent interagir fortement avec un antigène, si celui-ci est présent à des concentrations élevées dans le thymus et si les lymphocytes expriment des récepteurs qui reconnaissent l'antigène avec une haute affinité. Les antigènes qui induisent une sélection négative peuvent comprendre des protéines qui sont abondantes dans tout l'organisme, comme des protéines plasmatiques et des protéines cellulaires communes. Il est surprenant de constater qu'un grand nombre de protéines du soi qui semblaient être exprimées principalement, voire exclusivement, dans les tissus périphériques sont en fait exprimées dans certaines cellules épithéliales du thymus. Une protéine appelée AIRE (régulateur d'auto-immunité) est responsable de l'expression thymique de ces antigènes protéiques par ailleurs propres à certains tissus. Des mutations du gène *AIRE* sont à l'origine d'un syndrome auto-immun rare portant le nom de polyendocrinopathie auto-immune. Ce processus de sélection négative affecte les lymphocytes T CD4$^+$ et les lymphocytes T CD8$^+$ autoréactifs, qui reconnaissent les peptides du soi présentés respectivement par les molécules de classe II et les molécules de classe I du CMH. On ignore quels sont les signaux qui induisent l'apoptose des lymphocytes immatures, qui reconnaissent des antigènes avec une haute affinité dans le thymus. Une sélection négative défectueuse expliquerait que certaines souches de souris consanguines, sujettes à des maladies auto-immunes, contiennent des nombres anormalement élevés de lymphocytes matures spécifiques de plusieurs antigènes du soi. Pourquoi la délétion peut échouer chez ces souris reste inexpliqué.

Certains lymphocytes T immatures qui reconnaissent des antigènes du soi dans le thymus ne meurent pas mais se transforment en lymphocytes T régulateurs et gagnent les tissus périphériques (voir la figure 9.2). Les fonctions des lymphocytes T régulateurs seront décrites ultérieurement dans ce chapitre. Qu'est-ce qui détermine qu'un lymphocyte T thymique mourra ou deviendra une cellule T régulatrice reste sans réponse.

Tolérance périphérique des lymphocytes T

La tolérance périphérique est induite lorsque des lymphocytes matures reconnaissent des antigènes du soi dans les tissus périphériques, entraînant leur inactivation fonctionnelle (anergie) ou leur mort, ou lorsque des lymphocytes autoréactifs sont contrôlés par des lymphocytes T régulateurs. Chacun des mécanismes de tolérance périphérique des lymphocytes T sera décrit dans cette section. La tolérance périphérique joue clairement un rôle important dans la prévention des réponses des lymphocytes T aux antigènes du soi qui sont présents principalement dans les tissus périphériques, et non dans le thymus. La tolérance périphérique peut également fournir des mécanismes « de réserve » pour prévenir une auto-immunité quand la tolérance centrale est incomplète.

Anergie

L'anergie est définie comme l'inactivation fonctionnelle des lymphocytes T qui survient lorsque ces cellules reconnaissent des antigènes en absence de costimulation d'intensité adéquate (seconds signaux) nécessaires à une activation complète des lymphocytes T (figure 9.3). Dans les chapitres précédents, il a été souligné que les lymphocytes T naïfs nécessitaient au moins deux signaux pour proliférer et se différencier en lymphocytes effecteurs : le signal 1 est toujours l'antigène et le signal 2 est fourni par des molécules de costimulation qui sont exprimées sur les cellules présentatrices d'antigène (APC) professionnelles en réponse à la présence de microbes. Il semble que, normalement, les APC présentes dans les tissus et les organes lymphoïdes périphériques soient à l'état quiescent, état dans lequel elles expriment peu ou pas de molécules de costimulation, comme par exemple les protéines B7 (voir le chapitre 5). Ces APC transforment et présentent en permanence les antigènes du soi qui se trouvent dans les tissus. Les lymphocytes T possédant des récepteurs pour les antigènes du soi sont capables de reconnaître ces antigènes et par conséquent reçoivent des signaux de leurs récepteurs d'antigène (signal 1), mais les lymphocytes T ne reçoivent pas une forte costimulation car il n'y a pas de réponse concomitante de l'immunité innée. Dans ces conditions, les récepteurs d'antigène des lymphocytes T (TCR) peuvent perdre leur aptitude à transmettre des signaux activateurs, ou les lymphocytes T nécessaires peuvent engager préférentiellement un de leurs récepteurs inhibiteurs de la famille de CD28, CTLA-4 (*cytotoxic T lymphocyte antigen-4* ou CD152) ou PD-1 (*programmed [cell] death protein-1*) [voir le chapitre 5]. Le résultat est une anergie de longue durée des cellules T (voir la figure 9.3). On se demande comment CTLA-4, qui est impliqué dans l'extinction des réactions des lymphocytes T, reconnaît les mêmes molécules costimulatrices B7 qui se lient à CD28 et contribuent à l'activation des cellules T. On ignore comment les lymphocytes T choisissent d'utiliser CD28 ou CTLA-4, dotés de tels effets antagonistes.

Plusieurs modèles expérimentaux confirment l'importance de l'anergie des lymphocytes T dans le maintien de la tolérance au soi. Si des taux élevés de molécules de costimulation B7 sont artificiellement

© 2009 Elsevier Masson SAS. Tous droits réservés

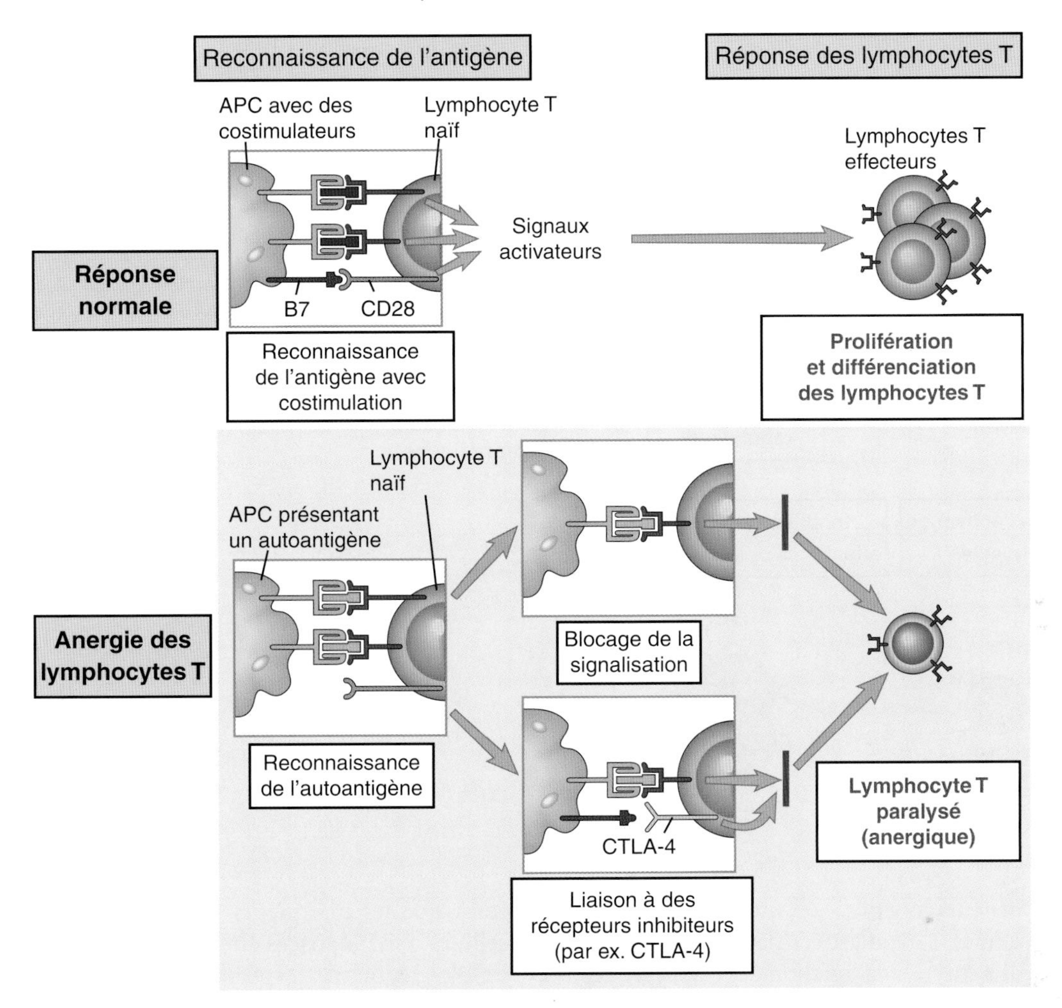

Figure 9.3 Anergie des lymphocytes T. Un antigène présenté par des cellules présentatrices d'antigène (APC) exprimant des molécules de costimulation induit une réponse normale du lymphocyte T. Si le lymphocyte T reconnaît l'antigène sans une costimulation intense ou l'intervention de l'immunité innée, le lymphocyte T peut perdre son aptitude à livrer des signaux activateurs, ou la cellule T peut interagir avec des récepteurs inhibiteurs comme CTLA-4 (*cytotoxic T lymphocyte-associated protein-4*), qui bloque l'activation.

exprimés dans un tissu chez la souris, cet animal développe des réactions auto-immunes contre les antigènes de ce tissu. Par conséquent, la présence artificielle de seconds signaux « rompt » l'anergie et active les lymphocytes T autoréactifs. Si les molécules CTLA-4 sont bloquées ou absentes (par invalidation du gène spécifique ou *knockout*) chez une souris, celle-ci développe de fortes réactions auto-immunes contre ses propres tissus. Ce résultat suggère que les récepteurs inhibiteurs interviennent en permanence pour garder les lymphocytes T autoréactifs sous contrôle. Des polymorphismes dans le gène *CTLA-4* ont été associés à certaines maladies auto-immunes humaines. Bien que l'anergie soit bien documentée par des modèles expérimentaux murins, on ignore encore quels types d'autoantigènes induisent l'anergie et par quel mécanisme, ou même si des cellules T anergiques sont présentes chez l'homme normal.

© 2009 Elsevier Masson SAS. Tous droits réservés

Suppression immunitaire par les cellules T régulatrices

Les lymphocytes T régulateurs se développent dans le thymus ou dans les tissus lymphoïdes périphériques lors de leur rencontre avec des autoantigènes ; ils bloquent l'activation des lymphocytes potentiellement dangereux et spécifiques de ces antigènes du soi (figure 9.4). Une majorité de cellules T régulatrices autoréactives se développent probablement dans le thymus (voir la figure 9.2), mais ils peuvent aussi se former dans les organes lymphoïdes périphériques. La plupart des cellules T régulatrices sont $CD4^+$ et expriment, en forte densité, CD25, la chaîne α du récepteur de l'IL-2. Le développement et la fonction de ces cellules dépendent d'un facteur de transcription appelé Foxp3. Des mutations de Foxp3 chez l'homme et l'inactivation de son gène chez la souris causent une maladie auto-immune systémique

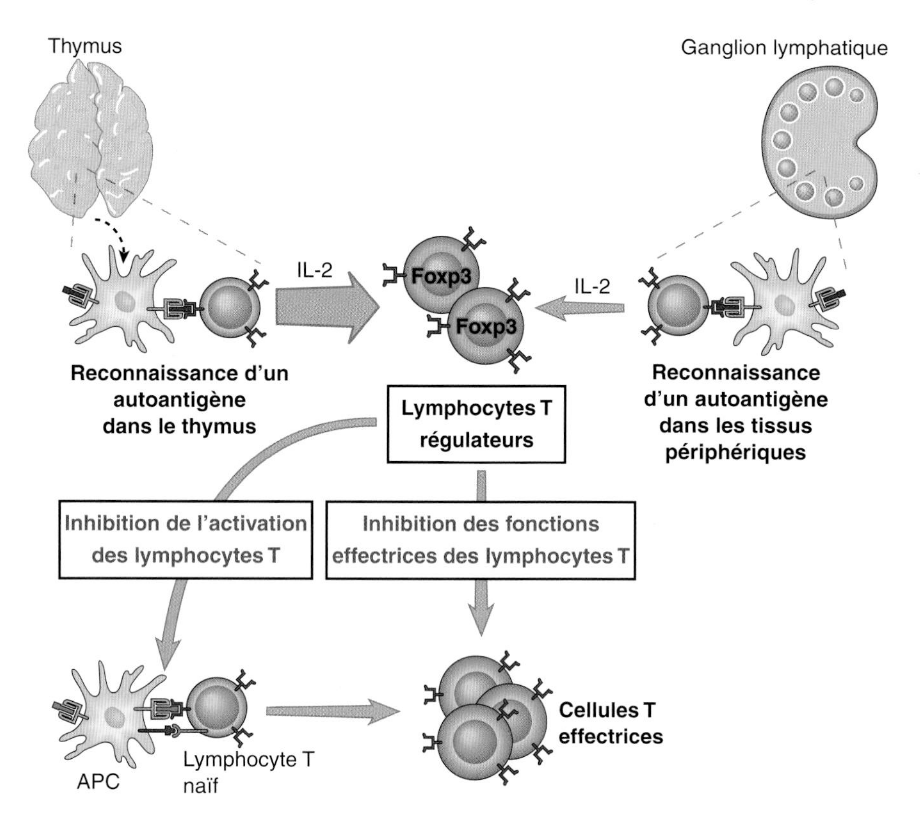

Figure 9.4 Suppression des réponses immunitaires par les lymphocytes T. Les lymphocytes T CD4 qui reconnaissent des autoantigènes peuvent se différencier en cellules régulatrices dans le thymus ou en tissus périphériques à la suite d'un processus qui dépend du facteur de transcription, Foxp3, et qui requiert l'IL-2. (La flèche venant du thymus est plus large que celle qui vient des tissus périphériques afin d'indiquer que la plupart de ces cellules proviennent probablement du thymus.) Ces cellules régulatrices inhibent l'activation des lymphocytes T naïfs et leur différenciation en cellules T effectrices par des mécanismes de contact ou par l'intermédiaire de cytokines qui inhibent les réponses des cellules T.

et touchant plusieurs organes, ce qui démontre l'importance des cellules T régulatrices dans le maintien de l'autotolérance. La survie et la fonction des cellules T régulatrices dépendent de la cytokine IL-2, et ce rôle de l'IL-2 explique le développement d'une maladie auto-immune grave chez la souris dont le gène codant l'IL-2, ou celui de la chaîne α ou β du récepteur de l'IL-2, a été inactivé. La cytokine TGF-β (*transforming growth factor-β*) joue également un rôle dans l'induction des cellules T régulatrices, peut-être en stimulant l'expression du facteur de transcription Foxp3. L'origine du TGF-β inducteur de ces cellules dans le thymus ou les tissus périphériques n'est pas identifiée. Nous connaissons peu le mécanisme par lequel les cellules T régulatrices inhibent les réponses immunitaires in vivo. Certaines cellules T régulatrices produisent des cytokines, comme l'IL-10 et le TGF-β, qui bloquent l'activation des lymphocytes et des macrophages. Les lymphocytes régulateurs peuvent également interagir directement avec d'autres lymphocytes ou des APC et les inhiber par des mécanismes encore inconnus qui requièrent des contacts intercellulaires. Il faut signaler qu'il pourrait exister des populations régulatrices en plus des cellules CD25$^+$ Foxp3$^+$ qui font actuellement l'objet de nombreuses investigations.

Une déficience des cellules T régulatrices a été proposée comme pouvant expliquer de nombreuses maladies auto-immunes humaines. Les preuves convaincantes à l'appui de cette hypothèse manquent encore, la raison principale étant que les marqueurs permettant l'identification des cellules T régulatrices chez l'homme, et spécialement les cellules régulatrices spécifiques d'autoantigènes, ne sont pas encore bien définis.

Délétion : mort cellulaire induite par activation

La reconnaissance d'antigènes du soi peut déclencher les voies de signalisation menant à l'apoptose, ce qui aboutit à l'élimination (délétion) des lymphocytes autoréactifs (figure 9.5). Ce processus est appelé « mort cellulaire induite par activation » car il est la conséquence de la reconnaissance antigénique, c'est-à-dire l'activation. Il existe deux mécanismes probables de mort des lymphocytes T matures induite par des autoantigènes. En premier lieu, la reconnaissance de l'antigène induit la production de protéines proapoptotiques dans les cellules T qui induisent la mort cellulaire par la « voie mitochondriale », au cours de laquelle diverses protéines mitochondriales s'échappent et activent des caspases, enzymes cytosoliques qui entraînent l'apoptose. Dans les réponses immunitaires aux microbes, l'activité de ces protéines proapoptotiques est contrecarrée par des protéines anti-apoptotiques qui sont induites par costimulation et par des facteurs de croissance produits durant les réponses immunitaires. Mais les autoantigènes, qui sont reconnus en absence de forte costimulation, ne stimulent pas la production des protéines anti-apoptotiques, avec comme conséquence

© 2009 Elsevier Masson SAS. Tous droits réservés

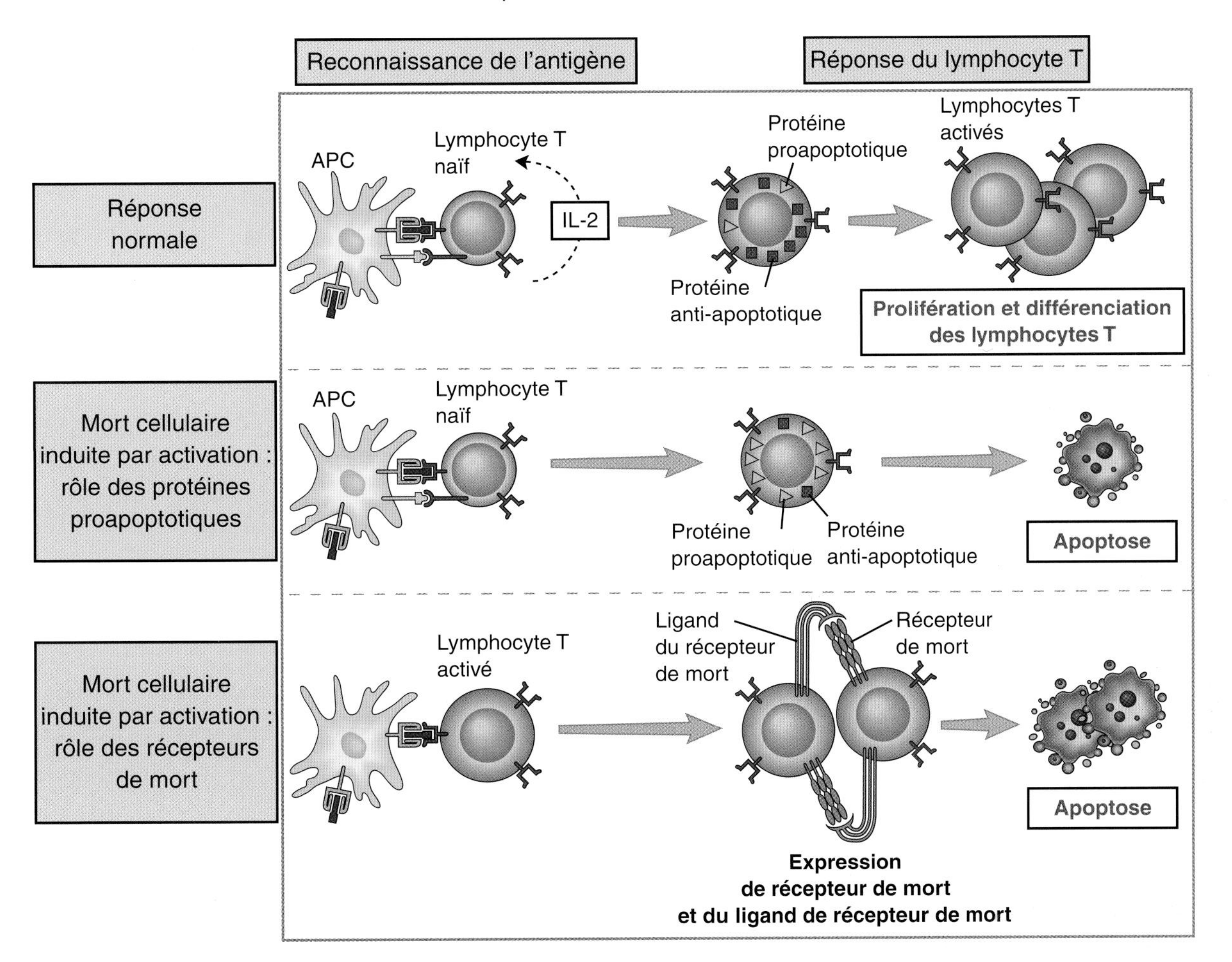

Figure 9.5 Mort des lymphocytes T induite par activation. Les lymphocytes T répondent à l'antigène présenté par des APC normales en sécrétant de l'IL-2, en exprimant des protéines anti-apoptotiques, en proliférant et en se différenciant. La reconnaissance d'un autoantigène par des cellules T en absence de costimulation ou d'immunité innée peut entraîner l'expression de récepteurs dits «de mort» et de leurs ligands, comme Fas et le ligand de Fas (FasL), sur les lymphocytes, l'engagement du récepteur de mort aboutissant à la mort cellulaire.

la mort des cellules qui reconnaissent ces antigènes. En second lieu, la reconnaissance des autoantigènes peut entraîner la coexpression des récepteurs de mort et de leurs ligands. L'interaction ligand-récepteur génère des signaux passant par le récepteur de mort et qui aboutissent à l'activation des caspases et à l'apoptose par la voie dite des « récepteurs de mort ». Le récepteur de mort le mieux connu est une protéine appelée Fas (CD95), qui est exprimée sur de nombreux types cellulaires, et le ligand de Fas (FasL), qui est exprimé surtout sur les lymphocytes T activés. On a montré, dans des modèles animaux, que la liaison du FasL à Fas induisait la mort des lymphocytes T et B exposés aux autoantigènes et à des antigènes qui les imitaient. On ignore si le récepteur de mort, Fas, exerce des fonctions autres que le déclenchement de l'apoptose.

Des preuves appuyant le rôle de l'apoptose dans l'autotolérance proviennent d'études génétiques. Le blocage de la voie mitochondriale de l'apoptose chez la souris entraîne un échec de la délétion des cellules T autoréactives dans le thymus, ainsi que dans les tissus périphériques. Des souris avec des mutations dans les gènes *fas* et *fasL* et les enfants ayant des mutations de *FAS* développent des maladies auto-immunes avec accumulation de lymphocytes. La maladie humaine, appelée syndrome lymphoprolifératif auto-immun, est rare, et le seul exemple connu d'un défaut de l'apoptose provoquant un phénotype auto-immun complexe chez l'homme.

De cette discussion des mécanismes de tolérance des lymphocytes T, il devrait ressortir que les autoantigènes diffèrent des antigènes microbiens étrangers sur plusieurs points, ce qui contribue au choix entre la tolérance induite par les premiers et l'activation par les seconds (figure 9.6). Des antigènes du soi sont présents dans le thymus, où elles induisent des délétions et génèrent des cellules T régulatrices; en revanche, les antigènes microbiens sont transportés activement et concentrés dans les organes lymphoïdes périphériques. Les autoantigènes sont présentés par des APC quiescentes en l'absence d'immunité innée et de seconds signaux, favorisant ainsi l'induction

© 2009 Elsevier Masson SAS. Tous droits réservés

Caractéristique de l'antigène	Antigènes du soi tolérogènes	Antigènes étrangers immunogènes
	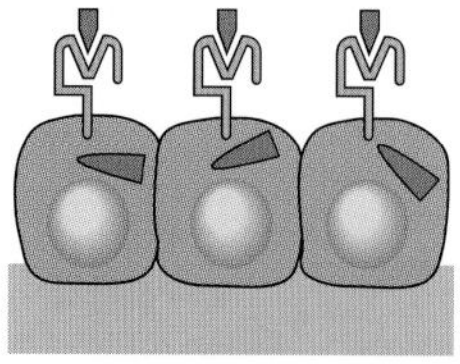 Tissu	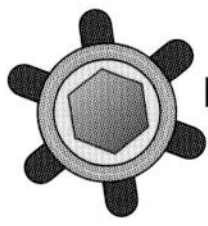 Microbe
Présence dans les organes centraux	Oui (certains antigènes du soi) : des concentrations élevées induisent une sélection négative et des lymphocytes T régulateurs (tolérance centrale)	Non : les antigènes microbiens sont concentrés dans les organes lymphoïdes périphériques
Présentation avec des seconds signaux (immunité innée)	Non : le déficit en seconds signaux peut conduire à une anergie ou une apoptose des lymphocytes T	Oui : typiquement observée avec les microbes ; les seconds signaux favorisent la survie et l'activation des lymphocytes
Persistance de l'antigène	Présent pendant toute la vie ; l'engagement prolongé des TCR peut induire l'anergie ou l'apoptose	Généralement à durée de vie brève ; la réponse immunitaire élimine l'antigène

Figure 9.6 Caractéristiques des antigènes protéiques qui influencent le choix entre une tolérance et une activation des lymphocytes T. Ce tableau résume certaines des caractéristiques des antigènes protéiques du soi et non-soi (par exemple microbiens) qui déterminent pourquoi des autoantigènes induisent la tolérance et les antigènes microbiens stimulent des réponses immunitaires des lymphocytes T.

de l'anergie ou de la mort des cellules T. En revanche, les microbes suscitent des réactions immunitaires innées, conduisant à l'expression de cytokines et de costimulateurs qui servent de seconds signaux et contribuent à la prolifération des cellules T et à leur différenciation en cellules effectrices. Les antigènes du soi sont présents tout au long de la vie et peuvent donc se lier de manière prolongée ou répétée aux TCR, et induire à nouveau l'anergie et l'apoptose. Il est évident que notre compréhension des mécanismes tolérogènes des lymphocytes T et de leur rôle dans la prévention de l'auto-immunité repose en grande partie sur des études de modèles animaux. L'extension de ces études à l'homme constitue un véritable défi.

Tolérance des lymphocytes B

Les polysaccharides, les lipides et les acides nucléiques du soi sont des antigènes T-indépendants qui ne sont pas reconnus par les lymphocytes T. Ces antigènes doivent induire une tolérance des lymphocytes B afin de prévenir la production d'autoanticorps. Comme nous l'avons mentionné plus tôt, des autoantigènes protéiques peuvent se révéler incapables d'induire la production d'anticorps en raison de la tolérance des cellules T auxiliaires. Cependant, on a démontré expérimentalement que les antigènes protéiques pouvaient rendre les lymphocytes B tolérants. On soupçonne que des maladies associées à la production d'autoanticorps, comme le lupus érythémateux disséminé, sont dues à une tolérance défectueuse tant des lymphocytes B que des lymphocytes T auxiliaires.

Tolérance centrale des lymphocytes B

Lorsque les lymphocytes B immatures interagissent fortement avec des antigènes du soi dans la moelle osseuse, soit ils modifient la spécificité de leur récepteur (*receptor editing* ou révision des récepteurs), soit ils sont tués (sélection négative) [figure 9.7]. Certains lymphocytes B immatures qui reconnaissent des antigènes du soi dans la moelle osseuse peuvent réactiver leur machinerie de recombinaison des gènes des immunoglobulines (Ig) et commencer à exprimer une nouvelle chaîne légère d'Ig (voir le chapitre 4). Cette nouvelle chaîne légère s'associe à la chaîne lourde précédemment exprimée afin de produire un nouveau récepteur d'antigène, qui n'est plus spécifique de l'antigène du soi. Ce changement de spécificité du récepteur, appelé *receptor editing* ou révision du récepteur, réduit la probabilité que des cellules B autoréactives potentiellement nocives s'échappent de la moelle osseuse. On estime que 25 à 50 % des cellules B matures, chez un individu normal, peuvent avoir subi une révision des récepteurs durant leur maturation. (Il n'existe aucune observation que les cellules T en développement puissent subir une révision des récepteurs.) Si la révision des récepteurs échoue, les cellules B immatures qui reconnaissent des autoantigènes avec grande affinité reçoivent des signaux de mort et meurent d'apoptose. Ce processus de délétion ressemble à la sélection négative subie par les lymphocytes T immatures. Comme dans le compartiment des lymphocytes T, la sélection négative subie par les lymphocytes B élimine

© 2009 Elsevier Masson SAS. Tous droits réservés

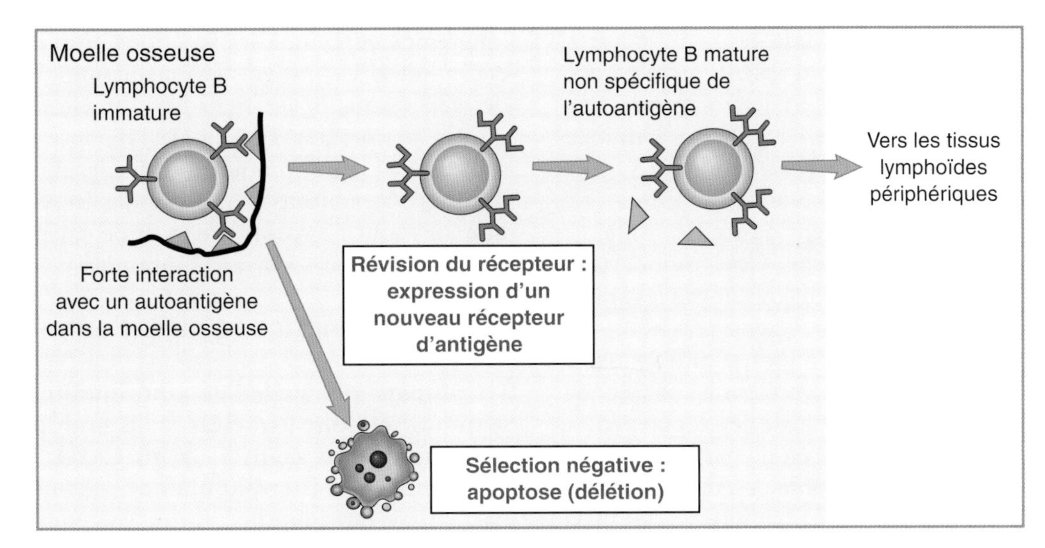

Figure 9.7 Tolérance centrale des lymphocytes B immatures. Un lymphocyte B immature qui interagit fortement avec un antigène du soi (dans ce cas un antigène du soi multivalent doté de plusieurs épitopes) dans la moelle osseuse modifie (révise) son récepteur d'antigène ou meurt d'apoptose (sélection négative ou délétion).

les lymphocytes présentant des récepteurs de haute affinité pour des autoantigènes abondants, habituellement exprimés dans une grande partie de l'organisme sous forme soit membranaire soit soluble. Bien que la tolérance centrale des cellules B en développement soit un processus bien établi, on n'a pas connaissance d'exemples de maladies auto-immunes qui puissent être attribuées à une perte de tolérance centrale des lymphocytes B.

Tolérance périphérique des lymphocytes B

Les lymphocytes B matures qui rencontrent des autoantigènes présents à fortes concentrations dans les tissus lymphoïdes périphériques deviennent anergiques et ne sont plus en mesure de répondre à nouveau à ces autoantigènes (figure 9.8). Une hypothèse postule que les lymphocytes B pourraient devenir anergiques s'ils

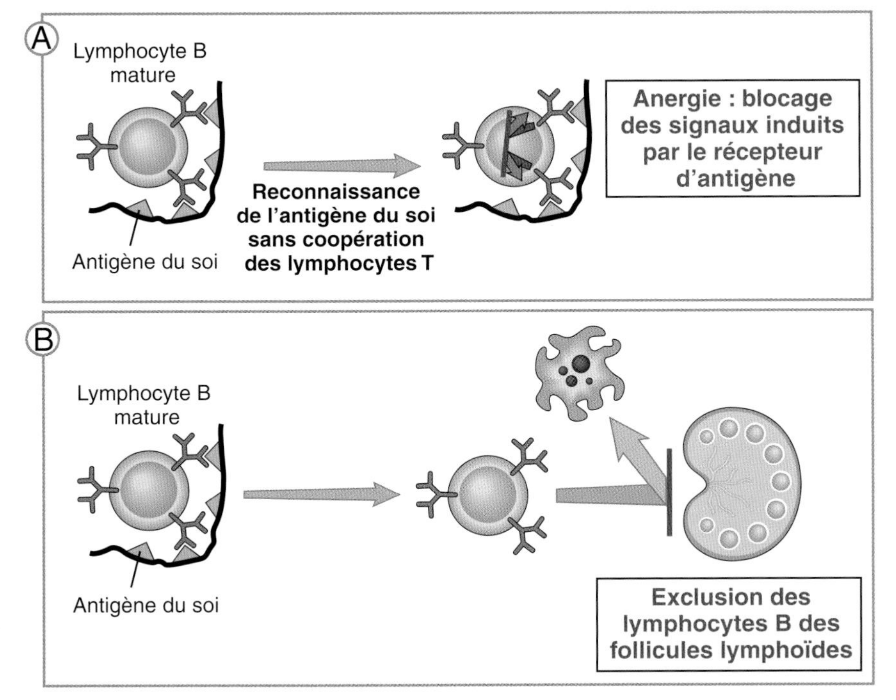

Figure 9.8 Tolérance périphérique des lymphocytes B. A. Un lymphocyte B mature qui reconnaît un antigène du soi sans coopération des lymphocytes T est inactivé fonctionnellement et devient incapable de répondre à cet antigène. B. Les lymphocytes B qui sont partiellement activés par la reconnaissance d'antigènes du soi sans l'aide des lymphocytes T peuvent être exclus des follicules lymphoïdes, et peuvent être éliminés par apoptose suite à une privation de stimulus de survie.

© 2009 Elsevier Masson SAS. Tous droits réservés

reconnaissent un antigène sans l'aide des lymphocytes T (car les lymphocytes auxiliaires sont absents ou tolérants). Les antigènes T-indépendants pourraient activer les lymphocytes B sans la collaboration des lymphocytes T uniquement lorsque ce type d'antigènes déclenche des signaux puissants dans les lymphocytes B (voir le chapitre 7). Les lymphocytes B anergiques peuvent quitter les follicules lymphoïdes et en sont ensuite exclus. Ces lymphocytes B exclus peuvent mourir, car ils ne reçoivent pas les stimulus de survie nécessaires.

Après avoir présenté les mécanismes principaux de l'autotolérance, nous aborderons à présent les conséquences d'un échec de celle-ci, c'est-à-dire le développement de l'auto-immunité. Nous commencerons par les principes généraux et nous poursuivrons par la description des facteurs principaux impliqués dans la pathogénie des maladies auto-immunes. Les mécanismes des lésions tissulaires dans ces maladies et les stratégies pour traiter les affections auto-immunes seront décrits dans le chapitre 11.

Auto-immunité : principes et pathogénie

L'**auto-immunité** est définie comme une réponse immunitaire dirigée contre des antigènes du soi (antigènes autologues). Elle constitue une cause importante de pathologies. On a estimé qu'au moins 1 à 2 % de personnes souffrent de maladies auto-immunes dans les pays développés, alors que la prévalence paraît s'élever. Toutefois, dans de nombreux cas, des maladies associées à des réponses immunitaires incontrôlées sont qualifiées d'auto-immunes sans que des réponses contre des antigènes du soi aient été clairement démontrées.

Les principaux facteurs contribuant au développement de l'auto-immunité sont, d'une part, des gènes de susceptibilité et, d'autre part, des facteurs environnementaux déclenchants, comme les infections (figure 9.9). L'auto-immunité peut consister en la production d'anticorps contre des antigènes du soi ou l'activation de cellules T réactives envers des autoantigènes. Des modèles animaux nous ont permis de comprendre comment l'autotolérance pouvait être prise en défaut et comment les lymphocytes autoréactifs devenaient pathogènes. Des gènes de susceptibilité peuvent interférer avec les voies de l'autotolérance et conduire à la persistance de lymphocytes T et B autoréactifs. Des stimulus environnementaux et des lésions tissulaires peuvent aboutir à l'activation de ces lymphocytes autoréactifs. Néanmoins, malgré notre connaissance croissante des anomalies immunologiques susceptibles d'entraîner une auto-immunité, nous ne connaissons pas l'étiologie des maladies auto-immunes humaines. Cette absence de compréhension est principalement due aux trois facteurs suivants : les maladies auto-immunes humaines sont généralement hétérogènes et multifactorielles; les autoantigènes inducteurs et cibles des réactions auto-immunes sont souvent inconnus; les maladies peuvent apparaître sur le plan clinique longtemps après que les réactions auto-immunes aient été induites. Les progrès récents, comme l'identification des gènes associés aux maladies, l'amélioration des techniques permettant l'étude des réponses immunitaires spécifiques chez l'homme ainsi que les modèles animaux dont les observations sont extrapolables à des syndromes humains sont très prometteurs et devraient permettre de résoudre l'énigme de l'auto-immunité.

Facteurs génétiques dans l'auto-immunité

La plupart des maladies auto-immunes sont polygéniques et sont associées à de multiples locus, les plus importants étant ceux du CMH. La prédisposition génétique à l'auto-immunité a été mise en évidence par l'étude des jumeaux. Si un vrai jumeau développe une maladie auto-immune, l'autre jumeau a beaucoup plus de risques de développer la même maladie qu'un membre non apparenté. En outre, l'augmentation d'incidence est supérieure chez les jumeaux homozygotes (vrais jumeaux) que chez les jumeaux hétérozygotes. Des analyses d'association portant sur l'ensemble du génome ainsi que les études de croisements chez l'animal ont permis l'identification de certains des gènes qui peuvent contribuer aux différentes maladies auto-immunes.

De nombreuses maladies auto-immunes chez l'homme et chez les animaux consanguins sont liées à des allèles particuliers du CMH (figure 9.10). L'association entre des allèles HLA et les maladies auto-immunes chez l'homme a été mise en évidence il y a de nombreuses années, et a constitué l'un des arguments principaux en faveur du rôle important joué par les lymphocytes T dans ce type de maladies (dans la mesure où la fonction des molécules du CMH est de présenter les antigènes peptidiques aux lymphocytes T). L'incidence d'une maladie auto-immune particulière est souvent supérieure chez les individus qui héritent d'un ou plusieurs allèles HLA particuliers que dans la population générale. Cette augmentation de l'incidence porte le nom de « risque relatif » de l'association HLA-maladie. Il est important de souligner qu'un allèle HLA peut augmenter le risque de développer une maladie auto-immune particulière, mais que l'allèle HLA n'est pas, par lui-même, la cause de cette maladie. En fait, la grande majorité des individus qui héritent d'un allèle HLA fréquemment associé à une pathologie ne la développent jamais. Des allèles particuliers du CMH peuvent contribuer au développement d'une auto-immunité car soit ils s'avèrent inefficaces dans la présentation des antigènes du soi, ce qui empêche la sélection négative des lymphocytes T, soit les antigènes peptidiques présentés par ces allèles du CMH ne parviennent pas à stimuler les lymphocytes T régulateurs.

De nombreux gènes non-HLA sont également associés à des maladies auto-immunes (figure 9.11). Certains de ces gènes sont connus et leurs rôles dans le développement de l'auto-immunité ont fait l'objet

© 2009 Elsevier Masson SAS. Tous droits réservés

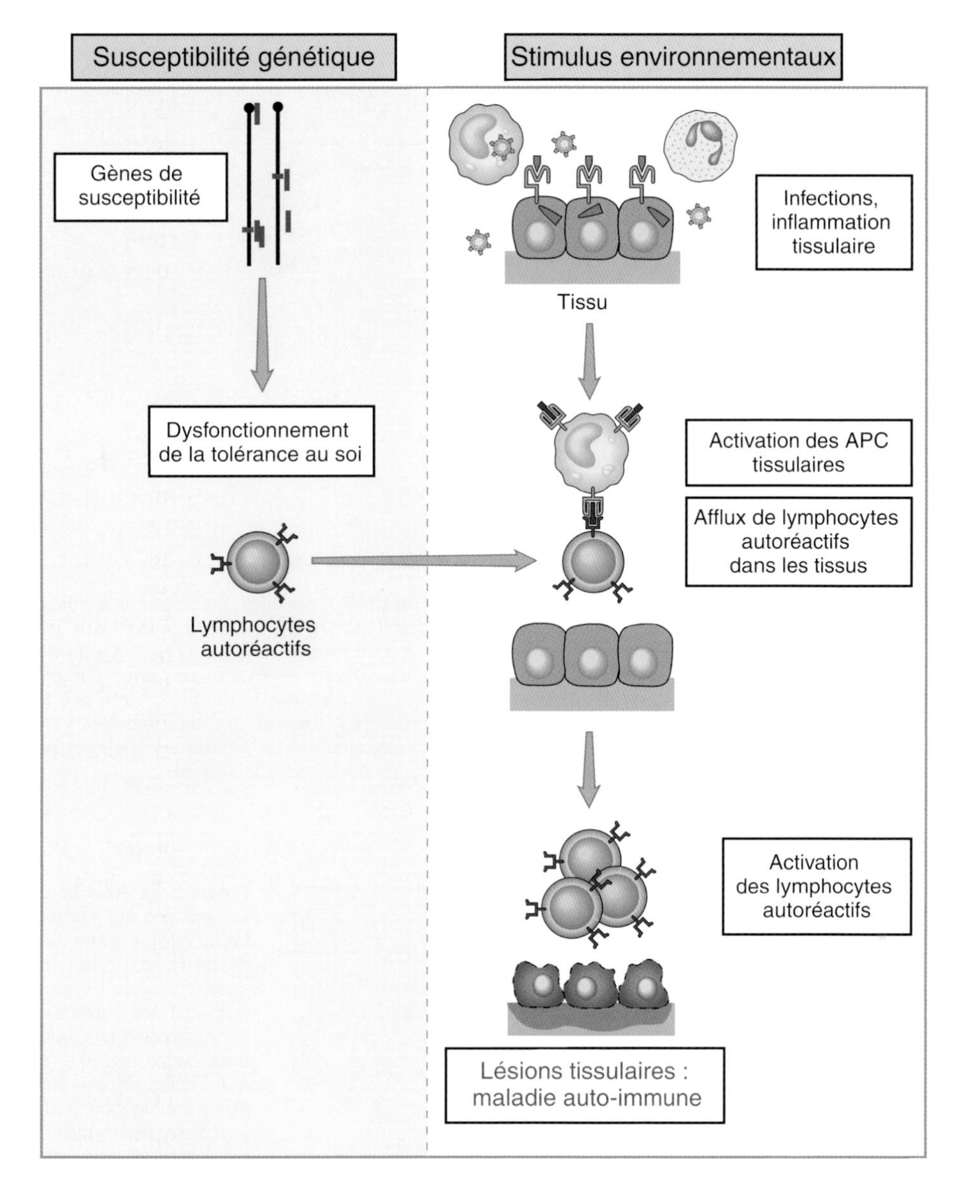

Figure 9.9 Mécanismes supposés d'auto-immunité. Dans ce modèle de maladie auto-immune spécifique d'un organe déclenchée par les lymphocytes T, différents locus géniques peuvent conférer une susceptibilité à l'auto-immunité, probablement en influençant le maintien de la tolérance au soi. Des facteurs déclenchants environnementaux, comme des infections ou d'autres stimulus inflammatoires, favorisent l'afflux de lymphocytes dans les tissus et l'activation des lymphocytes T autoréactifs, entraînant des lésions tissulaires.

de nombreuses hypothèses. Les techniques modernes de cartographie génique et de génomique ont considérablement agrandi le nombre et la diversité des locus géniques impliqués dans les maladies auto-immunes. À l'heure actuelle, plusieurs de ces associations concernent de grands segments chromosomiques et les gènes directement responsables n'ont pas été identifiés. Deux gènes ont été récemment associés aux maladies auto-immunes humaines; ils codent la tyrosine phosphatase PTPN22 (*protein tyrosine phosphatase N22*), associée à plusieurs maladies auto-immunes, et le senseur cytoplasmique des microbes, NOD-2 (*nucleotide-binding oligomerization domain-containing protein-2*), associé à la maladie de Crohn. Les mécanismes par lesquels ces gènes contribuent à l'auto-immunité restent inconnus.

Rôle des infections dans l'auto-immunité

Les infections peuvent activer des lymphocytes autoréactifs et déclencher le développement de maladies auto-immunes. Les cliniciens ont observé depuis de nombreuses années que les manifestations cliniques de l'auto-immunité sont souvent précédées de prodromes infectieux. Cette association entre les infections et les lésions tissulaires auto-immunes a été clairement établie dans des modèles animaux. Les infections peuvent contribuer à l'auto-immunité de différentes manières (figure 9.12). Une infection tissulaire peut induire une réponse immunitaire innée locale et celle-ci peut provoquer une augmentation de l'expression des molécules de costimulation et des cytokines par les APC tissulaires. Il en résulte

© 2009 Elsevier Masson SAS. Tous droits réservés

Preuves	Exemples		
	Pathologie	Allèle HLA	Risque relatif
« Risque relatif » de développer une maladie auto-immune chez les individus dont le patrimoine génétique comporte un ou plusieurs allèles HLA particuliers par rapport à des individus ne présentant pas ces allèles	Spondylarthrite ankylosante Polyarthrite rhumatoïde Diabète insulinodépendant Pemphigus vulgaire	B27 DR4 DR3/DR4 DR4	90 4 25 14
Modèles animaux : des études de croisements permettent d'établir une association entre une pathologie et des allèles particuliers du CMH	Diabète insulinodépendant (souche de souris diabétique non obèse, NOD)	I-A^{g7}	

Figure 9.10 Association de maladies auto-immunes à des allèles du locus du CMH. Plusieurs observations confirment l'association entre certains allèles du CMH et certaines maladies auto-immunes. Des études familiales et de liaison montrent que les individus qui héritent d'allèles HLA particuliers présentent plus de risques de développer certaines maladies auto-immunes que les individus n'ayant pas ces allèles (« risque relatif »). La figure reprend une liste d'exemples d'association entre le système HLA et certaines pathologies. Par exemple, les porteurs de l'allèle HLA-B27 ont 90 à 100 fois plus de risques de développer une spondylarthrite ankylosante que les individus sans B27 ; d'autres maladies montrent différents degrés d'association avec d'autres allèles HLA. Des études de croisement chez l'animal ont montré que l'incidence de certaines maladies auto-immunes corrélait fortement avec la transmission héréditaire d'allèles particuliers du CMH (par exemple le diabète de type 1 ou insulinodépendant avec l'allèle de classe II, appelé I-A^{g7} chez la souris).

Gène(s)	Association à une maladie	Mécanisme
AIRE	Polyendocrinopathie auto-immune	Défaut d'expression thymique d'antigènes tissulaires et, donc, d'élimination des lymphocytes T autoréactifs
Protéines du complément (C2, C4)	Maladie de type lupique	Elimination déficiente des complexes immuns ? Tolérance défectueuse des lymphocytes B ?
Fas, FasL	Souches de souris lpr et gld ; ALPS chez l'homme	Elimination insuffisante des lymphocytes autoréactifs
FcγRIIb	Maladies de type lupique	Inhibition rétroactive défectueuse de l'activation des cellules B
Foxp3	IPEX	Déficit de cellules T régulatrices
IL-2 ; IL-2Rα/β	Plusieurs maladies auto-immunes (risque accru avec polymorphismes)	Déficit de cellules T régulatrices
NOD-2	Maladie de Crohn (maladie inflammatoire intestinale)	Résistance défectueuse ou réponses anormales aux microbes intestinaux
PTPN22	Plusieurs maladies auto-immunes	La tyrosine phosphatase régule mal l'activation lymphocytaire

Figure 9.11 Rôle de certains gènes n'appartenant pas au CMH dans l'auto-immunité. Le tableau reprend des exemples de certains gènes (autres que ceux du CMH) qui peuvent contribuer au développement de maladies auto-immunes. Les rôles de beaucoup de ces gènes individuels ont été déduits de maladies auto-immunes humaines développées à la suite de mutations ou d'observations faites sur la souris dont des gènes ont été inactivés (*knockout*). Notez cependant que les maladies auto-immunes causées par des anomalies touchant un seul gène sont rares, la plupart des maladies auto-immunes étant polygéniques. Lpr (*lymphoproliferation*) et gld (*generalized lymphoproliferative disease* ou syndrome lymphoprolifératif généralisé) désignent des mutations chez la souris. AICD : *activation-induced cell death* (mort cellulaire induite par activation) ; AIRE : *autoimmune regulator* (régulateur auto-immun) ; ALPS : *autoimmune lymphoproliferative syndrome* (syndrome lymphoprolifératif auto-immun) ; IL : interleukine ; IPEX : *immuno-dysregulation-polyendocrinopathy-enteropathy X-linked syndrome* (syndrome de dérégulation immunitaire avec polyendocrinopathie et entéropathie lié à l'X) ; NOD-2 : *nucleotide-binding oligomerization domain-containing protein-2* (protéine 2 contenant un domaine d'oligomérisation et de liaison de nucléotides) ; PTPN22 : protéine tyrosine phosphatase N22.

© 2009 Elsevier Masson SAS. Tous droits réservés

que ces APC tissulaires activées sont en mesure de stimuler des lymphocytes T autoréactifs qui rencontrent les antigènes du soi dans le tissu. En d'autres termes, les infections sont en mesure de «rompre» l'anergie des lymphocytes T et de favoriser la survie et l'activation des lymphocytes autoréactifs. Certains microbes infectieux peuvent produire des antigènes peptidiques qui sont semblables aux antigènes du soi et présentent des réactions croisées avec ces antigènes. Dans certains cas, les réponses immunitaires contre un peptide microbien peuvent entraîner une attaque immunitaire contre les antigènes du soi. Une telle réaction croisée entre antigènes microbiens et antigènes du soi est appelée **mimétisme moléculaire**. Bien que la contribution du mimétisme moléculaire à l'auto-immunité ait fasciné les immunologistes, sa signification réelle dans le développement des maladies auto-immunes reste inconnue. On connaît quelques syndromes rares dans lesquels des anticorps produits contre une protéine microbienne se lient à des protéines du soi. Un exemple est le rhumatisme articulaire aigu, au cours duquel des anticorps antistreptococciques réagissent de manière croisée avec un antigène myocardique et causent une maladie cardiaque. Les infections peuvent également provoquer des lésions tissulaires et la libération d'antigènes qui sont normalement séquestrés et n'entrent pas en contact avec le système immunitaire. Ainsi, certains antigènes séquestrés (par exemple dans le testicule ou dans l'œil) ne sont normalement pas détectés par le système immunitaire et sont ignorés. La libération de ces antigènes lors d'un traumatisme ou d'une infection peut déclencher une réaction auto-immune contre le tissu.

De manière paradoxale, certaines infections paraissent protéger des maladies auto-immunes. Cette conclusion est basée sur des données épidémiologiques et des études expérimentales limitées. Le mécanisme expliquant cet effet des infections reste inconnu.

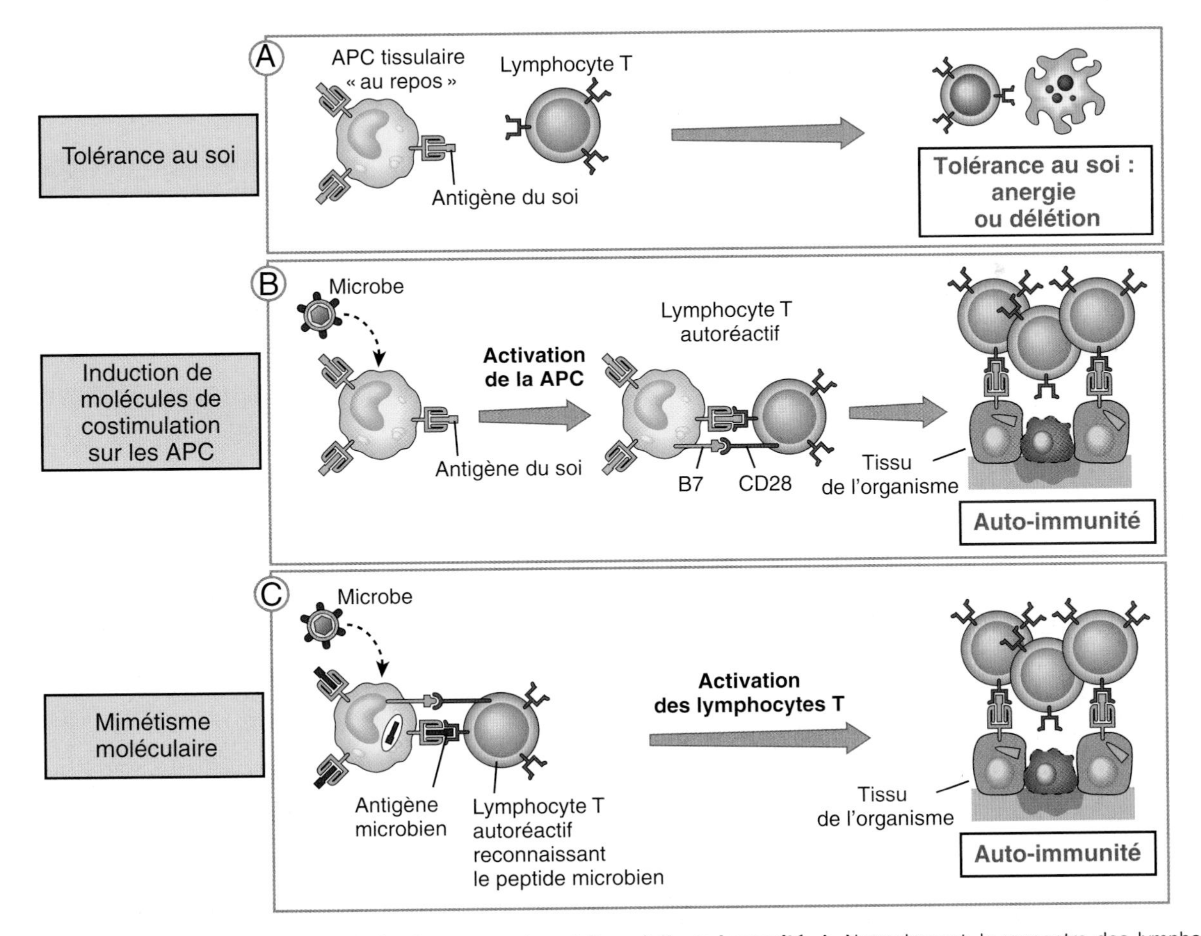

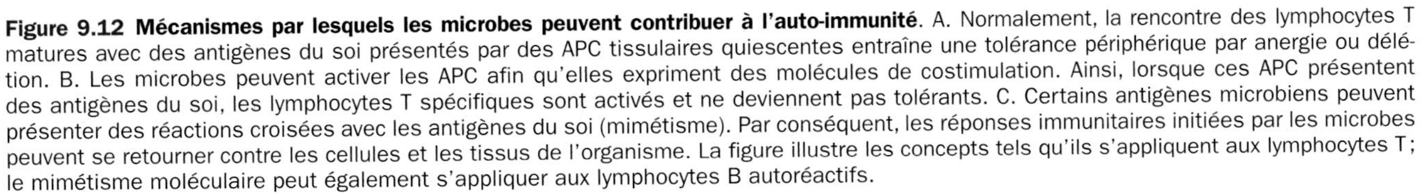

Figure 9.12 Mécanismes par lesquels les microbes peuvent contribuer à l'auto-immunité. A. Normalement, la rencontre des lymphocytes T matures avec des antigènes du soi présentés par des APC tissulaires quiescentes entraîne une tolérance périphérique par anergie ou délétion. B. Les microbes peuvent activer les APC afin qu'elles expriment des molécules de costimulation. Ainsi, lorsque ces APC présentent des antigènes du soi, les lymphocytes T spécifiques sont activés et ne deviennent pas tolérants. C. Certains antigènes microbiens peuvent présenter des réactions croisées avec les antigènes du soi (mimétisme). Par conséquent, les réponses immunitaires initiées par les microbes peuvent se retourner contre les cellules et les tissus de l'organisme. La figure illustre les concepts tels qu'ils s'appliquent aux lymphocytes T ; le mimétisme moléculaire peut également s'appliquer aux lymphocytes B autoréactifs.

© 2009 Elsevier Masson SAS. Tous droits réservés

Réviser

Résumé

- La tolérance immunitaire est l'absence de réponse spécifique à un antigène qui est normalement induite par l'exposition des lymphocytes à cet antigène. Tous les individus sont tolérants (c'est-à-dire non répondeurs) envers leurs propres antigènes (soi). La tolérance envers des antigènes peut être induite en administrant cet antigène par différentes voies ; ces stratégies peuvent être utiles dans le traitement des maladies immunitaires et pour la prévention du rejet des greffons.
- La tolérance centrale est induite par la mort ou d'autres changements dans les lymphocytes immatures qui rencontrent les antigènes dans les organes lymphoïdes centraux. La tolérance périphérique résulte de la reconnaissance des antigènes par les lymphocytes matures dans les tissus périphériques.
- La tolérance centrale des lymphocytes T est le résultat de leur interaction de haute affinité avec des antigènes thymiques. Certaines de ces cellules T autoréactives meurent (sélection négative), ce qui élimine les lymphocytes T potentiellement les plus dangereux, c'est-à-dire ceux qui expriment des récepteurs de forte affinité pour les antigènes du soi. D'autres cellules T de la lignée CD4 se différencient en cellules T régulatrices qui suppriment l'autoréactivité en périphérie.
- La tolérance périphérique des lymphocytes T est induite par de nombreux mécanismes. L'anergie (inactivation fonctionnelle) résulte de la reconnaissance des antigènes en absence d'immunité innée et de costimulation (seconds signaux). Les mécanismes de l'anergie comprennent un blocage de la signalisation provenant du TCR et l'engagement de récepteurs inhibiteurs comme CTLA-4 ou PD-1. Des cellules T régulatrices autoréactives suppriment les lymphocytes T potentiellement pathogènes. La délétion (mort par apoptose) peut survenir lorsque des cellules T rencontrent des autoantigènes.
- Dans le cas des lymphocytes B, la tolérance centrale est induite lorsque les lymphocytes immatures reconnaissent les antigènes du soi dans la moelle osseuse. Certaines cellules changent leurs récepteurs (révision des récepteurs) et d'autres meurent d'apoptose (sélection négative ou délétion). La tolérance périphérique est induite lorsque les lymphocytes B matures reconnaissent les antigènes du soi sans coopération des lymphocytes T, ce qui entraîne l'anergie et la mort des cellules B.
- Les maladies auto-immunes proviennent d'un dysfonctionnement de la tolérance au soi. De multiples facteurs contribuent à l'auto-immunité, notamment des gènes de susceptibilité et des facteurs déclenchants de l'environnement comme les infections.
- De nombreux gènes contribuent au développement de l'auto-immunité. Les associations les plus fortes sont établies entre les gènes HLA et différentes maladies auto-immunes liées aux lymphocytes T.
- Les infections prédisposent à l'auto-immunité, en déclenchant une inflammation et en induisant l'expression aberrante de molécules de costimulation ou à cause de réactions croisées entre antigènes microbiens et antigènes du soi.

Contrôle des connaissances

1. Qu'est-ce que la tolérance immunitaire ? Citer quelques-unes de ses principales caractéristiques et indiquer pourquoi elle est importante.
2. Comment la tolérance centrale est-elle induite dans les lymphocytes T et les lymphocytes B ?
3. Comment une anergie fonctionnelle est-elle induite dans les lymphocytes T ? Comment l'anergie peut-elle être « rompue » pour donner naissance à des maladies auto-immunes ?
4. Citer quelques-uns des gènes qui contribuent à l'auto-immunité. Comment les gènes du CMH peuvent-ils jouer un rôle dans le développement des maladies auto-immunes ?
5. Citer quelques-uns des mécanismes par lesquels les infections peuvent favoriser le développement de l'auto-immunité.

© 2009 Elsevier Masson SAS. Tous droits réservés

Chapitre 10

Réponses immunitaires contre les tumeurs et les greffons

Immunité dirigée contre les cellules transformées ou étrangères non infectieuses

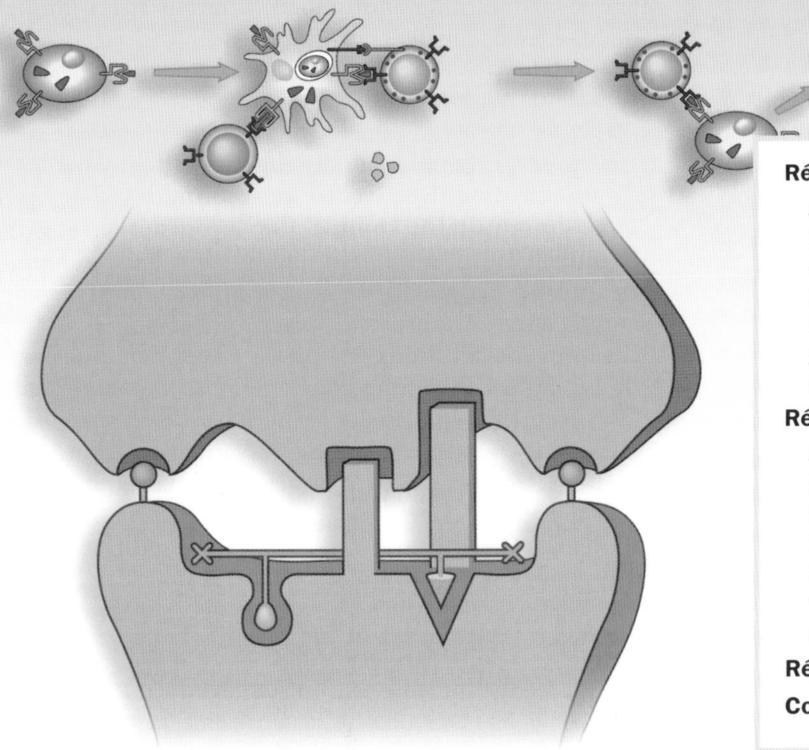

Les cancers et les transplantations d'organes sont deux situations cliniques dans lesquelles le rôle du système immunitaire a suscité une attention particulière. Dans les cancers, il est généralement admis qu'augmenter l'immunité contre les tumeurs constitue un mode de traitement prometteur. Dans la transplantation d'organes, la situation est bien sûr exactement inverse : les réponses immunitaires contre les greffons sont un obstacle au succès de la transplantation. La découverte de méthodes permettant de supprimer ces réponses constitue un objectif majeur pour les immunologistes spécialistes de la transplantation. En raison de l'importance prise par le système immunitaire en cancérologie et en transplantation, l'immunologie des tumeurs et l'immunologie de la

© 2009 Elsevier Masson SAS. Tous droits réservés

transplantation sont devenues des sous-disciplines dans le cadre desquelles les chercheurs et les cliniciens se rencontrent pour traiter de questions à la fois fondamentales et cliniques.

Les réponses immunitaires contre les tumeurs et les greffons partagent plusieurs caractéristiques. Ce sont des situations dans lesquelles le système immunitaire ne répond pas contre des microbes, comme c'est généralement le cas, mais contre des cellules non infectieuses perçues comme étrangères. Les antigènes qui marquent les tumeurs et les greffons comme étrangers peuvent être exprimés par pratiquement tous les types cellulaires susceptibles de subir une transformation maligne ou d'être greffés d'un individu à un autre. Par conséquent, il doit exister des mécanismes particuliers destinés à induire des réponses immunitaires contre différents types cellulaires. De même, un mécanisme important, et peut-être même essentiel, par lequel les cellules tumorales et les cellules de greffes tissulaires sont détruites implique les lymphocytes T cytotoxiques (CTL). Pour toutes ces raisons, l'immunité dirigée contre les tumeurs et les greffons fait l'objet d'un chapitre particulier, dans lequel les questions suivantes seront abordées :

- Quels sont les antigènes des tumeurs et des greffes tissulaires reconnus comme étrangers par le système immunitaire ?
- Comment le système immunitaire reconnaît-il et réagit-il aux tumeurs et aux greffons ?
- Comment les réponses immunitaires dirigées contre les tumeurs et les greffons peuvent-elles être manipulées afin d'augmenter le rejet des tumeurs et d'inhiber le rejet de greffes ?

Nous aborderons d'abord l'immunité antitumorale, puis l'immunité de la transplantation en insistant sur les principes qui leur sont communs.

Réponses immunitaires antitumorales

Depuis les années 1950, l'existence d'une fonction physiologique du système immunitaire adaptatif destinée à prévenir l'expansion de cellules transformées ou à détruire ces cellules avant qu'elles ne deviennent des tumeurs dangereuses a été suspectée. Ce phénomène est appelé **immunosurveillance**. Un certain nombre d'éléments attestent du rôle important joué par l'immunosurveillance dans la prévention de la croissance tumorale (figure 10.1). Cependant, le fait que des tumeurs se développent chez des individus, qui sont par ailleurs sains et immunocompétents, indique que l'immunité antitumorale reste souvent faible et facilement vaincue par des tumeurs à croissance rapide. Les immunologistes ont cherché à définir les types d'antigènes tumoraux contre lesquels le système immunitaire réagit, et les moyens par lesquels l'immunité antitumorale pourrait être stimulée de manière optimale.

Antigènes tumoraux

Les tumeurs malignes expriment différents types de molécules qui peuvent être reconnues par le système immunitaire comme des antigènes étrangers (figure 10.2). Si le système immunitaire d'un individu est capable de réagir contre une tumeur apparaissant chez celui-ci, il s'ensuit que cette tumeur doit exprimer des antigènes qui sont vus par le système immunitaire de cet individu comme appartenant au non-soi. Dans les tumeurs expérimentales induites par des carcinogènes chimiques ou des radiations, les antigènes tumoraux peuvent être des mutants de protéines cellulaires normales. Pratiquement toutes les protéines, dans différentes tumeurs, peuvent subir une mutagenèse aléatoire, et le

Preuve	Conclusion
Observations histopathologiques et cliniques : la présence d'infiltrats lymphocytaires autour de certaines tumeurs et l'augmentation des ganglions lymphatiques drainants corrèlent avec un meilleur pronostic	Les réponses immunitaires contre les tumeurs inhibent leur croissance
Preuves expérimentales : les greffes de tumeurs sont rejetées par des animaux précédemment exposés à cette tumeur ; l'immunité contre les greffes de tumeurs peut être transférée par des lymphocytes prélevés chez un animal porteur de tumeur	Le rejet des tumeurs présente les caractéristiques du système immunitaire adaptatif (spécificité, mémoire) et il est assuré par des lymphocytes
Preuves cliniques et expérimentales : les individus immunodéficients présentent une augmentation de l'incidence de certains types de tumeurs	Le système immunitaire protège contre la croissance des tumeurs (concept d'« immunosurveillance »)

Figure 10.1 Preuves confirmant le concept que le système immunitaire réagit contre les tumeurs. Un certain nombre de preuves cliniques et expérimentales indiquent que la défense contre les tumeurs est assurée par des réactions du système immunitaire adaptatif.

© 2009 Elsevier Masson SAS. Tous droits réservés

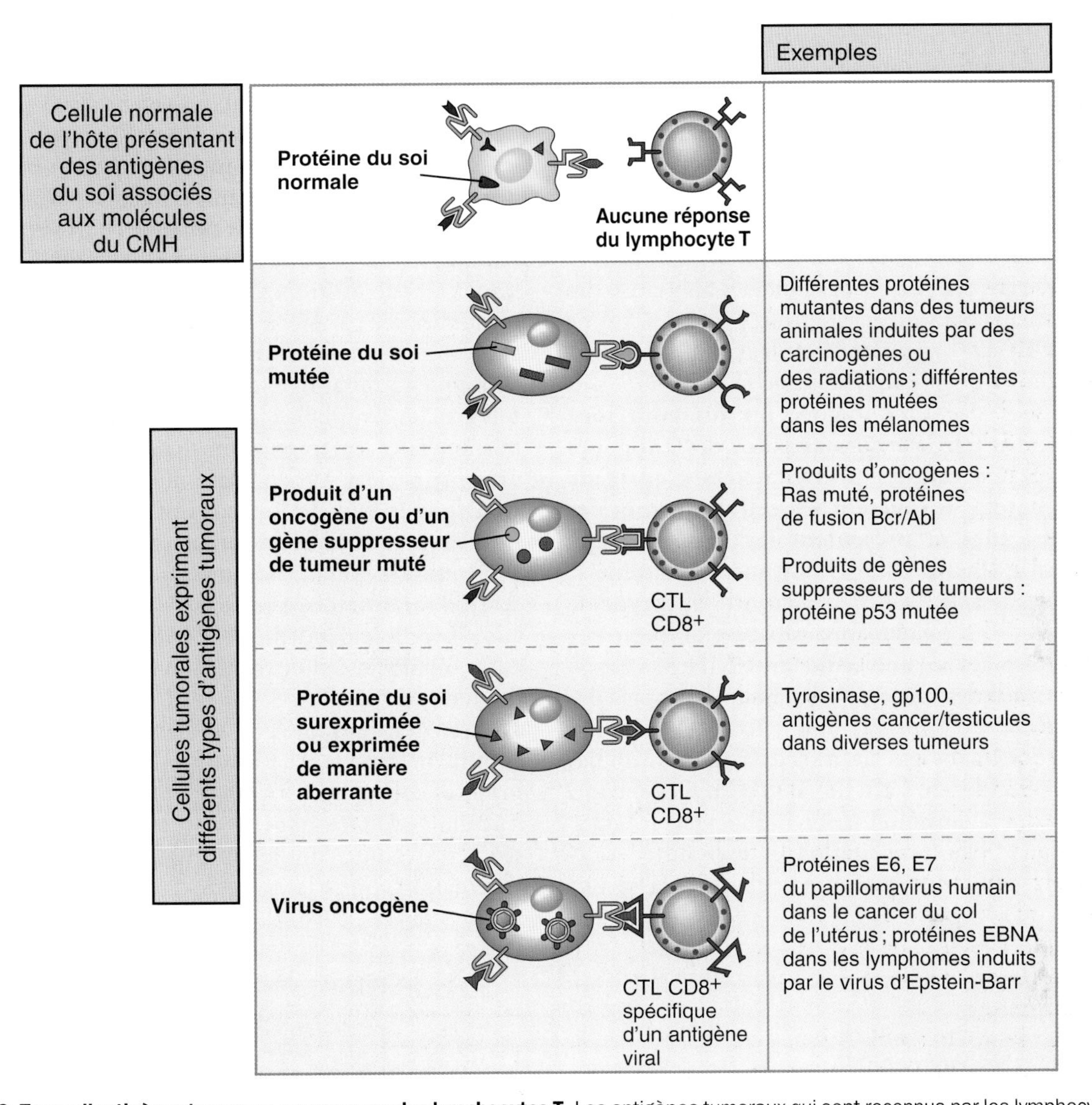

Figure 10.2 Types d'antigènes tumoraux reconnus par les lymphocytes T. Les antigènes tumoraux qui sont reconnus par les lymphocytes T CD8+ spécifiques de tumeurs peuvent être des formes mutées de protéines du soi normales, des produits d'oncogènes ou de gènes suppresseurs de tumeurs, des protéines du soi surexprimées ou exprimées de manière aberrante ou des produits de virus oncogènes. Les antigènes tumoraux peuvent également être reconnus par les lymphocytes T CD4+, mais le rôle que les lymphocytes T CD4+ jouent dans l'immunité antitumorale est moins bien connu. EBNA : antigène nucléaire du virus d'Epstein-Barr (*Epstein-Barr virus nuclear antigen*) ; gp100 : glycoprotéine de 100 KD.

plus souvent, ces protéines ne jouent aucun rôle dans la tumorigenèse. De tels mutants de diverses protéines cellulaires sont beaucoup moins fréquents dans les tumeurs humaines spontanées que dans les tumeurs induites expérimentalement. Certains antigènes tumoraux sont les produits d'oncogènes ayant subi une mutation ou une translocation, ou de gènes suppresseurs de tumeurs qui semblent participer au processus de transformation maligne. Il est surprenant de constater que, dans plusieurs tumeurs humaines, les antigènes qui déclenchent des réponses immunitaires sont des protéines parfaitement normales qui sont surexprimées ou des protéines dont l'expression normalement limitée à des tissus particuliers ou à des étapes du développement subit une dérégulation dans les tumeurs. On pourrait s'attendre à ce que ces antigènes du soi normaux ne déclenchent aucune réaction immunitaire, mais leur expression aberrante semble suffire pour provoquer de telles réponses. Par exemple, les protéines du soi qui sont exprimées uniquement dans les tissus embryonnaires peuvent ne pas induire de tolérance chez l'adulte. Dans les tumeurs induites par des virus oncogènes, les antigènes tumoraux sont généralement des produits viraux.

Mécanismes immunitaires du rejet de tumeur

Le principal mécanisme immunitaire permettant l'éradication des tumeurs est la destruction des cellules tumorales par les CTL spécifiques des antigènes tumoraux. La majorité des antigènes tumoraux qui

© 2009 Elsevier Masson SAS. Tous droits réservés

déclenchent des réponses immunitaires chez les individus porteurs de tumeurs sont des protéines cytosoliques synthétisées de manière endogène, qui sont présentées sous forme de peptides associés aux molécules du CMH de classe I. Par conséquent, ces antigènes sont reconnus par des CTL CD8$^+$, restreints par les molécules du CMH de classe I, dont la fonction est de tuer les cellules produisant ces antigènes. Le rôle des CTL dans le rejet tumoral a été établi dans des modèles animaux; des greffes de tumeurs peuvent être détruites par transfert de lymphocytes T CD8$^+$ réagissant avec les cellules tumorales chez des animaux porteurs de tumeurs.

Les réponses des CTL contre les tumeurs sont souvent induites par la reconnaissance des antigènes tumoraux sur les cellules présentatrices d'antigène (APC) de l'hôte, qui ingèrent les cellules tumorales ou leurs antigènes et présentent les antigènes aux lymphocytes T (figure 10.3). Les tumeurs peuvent se développer à partir d'à peu près n'importe quel type de cellule nucléée. Ces cellules sont capables de présenter des peptides associés aux molécules du CMH de classe I (car toutes les cellules nucléées expriment des molécules du CMH de classe I), mais le plus souvent, les cellules tumorales n'expriment pas de molécules de costimulation ou de molécules de classe II du CMH. Cependant, nous savons que l'activation des lymphocytes T CD8$^+$ naïfs, entraînant leur prolifération et leur différenciation en CTL actifs, nécessite non seulement la reconnaissance de l'antigène (peptide associé à une molécule du CMH de classe I), mais également une costimulation et/ou la contribution des lymphocytes T CD4$^+$ restreints par le CMH de classe II (voir le chapitre 5). Comment les tumeurs de différents types cellulaires peuvent-elles donc stimuler les réponses assurées par les CTL? Une réponse probable est que les cellules tumorales sont ingérées par les APC professionnelles de l'hôte (par exemple les cellules dendritiques), et que les antigènes des cellules tumorales sont apprêtés et présentés par les molécules de classe I et de classe II du CMH des APC de l'hôte. Par conséquent, les antigènes tumoraux peuvent être reconnus par les lymphocytes T CD8$^+$ et T CD4$^+$, de façon très similaire à n'importe quel autre antigène protéique présenté par des APC professionnelles. Parallèlement, les APC professionnelles expriment des molécules de costimulation qui fournissent les «seconds signaux» pour l'activation des lymphocytes T. Ce processus est dit de sensibilisation croisée (*cross-priming*), car un type cellulaire (la cellule dendritique) présente les antigènes d'une autre cellule (la cellule tumorale) et active (ou sensibilise) des lymphocytes T spécifiques du second type cellulaire. La présentation croisée a été décrite dans le chapitre 3, comme mécanisme par lequel les réponses des CTL sont induites contre des virus qui n'infectent pas directement les cellules dendritiques. Le concept de présentation croisée a été exploité dans le développement des méthodes de vaccination contre les tumeurs, comme cela sera présenté

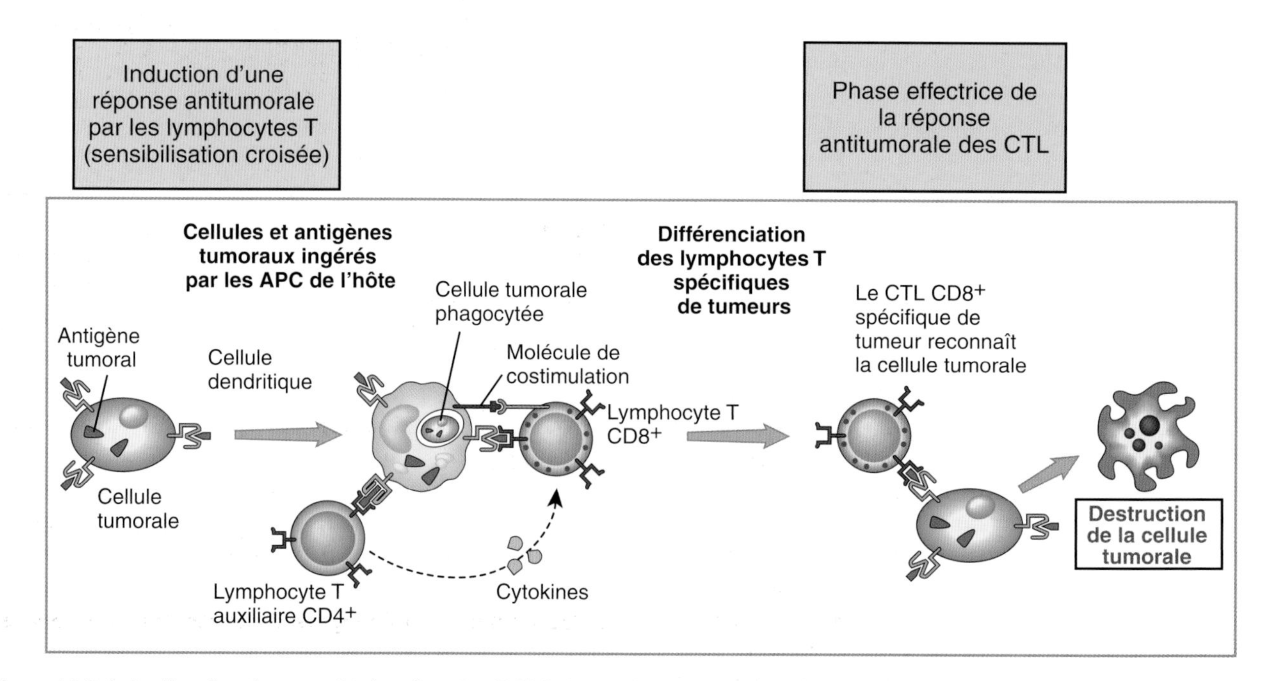

Figure 10.3 Induction des réponses des lymphocytes T CD8$^+$ contre les tumeurs. Les réponses des lymphocytes T CD8$^+$ contre les tumeurs peuvent être induites par sensibilisation croisée (*cross-priming*), au cours de laquelle les cellules tumorales et/ou les antigènes tumoraux sont captés par des cellules dendritiques, apprêtés et présentés aux lymphocytes T. Dans certains cas, des molécules de costimulation B7 exprimées par les APC fournissent les seconds signaux nécessaires à la différenciation des lymphocytes T CD8$^+$. Les APC peuvent également stimuler les lymphocytes T auxiliaires CD4$^+$, qui fournissent des signaux pour le développement des CTL (voir le chapitre 5, figure 5.7). Les CTL différenciés tuent les cellules tumorales sans nécessité d'une costimulation ou d'une coopération avec des lymphocytes T.

© 2009 Elsevier Masson SAS. Tous droits réservés

ultérieurement dans ce chapitre. Lorsque les lymphocytes T CD8+ naïfs se sont différenciés en CTL effecteurs, ils sont capables de tuer les cellules tumorales exprimant les antigènes appropriés, sans avoir besoin de costimulation ni de la collaboration des lymphocytes T. Ainsi, les CTL peuvent être induits par présentation croisée d'antigènes tumoraux par les APC de l'hôte, et les CTL sont efficaces contre la tumeur.

Plusieurs autres mécanismes immunitaires peuvent jouer un rôle dans le rejet des tumeurs. Des réponses antitumorales assurées par des lymphocytes T CD4+ et des anticorps ont été détectées chez des patients, mais les preuves attestant que ces réponses protègent réellement les individus contre la croissance tumorale restent peu convaincantes. Des études expérimentales ont montré que les macrophages activés et les cellules NK (*natural killer*) sont capables de tuer les cellules tumorales in vitro, mais, encore une fois, le rôle protecteur de ces mécanismes effecteurs chez les individus porteurs de tumeurs reste mal défini.

Échappement des tumeurs aux réponses immunitaires

Souvent, les réponses immunitaires ne parviennent pas à contrôler la croissance tumorale, soit parce que ces réponses sont inefficaces, soit parce que les tumeurs évoluent afin d'échapper aux attaques immunitaires. L'efficacité de la lutte contre les tumeurs malignes met le système immunitaire face à un défi difficile à relever, car d'une part, les réponses immunitaires doivent tuer toutes les cellules tumorales, et d'autre part, les tumeurs se développent rapidement. Leur croissance arrive souvent à déborder les défenses immunitaires. Les réponses immunitaires dirigées contre les tumeurs peuvent s'avérer insuffisantes, car de nombreux antigènes tumoraux sont faiblement immunogènes, peut-être à cause du fait qu'ils ne diffèrent que légèrement des antigènes du soi.

Les tumeurs proliférantes développent également des mécanismes leur permettant d'échapper aux réponses immunitaires (figure 10.4). Certaines tumeurs cessent d'exprimer les antigènes qui constituent les cibles de l'attaque immunitaire. Ces tumeurs sont qualifiées de « variants avec perte d'antigènes ». Si l'antigène perdu n'est pas impliqué dans le maintien des propriétés malignes de la tumeur, les cellules tumorales du variant continuent à croître et disséminer. D'autres tumeurs cessent d'exprimer les molécules du CMH de classe I et, par conséquent, ne peuvent plus présenter d'antigènes aux lymphocytes T CD8+. Dans la mesure où les cellules NK reconnaissent les cellules déficientes en molécules du CMH de classe I, elles peuvent fournir un mécanisme permettant d'éliminer les tumeurs négatives pour les molécules du CMH de classe I. D'autres tumeurs encore peuvent produire des molécules, comme le TGF-β (*transforming growth factor-β*), qui inhibent les réponses immunitaires. Certaines tumeurs activent les voies inhibitrices des cellules T, comme celles qui dépendent de CTLA-4 ou de PD-1 (voir le chapitre 9), et suppriment ainsi les réponses immunitaires antitumorales.

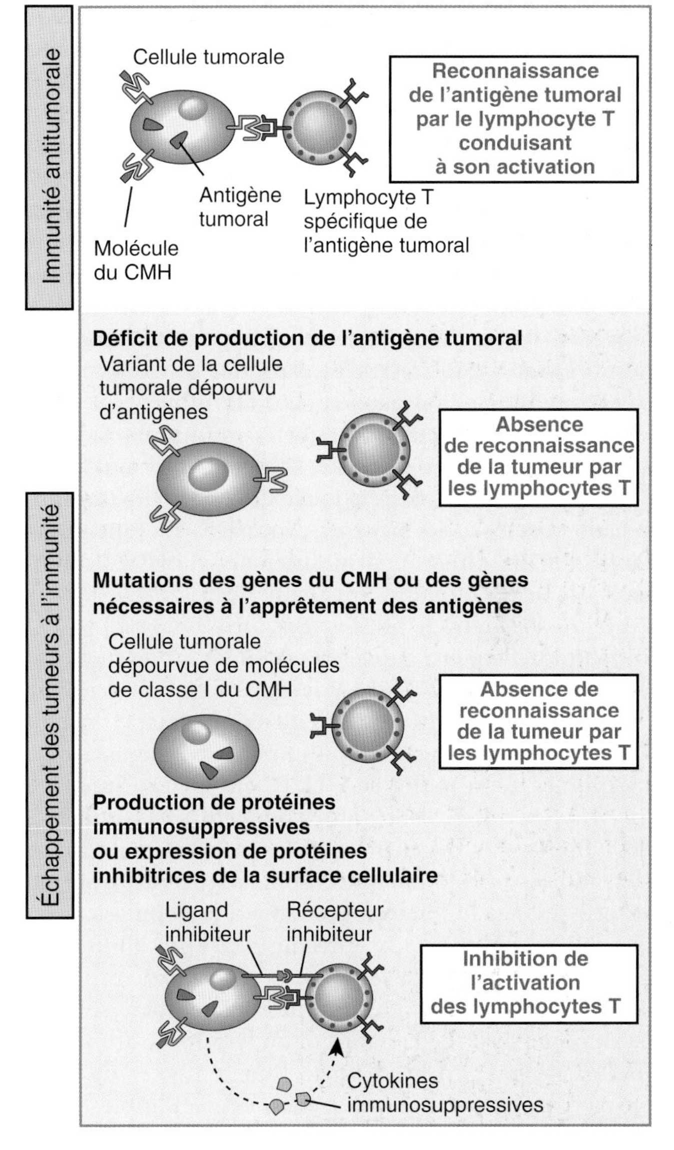

Figure 10.4 Comment les tumeurs échappent aux réponses immunitaires. L'immunité antitumorale se développe lorsque les lymphocytes T reconnaissent les antigènes tumoraux et sont activés. Les cellules tumorales peuvent échapper aux réponses immunitaires en perdant l'expression de leurs antigènes ou de leurs molécules du CMH, ou en produisant des cytokines immunosuppressives.

Approches immunologiques du traitement du cancer

Les principales stratégies de l'immunothérapie anticancéreuse ont pour objectifs de fournir des effecteurs antitumoraux (anticorps ou lymphocytes T) aux patients, d'immuniser activement les patients contre leurs tumeurs et de stimuler les réponses

© 2009 Elsevier Masson SAS. Tous droits réservés

immunitaires antitumorales du patient. À l'heure actuelle, le traitement des cancers généralisés (qui ne peuvent pas subir de résection chirurgicale) est basé sur la chimiothérapie et la radiothérapie, deux modes de traitement aux effets dévastateurs pour les tissus normaux non tumoraux. Comme la réponse immunitaire est hautement spécifique, on a longtemps espéré qu'une immunité spécifique des tumeurs pourrait être utilisée pour éradiquer de manière sélective les tumeurs, sans nuire au patient. L'immunothérapie reste l'un des objectifs majeurs des immunologistes des tumeurs ; de nombreuses approches thérapeutiques ont été tentées dans des modèles animaux et chez l'homme.

L'une des premières stratégies d'immunothérapie antitumorale a été fondée sur différentes formes d'immunisation passive, dans laquelle des effecteurs immuns étaient injectés à des patients cancéreux. Des anticorps monoclonaux dirigés contre différents antigènes tumoraux, souvent couplés à des toxines puissantes, ont été expérimentés dans de nombreuses formes de cancer. Les anticorps se lient aux antigènes tumoraux, après quoi soit ils activent les mécanismes effecteurs de l'hôte, comme les phagocytes ou le système du complément, soit ils délivrent les toxines aux cellules tumorales. Les anticorps spécifiques de la molécule CD20, qui est exprimée sur les lymphocytes B, sont utilisés pour traiter les tumeurs des lymphocytes B, généralement en association avec une chimiothérapie. Du fait que CD20 n'est pas exprimé par les cellules souches hématopoïétiques, la population des lymphocytes B normaux se reconstitue après l'interruption du traitement par les anticorps. D'autres anticorps monoclonaux utilisés en immunothérapie peuvent agir par blocage de la signalisation d'un facteur de croissance (par exemple l'anti-HER2/neu pour le cancer du sein) ou par inhibition de l'angiogenèse (par exemple l'anticorps contre le facteur de croissance des endothéliums vasculaires pour le cancer du côlon et d'autres tumeurs). Des lymphocytes T peuvent être isolés du sang ou d'infiltrats tumoraux d'un patient, mis en culture avec des facteurs de croissance, qui les font proliférer, puis réinjectés au même patient. Ces lymphocytes T contiendront vraisemblablement des CTL spécifiques de la tumeur, qui la trouveront et la détruiront. Cette approche, appelée « immunothérapie cellulaire adoptive », a été testée dans plusieurs cancers métastatiques, mais a produit des résultats variables en fonction des patients et des types de tumeurs.

De nombreuses nouvelles stratégies d'immunothérapie anticancéreuse sont fondées sur la stimulation des réponses immunitaires de l'hôte contre les tumeurs (figure 10.5). L'un des procédés permettant de stimuler les réponses immunitaires dirigées contre les tumeurs consiste à vacciner les patients avec leurs propres cellules tumorales ou avec des antigènes provenant de ces cellules. Une raison importante justifiant la caractérisation des antigènes tumoraux est qu'il devient alors possible de les produire pour vacciner les individus contre leurs propres tumeurs. Les vaccins peuvent être administrés sous forme de protéines recombinantes associées à des adjuvants. Plus récemment, un grand intérêt a été porté à la technique suivante : des cellules dendritiques de patients sont mises en culture (en isolant des précurseurs se trouvant dans le sang et en les multipliant par culture avec des facteurs de croissance) ; elles sont ensuite exposées aux cellules tumorales ou aux antigènes tumoraux, puis ces cellules dendritiques incubées avec des cellules tumorales sont utilisées comme vaccins. On espère ainsi que les cellules dendritiques portant des antigènes tumoraux mimeront la voie normale de présentation croisée et donneront naissance à des CTL actifs contre les cellules tumorales. Une autre approche de vaccination utilise un plasmide contenant un ADN complémentaire (ADNc) codant un antigène tumoral. L'injection du plasmide entraîne l'expression de l'ADNc dans les cellules hôtes, notamment les APC, qui ont capturé le plasmide. Les APC produisent l'antigène tumoral, induisant ainsi des réponses par les lymphocytes T spécifiques. On peut prévenir le développement de tumeurs causées par des virus oncogènes par vaccination contre ces virus. Deux vaccins qui se sont avérés remarquablement efficaces sont dirigés contre le virus de l'hépatite B (cause de nombreux cancers du foie) et le papillomavirus humain (cause du cancer cervical).

Les problèmes soulevés par l'identification des antigènes tumoraux immunogènes et par le développement de vaccins efficaces ont conduit certains immunologistes des tumeurs à considérer que la meilleure stratégie thérapeutique consistait à laisser les patients élaborer leurs propres réponses immunitaires spécifiques des tumeurs et à mettre au point des traitements permettant d'optimiser ces réponses. Une approche visant à atteindre cet objectif consiste à traiter les patients par des cytokines stimulant les réponses immunitaires. La première cytokine ayant été utilisée dans ce but a été l'interleukine-2 (IL-2), mais son utilisation a été limitée à cause d'effets toxiques graves aux fortes doses nécessaires à la stimulation des réponses cellulaires T antitumorales. De nombreuses autres cytokines ont été testées dans le cadre de traitements systémiques ou d'administrations locales au niveau des tumeurs. Dans une variante de cette approche, un gène codant pour une cytokine peut être exprimé dans les cellules tumorales et utilisé pour immuniser le patient (figure 10.5). On espère ainsi augmenter les réponses des lymphocytes T contre les antigènes tumoraux. Le même principe est à l'origine des études expérimentales dans lesquelles la molécule de costimulation B7 est exprimée dans les cellules tumorales ; ces cellules exprimant B7 sont ensuite utilisées comme vaccins antitumoraux. Une variation intéressante et récente de cette idée de stimuler les réponses immunitaires de l'hôte

© 2009 Elsevier Masson SAS. Tous droits réservés

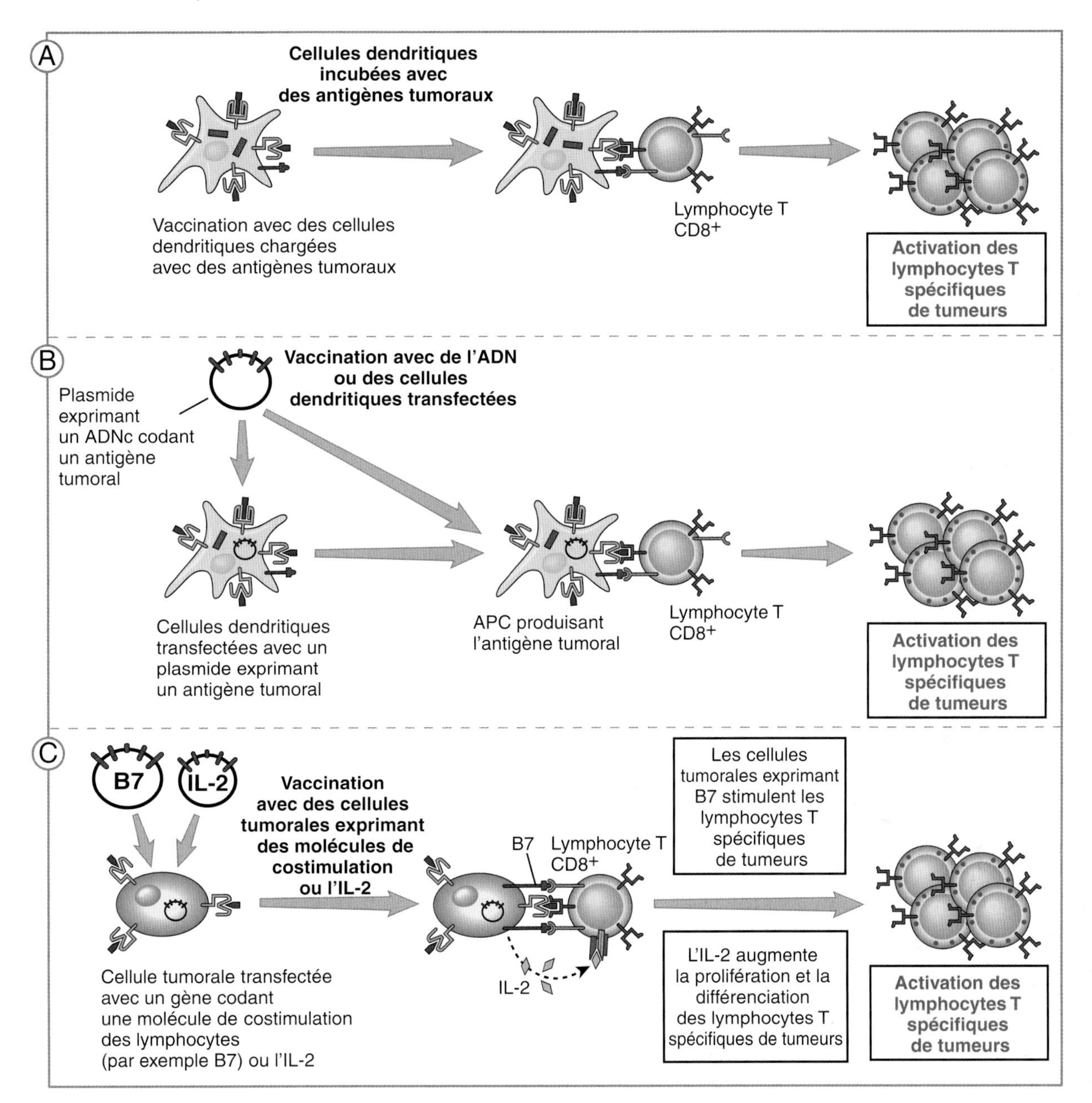

Figure 10.5 Stratégies pour amplifier les réponses immunitaires antitumorales. Les réponses immunitaires spécifiques de tumeurs peuvent être stimulées par vaccination avec des cellules dendritiques de l'hôte qui ont été chargées d'antigènes tumoraux (A), ou avec des plasmides contenant des ADN complémentaires codant des antigènes tumoraux qui sont injectés directement aux patients, ou utilisés pour transfecter des cellules dendritiques (B), ou en vaccinant avec des cellules tumorales transfectées avec des gènes codant les molécules de costimulation B7 ou le facteur de croissance des lymphocytes T, l'interleukine-2 (C).

contre les tumeurs est d'éliminer les signaux inhibiteurs normalement adressés aux lymphocytes. Dans certains modèles animaux, le blocage du récepteur inhibiteur des lymphocytes T, CTLA-4 (qui, comme indiqué dans le chapitre 9, interrompt les réponses des lymphocytes T) a entraîné de fortes réponses immunitaires contre les tumeurs transplantées. Un grand nombre de ces nouvelles stratégies de stimulation de l'immunité antitumorale s'appuient sur notre meilleure compréhension de l'activation et de la régulation des lymphocytes, et constituent par conséquent des stratégies rationnelles (par opposition aux stratégies empiriques).

Réponses immunitaires contre les greffes

Dès l'avènement de la transplantation de tissus, il est apparu qu'au sein d'une population normale non consanguine, les individus rejetaient les greffons provenant d'autres individus. Le rejet résulte de réactions inflammatoires qui provoquent des lésions des tissus

© 2009 Elsevier Masson SAS. Tous droits réservés

transplantés. Les études menées entre les années 1940 et 1950 ont établi que le rejet de greffes reposait sur un phénomène immunologique, dans la mesure où il montrait une spécificité et une mémoire, et qu'il était assuré par des lymphocytes (figure 10.6). Une grande partie des connaissances sur l'immunologie de la transplantation provient d'études menées sur des animaux consanguins, en particulier des souris, qui ont été croisés de telle sorte que tous les membres d'une souche consanguine soient identiques entre eux, mais différents des membres des autres souches. Des transplantations effectuées entre des animaux d'une même souche consanguine et ceux d'autres souches consanguines ont montré que les greffes réalisées entre membres d'une même souche consanguine étaient acceptés, alors que les greffes effectuées entre souches différentes étaient rejetées. Il a rapidement été établi que le rejet des greffons était déterminé par des gènes dont les produits sont exprimés dans tous les tissus. Le langage de l'immunologie de la transplantation s'est développé à partir de ces études. L'individu qui fournit le greffon a été appelé **donneur** et l'individu chez qui le greffon est implanté a été appelé **receveur** ou **hôte**. Un animal qui est identique à un autre (ainsi que les greffons échangés entre ces animaux) est dit **syngénique** ; un animal (et un greffon) d'une espèce qui diffère d'un autre animal de la même espèce est dit **allogénique** ; enfin, un animal (et un greffon) d'une espèce différente est dit **xénogénique**. Les greffons allogéniques et xénogéniques, également désignés par les termes d'allogreffes et de xénogreffes, sont toujours rejetés. Les antigènes qui constituent les cibles du rejet sont dénommés alloantigènes et xénoantigènes, tandis que les anticorps et les lymphocytes T qui réagissent contre ces antigènes sont respectivement qualifiés d'alloréactifs et de xénoréactifs. Dans le cadre clinique, les transplantations sont généralement réalisées entre deux individus allogéniques, qui sont membres d'une espèce non consanguine, et par conséquent qui diffèrent l'un de l'autre (à l'exception bien entendu des vrais jumeaux). La majeure partie de la discussion qui va suivre portera sur les réponses immunitaires aux allogreffes.

Antigènes de transplantation

Les antigènes des allogreffes qui constituent les cibles principales du rejet sont des protéines codées dans le complexe majeur d'histocompatibilité (CMH). Comme cela a été mentionné dans le chapitre 3, on a découvert le CMH et on l'a appelé en se fondant sur son rôle dans le rejet de greffes réalisées entre des souris de différentes souches consanguines. Des gènes et des molécules homologues sont présents chez tous les mammifères ; le CMH humain est constitué par le complexe des antigènes leucocytaires humains (*human leukocyte antigen*, HLA). Plus de 20 ans ont été nécessaires après la découverte du CMH pour montrer que la fonction physiologique des molécules du CMH était de présenter des antigènes peptidiques afin qu'ils soient reconnus par les lymphocytes T (voir le chapitre 3). Rappelons que tout être humain exprime six allèles du CMH de classe I (un allèle HLA-A, B et C provenant de chaque parent), et au moins six allèles du CMH de classe II (un allèle HLA DR, DQ et DP provenant de chaque parent et un certain nombre de combinaisons de ceux-ci). Les gènes codant le CMH sont hautement polymorphes ; il a été estimé qu'il existait au moins 350 allèles des gènes HLA-A, 620 allèles des gènes HLA-B, 400 allèles des gènes DR et 90 allèles de gènes DQ. Puisque ces allèles peuvent être hérités et exprimés dans de nombreuses combinaisons différentes, chaque individu exprimera très probablement certaines protéines du CMH qui seront considérées comme étrangères par le système immunitaire d'un autre individu, sauf dans le cas de jumeaux homozygotes. Toutes les molécules du CMH peuvent constituer des cibles pour le rejet, bien que HLA-C et HLA-DP présentent un polymorphisme limité et soient probablement de peu d'importance.

La reconnaissance des antigènes du CMH sur les cellules d'un autre individu est l'une des réponses immuni-

Preuve	Conclusion
Une exposition antérieure aux molécules du CMH du donneur conduit à une accélération du rejet de la greffe	Le rejet de greffe montre une mémoire et une spécificité, deux caractéristiques essentielles de l'immunité acquise
La capacité de rejeter rapidement un greffon peut être transférée à un individu naïf par l'intermédiaire des lymphocytes d'un individu sensibilisé	Le rejet de greffe est assuré par des lymphocytes
Une déplétion ou une inactivation des lymphocytes T par des médicaments ou des anticorps entraîne une réduction du rejet de greffe	Le rejet de greffe peut être assuré par des lymphocytes T

Figure 10.6 Preuves indiquant que le rejet des greffes de tissus est une réaction immunitaire. Des preuves cliniques et expérimentales indiquent que le rejet de greffe est une réaction du système immunitaire adaptatif.

© 2009 Elsevier Masson SAS. Tous droits réservés

taires les plus fortes. La raison pour laquelle les individus réagissent contre les molécules du CMH d'autres individus est maintenant bien comprise. Les récepteurs d'antigène des cellules T (TCR) ont évolué pour reconnaître les molécules du CMH, ce qui est essentiel pour la détection des cellules infectées. Chez chaque individu, tous les lymphocytes T $CD4^+$ et les lymphocytes T $CD8^+$ sont sélectionnés au cours de leur maturation pour reconnaître des peptides présentés par les molécules du CMH de cet individu (soi). Cette sélection constitue la base de la « restriction par le CMH » des lymphocytes T, une propriété fondamentale de ces cellules. Si tous les lymphocytes T matures sont sélectionnés afin de ne reconnaître que les peptides présentés par les molécules du CMH du soi, pourquoi les lymphocytes T d'un individu reconnaissent-ils comme étrangères les molécules du CMH d'un autre individu (allogénique) ? Rappelez-vous qu'à la suite de la sélection positive dans le thymus, les cellules T matures qui ont une certaine affinité pour les molécules du CMH du soi survivent, et beaucoup d'entre elles auront une forte affinité pour le CMH du soi présentant des peptides étrangers. Les molécules du CMH allogénique, contenant des peptides dérivés de cellules allogéniques, peuvent ressembler à des molécules du CMH du soi associées à des peptides étrangers (figure 10.7). Par conséquent, la reconnaissance des molécules du CMH allogénique dans les allogreffes est un exemple de réaction immunitaire croisée. Le processus de sélection négative dans le thymus élimine les cellules qui interagissent fortement avec le CMH du soi, mais il est impossible d'éliminer sélectivement les cellules T dont les TCR ont une forte affinité pour les molécules du CMH allogénique, absentes du thymus. De nombreux clones de lymphocytes T spécifiques de différents peptides étrangers liés à la même

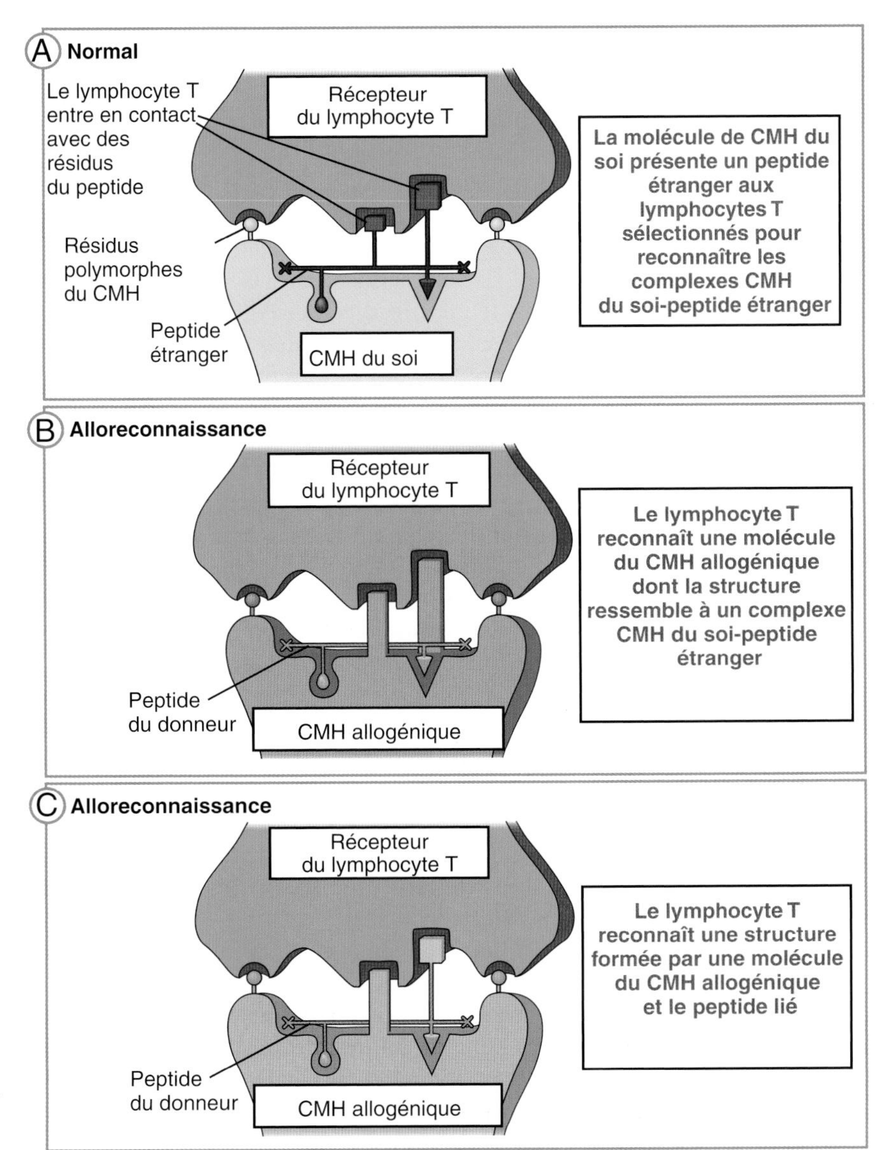

Figure 10.7 Reconnaissance des molécules du CMH allogénique par les lymphocytes T. La reconnaissance des molécules du CMH allogénique peut être considérée comme une réaction croisée au cours de laquelle un lymphocyte T spécifique d'un complexe formé d'une molécule du CMH du soi et d'un peptide étranger (A) reconnaît également une molécule du CMH allogénique dont la structure ressemble à celle d'un complexe molécule du CMH du soi-peptide étranger (B, C). Les peptides dérivés du greffon (peptides du donneur) peuvent ne pas contribuer à l'alloreconnaissance (B) ou ils peuvent constituer une partie du complexe reconnu par le lymphocyte T (C). Comme cela sera indiqué ultérieurement dans ce chapitre, le type de reconnaissance par les lymphocytes T schématisé en B et en C est qualifié d'alloreconnaissance directe.

© 2009 Elsevier Masson SAS. Tous droits réservés

molécule du CMH du soi peuvent réagir de manière croisée avec n'importe quelle molécule du CMH allogénique, tant que la molécule du CMH allogénique est semblable aux complexes associant une molécule du CMH du soi et des peptides étrangers. Il en résulte que de nombreux lymphocytes T restreints par le CMH du soi et spécifiques de différents peptides antigéniques sont susceptibles de reconnaître toute molécule de CMH allogénique. De plus, une seule cellule d'un greffon allogénique exprimera des milliers de molécules du CMH, chacune pouvant être reconnue comme étrangère par les cellules T du receveur. En revanche, dans le cas d'une cellule infectée, une petite fraction seulement des molécules du CMH du soi à la surface cellulaire porteront un peptide microbien reconnaissable par les cellules T.

Ce sont là les raisons principales pour lesquelles la reconnaissance des cellules allogénique suscite de telles réactions des lymphocytes T.

Bien que les protéines du CMH soient les principaux antigènes responsables du rejet de greffe, d'autres protéines polymorphes peuvent également être impliquées. Les antigènes non CMH qui induisent un rejet de greffe sont appelés antigènes mineurs d'histocompatibilité, la plupart d'entre eux étant des formes alléliques de protéines cellulaires normales différentes entre le donneur et le receveur. Les réactions de rejet déclenchées par les antigènes mineurs d'histocompatibilité ne sont généralement pas aussi fortes que celles qui sont dirigées contre les protéines de CMH étranger. Il existe deux situations dans lesquelles les antigènes mineurs sont des cibles importantes du rejet : la transfusion sanguine et la transplantation de moelle osseuse ; ces deux cas seront abordés plus loin dans ce chapitre.

Induction de réponses immunitaires contre les greffes

L'induction de réponses immunitaires contre les greffes tissulaires par les lymphocytes T se heurte au même obstacle que les réponses contre les tumeurs. Dans la mesure où un greffon peut contenir de nombreux types cellulaires, comprenant souvent des cellules appartenant aux épithéliums et au tissu conjonctif, comment le système immunitaire peut-il reconnaître et réagir contre toutes ces cellules ? En fait, les lymphocytes T du receveur de la greffe peuvent reconnaître les alloantigènes du donneur présents dans le greffon de différentes manières, en fonction du type de cellules du greffon qui présente ces alloantigènes.

Les lymphocytes T peuvent reconnaître les molécules du CMH allogénique des cellules dendritiques du greffon, ou bien les alloantigènes du greffon peuvent être apprêtés et présentés par les cellules dendritiques du receveur (figure 10.8). De nombreux tissus contiennent des cellules dendritiques, et ces APC sont transmises aux receveurs avec le greffon. Lorsque les lymphocytes T du receveur reconnaissent les molécules du CMH allogénique sur les APC du greffon, les lymphocytes T sont activés ; ce processus est appelé **reconnaissance directe** (ou présentation directe des alloantigènes). La reconnaissance directe stimule le développement des lymphocytes T alloréactifs (par exemple les CTL) qui reconnaissent et attaquent les cellules du greffon. Des alloantigènes peuvent être reconnus par le receveur par une seconde voie, qui ressemble davantage à la reconnaissance de tout antigène étranger. Si les cellules greffées (ou des alloantigènes) sont ingérées par les cellules dendritiques du receveur, les alloantigènes du donneur sont apprêtés et présentés par les molécules du CMH du soi sur les APC du receveur. Ce processus s'appelle **reconnaissance indirecte** (ou présentation indirecte), il est similaire à la présentation croisée des antigènes tumoraux décrite précédemment. Les cellules dendritiques qui présentent les alloantigènes par la voie directe ou indirecte fournissent également les molécules de costimulation, et peuvent stimuler les lymphocytes T auxiliaires ainsi que les CTL alloréactifs. Cependant, si des CTL alloréactifs sont induits par la voie indirecte, ces CTL devraient être spécifiques des alloantigènes présentés par les molécules du CMH du soi sur les APC du receveur, et ne peuvent pas reconnaître et tuer les cellules du greffon. Il est probable que lorsque les alloantigènes du greffon sont reconnus par la voie indirecte, le rejet dépend surtout de lymphocytes T $CD4^+$ alloréactifs. Ces cellules peuvent pénétrer dans le greffon avec des APC de l'hôte, reconnaître les antigènes du greffon présentés par les APC, et sécréter des cytokines qui induisent des lésions du greffon par une réaction d'hypersensibilité retardée (HSR). Nous ne connaissons pas l'importance relative des voies directe et indirecte d'alloreconnaissance dans le rejet des allogreffes. Il a été suggéré que la voie directe était la plus importante dans le cas d'un rejet aigu assuré par les CTL et que la voie indirecte jouait un rôle plus prononcé dans les rejets chroniques.

La réaction lymphocytaire mixte (MLR, *mixed lymphocyte reaction*) est un modèle in vitro de reconnaissance des alloantigènes par les lymphocytes T. Dans ce modèle, les lymphocytes T d'un individu sont mis en culture avec des leucocytes d'un autre individu, puis les réponses des lymphocytes T sont étudiées. L'ampleur de ces réponses est proportionnelle à l'importance des différences de CMH entre ces individus, et constitue un facteur de prédiction approximatif du devenir des greffes réalisées entre ces individus.

Bien que l'on ait beaucoup insisté sur le rôle des cellules T dans le rejet des allogreffes, il est évident que les alloanticorps contribuent au rejet. La plupart de ces anticorps sont de haute affinité et leur production dépend des lymphocytes T auxiliaires. Afin de produire des alloanticorps, les cellules B du receveur reconnaissent les alloantigènes du donneur, les apprêtent et présentent

© 2009 Elsevier Masson SAS. Tous droits réservés

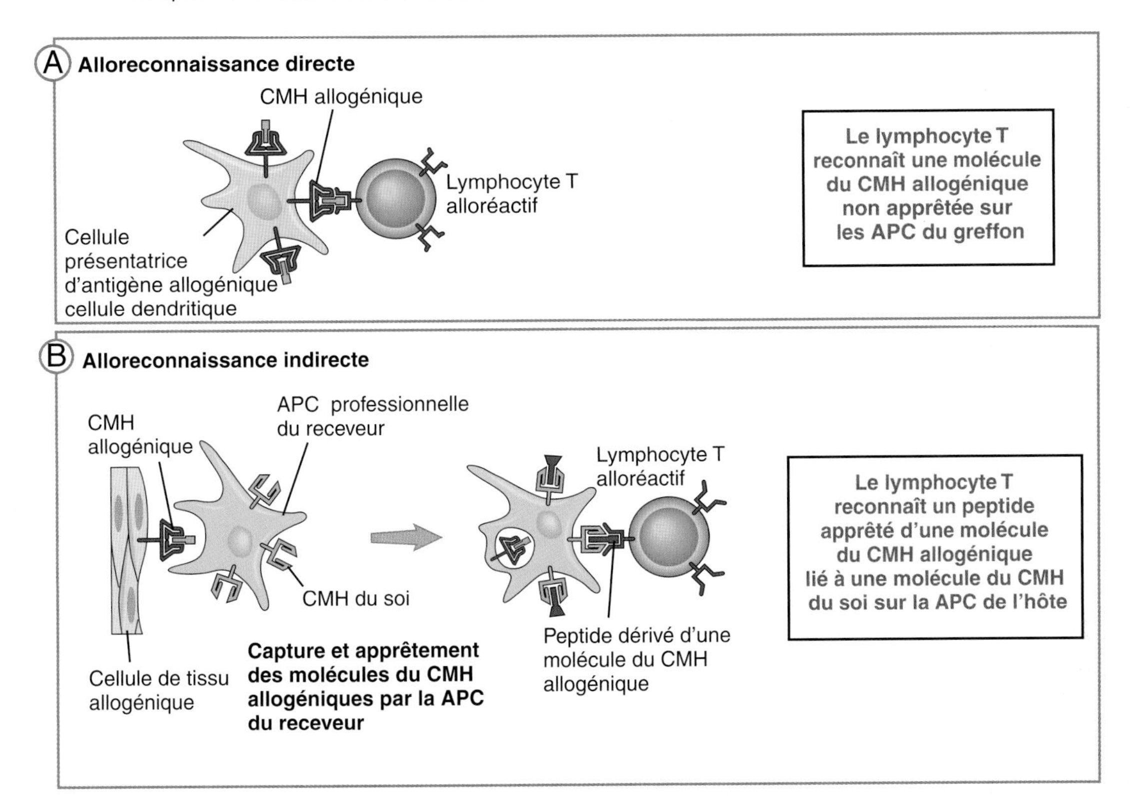

Figure 10.8 Reconnaissance directe et indirecte des alloantigènes. A. Une reconnaissance *directe* des alloantigènes survient lorsque les lymphocytes T se lient directement aux molécules intactes du CMH allogénique sur les cellules présentatrices d'antigène (APC professionnelles) du greffon, comme cela est illustré sur la figure 10.7. B. Une reconnaissance *indirecte* des alloantigènes se produit lorsque des molécules du CMH allogénique provenant des cellules du greffon sont captées et apprêtées par les APC du receveur, et que des fragments peptidiques des molécules du CMH allogénique sont présentés par les molécules du CMH du receveur (soi). Les APC du receveur peuvent également apprêter et présenter des protéines du greffon autres que les molécules du CMH allogénique.

les peptides dérivés de ces antigènes aux cellules T auxiliaires, lançant ainsi l'immunité humorale. Voilà un bon exemple de la présentation indirecte des alloantigènes, illustré par les lymphocytes B.

Mécanismes immunitaires du rejet de greffe

Le rejet de greffe a été classé en hyperaigu, aigu et chronique, sur la base de ses caractéristiques cliniques et pathologiques (figure 10.9). Cette classification historique, qui a été conçue par des cliniciens, a remarquablement bien résisté à l'épreuve du temps. Il est également apparu que chaque type de rejet était assuré par un type particulier de réponse immunitaire.

Le **rejet hyperaigu** survient quelques minutes après la transplantation et il est caractérisé par une thrombose des vaisseaux du greffon et une nécrose ischémique du greffon. Le rejet hyperaigu est dû à des anticorps circulants qui sont spécifiques des antigènes des cellules endothéliales du greffon et qui sont présents avant la transplantation. Ces anticorps préformés peuvent être des anticorps naturels IgM spécifiques des antigènes de groupes sanguins (il en sera question plus loin), ou ils peuvent être des anticorps spécifiques de molécules d'un CMH allogénique et qui ont été induits à la suite de contacts avec des cellules allogéniques, à la suite par exemple de transfusions sanguines, d'une grossesse ou d'une transplantation antérieure. Ces anticorps se lient aux antigènes sur l'endothélium vasculaire du greffon, activent les systèmes du complément et de la coagulation, et provoquent des lésions de l'endothélium et la formation d'un caillot. Le rejet hyperaigu n'est pas un accident fréquent en transplantation clinique, car chaque receveur est testé pour la présence éventuelle d'anticorps dirigés contre les cellules du donneur potentiel. Ce test est appelé épreuve de compatibilité croisée ou *cross-match*. Cependant, le rejet hyperaigu constitue l'obstacle majeur à la xénotransplantation, dont nous parlerons plus loin.

Le **rejet aigu** survient quelques jours à quelques semaines après la transplantation et constitue la principale cause d'échec précoce de la greffe. Le rejet aigu est dû principalement aux lymphocytes T, qui réagissent contre les alloantigènes présents dans le greffon. Ces lymphocytes T peuvent être des CTL qui détruisent directement les cellules du greffon, ou bien les lymphocytes T peuvent réagir contre les cellules des vaisseaux du greffon, provoquant des lésions vasculaires. Les anticorps contribuent également au rejet aigu, en particulier pour ce qui

© 2009 Elsevier Masson SAS. Tous droits réservés

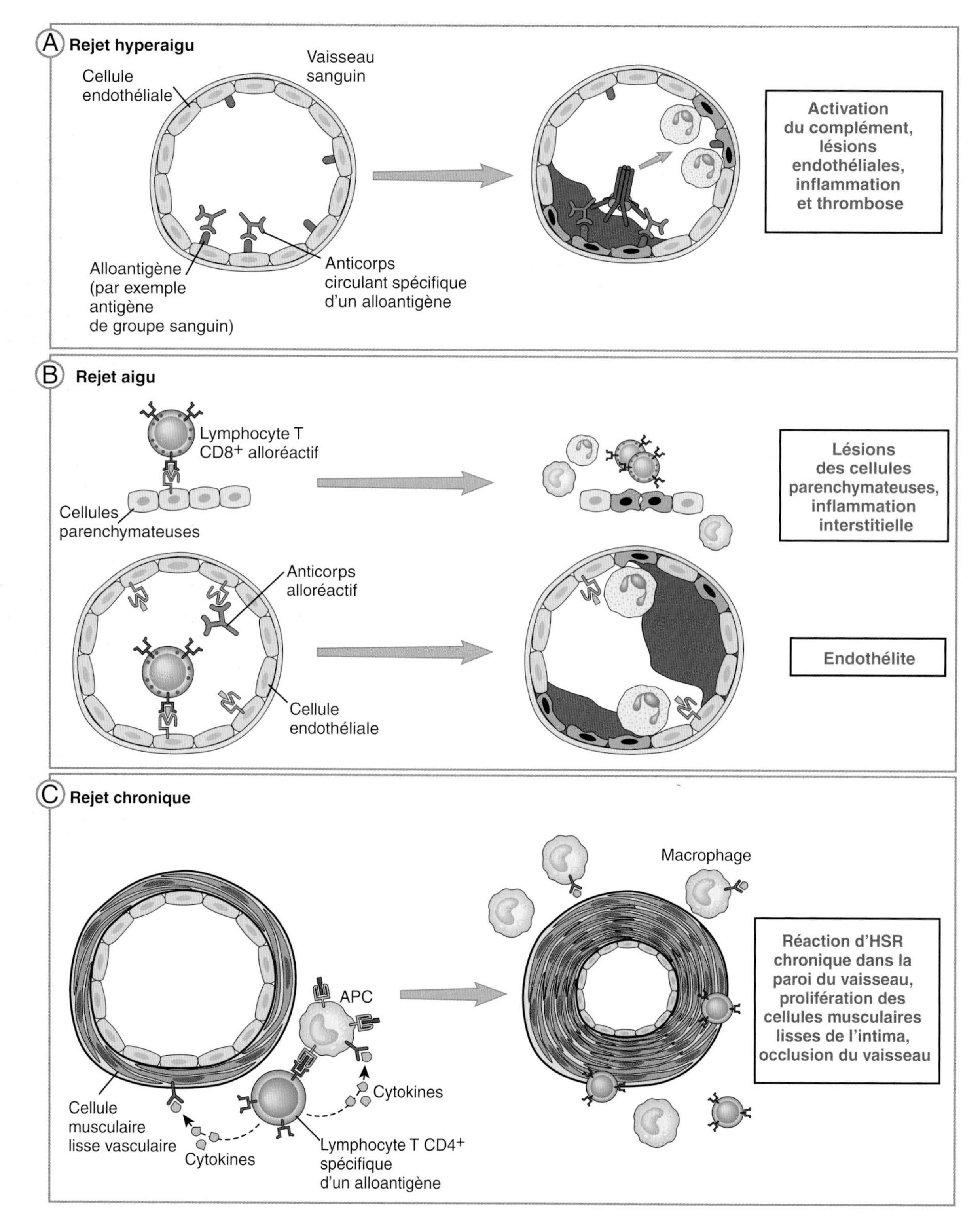

Figure 10.9 Mécanismes du rejet de greffe. A. Dans le *rejet hyperaigu*, des anticorps préformés réagissent avec des alloantigènes de l'endothélium vasculaire du greffon, activent le complément et déclenchent une thrombose intravasculaire rapide et une nécrose de la paroi du vaisseau. B. Dans le *rejet cellulaire aigu*, les lymphocytes T CD8+ réagissent avec les alloantigènes des cellules endothéliales et parenchymateuses du greffon, provoquant des lésions de ces cellules. L'inflammation de l'endothélium est parfois dénommée « endothélite ». Les anticorps alloréactifs peuvent également contribuer aux lésions vasculaires. C. Dans le *rejet chronique* avec artériosclérose du greffon, les lymphocytes T réagissant avec les alloantigènes du greffon peuvent produire des cytokines, qui induisent une prolifération des cellules endothéliales et des cellules musculaires lisses de l'intima, provoquant une occlusion luminale. Ce type de rejet est probablement une réaction d'hypersensibilité retardée (HSR) chronique aux alloantigènes de la paroi vasculaire.

© 2009 Elsevier Masson SAS. Tous droits réservés

concerne la composante vasculaire de cette réaction, les dommages causés aux vaisseaux du greffon étant causés surtout par l'activation du complément par la voie classique. Les traitements immunosuppresseurs actuels sont principalement destinés à prévenir et réduire le rejet aigu dû aux lymphocytes T ; il en sera question plus loin.

Le **rejet chronique** se traduit par une altération progressive du greffon, qui se déroule sur plusieurs mois ou plusieurs années, conduisant à une perte progressive des fonctions du greffon. Le rejet chronique peut se manifester par une fibrose du greffon, ou une obstruction progressive des vaisseaux du greffon, qualifiée d'artériosclérose du greffon. Les lymphocytes T semblent être responsables de ces deux types de lésions en réagissant contre les alloantigènes du greffon et en sécrétant des cytokines, qui stimulent la prolifération et les activités des fibroblastes et des cellules musculaires lisses vasculaires du greffon. Avec l'amélioration du traitement du rejet aigu, le rejet chronique est devenu la cause principale des échecs de transplantation.

Prévention et traitement du rejet de greffe

Le fondement de la prévention et du traitement du rejet des greffes d'organe est l'immunosuppression, dont l'objectif principal est d'inhiber l'activation et les fonctions effectrices des lymphocytes T (figure 10.10). Le principal médicament immunosuppresseur utilisé en transplantation clinique est la ciclosporine, qui agit en bloquant la phosphatase (calcineurine) des lymphocytes T nécessaire à l'activation du facteur de transcription NFAT (*nuclear factor of activated T cells*), inhibant ainsi la transcription des gènes codant les cytokines dans les lymphocytes T. L'apparition de la ciclosporine dans la pratique clinique a ouvert une nouvelle ère en transplantation, et a permis la réalisation de greffes de cœur, de foie et de poumons. De nombreux autres agents immunosuppresseurs sont utilisés en complément ou en remplacement de la ciclosporine (figure 10.10). Tous ces médicaments immunosuppresseurs posent un problème de l'immunosuppression non spécifique : ces médicaments inhibent toutes les réponses, sans se limiter à celle qui est dirigée contre le greffon. Par conséquent, les patients traités par ces médicaments deviennent sensibles aux infections, en particulier celles qui sont provoquées par les germes intracellulaires, et souffrent d'une augmentation de l'incidence des cancers, en particulier des tumeurs provoquées par les virus oncogènes.

Avant que la ciclosporine ne soit utilisée en clinique, la détermination de la compatibilité des allèles HLA entre donneur et receveur par typage tissulaire a joué un rôle important dans la réduction des rejets de greffe. Cependant, l'immunosuppression est devenue suffisamment efficace pour que le typage HLA ne soit plus

Médicament	Mécanisme d'action
Ciclosporine et FK506	Blocage de la production des cytokines par les lymphocytes T en inhibant la phosphatase calcineurine et en bloquant ainsi l'activation du facteur de transcription NFAT
Mycophénolate mofétil	Blocage de la prolifération des lymphocytes en inhibant la synthèse des nucléotides guanine dans les lymphocytes
Rapamycine	Blocage de la prolifération des lymphocytes en inhibant la signalisation par l'IL-2
Corticostéroïdes	Réduction de l'inflammation par inhibition de la sécrétion de cytokines par les macrophages
Anticorps monoclonal anti-CD3	Élimination des lymphocytes T par liaison au CD3 et par stimulation de la phagocytose ou de la lyse par le complément (utilisé pour traiter le rejet aigu)
Anticorps dirigé contre le récepteur de l'IL-2	Inhibition de la prolifération des lymphocytes T par blocage de la liaison de l'IL-2. Peut aussi opsoniser et contribuer à l'élimination des lymphocytes T activés exprimant le récepteur de l'IL-2
CTLA4-Ig	Inhibition de l'activation des lymphocytes T en bloquant la liaison de la molécule de costimulation B7 au récepteur CD28 des lymphocytes T ; utilisé pour induire la tolérance (expérimental)

Figure 10.10 Traitement du rejet de greffe. Le tableau présente les substances fréquemment utilisées pour traiter le rejet de greffe d'organes et les mécanismes d'action de ces substances. Comme la ciclosporine, le FK506 est un inhibiteur de la calcineurine, mais il n'est pas utilisé aussi largement.

© 2009 Elsevier Masson SAS. Tous droits réservés

considéré comme nécessaire dans de nombreux types de transplantation d'organes, en particulier parce que les receveurs sont souvent trop malades pour attendre une compatibilité optimale.

L'objectif à long terme des immunologistes de la transplantation est de pouvoir induire une tolérance immunologique spécifique des alloantigènes du greffon. Si cet objectif est atteint, il sera possible d'obtenir une tolérance du greffon sans supprimer les autres réponses immunitaires de l'hôte. Des tentatives pour induire une tolérance spécifique du greffon sont actuellement à l'étude dans des modèles expérimentaux, par exemple en stimulant les lymphocytes T alloréactifs de manière telle qu'ils deviennent régulateurs.

L'un des problèmes majeurs de la transplantation est la pénurie d'organes appropriés. La **xénogreffe** est une solution possible à ce problème. Des études expérimentales sur des xénogreffes ont montré que le rejet hyperaigu était la cause fréquente de l'échec de ces greffes. La raison de l'incidence élevée du rejet hyperaigu des xénogreffes réside dans le fait que les individus possèdent souvent des anticorps qui réagissent avec les cellules d'autres espèces. La raison de la grande fréquence du rejet hyperaigu des xénogreffes est que les individus ont souvent des anticorps qui réagissent avec les cellules de l'autre espèce. Ces anticorps, comme les anticorps dirigés contre les antigènes des groupes sanguins, dont il sera question plus loin, sont dits « anticorps naturels », car leur production ne nécessite pas une exposition préalable aux xénoantigènes. Il semble que ces anticorps soient produits contre des bactéries qui résident normalement dans l'intestin, et qu'ils réagissent de manière croisée avec les cellules d'autres espèces. Les xénogreffes subissent également un rejet aigu, tout comme les allogreffes. Certaines recherches tentent actuellement de modifier génétiquement les tissus xénogéniques afin d'empêcher leur rejet par les receveurs d'autres espèces.

Transplantation de cellules sanguines et de cellules de moelle osseuse

La greffe de cellules sanguines est appelée **transfusion**, et constitue la forme la plus ancienne de transplantation en médecine clinique. Le principal obstacle à la transfusion est la présence d'**antigènes de groupes sanguins** étrangers, dont les prototypes sont les antigènes ABO. Ces antigènes sont exprimés sur les globules rouges, les cellules endothéliales et de nombreux autres types cellulaires. Les molécules ABO sont des glycosphingolipides contenant un noyau glycane auquel sont fixés des sphingolipides. Les lettres A et B font référence aux sucres terminaux (respectivement N-acétylgalactosamine et galactose) ; AB signifie que les deux sucres terminaux sont présents ; O indique que ni l'un ni l'autre n'est présent. Les individus exprimant un antigène de groupe sanguin sont tolérants pour cet antigène, mais possèdent des anticorps contre l'autre. Il semble que ces anticorps soient produits contre des antigènes similaires exprimés par les germes intestinaux et qu'ils reconnaissent par réaction croisée les antigènes des groupes sanguins ABO. Les anticorps préformés réagissent contre les cellules sanguines transfusées exprimant les antigènes cibles et peuvent provoquer de graves **réactions transfusionnelles**. Ce problème est évité en testant la compatibilité entre donneurs et receveurs de sang, une pratique standard en médecine. Dans la mesure où les antigènes de groupes sanguins sont des glucides, ils ne déclenchent pas de réponse des lymphocytes T. Des antigènes de groupes sanguins autres que les antigènes ABO sont également à l'origine de réactions transfusionnelles, qui sont généralement moins sévères.

La **transplantation de cellules souches hématopoïétiques** est de plus en plus utilisée pour corriger les déficits hématopoïétiques, ou pour restaurer les cellules de la moelle osseuse qui ont été lésées par radiothérapie et chimiothérapie anticancéreuse. Soit les cellules de toute la moelle osseuse soit des populations enrichies de cellules souches hématopoïétiques dérivées du sang ou de la moelle osseuse d'un donneur sont injectées dans la circulation d'un receveur ; les cellules colonisent alors la moelle. La greffe de cellules de moelle osseuse pose de nombreux problèmes particuliers. Avant la transplantation, une partie de la moelle osseuse du receveur doit être détruite afin de créer un « espace » permettant de recevoir les cellules de la moelle transplantée. Cette déplétion de la moelle du receveur cause inévitablement un manque de cellules sanguines et de cellules immunitaires. Le système immunitaire réagit très fortement contre les cellules de moelle osseuse allogénique. Par conséquent, la réussite de la transplantation nécessite une compatibilité HLA étroite entre donneur et receveur. Si des lymphocytes T allogéniques matures sont transplantés avec les cellules de moelle osseuse, ces lymphocytes T matures peuvent attaquer les tissus du receveur, entraînant une réaction clinique grave appelée **maladie du greffon contre l'hôte**. Même si la greffe est un succès, les receveurs souffrent souvent d'un déficit immunitaire sévère au cours de la période nécessaire à la reconstitution de leur système immunitaire. Malgré ces problèmes, la transplantation de cellules souches hématopoïétiques suscite un grand intérêt en tant que traitement pour une grande variété de maladies touchant les systèmes hématopoïétiques et lymphoïdes.

© 2009 Elsevier Masson SAS. Tous droits réservés

Résumé

- L'une des fonctions physiologiques du système immunitaire est d'éradiquer les tumeurs et de prévenir leur croissance.
- Les antigènes tumoraux peuvent être des produits d'oncogènes ou de gènes suppresseurs de tumeurs, des protéines cellulaires mutées, des molécules surexprimées ou exprimées de manière aberrante et des produits de virus oncogènes.
- Le rejet des tumeurs est principalement assuré par les CTL qui reconnaissent des peptides dérivés des antigènes tumoraux. L'induction de réponses par les CTL contre les antigènes tumoraux nécessite souvent l'ingestion des cellules tumorales ou de leurs antigènes par les cellules dendritiques et la présentation des antigènes aux lymphocytes T.
- Des tumeurs peuvent échapper aux réponses immunitaires en perdant l'expression de leurs antigènes, en éteignant l'expression des molécules du CMH ou des molécules participant à l'apprêtement des antigènes, ou en sécrétant des cytokines qui suppriment les réponses immunitaires.
- L'immunothérapie anticancéreuse a pour objectif de stimuler l'immunité antitumorale en fournissant passivement des effecteurs immunitaires aux patients, ou en stimulant activement les propres effecteurs de l'hôte. Les méthodes de cette stimulation active comprennent la vaccination avec des antigènes tumoraux ou avec des cellules tumorales traitées afin qu'elles expriment des molécules de costimulation ou des cytokines.
- Les tissus transplantés sont rejetés par le système immunitaire. Les principaux déterminants de ce rejet sont les molécules du CMH.
- Les antigènes des allogreffes qui sont reconnus par les lymphocytes T sont des molécules du CMH allogénique ressemblant aux molécules du CMH du soi chargées de peptides pour la reconnaissance desquels les lymphocytes T ont été sélectionnés. Les antigènes du greffon sont soit présentés directement aux lymphocytes T du receveur, soit captés et présentés par les APC du receveur.
- Les greffons peuvent être rejetés par différents mécanismes. Le rejet hyperaigu est dû à des anticorps préformés qui provoquent des lésions endothéliales et une thrombose dans les vaisseaux sanguins du greffon. Le rejet aigu dépend des lymphocytes T, qui agressent les cellules et l'endothélium du greffon, et des anticorps qui se lient à l'endothélium. Le rejet chronique est provoqué par des lymphocytes T qui produisent des cytokines stimulant la croissance des cellules musculaires lisses vasculaires et des fibroblastes tissulaires.
- Le traitement du rejet de greffe est destiné à supprimer les réponses des lymphocytes T et l'inflammation. Le médicament immunosuppresseur principal est la ciclosporine ; de nombreux autres agents sont aujourd'hui utilisés en clinique.
- Les greffes de moelle osseuse déclenchent de fortes réactions de rejet ; elles sont susceptibles de déclencher une maladie du greffon contre l'hôte, et conduisent souvent à un déficit immunitaire temporaire chez les receveurs.

Contrôle des connaissances

1. Quels sont les types d'antigènes tumoraux contre lesquels le système immunitaire réagit ? Quelle est la preuve que le rejet des tumeurs est un processus immunitaire ?
2. Comment les lymphocytes T CD8$^+$ reconnaissent-ils les antigènes tumoraux, et comment ces lymphocytes sont-ils activés pour se différencier en CTL effecteurs ?
3. Citer quelques-uns des mécanismes par lesquels les tumeurs peuvent échapper à la réponse immunitaire.
4. Citer quelques-unes des stratégies permettant de stimuler les réponses immunitaires de l'hôte contre les antigènes tumoraux.
5. Pourquoi les lymphocytes T normaux, qui reconnaissent les antigènes peptidiques étrangers liés aux molécules du CMH du soi, réagissent-ils fortement contre les molécules du CMH allogénique d'un greffon ?
6. Quels sont les principaux mécanismes du rejet des allogreffes ?
7. Qu'est-ce que la réaction lymphocytaire mixte et quelle est son importance ?
8. Citer quelques-uns des problèmes liés à la transplantation des cellules de moelle osseuse.

© 2009 Elsevier Masson SAS. Tous droits réservés

Chapitre 11

Les hypersensibilités

Troubles provoqués par les réponses immunitaires

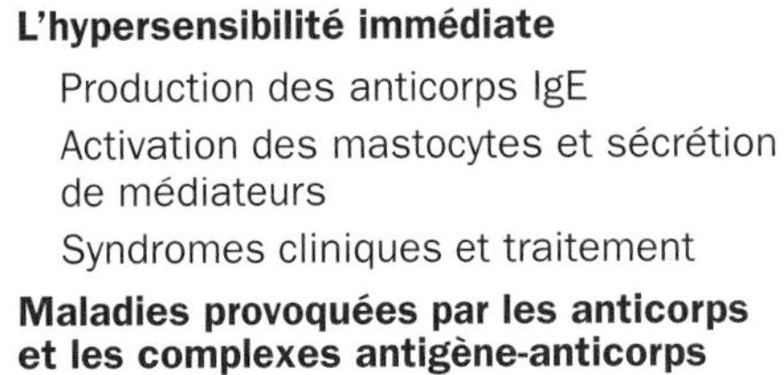

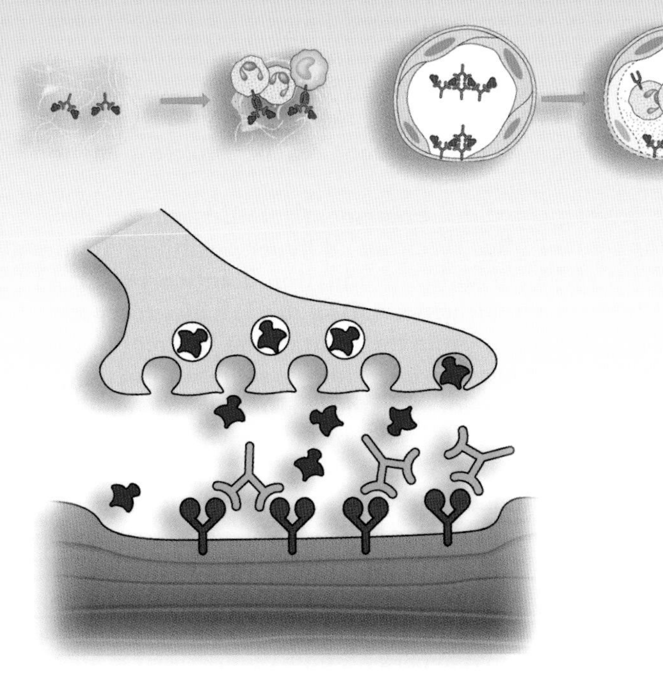

Cet ouvrage a jusqu'à présent développé le concept selon lequel le système immunitaire est nécessaire à la défense contre les infections. Cependant, les réactions immunitaires peuvent elles-mêmes provoquer des lésions tissulaires et des maladies. Les troubles qui sont provoqués par les réponses immunitaires portent le nom d'**hypersensibilités**. Ce terme reflète l'idée qu'une réponse immunitaire dirigée contre un antigène peut induire une sensibilité lors d'une nouvelle confrontation avec cet antigène et, par conséquent, l'hypersensibilité correspondra

© 2009 Elsevier Masson SAS. Tous droits réservés

à des réponses immunitaires excessives ou aberrantes. Les hypersensibilités peuvent être provoquées par deux types de réponses immunitaires anormales. D'une part, les réponses aux antigènes étrangers peuvent être dérégulées ou non contrôlées, provoquant des lésions tissulaires. D'autre part, les réponses immunitaires peuvent être dirigées contre des antigènes du soi (antigènes autologues), en raison d'un défaut de tolérance au soi (voir le chapitre 9). Les réponses dirigées contre les antigènes du soi sont désignées par le terme d'**auto-immunité** et les hypersensibilités déclenchées par ce type de réponses sont appelées **maladies auto-immunes**.

Ce chapitre décrit les principales caractéristiques des hypersensibilités, en s'attardant sur leur pathogénie. Les caractéristiques cliniques et pathologiques de ces maladies sont décrites dans de nombreux autres manuels et ne seront donc que brièvement résumées dans ce chapitre. Les points suivants seront abordés :

- Quels sont les mécanismes des différents types de réactions d'hypersensibilité ?
- Quelles sont les principales caractéristiques cliniques et pathologiques de ces maladies, et sur quels principes est fondé le traitement des hypersensibilités ?

Les différents types d'hypersensibilités

Les hypersensibilités sont généralement classées sur base du mécanisme immunologique principal à l'origine des lésions tissulaires et de la maladie (figure 11.1). Les dénominations descriptives, que nous préférons car elles sont plus informatives que la classification numérique, seront utilisées tout au long de ce chapitre. L'hypersensibilité immédiate (hypersensibilité de type I) est un type de réaction pathologique provoquée par la libération de médiateurs par les mastocytes. Cette réaction est le plus souvent déclenchée par la production d'anticorps IgE contre des antigènes environnementaux et par la liaison des IgE aux mastocytes de différents tissus. Des anticorps autres que les IgE peuvent s'avérer pathogènes de deux manières. Les anticorps dirigés contre les antigènes cellulaires ou tissulaires peuvent léser ces cellules ou ces tissus ou altérer leurs fonctions. Il s'agit dans ce cas d'hypersensibilités assurées par les anticorps (hypersensibilité de type II). Parfois, les anticorps dirigés contre des antigènes solubles peuvent former des complexes avec les antigènes, et ces complexes immuns peuvent se déposer dans les vaisseaux sanguins de différents tissus et entraîner une inflammation et des lésions tissulaires. Ce type de pathologie est appelé maladie à complexes immuns (hypersensibilité de type III). Enfin, certaines maladies sont dues aux réactions des lymphocytes T souvent contre des antigènes tissulaires du soi. Ces maladies impliquant les lymphocytes T correspondent à l'hypersensibilité de type IV ou hypersensibilité retardée.

La suite de ce chapitre sera consacrée à la description des principales caractéristiques de chaque type d'hypersensibilité.

L'hypersensibilité immédiate

L'hypersensibilité immédiate est une réaction rapide des muscles lisses et des vaisseaux déclenchée par des anticorps IgE et des mastocytes, souvent suivie d'une inflammation, et qui survient chez certaines personnes lors de la rencontre avec des antigènes étrangers particuliers auxquels ils ont été exposés précédemment. Les réactions d'hypersensibilité immédiate sont également appelées **allergie** ou **atopie**. Les individus présentant une forte propension à développer ce type de réactions sont dits « atopiques ». Ces réactions peuvent affecter différents tissus et présenter une sévérité plus ou moins grande selon les individus. Les types les plus fréquents de réaction d'hypersensibilité immédiate sont le rhume des foins, les allergies alimentaires, l'asthme bronchique et l'anaphylaxie. Les caractéristiques cliniques de ces réactions seront présentées ultérieurement dans ce chapitre. Les allergies constituent les troubles les plus fréquents du système immunitaire, elles affectent environ 20 % de la population.

La séquence des événements aboutissant au développement des réactions d'hypersensibilité immédiate est la suivante : production d'anticorps IgE en réponse à un antigène, liaison des IgE aux récepteurs de Fc sur les mastocytes, pontage ou interconnexion des IgE liées par l'antigène lors de sa réintroduction, et libération des médiateurs des mastocytes (figure 11.2). Certains médiateurs des mastocytes provoquent une augmentation rapide de la perméabilité vasculaire et de la contraction des muscles lisses, ce qui aboutit aux multiples symptômes de cette hypersensibilité. Cette réaction affectant les vaisseaux et les muscles lisses peut survenir dans les quelques minutes qui suivent la réintroduction de l'antigène chez un individu précédemment sensibilisé, d'où le nom d'hypersensibilité immédiate. Les autres médiateurs des mastocytes sont les cytokines qui recrutent, pendant plusieurs heures, des neutrophiles et des éosinophiles dans le site de réaction. Cette composante inflammatoire de l'hypersensibilité immédiate, appelée **phase tardive de la réaction**, est en grande partie responsable des lésions tissulaires provoquées par les crises répétées d'hypersensibilité immédiate.

Après ces généralités, nous présenterons les étapes successives des réactions d'hypersensibilité immédiate.

Production des anticorps IgE

Chez les individus prédisposés aux allergies, la rencontre avec certains antigènes entraîne l'activation des lymphocytes T_H2 et la production d'anticorps

© 2009 Elsevier Masson SAS. Tous droits réservés

Type d'hypersensibilité	Mécanismes immunitaires pathologiques	Mécanismes des lésions tissulaires et de la maladie
Hypersensibilité immédiate (type I)	Lymphocytes T_H2, anticorps IgE, mastocytes, éosinophiles 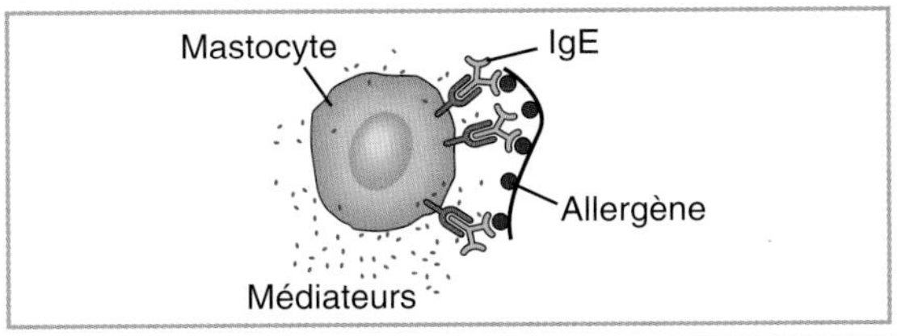 Mastocyte · IgE · Allergène · Médiateurs	Médiateurs provenant des mastocytes (amines vasoactives, médiateurs lipidiques, cytokines) Inflammation induite par les cytokines (éosinophiles, neutrophiles)
Maladies déclenchées par les anticorps (type II)	Anticorps IgM, IgG dirigés contre des antigènes de la surface cellulaire ou de la matrice extracellulaire 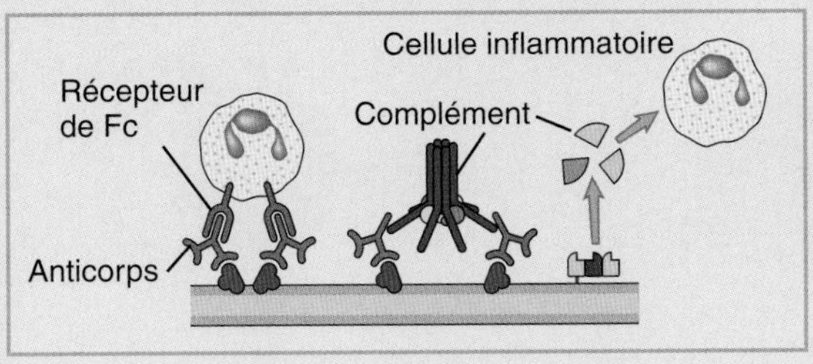 Cellule inflammatoire · Récepteur de Fc · Complément · Anticorps	Recrutement et activation des leucocytes (neutrophiles, macrophages) par le complément et le récepteur de Fc Opsonisation et phagocytose des cellules Anomalies des fonctions cellulaires, par exemple : signalisation des récepteurs hormonaux
Maladies déclenchées par les complexes immuns (type III)	Dépôts sur la membrane basale vasculaire de complexes immuns constitués d'antigènes circulants et d'anticorps IgM ou IgG 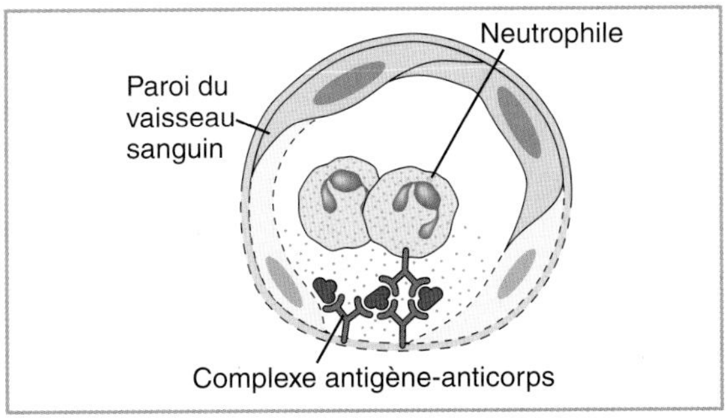 Neutrophile · Paroi du vaisseau sanguin · Complexe antigène-anticorps	Recrutement et activation des leucocytes par le complément et le récepteur de Fc
Maladies induites par les lymphocytes T (type IV)	1. Lymphocytes T CD4+ (hypersensibilité de type retardée) 2. CTL CD8+ (cytolyse induite par les lymphocytes T) 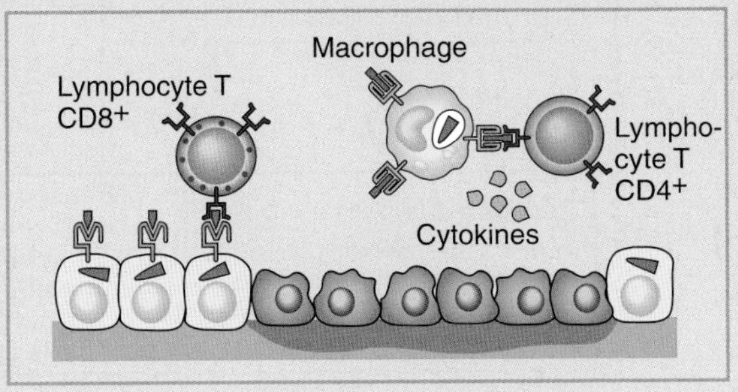 Macrophage · Lymphocyte T CD8+ · Lympho-cyte T CD4+ · Cytokines	1. Activation des macrophages, inflammation induite par les cytokines 2. Lyse directe des cellules cibles, inflammation induite par les cytokines

Figure 11.1 Types d'hypersensibilité. Pour chacun des quatre principaux types de réactions d'hypersensibilité, différents mécanismes immunitaires effecteurs sont responsables des lésions tissulaires et des pathologies.

IgE (figure 11.2). Chez les individus normaux, la plupart des antigènes étrangers ne déclenchent pas de réponses fortes de type T_H2. Pour des raisons inconnues, lorsque certains individus sont confrontés à des antigènes, comme des protéines de pollen, certains aliments, des venins d'insectes ou des phanères d'animaux, ou s'ils sont exposés à certains médicaments comme la pénicilline, la réponse dominante des lymphocytes T est le

© 2009 Elsevier Masson SAS. Tous droits réservés

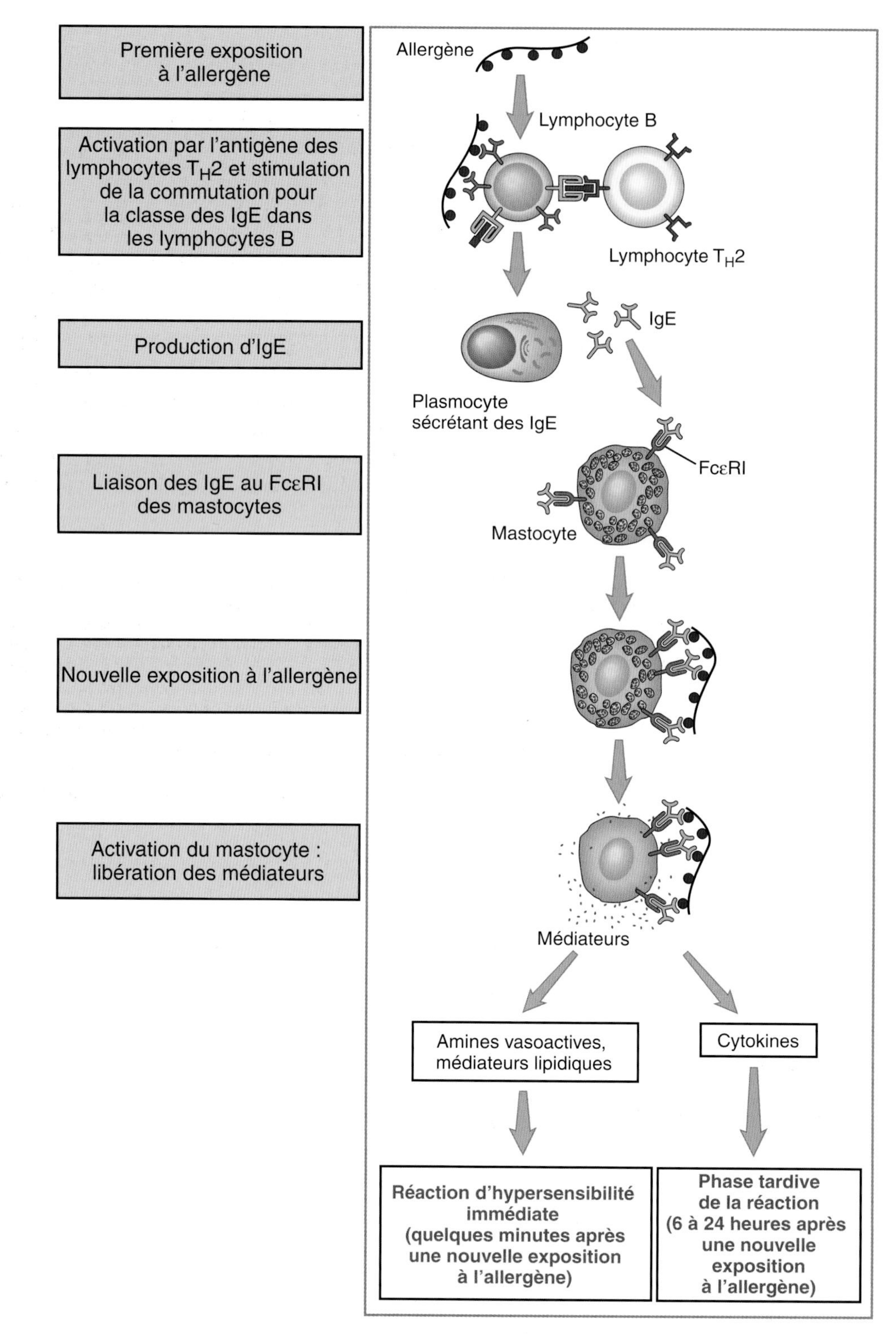

Figure 11.2 Séquence des événements dans l'hypersensibilité immédiate. Les maladies d'hypersensibilité immédiate sont déclenchées par l'introduction d'un allergène, qui stimule les réactions des lymphocytes T_H2 et la production d'IgE. Les anticorps IgE se lient aux récepteurs de Fc (FcεRI) sur les mastocytes, et une exposition ultérieure à l'allergène active les mastocytes qui sécrètent des médiateurs responsables des réactions pathologiques de l'hypersensibilité immédiate.

© 2009 Elsevier Masson SAS. Tous droits réservés

développement de lymphocytes T_H2. Toute personne atopique peut être allergique à un ou plusieurs de ces antigènes. L'hypersensibilité immédiate se développe suite à l'activation des lymphocytes T_H2 en réponse à des antigènes protéiques ou à des substances chimiques qui se lient aux protéines. Les antigènes qui déclenchent une hypersensibilité immédiate (c'est-à-dire des réactions allergiques) sont appelés allergènes.

Parmi les cytokines sécrétées par les lymphocytes T_H2, l'interleukine-4 (IL-4) et l'IL-13 stimulent la commutation des lymphocytes B spécifiques des antigènes étrangers en cellules productrices d'IgE. Par conséquent, les individus atopiques produisent de grandes quantités d'anticorps IgE en réponse à des antigènes qui ne déclenchent pas de réponses IgE chez la plupart des personnes. La propension à développer des lymphocytes T_H2, à produire des IgE et à l'hypersensibilité immédiate est fortement conditionnée par une prédisposition génétique faisant intervenir de nombreux gènes.

Activation des mastocytes et sécrétion de médiateurs

Les anticorps IgE produits en réponse à un allergène se lient aux récepteurs de Fc de haute affinité qui sont spécifiques de la chaîne lourde ε et qui sont exprimés sur les mastocytes (figure 11.3). Ainsi, chez un individu allergique, les mastocytes sont recouverts d'anticorps IgE spécifiques du ou des antigènes auxquels l'individu est allergique. Ce processus de liaison des IgE aux mastocytes est appelé « sensibilisation », car il rend les mastocytes sensibles à l'activation en cas de rencontre ultérieure des IgE avec leur antigène spécifique. En revanche, chez les individus normaux, les mastocytes peuvent porter

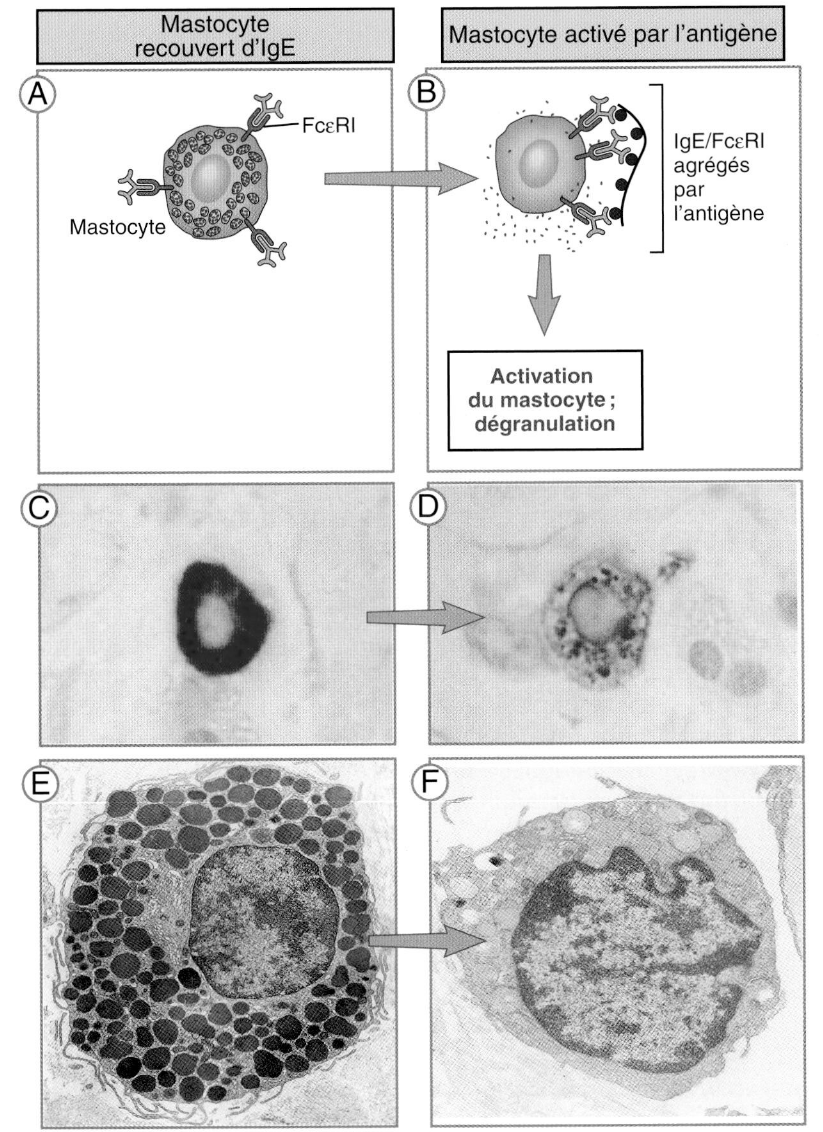

Figure 11.3 Activation des mastocytes. Les mastocytes sont sensibilisés par la liaison des IgE au récepteur FcεRI (A) ; la liaison de l'allergène aux IgE agrège les récepteurs de Fcε et active les mastocytes (B). L'activation des mastocytes entraîne une dégranulation, comme le montrent les micrographies optiques dans lesquelles les granules sont colorées en rouge (C, D) et les micrographies électroniques de mastocytes au repos ou activés (E, F). Avec l'autorisation du Dr Daniel Friend, Department of Pathology, Harvard Medical School, Boston, Massachusetts.

© 2009 Elsevier Masson SAS. Tous droits réservés

des molécules d'IgE présentant des spécificités variées, car de nombreux antigènes peuvent déclencher de faibles réponses de type IgE, mais trop faibles pour provoquer des réactions d'hypersensibilité immédiate. Les mastocytes sont présents dans tous les tissus conjonctifs et la voie d'entrée de l'allergène conditionne souvent quels mastocytes de l'organisme sont activés par pontage (interconnexion) des IgE spécifiques de l'allergène. Par exemple, les allergènes inhalés activent les mastocytes se trouvant dans la sous-muqueuse des bronches, tandis que les allergènes ingérés activent les mastocytes de la paroi intestinale.

Le récepteur de haute affinité de Fcε, appelé FcεRI, est composé de trois chaînes, dont l'une se lie très fortement à la région Fc de la chaîne lourde ε, avec un Kd d'environ 10^{-11} M. La concentration en IgE du plasma est approximativement égale à 10^{-9} M, de telle sorte que même chez les individus normaux, les mastocytes sont toujours recouverts d'IgE liée au récepteur FcεRI. Les deux autres chaînes du récepteur sont des protéines de signalisation. Le même récepteur FcεRI est également présent sur les basophiles, les homologues circulants des mastocytes, mais le rôle des basophiles dans l'hypersensibilité immédiate n'a pas été aussi bien caractérisé que celui des mastocytes.

Lorsque les mastocytes sensibilisés par les IgE sont exposés à l'allergène, les cellules sont activées et sécrètent leurs médiateurs (figure 11.3). Ainsi, les réactions d'hypersensibilité immédiate surviennent après qu'une exposition initiale à un allergène a déclenché la production d'IgE spécifique, et qu'une exposition répétée active les mastocytes sensibilisés. L'activation des mastocytes résulte de la liaison de l'allergène à au moins deux anticorps IgE sur le mastocyte. Lorsque ce phénomène se produit, les IgE et les molécules FcεRI qui portent les IgE s'agrègent, déclenchant des signaux biochimiques à partir des chaînes de transduction des signaux du récepteur FcεRI. Les signaux déclenchent trois types de réponses dans le mastocyte : une libération rapide du contenu des granules (dégranulation), la synthèse et la sécrétion de médiateurs lipidiques et enfin la synthèse et la sécrétion de cytokines.

Les médiateurs les plus importants produits par les mastocytes sont les amines vasoactives et les protéases libérées des granules, des produits du métabolisme de l'acide arachidonique et des cytokines (figure 11.4). Ces médiateurs exercent différentes actions. L'amine principale, l'histamine, provoque la dilatation des petits vaisseaux sanguins, augmente la perméabilité vasculaire et stimule la contraction transitoire des muscles lisses. Les protéases peuvent provoquer des lésions des tissus locaux. Les métabolites de l'acide arachidonique comprennent les prostaglandines, qui entraînent une dilatation vasculaire, et les leucotriènes, qui stimulent la contraction prolongée des muscles lisses. Les cytokines induisent une inflammation locale (phase tardive de la réaction, décrite ci-dessous). Par conséquent, les médiateurs des mastocytes sont responsables de réactions aiguës des vaisseaux et des muscles lisses et d'une inflammation, qui constituent les éléments déterminants de l'hypersensibilité immédiate.

Les cytokines produites par les mastocytes stimulent le recrutement de leucocytes, qui sont responsables de la phase tardive de la réaction. Les principaux leucocytes participant à cette réaction sont les éosinophiles, les neutrophiles et les lymphocytes T_H2. Le TNF (*tumor necrosis factor*) et l'IL-4 produits par les mastocytes favorisent une inflammation riche en neutrophiles et en éosinophiles. Les chimiokines (cytokines attirant les globules blancs) produites par les mastocytes et les cellules épithéliales des tissus contribuent également au recrutement des leucocytes. Les éosinophiles et les neutrophiles libèrent des protéases, qui endommagent les tissus, tandis que les lymphocytes T_H2 peuvent exacerber la réaction en produisant davantage de cytokines. Les éosinophiles sont des composants importants de nombreuses réactions allergiques et constituent une cause majeure des lésions tissulaires observées dans ce type de réactions. Ces cellules sont activées par une cytokine, l'IL-5, qui est produite par les lymphocytes T_H2 et les mastocytes. Les cytokines exercent d'autres effets que le recrutement des leucocytes au cours des poussées allergiques. Par exemple, la cytokine T_H2, l'IL-13, agit sur les cellules épithéliales des voies respiratoires et stimule la sécrétion de mucus.

Syndromes cliniques et traitement

Les réactions d'hypersensibilité immédiate présentent diverses caractéristiques cliniques et pathologiques, qui sont toutes attribuables aux médiateurs produits en quantités variables et dans différents tissus par les mastocytes (figure 11.5). Certaines réactions bénignes, comme la rhinite ou la sinusite allergique, fréquemment retrouvées dans le rhume des foins, sont déclenchées par des allergènes inhalés, comme la protéine du pollen de graminées. Les mastocytes présents dans la muqueuse nasale produisent de l'histamine et les cellules T_H2 produisent l'IL-13, et ces deux médiateurs augmentent la sécrétion de mucus. La phase tardive de la réaction d'hypersensibilité peut conduire à une inflammation prolongée. Dans les allergies alimentaires, les allergènes ingérés déclenchent une dégranulation des mastocytes et l'histamine libérée provoque une augmentation du péristaltisme. L'asthme bronchique est une forme d'allergie respiratoire au cours de laquelle des allergènes inhalés (souvent indéfinis) stimulent la libération par les mastocytes bronchiques de médiateurs, notamment les leucotriènes, qui provoquent des poussées répétées de constriction bronchique et d'obstruction des voies respiratoires. Dans l'asthme chronique, un grand nom-

© 2009 Elsevier Masson SAS. Tous droits réservés

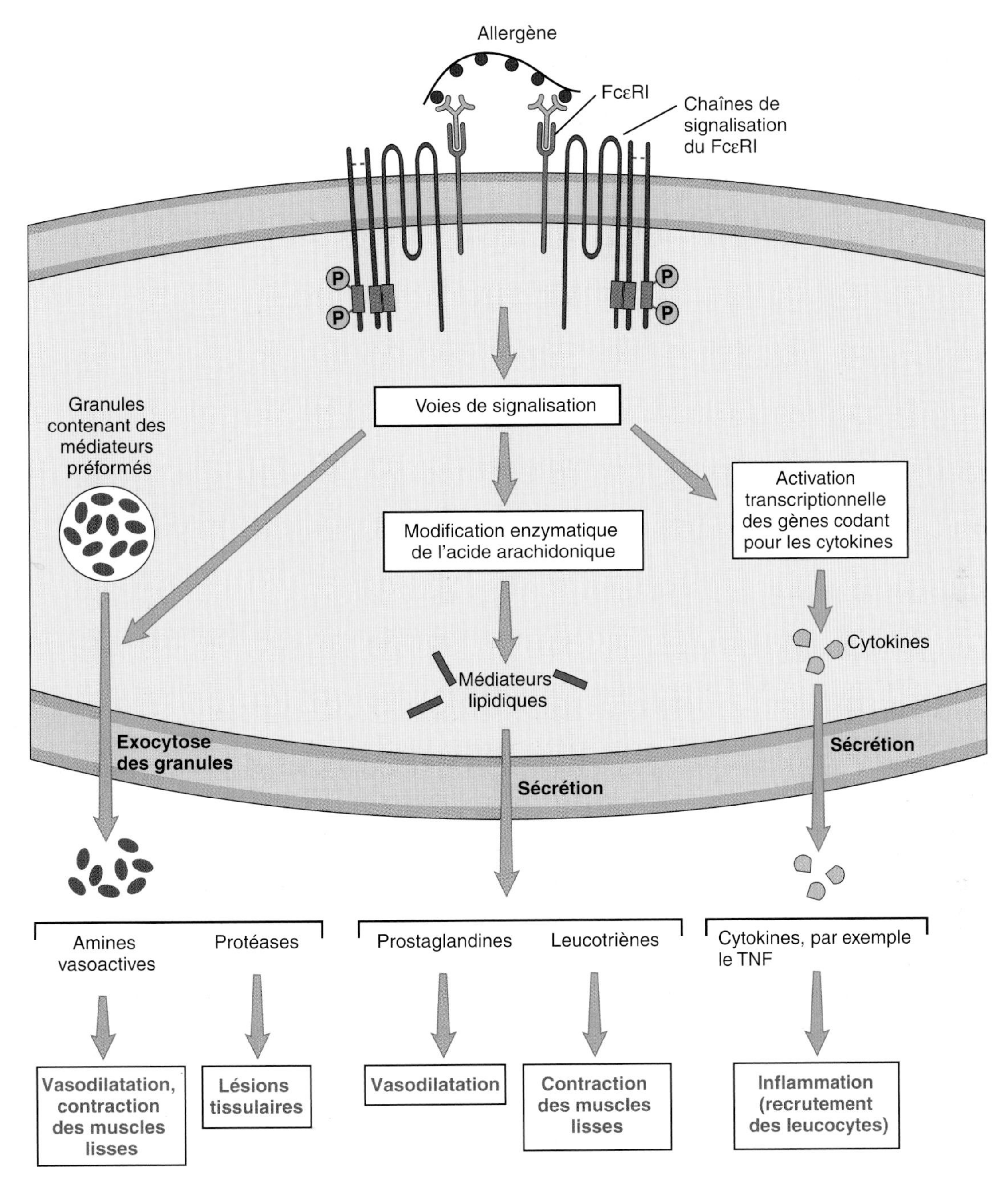

Figure 11.4 Événements biochimiques au cours de l'activation des mastocytes. L'agrégation des IgE sur un mastocyte par un allergène active de nombreuses voies de signalisation à partir des chaînes de signalisation du récepteur de Fc de l'IgE (FcεRI), notamment la phosphorylation des ITAM (*immunoreceptor tyrosine-based activation motifs*). Ces voies de signalisation stimulent la libération du contenu des granules des mastocytes (amines, protéases), la formation de métabolites de l'acide arachidonique (prostaglandines, leucotriènes) et la synthèse de diverses cytokines. Ces médiateurs du mastocyte stimulent les différentes réactions de l'hypersensibilité immédiate.

© 2009 Elsevier Masson SAS. Tous droits réservés

bre d'éosinophiles infiltrent la muqueuse bronchique et du mucus est sécrété de manière excessive dans les voies respiratoires. En outre, les muscles lisses des bronches deviennent hyperréactifs à différents stimulus. Certains cas d'asthme ne sont pas associés à la production d'IgE, bien que provoqués par une activation des mastocytes. Chez certains individus, l'asthme peut être déclenché par le froid ou l'exercice, mais on ignore ce qui provoque l'activation des mastocytes. La forme la plus grave d'hypersensibilité immédiate est l'anaphylaxie, une réaction systémique qui est caractérisée par un œdème généralisé dans de nombreux tissus, notamment le larynx, et qui est accompagnée d'une chute de la pression artérielle. Cette réaction est provoquée par une dégranulation massive des mastocytes en réponse à un antigène systémique ; elle peut être mortelle en raison de la chute soudaine de la

Syndrome clinique	Manifestations cliniques et pathologiques
Rhinite, sinusite allergique (rhume des foins)	Augmentation de la sécrétion de mucus ; inflammation des voies respiratoires supérieures et des sinus
Allergies alimentaires	Augmentation du péristaltisme due à la contraction des muscles intestinaux
Asthme bronchique	Hyperréactivité bronchique provoquée par la contraction des muscles lisses ; inflammation et lésions tissulaires provoquées par la phase tardive de la réaction d'hypersensibilité
Anaphylaxie (provoquée par des médicaments, des piqûres d'abeilles ou des aliments)	Chute de la pression artérielle (choc) provoquée par une vasodilatation ; obstruction des voies respiratoires due à un œdème laryngé

Figure 11.5 Manifestations cliniques des réactions d'hypersensibilité immédiate. Le tableau présente les manifestations de certaines réactions d'hypersensibilité immédiate fréquentes. Elle peut se manifester par d'autres symptômes, comme l'urticaire et l'eczéma.

pression artérielle et de l'obstruction des voies respiratoires.

Le traitement des réactions d'hypersensibilité immédiate est destiné à inhiber la dégranulation des mastocytes, afin de s'opposer aux effets de leurs médiateurs et de réduire l'inflammation (figure 11.6). Les médicaments les plus fréquemment utilisés comprennent les antihistaminiques pour le rhume des foins, les médicaments destinés à relâcher les muscles lisses des bronches dans l'asthme et l'épinéphrine (adrénaline) dans l'anaphylaxie. Dans les maladies, comme l'asthme, au cours desquelles l'inflammation constitue un élément important de la pathologie, les corticostéroïdes sont utilisés pour inhiber l'inflammation. De nombreux patients sont soulagés par l'administration répétée de petites doses d'allergènes, une technique portant le nom de désensibilisation. Ce traitement pourrait agir en réduisant la prédominance de la réponse des lymphocytes T_H2 ou en induisant une tolérance (anergie) des lymphocytes T spécifiques de l'allergène.

Avant de conclure la description de l'hypersensibilité immédiate, il est important de poser la question : Pourquoi l'évolution a-t-elle conservé une réponse immunitaire basée sur les anticorps IgE et les mastocytes

Syndrome	Traitement	Mécanisme d'action
Anaphylaxie	Adrénaline	Provoque une contraction des muscles lisses vasculaires ; augmente le débit cardiaque (pour lutter contre le choc) ; interrompt la dégranulation des mastocytes
Asthme bronchique	Corticostéroïdes	Réduit l'inflammation
	Inhibiteurs de phosphodiestérase	Relâche les muscles lisses bronchiques
La plupart des maladies allergiques	« Désensibilisation » (administration répétée de faibles doses d'allergènes)	Inconnu ; pourrait inhiber la production d'IgE et augmenter la production des autres isotypes d'Ig ; pourrait induire une tolérance des lymphocytes T
	Anticorps anti-IgE (en cours d'essais cliniques)	Neutralise et élimine les IgE
	Antihistaminiques	Bloque l'action de l'histamine sur les vaisseaux et les muscles lisses
	Cromolyn	Inhibe la dégranulation des mastocytes

Figure 11.6 Traitement des réactions d'hypersensibilité immédiate. Divers médicaments sont utilisés pour traiter les réactions d'hypersensibilité immédiate. Les principaux mécanismes d'action de ces médicaments sont résumés dans le tableau.

© 2009 Elsevier Masson SAS. Tous droits réservés

dont les principaux effets sont pathologiques? On n'a pas de réponse définitive à cette énigme. Il est établi que les IgE et les éosinophiles sont les rouages de puissants mécanismes de défense contre les infections à helminthes, et que les mastocytes jouent un rôle dans l'immunité innée contre certaines bactéries. Toutefois, on ne sait pas pourquoi des antigènes environnementaux courants déclenchent des réactions de la part des lymphocytes T_H2 et des mastocytes, susceptibles de provoquer des lésions importantes.

Maladies provoquées par les anticorps et les complexes antigène-anticorps

Des anticorps autres que les IgE sont susceptibles de provoquer des maladies en se liant à leurs antigènes cibles sur les cellules et dans les tissus, ou en formant des complexes immuns qui se déposent dans les vaisseaux sanguins (figure 11.7). Les maladies d'hypersensibilité déclenchées par des anticorps ont été identifiées il y a de nombreuses années, et constituent des formes fréquentes de troubles immunologiques chroniques chez l'homme. Les anticorps dirigés contre les cellules ou les composants de la matrice extracellulaire peuvent se fixer à n'importe quel tissu exprimant l'antigène cible correspondant. Les maladies provoquées par ces anticorps sont généralement spécifiques d'un tissu particulier. Les complexes immuns tendent à se déposer dans les vaisseaux sanguins au niveau des sites de turbulence (ramifications des vaisseaux) ou de pression élevée (glomérules rénaux et synoviaux). Par conséquent, les maladies à complexes immuns ont tendance à être systémiques et à se manifester souvent sous forme de vascularite généralisée, d'arthrite ou de néphrite.

Étiologie des maladies provoquées par les anticorps

Les anticorps qui déclenchent des pathologies sont le plus souvent des autoanticorps dirigés contre des antigènes du soi et, moins fréquemment, des anticorps spécifiques d'antigènes étrangers (par exemple microbiens). La production des autoanticorps résulte d'une

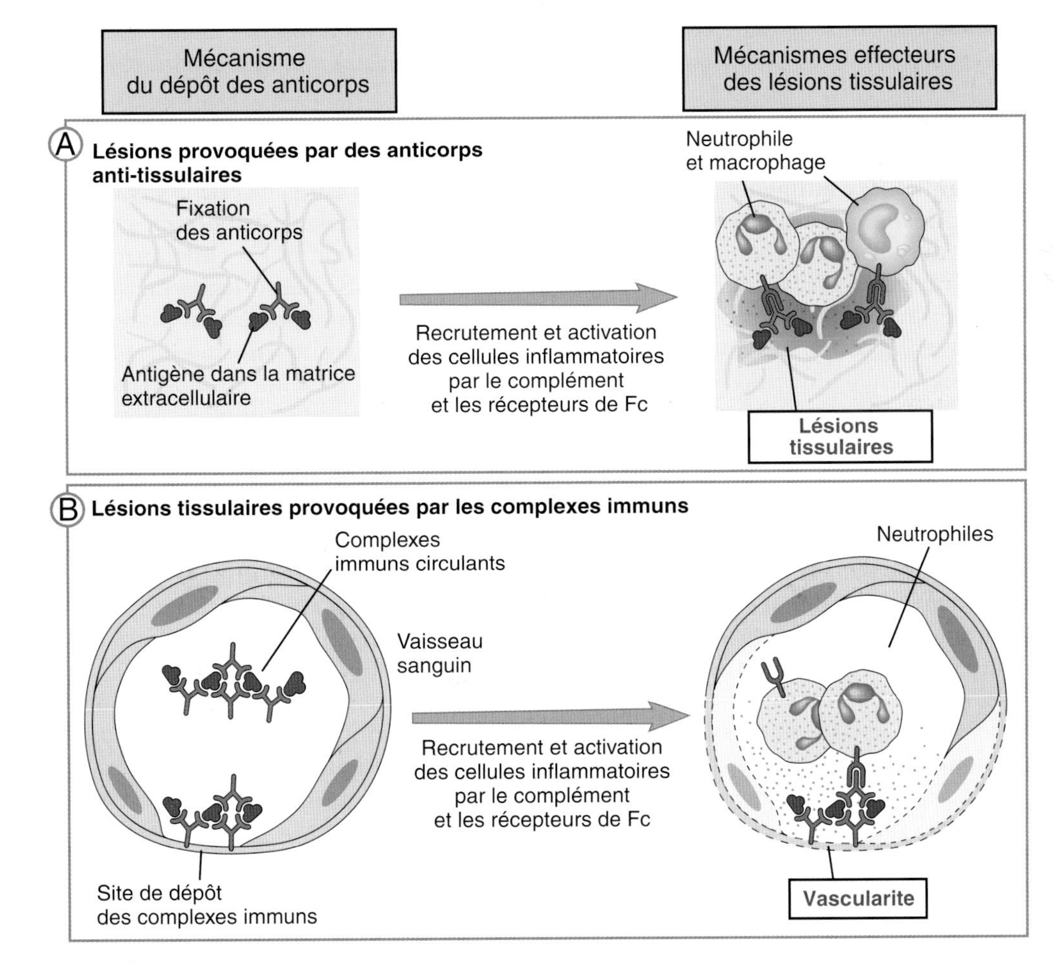

Figure 11.7 Différents types de maladies déclenchées par les anticorps. Les anticorps (autres que les IgE) peuvent provoquer des lésions tissulaires et des pathologies en se liant directement à leurs antigènes cibles sur les cellules et dans la matrice extracellulaire (A, hypersensibilité de type II) ou en formant des complexes immuns qui se déposent principalement dans les vaisseaux sanguins (B, hypersensibilité de type III).

© 2009 Elsevier Masson SAS. Tous droits réservés

défaillance de la tolérance au soi. Dans le chapitre 9, les mécanismes pouvant entraîner un dysfonctionnement de la tolérance au soi ont été présentés, mais comme cela a été souligné, on ne sait pas pourquoi ce phénomène se produit dans toutes les maladies auto-immunes humaines. Les autoanticorps peuvent se lier aux antigènes du soi dans les tissus, ou peuvent former des complexes immuns avec des autoantigènes circulants.

Il n'existe que peu d'exemples de pathologies provoquées par des anticorps dirigés contre des antigènes microbiens. Les deux exemples les mieux décrits sont des séquelles tardives et rares d'infections à streptocoque. Après ce type d'infections, certains individus produisent des anticorps antistreptococciques qui réagissent de manière croisée avec un antigène du muscle cardiaque. Le dépôt de ces anticorps dans le cœur déclenche une maladie inflammatoire appelée rhumatisme articulaire aigu. D'autres individus produisent des anticorps antistreptococciques qui se déposent dans les glomérules rénaux, provoquant une glomérulonéphrite post-streptococcique. Certaines maladies à complexes immuns sont provoquées par des anticorps antimicrobiens qui forment des complexes avec les antigènes. Cela peut survenir chez des patients atteints d'une infection chronique d'origine virale (par exemple le virus d'Epstein-Barr) ou parasitaire (paludisme).

Mécanismes des lésions tissulaires et pathogénie

Les anticorps spécifiques des antigènes cellulaires et tissulaires peuvent se déposer dans les tissus, et provoquer des lésions en induisant une inflammation locale, ou bien ils peuvent interférer avec les fonctions cellulaires normales (figure 11.8). Les anticorps dirigés contre les antigènes tissulaires et les complexes immuns déposés dans les vaisseaux induisent une inflammation en attirant et en activant les leucocytes. Les anticorps IgG de sous-classes IgG1 et IgG3 se lient aux récepteurs de Fc des neutrophiles et des macrophages, et activent ces leucocytes, ce qui provoque une inflammation. Les mêmes anticorps, ainsi que les IgM, activent le système du complément par la voie classique, déclenchant la production de sous-produits du complément qui recrutent des leucocytes et induisent une inflammation. Lorsque les leucocytes sont activés au niveau des sites de dépôt des anticorps, ces cellules produisent des substances, notamment des intermédiaires réactifs de l'oxygène et des enzymes lysosomiales, responsables de lésions des tissus adjacents. Si les anticorps se lient à des cellules, comme des érythrocytes ou des plaquettes, les cellules sont opsonisées et peuvent être ingérées et détruites par les phagocytes de l'hôte. Certains anticorps peuvent provoquer une maladie sans induire directement de lésions tissulaires. Par exemple, les anticorps dirigés contre des récepteurs hormonaux peuvent inhiber la fonction de ces récepteurs; dans certains cas de myasthénie, les anticorps dirigés contre le récepteur de l'acétylcholine inhibent la transmission neuromusculaire et provoquent une paralysie. D'autres anticorps peuvent activer des récepteurs en l'absence de leur hormone physiologique; dans une forme d'hyperthyroïdie, appelée maladie de Basedow ou de Graves, les anticorps dirigés contre le récepteur de l'hormone thyréotrope (TSH, *thyroid-stimulating hormone*) stimulent les cellules thyroïdiennes, même en l'absence de l'hormone.

Syndromes cliniques et traitement

Chez l'homme, il a été établi que de nombreuses hypersensibilités chroniques étaient provoquées ou étaient associées à des anticorps antitissulaires (figure 11.9) ou à des complexes immuns (figure 11.10). Deux modèles expérimentaux de maladies à complexes immuns ont fourni des informations utiles sur la pathogénie. La **maladie sérique** est induite par l'administration systémique d'un antigène protéique, qui suscite une réponse humorale et aboutit à la formation de complexes immuns circulants. La maladie sérique humaine peut survenir après qu'une personne a reçu des injections de sérum provenant d'autres individus ou d'animaux; ce sont des traitements parfois utilisés en cas de morsures de serpent ou d'exposition au virus de la rage. La **réaction d'Arthus** est induite par l'administration sous-cutanée d'un antigène protéique à un animal préalablement immunisé; le résultat est la formation de complexes immuns dans le site d'injection de l'antigène et une vascularite locale. Le traitement de ces maladies est destiné principalement à limiter l'inflammation et ses conséquences nocives, à l'aide de médicaments comme les corticostéroïdes. Dans les cas sévères, une plasmaphérèse est pratiquée pour réduire les taux d'anticorps circulants ou de complexes immuns. Le traitement des patients au moyen d'un anticorps spécifique de CD20, une protéine de surface des cellules B matures, fait chuter le nombre de lymphocytes B, et se révèle utile pour traiter les maladies dues à des anticorps ou à des complexes immuns. Il existe un grand intérêt pour de nouvelles approches destinées à inhiber la production des autoanticorps, par exemple en traitant les patients avec des antagonistes qui bloquent le ligand de CD40 et ainsi inhibent l'activation des lymphocytes B par les lymphocytes T auxiliaires. Une autre technique intéressante consiste à induire une tolérance dans les cas où les autoantigènes sont connus. Ces nouvelles stratégies thérapeutiques sont encore au stade de l'expérimentation préclinique ou des premiers essais cliniques.

Maladies provoquées par les lymphocytes T

Le rôle des lymphocytes T dans les troubles immunologiques chez l'homme a été reconnu à mesure que les méthodes d'identification et d'isolement de ces cellules à partir des lésions se sont améliorées et que des modèles

© 2009 Elsevier Masson SAS. Tous droits réservés

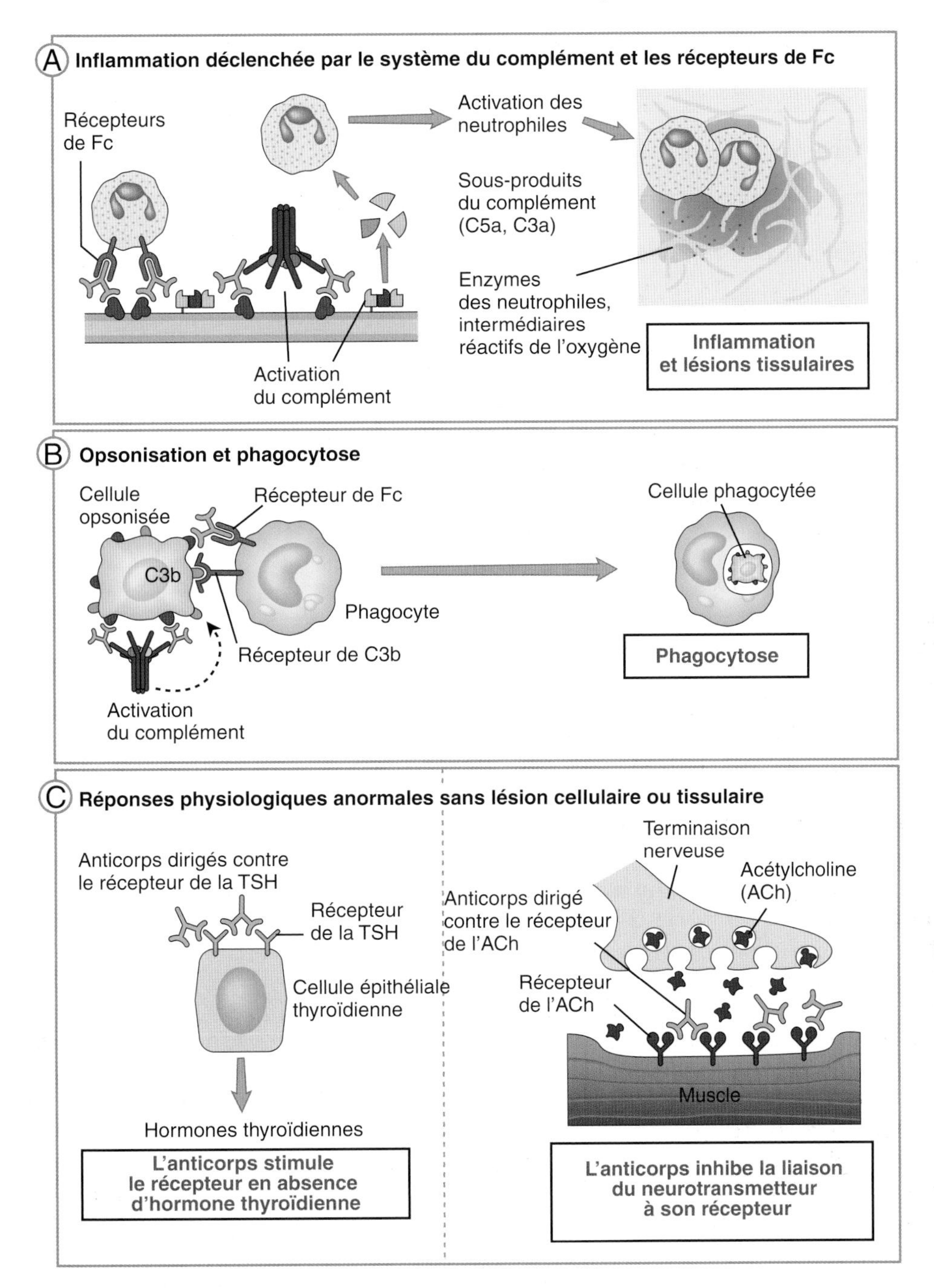

Figure 11.8 Mécanismes effecteurs des maladies déclenchées par les anticorps. Les anticorps peuvent provoquer des pathologies en induisant une inflammation au niveau du site de dépôt (A), en opsonisant des cellules afin qu'elles soient phagocytées (B), et en interférant avec les fonctions cellulaires normales, comme par exemple la signalisation d'un récepteur hormonal (C). Ces trois mécanismes sont observés avec des anticorps qui se lient directement à leurs antigènes cibles, alors que les complexes immuns provoquent des pathologies essentiellement en induisant une inflammation (A).

animaux de maladies humaines ont été développés dans lesquels un rôle pathogène des lymphocytes T a pu être démontré expérimentalement. En fait, l'intérêt récent porté à la pathogénie et au traitement des maladies auto-immunes humaines s'est principalement focalisé sur les troubles dans lesquels les lésions tissulaires sont essentiellement provoquées par les lymphocytes T.

Étiologie des maladies provoquées par les lymphocytes T

Les hypersensibilités provoquées par les lymphocytes T sont causées par l'auto-immunité et par des réactions à des antigènes de l'environnement. Les réactions auto-immunes sont généralement dirigées contre des

© 2009 Elsevier Masson SAS. Tous droits réservés

Maladies causées par des anticorps	Antigène cible	Mécanismes de la maladie	Manifestations pathologiques et cliniques
Anémie hémolytique auto-immune	Protéines de la membrane de l'hématie (antigènes de groupe sanguin Rh, antigène I)	Opsonisation et phagocytose des hématies	Hémolyse, anémie
Purpura thrombopénique idiopathique ou auto-immun	Protéines de la membrane plaquettaire (intégrine gpIIb:IIIa)	Opsonisation et phagocytose des plaquettes	Hémorragie
Pemphigus vulgaire	Protéines des jonctions intercellulaires des cellules épidermiques (cadhérine épidermique)	Activation des protéases par les anticorps, rupture des adhérences intercellulaires	Vésicules cutanées (bulles)
Syndrome de Goodpasture	Protéine non collagénique au niveau des membranes basales des glomérules rénaux et des alvéoles pulmonaires	Inflammation dépendant du complément et des récepteurs de Fc	Néphrite, hémorragies pulmonaires
Rhumatisme articulaire aigu	Antigène de la paroi cellulaire du streptocoque ; l'anticorps reconnaît par réaction croisée un antigène myocardique	Inflammation, activation des macrophages	Myocardite, arthrite
Myasthénie	Récepteur de l'acétylcholine	L'anticorps inhibe la liaison de l'acétylcholine et diminue la densité des récepteurs	Faiblesse musculaire, paralysie
Maladie de Basedow ou *Graves' disease* (hyperthyroïdie)	Récepteur de l'hormone thyréotrope (TSH)	Stimulation des récepteurs de la TSH par les anticorps	Hyperthyroïdie
Anémie pernicieuse	Facteur intrinsèque des cellules pariétales gastriques	Neutralisation du facteur intrinsèque, diminution de l'absorption de la vitamine B_{12}	Érythropoïèse anormale, anémie

Figure 11.9 Maladies humaines provoquées par les anticorps. Le tableau présente des exemples de maladies humaines provoquées par les anticorps. Dans la plupart de ces maladies, le rôle des anticorps est déduit de la présence d'anticorps dans le sang ou les lésions, et dans certains cas, de l'existence de similitudes avec des modèles expérimentaux dans lesquels la participation des anticorps a pu être démontrée par des études de transfert d'anticorps.

antigènes cellulaires à distribution tissulaire restreinte. Par conséquent, les maladies auto-immunes dues aux lymphocytes T tendent à être limitées à quelques organes et ne sont généralement pas systémiques. Une sensibilité de contact aux substances chimiques (par exemple celles du sumac vénéneux ou *poison ivy*) est une réaction dépendant des cellules T. Des lésions tissulaires peuvent également accompagner des réponses antimicrobiennes des lymphocytes T. Par exemple, dans la tuberculose, il existe une réponse immunitaire des lymphocytes T contre *Mycobacterium tuberculosis* et la réponse devient chronique car l'infection est difficile à éradiquer. L'inflammation granulomateuse résultante occasionne des lésions des tissus normaux dans le foyer infectieux. Dans l'infection par le virus de l'hépatite, le virus lui-même peut ne pas être fortement cytopathogène, mais la réponse des lymphocytes T cytotoxiques (CTL) contre les hépatocytes infectés peut provoquer des lésions hépatiques.

Mécanismes des lésions tissulaires

Dans les différentes maladies provoquées par les lymphocytes T, les lésions tissulaires sont dues à une réaction d'hypersensibilité de type retardé déclenchée par les lymphocytes T CD4⁺ ou par la lyse des cellules de l'hôte par les CTL CD8⁺ (figure 11.11). Les mécanismes des lésions tissulaires sont identiques à ceux que les lymphocytes T utilisent pour éliminer les microbes associés aux

© 2009 Elsevier Masson SAS. Tous droits réservés

Maladies à complexes immuns	Spécificité des anticorps	Manifestations pathologiques et cliniques
Lupus érythémateux disséminé	ADN, nucléoprotéines, autres	Néphrite, arthrite, vascularite
Polyartérite noueuse	Antigène de surface du virus de l'hépatite B	Vascularite
Glomérulonéphrite post-streptococcique	Antigène(s) de la paroi cellulaire du streptocoque	Néphrite
Maladie sérique (clinique et expérimentale)	Divers antigènes protéiques	Vascularite systémique, néphrite, arthrite
Réaction d'Arthus (expérimentale)	Divers antigènes protéiques	Vascularite cutanée

Figure 11.10 Maladies humaines à complexes immuns. Le tableau présente des exemples de maladies humaines provoquées par un dépôt de complexes immuns et deux modèles expérimentaux. Dans ces maladies, les complexes immuns sont retrouvés dans le sang ou dans les tissus lésés. Dans toutes ces affections, les lésions sont causées par une inflammation impliquant le complément et les récepteurs de Fc.

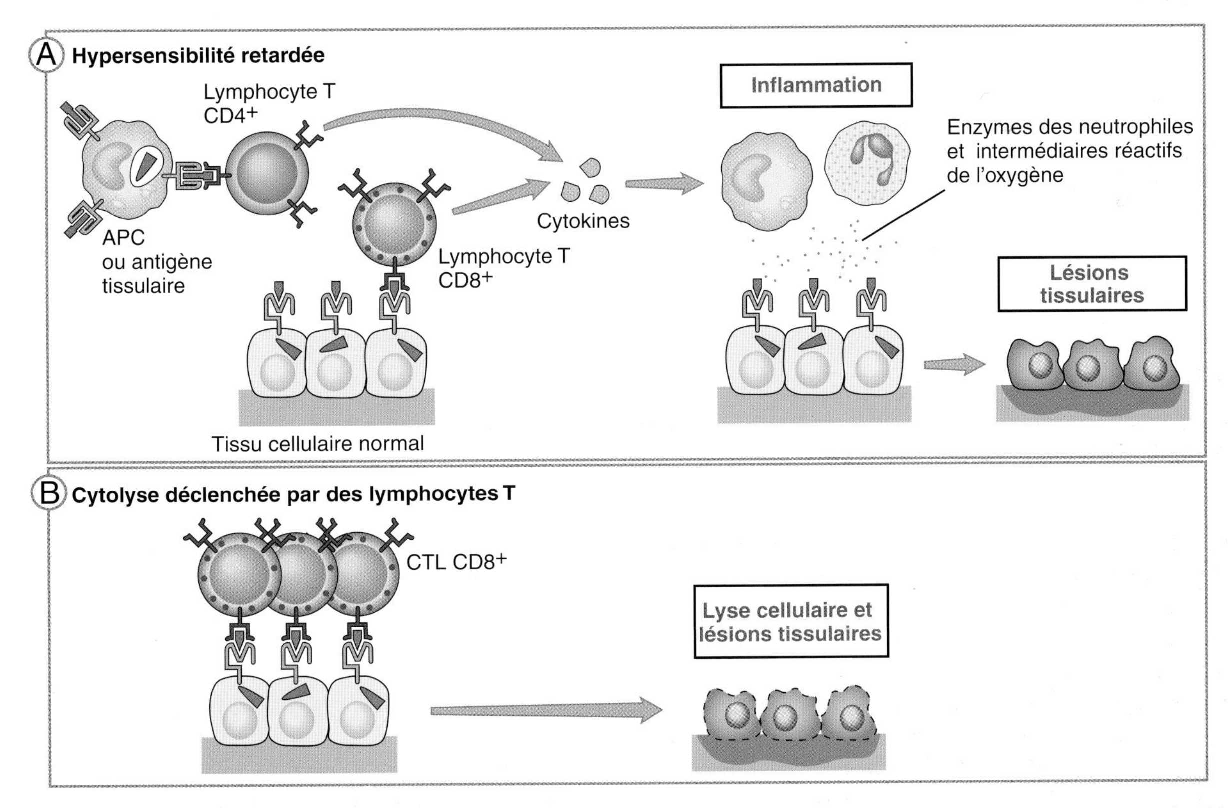

Figure 11.11 Mécanismes des lésions tissulaires provoquées par les lymphocytes T. Les lymphocytes T peuvent provoquer des lésions tissulaires et une pathologie par deux mécanismes : les réactions d'hypersensibilité retardée (A), qui peuvent être déclenchées par les lymphocytes T CD4+ et CD8+, dans lesquelles les lésions tissulaires sont provoquées par des macrophages activés et des cellules inflammatoires, et la destruction directe des cellules cibles (B), qui est provoquée par les CTL CD8+.

© 2009 Elsevier Masson SAS. Tous droits réservés

cellules. Les lymphocytes T $CD4^+$ peuvent réagir contre les antigènes cellulaires ou tissulaires et sécréter des cytokines qui induisent une inflammation locale et activent les macrophages. Différentes maladies peuvent être associées à l'activation des cellules T_H1 et T_H17. Les cellules T_H1 sont une source d'IFN-γ, la principale cytokine activatrice des macrophages, et l'on pense que les cellules T_H17 sont responsables du recrutement des leucocytes, dont les neutrophiles. La lésion tissulaire dans ces maladies est en fait causée par les macrophages et les neutrophiles. Les lymphocytes T $CD8^+$ spécifiques d'antigènes de cellules autologues peuvent détruire directement ces cellules. Dans de nombreuses maladies auto-immunes provoquées par les lymphocytes T, on retrouve des T $CD4^+$ et des T $CD8^+$ spécifiques d'antigènes du soi, les deux types cellulaires contribuant aux lésions tissulaires.

Syndromes cliniques et traitement

On suppose que de nombreuses maladies auto-immunes humaines spécifiques d'organes chez l'homme sont provoquées par les lymphocytes T, car ces cellules sont présentes dans les lésions et parce que ces maladies montrent des similitudes avec des modèles animaux dans lesquels on sait que les maladies dépendent des lymphocytes T (figure 11.12). Ces affections sont typiquement chroniques et progressives, en partie en raison des interactions des cellules T avec les macrophages, ce qui tend à amplifier la réaction. De plus, la lésion tissulaire avec libération et altération de protéines du soi peut entraîner des réactions contre ces protéines, un phénomène qui a été appelé « diversification épitopique » pour indiquer que la réponse immunitaire initiale contre un ou quelques-uns des épitopes d'un autoantigène peut s'étendre et susciter des réponses contre beaucoup plus d'autoantigènes. Les maladies inflammatoires chroniques dues à des réactions immunitaires sont appelées « maladies inflammatoires impliquant le système immunitaire » ou IMID (*immune mediated inflammatory disorders*).

Le traitement des hypersensibilités dues aux lymphocytes T vise à réduire l'inflammation, au moyen de corticoïdes et d'antagonistes des cytokines comme le TNF, et vise à inhiber les réponses des lymphocytes T avec des médicaments immunosuppresseurs comme la ciclosporine. Les antagonistes du TNF se sont avérés efficaces chez les patients souffrant de polyarthrite rhumatoïde et d'inflammation chronique de l'intestin (maladie de Crohn). Un grand nombre de nouvelles substances destinées à inhiber les réponses des lymphocytes T sont actuellement à l'étude. Celles-ci comprennent des antagonistes des récepteurs de cytokines comme l'IL-2, et des produits bloquant les molécules de costimulation comme B7. Un grand espoir est également suscité par l'induction de la tolérance des lymphocytes T pathogènes, mais aucun essai clinique n'a donné jusqu'à présent de résultats positifs.

© 2009 Elsevier Masson SAS. Tous droits réservés

Maladie	Spécificité des lymphocytes T pathogènes	Associations génétiques	Manifestations cliniques et pathologiques
Diabète insulinodépendant (type I)	Antigènes des îlots pancréatiques Insuline	PTPN22	Métabolisme du glucose altéré, maladie vasculaire
Polyarthrite rhumatoïde	Antigènes articulaires inconnus	PTPN22	Inflammation synoviale avec érosion du cartilage et de l'os dans les articulations
Sclérose en plaques	Protéines de la myéline	CD25	Démyélinisation des neurones dans le système nerveux central, dysfonctionnement sensoriel et moteur
Inflammation chronique de l'intestin	Inconnu, rôle des microbes intestinaux ?	NOD2	Inflammation de la paroi intestinale ; douleur abdominale, diarrhée, hémorragie
Dermatite de contact (par ex. réaction au sumac vénéneux ou *poison ivy*)	Protéines cutanées modifiées		Réaction cutanée d'HSR, éruption
Infections chroniques (par ex. la tuberculose)	Protéines microbiennes		Inflammation chronique (par ex. granulomateuse)
Hépatite virale (HBV, HCV)	Protéines codées par des virus (par ex. EBNA)		Mort des hépatocytes causée par des CTL, troubles hépatiques ; fibrose
Maladies causées par des superantigènes (syndrome du choc toxique)	Activation polyclonale (des superantigènes microbiens activent de nombreuses cellules T de spécificité différente)		Fièvre, choc lié à la libération systémique de cytokines inflammatoires

Figure 11.12 Maladies déclenchées par les lymphocytes T. Sont reprises ici des maladies dans lesquelles les lymphocytes T jouent un rôle dominant dans les lésions tissulaires ; des anticorps et des complexes immuns peuvent également être impliqués. Notez que le diabète de type 1, la polyarthrite rhumatoïde et la sclérose en plaques sont des syndromes auto-immuns : la maladie intestinale inflammatoire a des composantes d'auto-immunité et de réactions antimicrobiennes dans l'intestin ; les autres maladies qui figurent dans le tableau sont causées par des réactions contre des antigènes étrangers (microbiens ou environnementaux). Dans la plupart de ces maladies, le rôle des lymphocytes T est déduit de la détection et de l'isolement de lymphocytes T réagissant avec des antigènes du sang ou des lésions, et de similitudes avec des modèles animaux dans lesquels l'implication des lymphocytes T a été établie par des études de transfert. La spécificité des cellules T pathogènes a été définie dans des modèles animaux et dans certaines des lésions chez l'homme. Les associations génétiques des maladies auto-immunes de la liste sont basées sur diverses études de liaison ; nous nous référons à certaines de ces associations au chapitre 9, lorsque nous décrivons la base génétique de l'auto-immunité.

© 2009 Elsevier Masson SAS. Tous droits réservés

Réviser

Résumé

- Les réponses immunitaires responsables de lésions tissulaires sont appelées réactions d'hypersensibilité, et les maladies provoquées par ces réactions sont appelées maladies d'hypersensibilité ou maladies inflammatoires impliquant le système immunitaire.
- Les réactions d'hypersensibilité peuvent survenir à la suite de réponses non contrôlées ou anormales à des antigènes étrangers ou de réponses auto-immunes.
- Les hypersensibilités sont classées selon le mécanisme responsable des lésions tissulaires.
- L'hypersensibilité immédiate (de type I, appelée le plus souvent allergie) est provoquée par la production d'anticorps IgE contre des antigènes (allergènes) environnementaux ou des médicaments, la sensibilisation des mastocytes par les IgE et la dégranulation de ces mastocytes lors d'une rencontre ultérieure avec l'allergène.
- Les manifestations cliniques et pathologiques de l'hypersensibilité immédiate sont dues aux actions des médiateurs sécrétés par les mastocytes. Ceux-ci comprennent des amines, qui dilatent les vaisseaux et contractent les muscles lisses, des métabolites de l'acide arachidonique, qui contractent également les muscles, et des cytokines qui induisent l'inflammation, l'élément caractéristique de la phase tardive de la réaction d'hypersensibilité. Le traitement des allergies est destiné à inhiber la production des médiateurs et à contrecarrer leurs effets, mais il est également destiné à s'opposer à l'effet de ces médiateurs sur les organes cibles.
- Les anticorps dirigés contre les antigènes cellulaires et tissulaires peuvent provoquer des lésions tissulaires et des maladies (hypersensibilité de type II). Les anticorps IgM et IgG favorisent la phagocytose des cellules auxquelles ils sont fixés, induisent une inflammation par le recrutement de leucocytes assuré par le système du complément et les récepteurs de Fc, et peuvent interférer avec les fonctions des cellules en se liant à des molécules et à des récepteurs importants.
- Les anticorps peuvent se lier aux antigènes circulants pour former des complexes immuns, qui se déposent dans les vaisseaux et provoquent des lésions tissulaires (hypersensibilité de type III). Les lésions sont principalement dues au recrutement des leucocytes et à l'inflammation.
- Les maladies provoquées par les lymphocytes T (hypersensibilité de type IV) sont dues à des réactions d'hypersensibilité de type retardé dans lesquelles interviennent les lymphocytes T_H1, à des réactions inflammatoires dépendant des T_H17, ou à des destructions cellulaires par les CTL $CD8^+$.

Contrôle des connaissances

1. Quels sont les types d'antigènes susceptibles d'induire des réponses immunitaires provoquant des hypersensibilités ?
2. Quelle est la séquence des événements se déroulant au cours d'une réaction typique d'hypersensibilité immédiate ? Qu'est-ce que la phase tardive de la réaction d'hypersensibilité, et quelles en sont les causes ?
3. Citez quelques exemples d'hypersensibilité immédiate, décrivez leur pathogénie et comment les traiter.
4. Comment les anticorps provoquent-ils des lésions tissulaires et des maladies ? Citer quelques-unes des différences entre les manifestations pathologiques qui sont provoquées par des anticorps dirigés contre les protéines de la matrice extracellulaire et celles qui sont provoquées par des complexes immuns se déposant dans les tissus.
5. Donnez quelques exemples de maladies provoquées par des anticorps IgG ou IgM ou des complexes immuns. Quelle est leur pathogénie et quelles sont leurs principales manifestations cliniques et pathologiques ?
6. Donnez quelques exemples de maladies causées par les cellules T. Quelle est leur pathogénie et quelles sont leurs principales manifestations cliniques et pathologiques ?

© 2009 Elsevier Masson SAS. Tous droits réservés

Chapitre 12

Immunodéficiences congénitales et acquises

Maladies provoquées par des réponses immunitaires déficientes

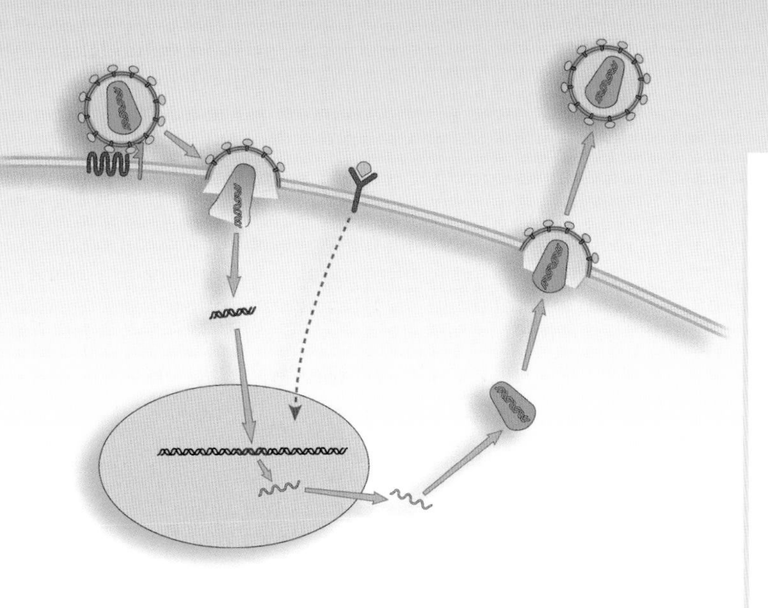

Des dysfonctionnements affectant le développement et les fonctions du système immunitaire entraînent une augmentation de la sensibilité aux infections, de l'incidence de certains cancers ainsi qu'une réactivation d'infections latentes, par exemple par le cytomégalovirus, le virus d'Epstein-Barr ou le bacille de la tuberculose, que le système immunitaire tient en échec, mais ne peut éradiquer. Ces conséquences liées aux déficits immunitaires sont prévisibles dans la mesure où, comme cela a été souligné dans cet ouvrage, la fonction normale du

© 2009 Elsevier Masson SAS. Tous droits réservés

système immunitaire est de défendre les individus contre les infections et certains cancers. Les troubles provoqués par un dysfonctionnement de l'immunité sont appelés **immunodéficiences**. Certaines de ces maladies peuvent provenir d'anomalies génétiques affectant un ou plusieurs constituants du système immunitaire. Elles sont alors appelées **immunodéficiences congénitales** (ou **primaires**). D'autres altérations du système immunitaire peuvent provenir d'infections, de carences nutritionnelles, de traitements responsables d'une perte ou d'anomalies de la fonction de différents éléments du système immunitaire. Il s'agira alors d'**immunodéficiences acquises** (ou **secondaires**). Dans ce chapitre, nous décrirons les causes et la pathogénie des immunodéficiences congénitales et acquises. Parmi les immunodéficiences acquises, ce chapitre traitera plus particulièrement du syndrome d'immunodéficience acquise (sida), maladie qui résulte d'une infection par le virus de l'immunodéficience humaine (VIH), l'une des infections les plus dévastatrices à travers le monde. Les questions suivantes seront abordées :

- Quels sont les mécanismes qui compromettent l'immunité dans les formes d'immunodéficience les plus fréquentes ? Les détails sur les manifestations cliniques de ces affections pourront être trouvés dans les manuels de pédiatrie et de médecine.
- Comment le VIH provoque-t-il les anomalies cliniques et pathologiques du sida ?
- Comment traiter les immunodéficiences ?

Immunodéficiences congénitales (primaires)

Les immunodéficiences congénitales sont provoquées par des anomalies génétiques qui entraînent le blocage de la maturation ou des fonctions de différents éléments du système immunitaire. On estime qu'environ 1 personne sur 500 aux États-Unis et en Europe souffre à des degrés divers d'immunodéficience congénitale. Toutes les immunodéficiences congénitales ont en commun plusieurs caractéristiques, la principale étant les complications infectieuses (figure 12.1). Cependant, les manifestations cliniques et pathologiques des différentes immunodéficiences congénitales peuvent présenter des différences considérables. Certaines de ces maladies, qui peuvent se déclarer tôt après la naissance, entraînent une très forte augmentation de la sensibilité aux infections et peuvent même s'avérer fatales si la déficience n'est pas corrigée. Les autres immunodéficiences congénitales, qui entraînent des infections légères, pourront être détectées au cours de la vie adulte. La section suivante décrira brièvement la pathogénie de certaines immunodéficiences. Certaines de ces maladies ont été mentionnées au cours des chapitres précédents afin d'illustrer l'importance physiologique des différents éléments du système immunitaire. Comme nous l'avons vu dans le chapitre 11, des déficiences congénitales touchant des molécules impliquées dans la tolérance au soi se manifestent par une maladie auto-immune.

Type de déficit immunitaire	Anomalies histopathologiques et biologiques	Conséquences infectieuses les plus fréquentes
Déficits affectant les lymphocytes B	Absence ou réduction des follicules et des centres germinatifs dans les organes lymphoïdes Réduction des concentrations sériques d'Ig	Infections à bactéries pyogènes
Déficits affectant les lymphocytes T	Réduction possible des zones T dans les organes lymphoïdes Réduction des réactions d'hypersensibilité retardée aux antigènes courants Altérations des réponses prolifératives des lymphocytes T aux mitogènes in vitro	Infections virales et autres infections microbiennes intracellulaires (par exemple, *Pneumocystis jiroveci*, mycobactéries atypiques, champignons) Affections malignes associées à des virus (par exemple lymphomes associés à l'EBV)
Déficits de l'immunité innée	Variables, en fonction du composant de l'immunité innée défectueux	Variables ; infections bactériennes pyogènes

Figure 12.1 Caractéristiques des déficits immunitaires. Le tableau résume les caractéristiques diagnostiques et les manifestations cliniques importantes des déficits immunitaires affectant différents composants du système immunitaire. Dans chaque groupe, différentes maladies, et même différents patients souffrant de la même maladie peuvent présenter des variations considérables. Une diminution du nombre de cellules B ou T est souvent observée dans certaines de ces maladies.

© 2009 Elsevier Masson SAS. Tous droits réservés

Défauts de maturation des lymphocytes

De nombreuses immunodéficiences congénitales résultent d'anomalies génétiques entraînant le blocage de la maturation des lymphocytes B, des lymphocytes T ou des deux lignées (figures 12.2 et 12.3). Les troubles qui ont pour origine des dysfonctionnements des deux lignées lymphocytaires B et T du système immunitaire adaptatif sont classés comme **déficiences immunitaires combinées sévères** (DICS, ou SCID pour *severe combined immunodeficiency*).

Plusieurs anomalies génétiques différentes provoquent des déficiences immunitaires combinées sévères. Environ la moitié de ces cas sont liés au chromosome X et n'affectent par conséquent que les enfants de sexe masculin. Environ 50 % des cas de DICS liés à l'X sont provoqués par des mutations d'une sous-unité de signalisation d'un récepteur de cytokines. Cette sous-unité est appelée chaîne γ commune (γc), car ce composant est partagé par les récepteurs de nombreuses cytokines, notamment l'interleukine (IL)-2, l'IL-4, l'IL-7, l'IL-9 et l'IL-15. Du fait que la chaîne γc a été identifiée pour la première fois comme l'une des trois chaînes du récepteur pour l'IL-2, elle est souvent appelée la chaîne IL-2Rγ. Lorsque la chaîne γc n'est pas fonctionnelle, les lymphocytes immatures aux stades pro-T et pro-B ne peuvent plus proliférer en réponse à l'IL-7, le principal facteur de croissance de ces cellules. Une réponse déficiente à l'IL-7 raccourcit la survie et perturbe la maturation des précurseurs des lymphocytes. Chez l'homme, cette anomalie affecte principalement la maturation des lymphocytes T, alors que, chez la souris, le nombre de cellules B est aussi fortement réduit. La conséquence de ce blocage est une réduction importante du nombre de lymphocytes T matures, une altération de l'immunité cellulaire et une immunité humorale insuffisante provoquée par l'absence de coopération des lymphocytes T (même si par ailleurs les lymphocytes B parviennent à maturité presque normalement).

Environ la moitié des cas de **DICS autosomique** sont provoqués par des mutations d'une enzyme appelée adénosine désaminase (ADA), qui participe à la dégra-

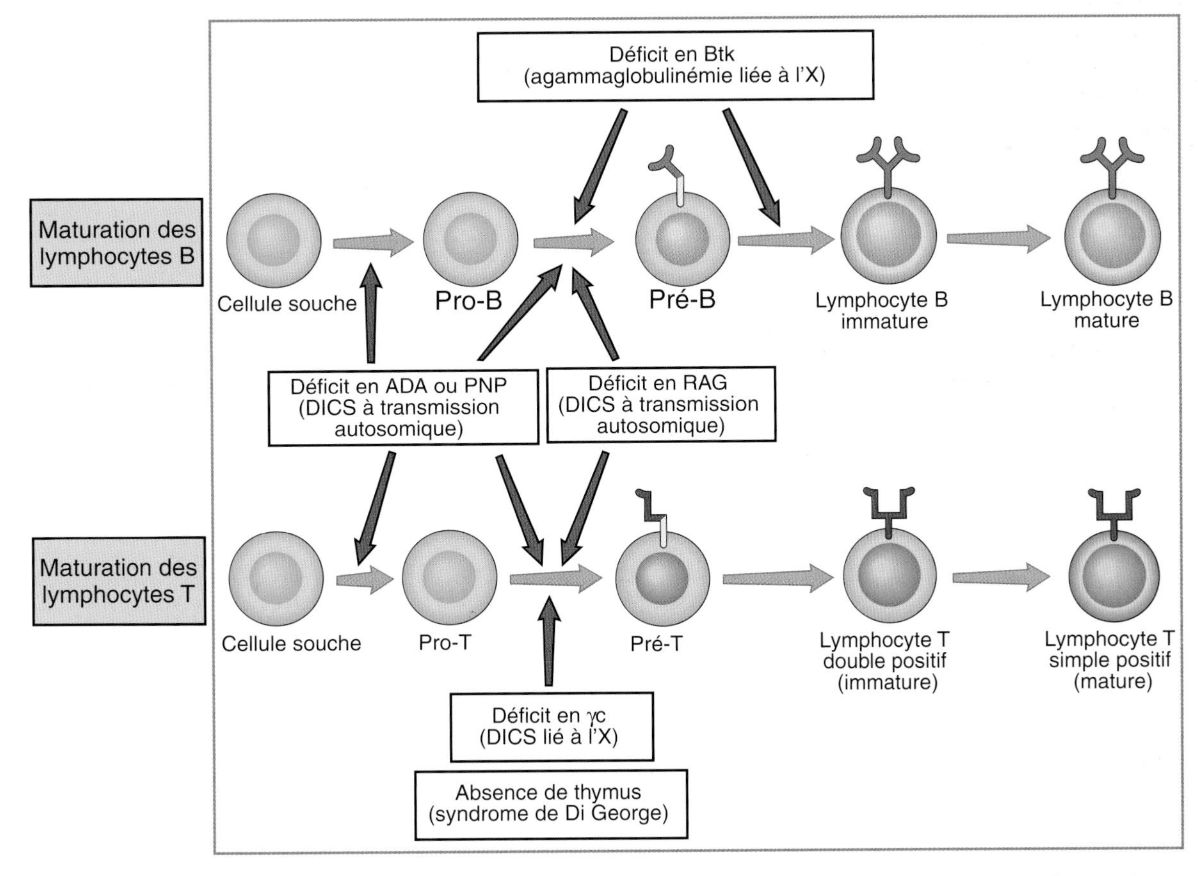

Figure 12.2 Déficits immunitaires congénitaux provoqués par des anomalies de la maturation des lymphocytes. La figure présente des déficits immunitaires provoqués par des anomalies génétiques affectant la maturation des lymphocytes. Les voies de maturation des lymphocytes sont décrites plus en détail dans le chapitre 4. ADA : adénosine désaminase ; PNP : purine nucléoside phosphorylase ; RAG : *recombination activating gene* (gène d'activation de la recombinaison) ; DICS, déficit immunitaire combiné sévère.

© 2009 Elsevier Masson SAS. Tous droits réservés

Déficit immunitaire combiné sévère (DICS)

Maladie	Déficits fonctionnels	Mécanisme du déficit
DICS lié à l'X	Diminution forte des lymphocytes T ; nombre normal ou augmenté de lymphocytes B ; réduction des Ig sériques	Mutations du gène codant pour la chaîne γ commune des récepteurs de cytokines, défauts de maturation des lymphocytes T dus à l'absence des signaux induits par l'IL-7
DICS à transmission autosomique récessive provoqué par un déficit en ADA ou en PNP	Diminution progressive des lymphocytes T et B (principalement T) ; réduction des Ig sériques dans le déficit en ADA, nombre normal de lymphocytes B et concentration sérique normale des Ig dans le déficit en PNP	Le déficit en ADA ou en PNP entraîne une accumulation de métabolites toxiques dans les lymphocytes
DICS à transmission autosomique récessive provoqué par d'autres causes	Diminution des lymphocytes T et B ; réduction des Ig sériques	Anomalies de la maturation des lymphocytes T et B ; bases génétiques inconnues dans la plupart des cas ; mutations possibles des gènes *RAG*

Déficits immunitaires en lymphocytes B

Maladie	Déficits fonctionnels	Mécanisme du déficit
Agammaglobulinémie liée à l'X	Diminution de tous les isotypes d'Ig sériques ; réduction du nombre de lymphocytes B	Blocage de la maturation au stade lymphocyte pré-B, à cause d'une mutation affectant la tyrosine kinase des lymphocytes B
Pertes de gènes codant les chaînes lourdes des Ig	Absence d'IgG1, d'IgG2 ou d'IgG4 ; parfois associée à une absence d'IgA ou d'IgE	Délétion chromosomique en 14q32 (locus des chaînes lourdes d'Ig)

Déficits immunitaires en lymphocytes T

Maladie	Déficits fonctionnels	Mécanisme du déficit
Syndrome de Di George	Diminution des lymphocytes T ; nombre normal de lymphocytes B ; concentrations normales ou diminuées des Ig sériques	Anomalies du développement des troisième et quatrième arcs branchiaux conduisant à une hypoplasie du thymus

Figure 12.3 Caractéristiques des déficits immunitaires congénitaux provoqués par des anomalies de la maturation des lymphocytes. Le tableau résume les différents déficits immunitaires congénitaux dans lesquels des blocages génétiques ont été identifiés et présente leurs principales caractéristiques.

dation des purines. Le déficit en ADA conduit à une accumulation de métabolites toxiques des purines dans les cellules qui synthétisent activement de l'ADN, c'est-à-dire les cellules en prolifération. Les lymphocytes, qui prolifèrent activement au cours de leur maturation, sont altérés par l'accumulation de ces métabolites toxiques. Le déficit en ADA bloque davantage la maturation des lymphocytes T que celle des lymphocytes B ; le dysfonctionnement de l'immunité humorale est en grande partie une conséquence du déficit fonctionnel des lymphocytes T auxiliaires. Une autre cause importante de DICS autosomique provient de mutations d'une enzyme participant aux voies de signalisation induites par la chaîne γc des récepteurs de cytokines. Ces mutations provoquent les mêmes anomalies que le DICS lié à l'X et dû à des mutations de la chaîne γc, comme nous l'avons décrit précédemment. De rares cas de DICS autosomique sont provoqués par des mutations des gènes *RAG1* et *RAG2*, qui codent des composants spécifiques des lymphocytes de la recombinase VDJ. Ces composants sont nécessaires pour la recombinaison des gènes codant les immunoglobulines et les récepteurs des lymphocytes T, ainsi que pour la maturation des lymphocytes (voir le chapitre 4). L'origine d'environ 50 % des cas de DICS liés à l'X et à transmission autosomique reste inconnue.

© 2009 Elsevier Masson SAS. Tous droits réservés

Le syndrome clinique le plus fréquent provoqué par un blocage de la maturation des lymphocytes B est l'**agammaglobulinémie liée à l'X** (connue jadis sous le nom d'agammaglobulinémie de Bruton). Dans cette maladie, les lymphocytes B de la moelle osseuse ne parviennent pas à dépasser le stade de lymphocyte pré-B, ce qui entraîne une diminution sévère, voire une absence de lymphocytes B matures et d'immunoglobulines sériques. Cette maladie, provoquée par des mutations du gène codant une kinase appelée tyrosine kinase des lymphocytes B ou tyrosine kinase de Bruton (Btk, *Bruton's tyrosine kinase*), aboutit à un défaut de production ou de fonction de cette enzyme. L'enzyme est activée par le prérécepteur des lymphocytes B exprimé par les lymphocytes pré-B, et elle participe à la transmission de signaux biochimiques favorisant la maturation de ces cellules. Le gène codant cette enzyme est situé sur le chromosome X. Par conséquent, les femmes qui portent un allèle mutant du gène *Btk* sur l'un de leurs chromosomes X transmettent la maladie, et la descendance masculine héritant du chromosome X anormal sera affectée. Paradoxalement, environ un quart des patients souffrant d'agammaglobulinémie liée à l'X développent des maladies auto-immunes, en particulier des arthrites. On ne sait pas pourquoi une immunodéficience peut conduire à une réaction caractéristique de réponses immunitaires excessives ou incontrôlées.

Les déficits sélectifs de la maturation des lymphocytes T sont assez rares. Le plus fréquent d'entre eux est le **syndrome de Di George**, qui se traduit par un développement incomplet du thymus (et des glandes parathyroïdes) et par un défaut de maturation des lymphocytes T. Les patients souffrant de cette maladie ont tendance à voir leur état de santé s'améliorer avec l'âge, vraisemblablement parce que la faible quantité de tissu thymique qui néanmoins se développe permet d'assurer une certaine maturation des lymphocytes T.

Le traitement des immunodéficiences primaires qui affectent la maturation lymphocytaire varie selon la maladie. Les DICS sont mortels dans les premières années de la vie, à moins que le système immunitaire du patient ne soit reconstitué. Le traitement le plus largement utilisé est la transplantation de moelle osseuse, qui nécessite de respecter une bonne compatibilité entre donneur et receveur, afin d'éviter des réactions, potentiellement graves, du greffon contre l'hôte. Dans le cas d'anomalies propres aux lymphocytes B, les patients peuvent recevoir des mélanges d'anticorps prélevés chez des donneurs sains, afin de leur fournir une immunité passive. Le traitement de substitution des immunoglobulines a permis d'obtenir des succès très importants dans l'agammaglobulinémie liée à l'X. Le traitement idéal de l'ensemble des immunodéficiences congénitales est la thérapie génique. Ce traitement reste cependant un objectif lointain pour la plupart des maladies. Les résultats les plus impressionnants de la thérapie génique ont été obtenus chez des patients souffrant de DICS lié à l'X dont le système immunitaire a été reconstitué au moyen des cellules de leur propre moelle osseuse dans lesquelles un gène normal de γc avait été introduit. Chez certains de ces patients, cependant, une leucémie à cellules T s'est développée plus tard, apparemment parce que le gène avait été inséré près d'un oncogène, qui a été ainsi activé. Chez tous les patients souffrant de ces maladies, les infections qui surviennent sont traitées, le cas échéant, par des antibiotiques.

© 2009 Elsevier Masson SAS. Tous droits réservés

Défauts d'activation et de fonctions des lymphocytes

Avec l'amélioration des connaissances quant aux molécules impliquées dans l'activation et les fonctions des lymphocytes, on a commencé à identifier des mutations et d'autres anomalies touchant ces molécules et entraînant ainsi des immunodéficiences. Un grand nombre de ces maladies sont aujourd'hui connues (figure 12.4). La section qui suit est consacrée à certaines maladies dans lesquelles les lymphocytes viennent normalement à maturité, mais leur activation et leurs fonctions effectrices sont altérées.

Le **syndrome hyper-IgM lié à l'X** est caractérisé par un défaut de la commutation de classe (isotype) de la chaîne lourde des lymphocytes B, aboutissant à une prépondérance des IgM dans le sérum et à une déficience sévère de l'immunité cellulaire contre les microbes intracellulaires. Cette maladie est provoquée par des mutations du ligand de CD40 (CD40L), la protéine des lymphocytes T auxiliaires qui se lie au récepteur CD40 se trouvant sur les lymphocytes B et les macrophages et qui assure par conséquent l'activation des lymphocytes B et des macrophages. L'incapacité d'exprimer un ligand de CD40 fonctionnel conduit à une altération des réponses des lymphocytes B dépendant des lymphocytes T, notamment un défaut de commutation isotypique dans l'immunité humorale, et à un défaut d'activation des macrophages dépendant des lymphocytes T dans l'immunité cellulaire.

Les déficiences génétiques affectant la production de certains isotypes d'Ig sont assez fréquentes. Un individu sur 700 pourrait être atteint d'une déficience en IgA sans que cela n'entraîne de trouble clinique chez la plupart de ces personnes. L'anomalie provoquant ces déficiences reste inconnue dans la majorité des cas. Plus rarement, elles peuvent être provoquées par des mutations affectant les gènes codant les régions constantes des chaînes lourdes d'Ig. L'**immunodéficience commune et variable** est un ensemble hétérogène de maladies constituant la forme la plus commune des immunodéficiences primaires. Ces troubles sont caractérisés par des réponses humorales insuffisantes contre les infections et par une

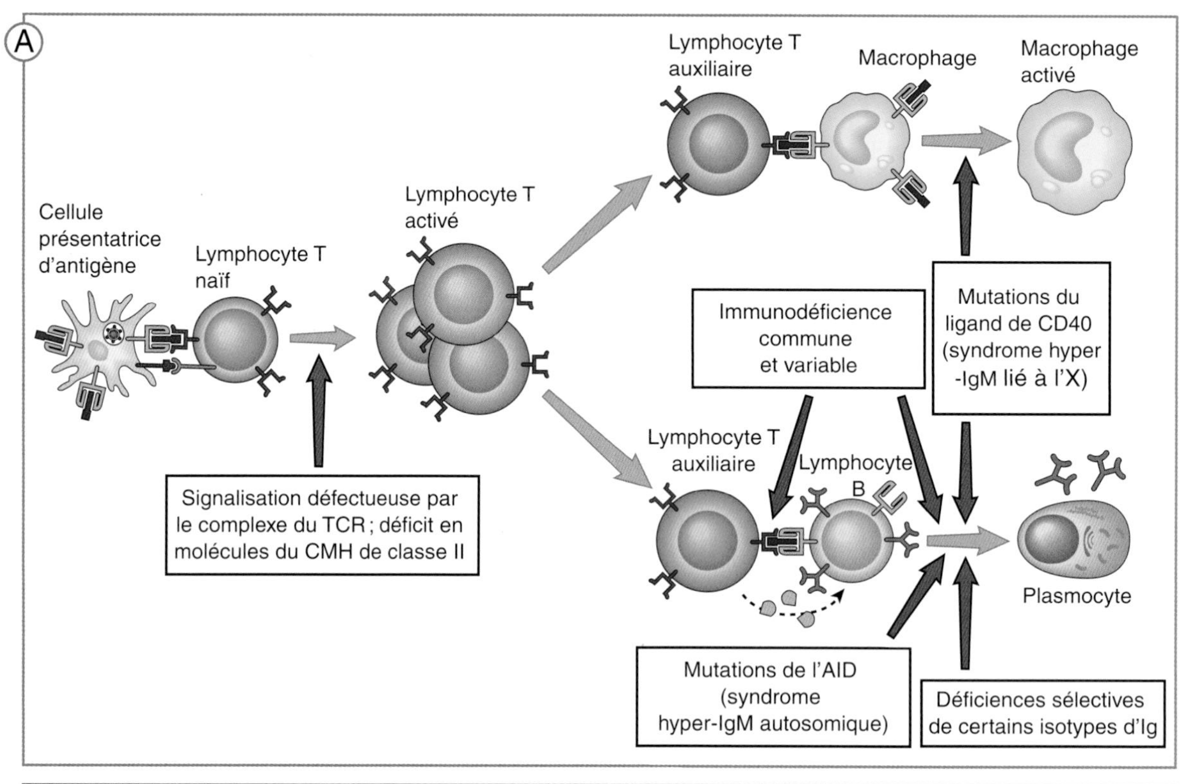

(B) Maladie	Déficits fonctionnels	Mécanismes du déficit
Syndrome hyper-IgM lié à l'X)	Activation défectueuse des lymphocytes B et des macrophages par les lymphocytes T	Mutations du ligand de CD40
Immunodéficience commune et variable	Diminution ou absence de certains isotypes ou sous-classes d'immunoglobulines ; sensibilité aux infections bactériennes ou pas de troubles cliniques	Mutations dans le récepteur des facteurs de croissance des lymphocytes B ou dans les costimulateurs
Expression défectueuse des molécules du CMH de classe II : syndrome des lymphocytes nus	Absence d'expression des molécules du CMH de classe II et activation défectueuse des lymphocytes T CD4+ ; déficience de l'immunité cellulaire et de l'immunité humorale dépendant des lymphocytes T	Mutations des gènes codant les facteurs de transcription nécessaires à l'expression des gènes codant les molécules du CMH de classe II
Expression ou signalisation défectueuse du complexe du récepteur des lymphocytes T	Diminution des lymphocytes T ou rapports anormaux entre les sous-populations CD4+ et CD8+ ; diminution de l'immunité cellulaire	Rares cas dus à des mutations ou des pertes des gènes codant les protéines CD3 ou ZAP 70

Figure 12.4 Déficits immunitaires congénitaux associés à des anomalies de l'activation et des fonctions effectrices des lymphocytes. Les déficits immunitaires congénitaux peuvent être provoqués par des anomalies génétiques affectant l'expression des molécules nécessaires à la présentation des antigènes aux lymphocytes T, la signalisation par les récepteurs d'antigènes des lymphocytes T ou B, l'activation des lymphocytes B et des macrophages par les lymphocytes T auxiliaires et la différenciation des cellules B productrices d'anticorps. Des exemples de points de blocage des réponses immunitaires sont illustrés en A et les caractéristiques de certaines de ces maladies sont résumées en B.

réduction des concentrations sériques d'IgG, d'IgA et souvent d'IgM. Les causes sous-jacentes de l'immunodéficience commune et variable ne sont pas élucidées, mais comprennent des anomalies de la maturation et de l'activation des lymphocytes B, ainsi que des altérations des fonctions des lymphocytes T auxiliaires. Les patients développent des infections récurrentes, des maladies auto-immunes et des lymphomes.

Une activation défectueuse des lymphocytes T peut résulter d'un défaut dans l'expression des molécules

© 2009 Elsevier Masson SAS. Tous droits réservés

du complexe majeur d'histocompatibilité (CMH). Le **syndrome des lymphocytes nus** est une maladie liée à l'absence des molécules du CMH de classe II, suite à des mutations affectant les facteurs de transcription qui induisent normalement l'expression de ces molécules. Rappelons que les molécules du CMH de classe II présentent les antigènes peptidiques afin qu'ils soient reconnus par les lymphocytes T $CD4^+$, et que cette reconnaissance est essentielle pour la maturation et l'activation des lymphocytes T. Cette maladie se manifeste par une diminution très importante du nombre de lymphocytes T $CD4^+$, provoquée par un défaut de maturation de ces lymphocytes dans le thymus et une activation défectueuse dans les organes lymphoïdes périphériques. On a décrit de rares cas d'immunodéficience liée à des mutations de molécules de transduction des signaux des lymphocytes T, de cytokines et de différents récepteurs. Puisque les défauts d'activation des cellules T ont comme conséquence d'affaiblir l'immunité cellulaire et les réponses humorales T-dépendantes, ces affections se présentent cliniquement sous la forme de DICS.

Anomalies de l'immunité innée

Les anomalies affectant deux composants de l'immunité innée, les phagocytes et le système du complément, constituent des causes importantes d'immunodéficience (figure 12.5). La **maladie granulomateuse chronique** est causée par des mutations de l'oxydase des phagocytes, enzyme qui catalyse la production dans les lysosomes d'intermédiaires réactifs de l'oxygène, qui sont microbicides (voir le chapitre 2). Il en résulte que les neutrophiles et les macrophages qui phagocytent les microbes sont incapables de les détruire. Le système immunitaire essaie de compenser cette impuissance en faisant intervenir de plus en plus de macrophages, et en activant des lymphocytes T qui stimulent le recrutement et l'activation d'un nombre toujours plus important de phagocytes. Dès lors, des amas de phagocytes s'accumulent autour des infections à microbes intracellulaires, mais les microbes ne peuvent pas être détruits de manière efficace. Ces amas ont l'aspect de granulomes, qui ont donné son nom à cette maladie. La déficience d'adhérence leucocytaire est

Maladie	Déficits fonctionnels	Mécanismes du déficit
Maladie granulomateuse chronique	Défaut de production d'intermédiaires réactifs de l'oxygène par les phagocytes	Mutations des gènes codant des composants d'une oxydase phagocytaire, le plus souvent le cytochrome b558
Déficit en protéines d'adhérence leucocytaires de type 1	Absence ou défaut d'expression des intégrines β2 provoquant des anomalies fonctionnelles liées à l'adhérence des leucocytes	Mutations des gènes codant la chaîne β (CD18) des intégrines β2
Déficit en protéines d'adhérence leucocytaires de type 2	Absence ou défaut d'expression des ligands des leucocytes pour les sélectines E et P endothéliales, provoquant une absence de migration des leucocytes dans les tissus	Mutations des gènes codant une protéine nécessaire à la synthèse de l'épitope Lewis X sialylé des ligands des sélectines E et P
Déficit en complément C3	Défaut d'activation de la cascade du complément	Mutations du gène codant C3
Déficit en complément C2 et C4	Défaut d'activation de la voie classique du complément entraînant une incapacité d'éliminer les complexes immuns et le développement d'une maladie de type lupique	Mutations des gènes codant C2 ou C4
Syndrome de Chediak-Higashi	Anomalies de la fonction lysosomiale dans les neutrophiles, les macrophages et les cellules dendritiques, anomalies de la fonction des granules dans les cellules NK	Mutations d'un gène codant une protéine régulatrice du trafic des lysosomes

Figure 12.5 Déficits immunitaires congénitaux provoqués par des anomalies de l'immunité innée. Le tableau présente une liste de déficits immunitaires provoqués par des anomalies de différents composants du système immunitaire inné.

© 2009 Elsevier Masson SAS. Tous droits réservés

due à des mutations de gènes codant les intégrines ou les enzymes nécessaires à l'expression des ligands des sélectines. Les intégrines et les ligands des sélectines participent à l'adhérence des leucocytes aux autres cellules. À la suite de ces mutations, les leucocytes sanguins ne se lient pas fermement à l'endothélium vasculaire et ne sont donc pas recrutés normalement vers les sites d'infection.

Des déficiences affectant pratiquement toutes les protéines du complément et de nombreuses protéines régulatrices du complément ont été décrites; certaines d'entre elles ont été mentionnées dans le chapitre 8. La déficience en C3 se complique d'infections sévères et aboutit généralement à la mort. Les déficiences en C2 et C4, deux composants de la voie classique d'activation du complément, n'entraînent pas d'immunodéficience, mais favorisent des maladies à complexes immuns évoquant le lupus. Une explication vraisemblable de cette association entre déficit en protéines du complément et maladie de type lupique est que la voie classique d'activation du complément participe à l'élimination des complexes immuns, qui sont constamment formés au cours des réponses immunitaires humorales. Ne pouvant être éliminés, ces complexes immuns se déposent dans les tissus, déclenchant ainsi une maladie à complexes immuns. Le fait que des déficits en C2 et C4 n'entraînent pas une plus grande sensibilité aux infections suggère que la voie alternative peut constituer un mode de défense adéquat. Les déficiences en protéines régulatrices du complément conduisent à une activation excessive du complément et non à des immunodéficiences (voir le chapitre 8).

Le **syndrome de Chediak-Higashi** est une immunodéficience dans laquelle les granules lysosomiaux des leucocytes ne fonctionnent pas normalement. L'immunodéficience semble affecter les phagocytes et les cellules NK (*natural killer*) et elle se manifeste par une sensibilité accrue aux infections bactériennes.

On a rapporté des cas rares de mutations touchant les récepteurs de type Toll (TLR) ou les voies de signalisation en aval des TLR, entre autres des molécules requises pour l'activation du facteur de transcription, NF-κB (*nuclear factor-κB*).

Anomalies lymphocytaires associées à d'autres maladies

Certaines maladies systémiques affectant différents systèmes organiques, et dont les principales manifestations ne sont pas immunologiques, peuvent comporter en plus une immunodéficience. Le **syndrome de Wiskott-Aldrich** est caractérisé par un eczéma, une réduction du taux de plaquettes sanguines et une immunodéficience. Il s'agit d'une maladie liée à l'X provoquée par une mutation d'un gène codant une protéine qui se lie à différentes molécules adaptatrices et à des composants du cytosquelette des cellules hématopoïétiques. Il semble que l'absence de cette protéine entraîne une réduction de la taille des plaquettes et des leucocytes, des anomalies de leur développement et une incapacité à migrer normalement. L'**ataxie-télangiectasie** est une maladie caractérisée par des anomalies de la démarche (ataxie), des malformations vasculaires (télangiectasie) et une immunodéficience. La maladie est provoquée par des mutations d'un gène dont le produit participe à la réparation de l'ADN. Des défauts de cette protéine peuvent conduire à des anomalies de la réparation de l'ADN (par exemple au cours de la recombinaison des segments géniques des récepteurs d'antigène), aboutissant à des défauts de maturation lymphocytaire.

Immunodéficiences acquises (secondaires)

Les dysfonctionnements du système immunitaire se développent souvent à cause d'anomalies dont l'origine n'est pas génétique, mais qui sont acquises au cours de la vie (figure 12.6). L'une des plus graves parmi ces anomalies à l'échelle mondiale est l'infection par le VIH,

Cause	Mécanisme
Infection par le virus de l'immunodéficience humaine	Déplétion des lymphocytes T auxiliaires CD4+
Traitements anticancéreux par radiothérapie et chimiothérapie	Diminution des précurseurs de tous les leucocytes dans la moelle osseuse
Métastases cancéreuses dans la moelle osseuse	Réduction du site de développement des leucocytes
Malnutrition protéique et/ou calorique	Troubles métaboliques inhibant la maturation et les fonctions des lymphocytes
Ablation de la rate	Diminution de la phagocytose des microbes

Figure 12.6 Déficits immunitaires acquis (secondaires). Le tableau présente les causes les plus fréquentes d'immunodéficiences acquises et le mécanisme par lequel elles peuvent conduire à des anomalies des réponses immunitaires.

© 2009 Elsevier Masson SAS. Tous droits réservés

qui est décrite plus loin dans ce chapitre. Les causes les plus fréquentes d'immunodéficiences secondaires dans les pays développés sont les cancers qui envahissent la moelle osseuse et diverses thérapies. Les traitements anticancéreux par chimiothérapie et radiothérapie peuvent léser les cellules en prolifération, notamment les précurseurs de la moelle osseuse et les lymphocytes matures, avec pour conséquence une immunodéficience. Les traitements destinés à empêcher le rejet des greffes et aux maladies inflammatoires, y compris certaines nouvelles thérapies comme le blocage du TNF ou de la costimulation, ont pour objectif de supprimer les réponses immunitaires. Par conséquent, une immunodéficience est une des complications fréquentes de ce type de traitement. La malnutrition protéinocalorique entraîne des déficits de quasi tous les composants du système immunitaire et constitue une cause fréquente d'immunodéficiences dans les pays en voie de développement.

Le syndrome d'immunodéficience acquise

Bien que le sida ait été reconnu comme entité pathologique distincte à une époque aussi récente que les années 1980, c'est un fait remarquable et tragique que cette maladie soit devenue depuis un des fléaux les plus dévastateurs dans l'histoire de l'humanité. Le sida est causé par une infection par le VIH. On estime qu'il existe actuellement plus de 42 millions de personnes infectées par le VIH dans le monde, dont environ 70 % en Afrique et 20 % en Asie, que plus de 21 millions de décès sont attribuables à cette maladie et qu'elle provoque près de 3 millions de morts par an. L'infection continue à se répandre et, dans certains pays d'Afrique, l'infection par le VIH touche plus de 30 % de la population. La section qui suit décrira les principales caractéristiques du VIH, comment ce virus infecte l'homme et la maladie qu'il provoque. Cette section se conclura par une brève discussion sur l'état actuel des traitements et du développement de vaccins.

Le virus de l'immunodéficience humaine (VIH)

Le VIH est un rétrovirus qui infecte les cellules du système immunitaire, principalement les lymphocytes T CD4+, et qui provoque une destruction progressive de ces cellules. Une particule infectieuse de VIH est composée de deux brins d'ARN inclus dans une nucléocapside protéique, qui est entourée par une enveloppe lipidique dérivée des cellules infectées et contenant des protéines virales (figure 12.7). L'ARN viral code des protéines de structures, différentes enzymes et des protéines qui régulent la transcription des gènes viraux et le cycle viral.

Le cycle viral du VIH comporte les différentes étapes suivantes : infection des cellules, production de l'ADN viral et intégration de celui-ci dans le génome de l'hôte, expression des gènes viraux et production des particules virales (figure 12.8). Le VIH infecte les cellules grâce à sa principale glycoprotéine d'enveloppe, appelée gp120 (ce qui signifie glycoprotéine de 120 kD), qui se lie au récepteur CD4 et à certains récepteurs de chimiokines (CXCR4 sur les cellules T et CCR5 sur les macrophages) présents sur les cellules humaines. Par conséquent, le virus ne peut infecter efficacement les cellules que si elles expriment le récepteur CD4 et ces récepteurs de chimiokines. Les principaux types cellulaires pouvant être infectés par le VIH sont les lymphocytes T CD4+, les macrophages et les cellules dendritiques. Après liaison aux récepteurs cellulaires, la membrane virale fusionne avec la membrane de la cellule de l'hôte, permettant au virus de pénétrer dans le cytoplasme de la cellule. À ce stade, le virus subit une décapsidation par des protéases virales, ce qui libère son ARN. Une copie ADN de l'ARN viral est synthétisée grâce à une enzyme virale, la transcriptase inverse (un processus qui est caractéristique de tous les rétrovirus), puis l'ADN est intégré à l'ADN des cellules hôtes grâce à l'action d'une autre enzyme, l'intégrase. L'ADN viral intégré est appelé provirus. Si le lymphocyte T, le macrophage et la cellule dendritique, après leur infection, sont activés par certains stimulus extrinsèques, par exemple un autre microbe infectieux, la cellule répond en déclenchant la transcription d'un grand nombre de ses gènes, et souvent en produisant des cytokines. L'une des conséquences malencontreuses de cette réponse normale est que les cytokines et le processus de stimulation cellulaire lui-même peuvent également activer le provirus, entraînant la production d'ARN viraux puis de protéines. Le virus est alors capable de former une nucléocapside, qui migre vers la membrane cellulaire, puis acquiert de la cellule une enveloppe lipidique, avant d'être libérée sous forme de particule virale infectieuse, prête à infecter une autre cellule. Il est possible que le provirus intégré du VIH reste à l'état latent dans les cellules infectées pendant plusieurs mois ou plusieurs années, à l'abri du système immunitaire du patient (et même des traitements antiviraux, qui seront abordés ultérieurement).

La plupart des cas de sida sont causés par le VIH-1. Un virus apparenté, le VIH-2, est responsable de quelques cas de cette maladie.

Pathogénie du sida

Le VIH provoque une infection latente des cellules du système immunitaire et peut être réactivé, ce qui produit des virus infectieux. Cette production virale conduit à la mort des cellules infectées, ainsi qu'à celle des lymphocytes non infectés, à des déficiences immunitaires consécutives et au sida clinique (figure 12.9). L'infection par le VIH se transmet par rapport sexuel, par

© 2009 Elsevier Masson SAS. Tous droits réservés

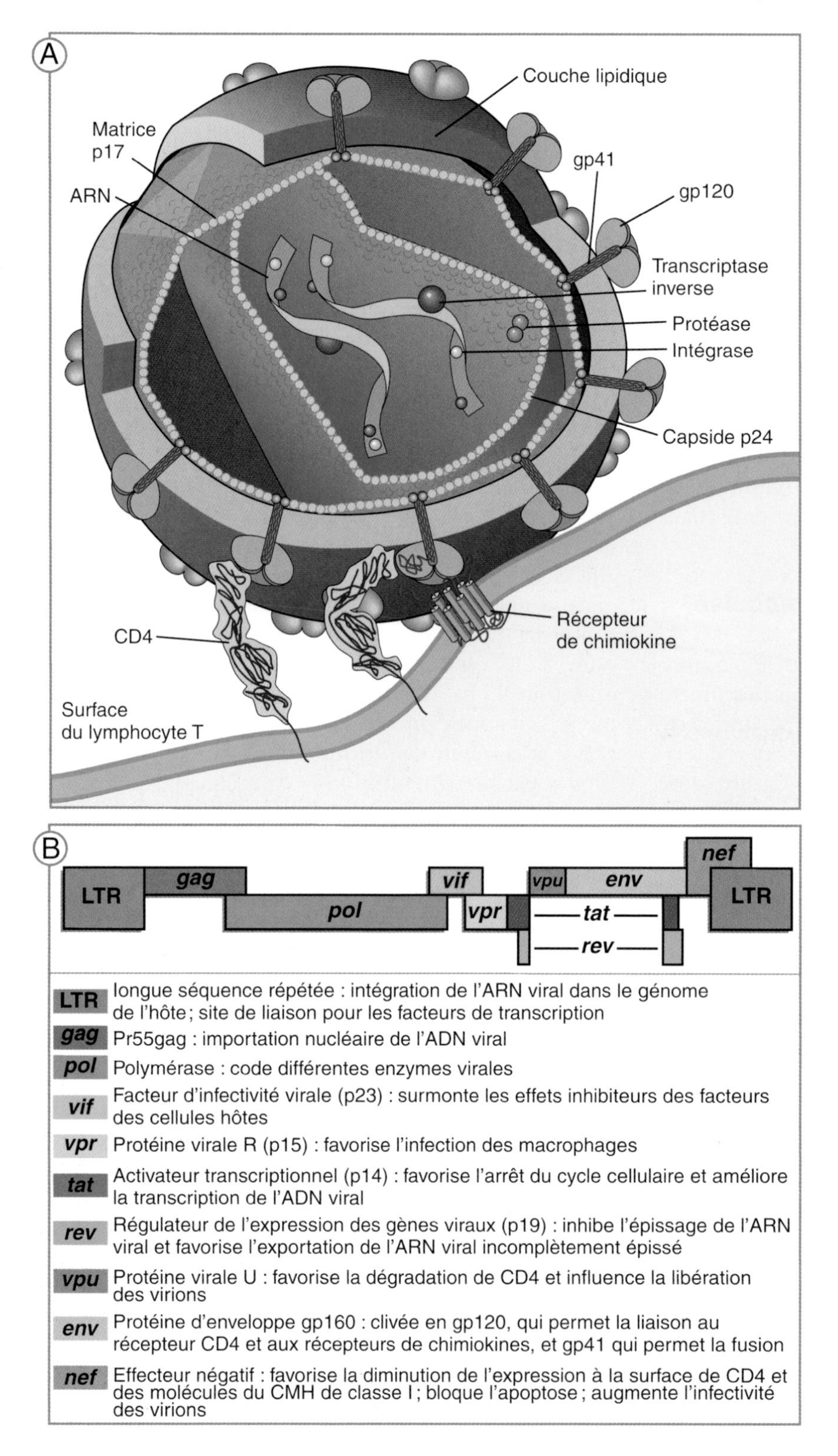

Figure 12.7 Structure et gènes du VIH. A. La figure représente un virion VIH-1 accolé à la surface d'un lymphocyte T. Le VIH-1 est composé de deux brins identiques d'ARN (génome viral) et d'enzymes associées, notamment la transcriptase inverse, l'intégrase et la protéase, enveloppés dans une nucléocapside de forme conique composée de la protéine de capside p24 entourée de la protéine matricielle p17, toutes ces structures étant entourées d'une enveloppe membranaire de phospholipides dérivée de la cellule hôte. Les protéines de la membrane codées par le virus (gp41 et gp120) sont liées à l'enveloppe. Le récepteur CD4 et les récepteurs de chimiokines se trouvant à la surface de la cellule de l'hôte servent de récepteurs pour le VIH-1. (D'après la couverture « The New Face of AIDS », Science 1996; 272 : 1841-2102. © Terese Winslow.) B. Le génome du VIH-1 est composé de gènes dont les positions sont indiquées par des *blocs colorés*. Certains gènes contiennent des séquences qui se chevauchent avec celles d'autres gènes, comme le montrent les *blocs superposés*, mais ils sont lus différemment par l'ARN polymérase de la cellule hôte. Des *blocs de couleur identique* séparés par des traits (tat, rev) indiquent que ces gènes, dont les séquences codantes sont séparées dans le génome, nécessitent un épissage de l'ARN pour produire un ARN messager fonctionnel. La liste présente les principales fonctions des protéines codées par les différents gènes viraux. LTR : *long terminal repeat*, ou longue séquence répétée. D'après Greene WC. AIDS and the immune system. © 1993 par Scientific American, Inc. Tous droits réservés.

échange d'aiguilles contaminées entre consommateurs de drogues par voie intraveineuse, par transfert transplacentaire ou par transfusion de sang ou de produits sanguins contaminés. Après l'infection, une brève virémie aiguë peut survenir; à ce moment-là, on peut détecter assez facilement le virus dans le sang, et le patient réagit comme lors de toute infection virale bénigne. Le virus infecte les lymphocytes T $CD4^{+}$, les cellules dendritiques et les macrophages, dans les sites d'entrée à travers les épithéliums, dans les organes lymphoïdes comme les ganglions

© 2009 Elsevier Masson SAS. Tous droits réservés

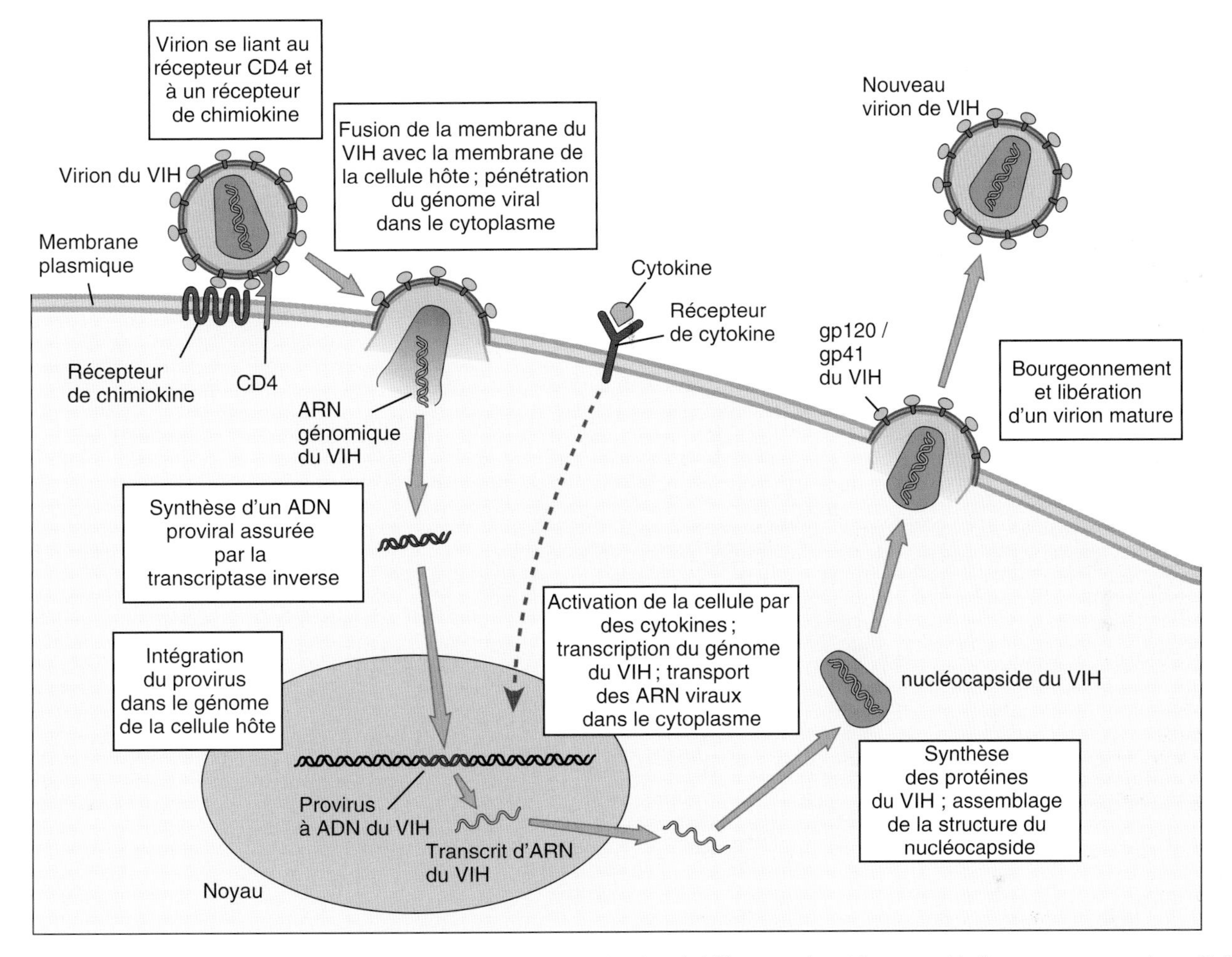

Figure 12.8 Cycle viral du VIH-1. Les différentes étapes de la reproduction du VIH sont présentées sur cette figure, commençant par l'infection d'une cellule et aboutissant à la libération d'une nouvelle particule virale (virion). Pour plus de clarté, la production et la libération d'un seul nouveau virion ont été représentées. En réalité, une cellule infectée produit de nombreux virions, chacun étant capable d'infecter les cellules avoisinantes, entraînant la propagation de l'infection.

lymphatiques et dans la circulation. Les cellules dendritiques peuvent capter le virus lorsqu'il pénètre à travers les épithéliums et le transporter dans les organes lymphoïdes périphériques où il infecte les lymphocytes T. Quelques rares personnes pourvues d'un *CCR5* muté, qui ne peut ainsi contribuer à l'entrée du VIH dans les macrophages, peuvent rester asymptomatiques pendant des années après l'infection par le VIH, ce qui montre l'importance de l'infection des macrophages dans l'évolution vers le sida. Le provirus intégré peut être activé dans les cellules infectées, de la manière décrite précédemment, entraînant la production de particules virales et la dissémination de l'infection. Au cours de l'infection par le VIH, les lymphocytes T $CD4^+$ activés sont la source principale des particules virales infectieuses, les cellules dendritiques et les macrophages servant de réservoirs de l'infection.

La déplétion en lymphocytes T $CD4^+$ qui suit l'infection par le VIH est due à un effet cytopathogène du virus, lié à la production de particules virales, ainsi que la mort de cellules non infectées. L'expression des gènes viraux et la production de protéines virales peuvent interférer avec la machinerie de synthèse des lymphocytes T. Par conséquent, les lymphocytes T infectés dans lesquels le virus se réplique sont tués au cours de ce processus. La perte des lymphocytes T au cours de la progression du sida est beaucoup plus importante que le nombre de lymphocytes infectés. Le mécanisme de cette perte de lymphocytes T n'est pas encore élucidé. Il est possible que les lymphocytes T soient chroniquement activés, peut-être par des infections qui sont courantes chez ces patients, et que la stimulation chronique aboutisse à une apoptose, par la voie appelée « mort cellulaire induite par activation ».

D'autres cellules infectées, comme les cellules dendritiques et les macrophages, peuvent également mourir, entraînant une destruction de l'architecture des organes lymphoïdes. Selon de nombreuses études, l'immunodéficience résulterait de différentes anomalies fonctionnelles

© 2009 Elsevier Masson SAS. Tous droits réservés

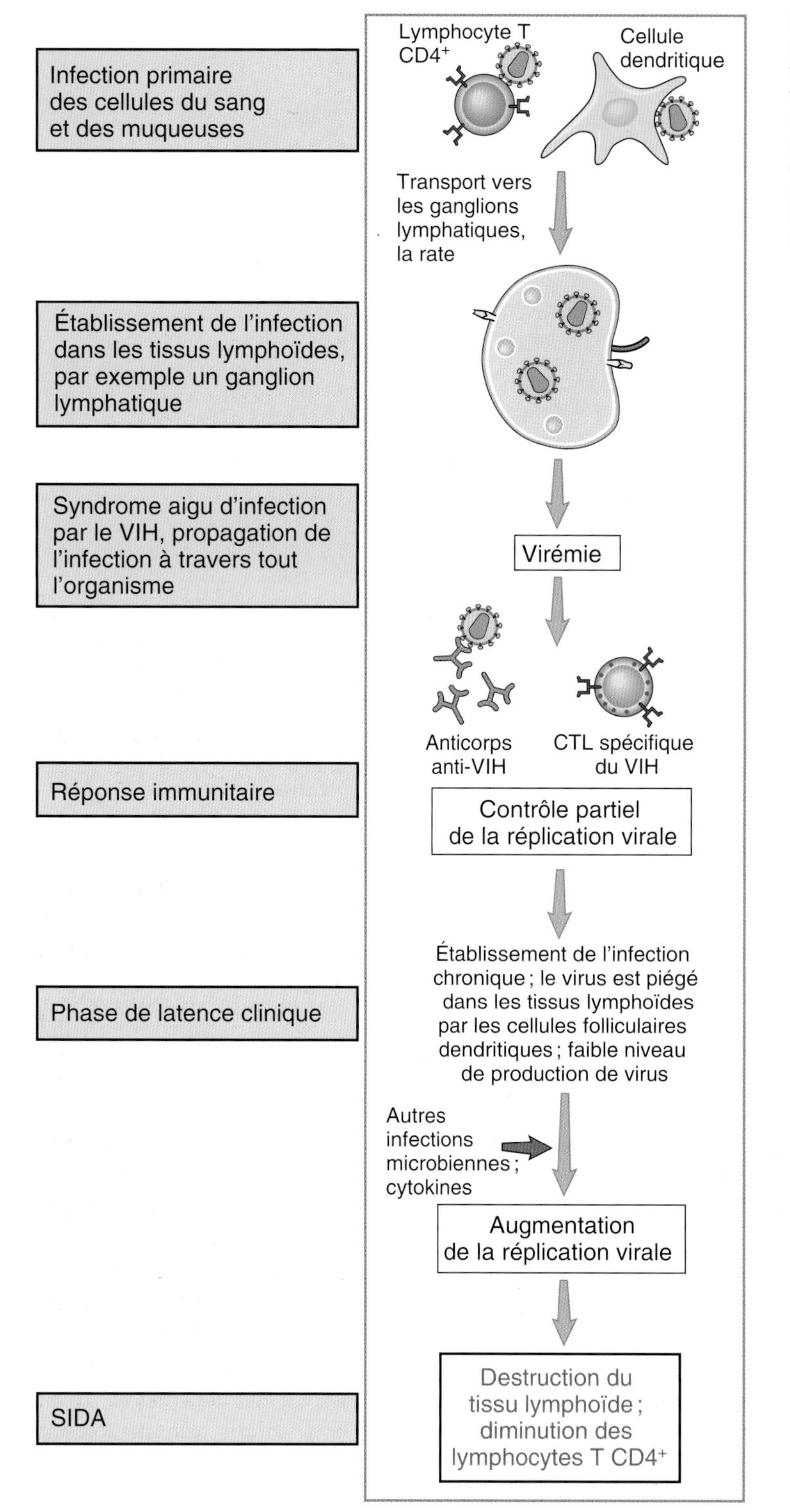

Figure 12.9 Pathogénie de l'infection par le VIH. Les stades de l'infection par le VIH correspondent à la dissémination progressive du VIH du site initial de l'infection vers les tissus lymphoïdes de tout l'organisme. La réponse immunitaire de l'hôte contrôle temporairement l'infection aiguë, mais ne peut pas empêcher l'établissement d'une infection chronique des cellules des tissus lymphoïdes. Les cytokines produites en réponse au VIH et à d'autres microbes contribuent à favoriser la production du VIH et la progression vers le sida. CTL, lymphocytes T cytotoxiques.

des lymphocytes T et des autres cellules immunitaires, en plus de la destruction de ces cellules. Cependant, l'importance de ces anomalies fonctionnelles n'a pas encore été établie et la perte des lymphocytes T (suivie par le comptage des cellules T $CD4^+$ dans le sang) reste l'indicateur le plus fiable de la progression de la maladie.

Caractéristiques cliniques de l'infection par le VIH et du sida

L'évolution clinique de l'infection par le VIH est caractérisée par différentes phases, aboutissant à une immunodéficience (figure 12.10). Peu de temps après l'infection

© 2009 Elsevier Masson SAS. Tous droits réservés

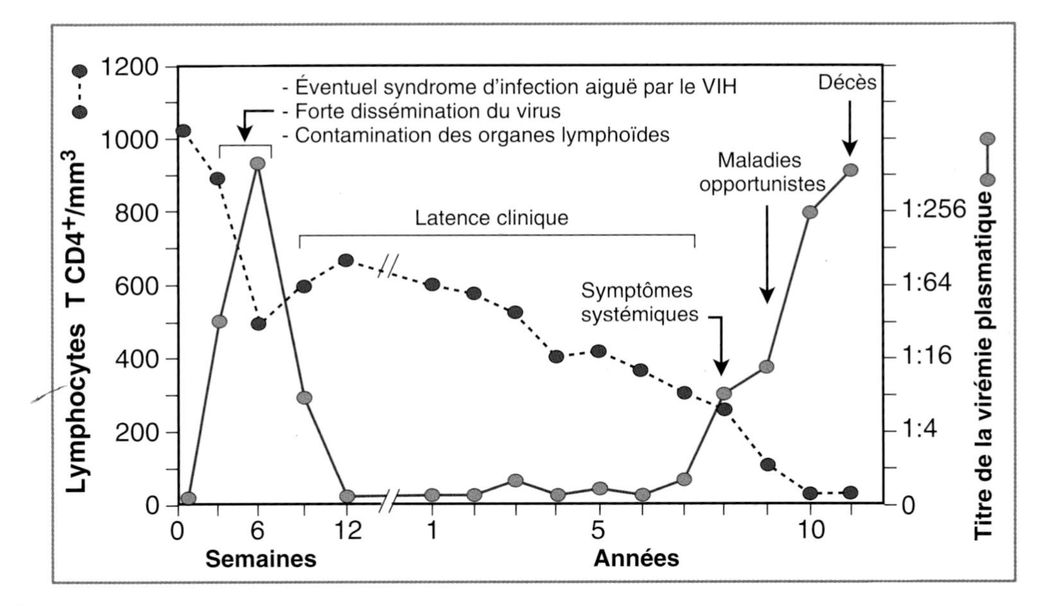

Figure 12.10 Évolution clinique de l'infection par le VIH. Des virus transportés par le sang (virémie plasmatique) sont détectés précocement après l'infection, et leur présence peut s'accompagner de symptômes systémiques typiques d'un syndrome aigu d'infection par le VIH. Le virus se propage jusqu'aux organes lymphoïdes, mais la virémie plasmatique tombe à des niveaux très bas (détectables seulement par des tests très sensibles comme la réaction de polymérisation en chaîne associée à la transcription inverse) et reste dans cet état pendant plusieurs années. Le nombre de lymphocytes T CD4+ diminue constamment pendant cette période de latence clinique, en raison d'une réplication virale importante et d'une destruction des lymphocytes T dans les tissus lymphoïdes. Au fur et à mesure que le nombre des lymphocytes T CD4+ diminue, le risque d'apparition d'infections et d'autres composantes cliniques du sida augmente. Reproduit avec l'autorisation de Pantaleo G, Graziosi C, Fauci A. The immunopathogenesis of human immunodeficiency virus infection. N Engl J Med 1993 ; 328 : 327-335.)

par le VIH, les patients peuvent présenter une maladie légère se traduisant par de la fièvre et un malaise, en corrélation avec la virémie initiale. Cette maladie disparaît en quelques jours et entre dans une période de latence clinique. Au cours de cette phase de latence, il se produit généralement une perte progressive des lymphocytes T CD4+ dans les tissus lymphoïdes et une destruction de l'architecture des tissus lymphoïdes. Finalement, le nombre de lymphocytes T CD4+ sanguins commence à décliner, et lorsque celui-ci chute au-dessous de 200 cellules par mm³ (le nombre normal étant d'environ 1 500 cellules par mm³), les patients deviennent sensibles aux infections et souffrent alors du sida.

Les manifestations cliniques et pathologiques d'un sida déclaré sont essentiellement le résultat d'une augmentation de la sensibilité aux infections et à certains cancers, suite à l'immunodéficience. Les patients sont souvent infectés par des microbes intracellulaires comme des virus, *Pneumocystis jiroveci* et des mycobactéries atypiques, normalement combattus par les lymphocytes T. Un grand nombre de ces microbes sont présents dans l'environnement, mais ils n'infectent pas les individus sains dont le système immunitaire est intact. Puisque ces infections touchent des individus immunodéficients chez lesquels les microbes trouvent ainsi l'opportunité de proliférer, elles sont qualifiées d'« opportunistes ». De nombreuses infections opportunistes sont dues à des virus, comme par exemple le cytomégalovirus. Les patients atteints du sida présentent des défauts de réponses des lymphocytes T cytotoxiques (CTL) contre les virus, même si le VIH n'infecte pas les lymphocytes T CD8+. Il semble que ce défaut de réponses des CTL soit dû au fait que les lymphocytes T auxiliaires CD4+ (les cibles principales du VIH) sont nécessaires pour que les CTL CD8+ assurent des réponses efficaces contre de nombreux antigènes viraux (voir les chapitres 5 et 6). Les patients atteints de sida courent aussi un risque accru d'infection par des bactéries extracellulaires, vraisemblablement en raison de l'altération des réponses humorales dirigées contre les antigènes bactériens qui nécessitent des lymphocytes T auxiliaires. Les patients deviennent également sensibles aux cancers provoqués par des virus oncogènes. Les deux types de cancer les plus fréquents sont le lymphome des cellules B, dû au virus d'Epstein-Barr, et une tumeur des petits vaisseaux sanguins, appelée sarcome de Kaposi, due à un virus herpétique. Les patients atteints de sida ayant développé une maladie avancée présentent fréquemment un syndrome cachectique avec une perte significative de la masse corporelle, suite à une altération du métabolisme et à une réduction de l'apport calorique. Certains patients atteints de sida deviennent déments, la cause supposée étant une infection des macrophages cérébraux (microglie).

L'évolution clinique de la maladie a été améliorée de manière spectaculaire par la thérapie antirétrovirale. Bien traitée, la maladie progresse beaucoup plus lentement,

© 2009 Elsevier Masson SAS. Tous droits réservés

avec moins d'infections opportunistes et une incidence fortement réduite de cancer et de démence.

La réponse immunitaire contre le VIH s'avère incapable de contrôler la propagation du virus et ses effets pathologiques. Les individus infectés produisent des anticorps et des CTL contre les antigènes viraux. Ces réponses contribuent à limiter le syndrome précoce aigu déclenché par le VIH. Toutefois, ces réponses immunitaires ne permettent généralement pas de prévenir la progression chronique de la maladie. Les anticorps dirigés contre les glycoprotéines d'enveloppe, comme gp120, s'avèrent souvent inefficaces, car le virus a la capacité de muter rapidement la région de la gp120 constituant la cible de la plupart des anticorps. Les CTL ne sont souvent pas en mesure de détruire les cellules infectées, car le virus inhibe l'expression des molécules de classe I du CMH par les cellules infectées. Les réponses immunitaires dirigées contre le VIH peuvent paradoxalement favoriser la diffusion de l'infection. Des particules virales recouvertes d'anticorps peuvent se lier aux récepteurs de Fc situés sur les macrophages et les cellules folliculaires dendritiques dans les organes lymphoïdes, augmentant ainsi l'entrée du virus dans ces cellules et créant des réservoirs additionnels d'infection. Si les CTL sont capables de lyser les cellules infectées, cela peut entraîner une libération de particules virales et l'infection d'un plus grand nombre de cellules. Enfin, en infectant les cellules immunitaires, et par conséquent en interférant avec leurs fonctions, le virus est bien sûr capable d'empêcher sa propre éradication.

Traitement et stratégies vaccinales

Le traitement actuel du sida est destiné à contrôler la réplication du VIH et les complications infectieuses de la maladie. Des cocktails de médicaments capables de bloquer l'activité de plusieurs enzymes virales, transcriptase inverse, protéase et intégrase, sont aujourd'hui administrés au début de l'infection avec des succès thérapeutiques considérables. Cette thérapie appelée « traitement antirétroviral hautement actif » ou « thérapie antirétrovirale combinée » est coûteuse, et l'on ignore son efficacité à long terme. Le virus est capable de muter, ce qui lui confère une résistance à ces médicaments. Par ailleurs, ces médicaments n'éradiquent pas les réservoirs de virus latents.

Le contrôle du VIH à l'échelle mondiale nécessitera le développement de vaccins efficaces. Pour être actif, un vaccin devra vraisemblablement induire une réponse immune innée, des titres élevés d'anticorps neutralisants, une forte réponse par les lymphocytes T, ainsi qu'une immunité liée aux muqueuses. Un autre défi qu'il faudra être capable de relever sera de protéger contre tous les sous-types du VIH. Les premiers efforts se sont concentrés sur l'utilisation de la gp120 comme immunogène, mais la plupart ont échoué. Des tentatives plus récentes se sont intéressées à des combinaisons d'immunisation à l'aide d'ADN et de poxvirus recombinants codant plusieurs protéines différentes du VIH. Plusieurs années seront nécessaires pour juger de l'efficacité des nouveaux vaccins dans les essais cliniques.

© 2009 Elsevier Masson SAS. Tous droits réservés

Résumé

- Les immunodéficiences sont provoquées par des dysfonctionnements de différents composants du système immunitaire, et elles entraînent une sensibilité accrue aux infections et à certains cancers. Les immunodéficiences congénitales (primaires) sont provoquées par des anomalies génétiques, et les immunodéficiences acquises (secondaires) sont la conséquence d'infections, d'une malnutrition ou de traitements pour d'autres affections provoquant des effets indésirables affectant les cellules du système immunitaire.
- Certaines immunodéficiences congénitales résultent de mutations bloquant la maturation des lymphocytes. Les immunodéficiences combinées sévères (DICS) peuvent avoir plusieurs origines : des mutations de la chaîne γc des récepteurs de cytokines qui entraînent une réduction de la prolifération des lymphocytes immatures induite par l'IL-7, des mutations des enzymes impliquées dans le métabolisme des purines, et d'autres défauts de maturation des lymphocytes. Des anomalies propres à la maturation des lymphocytes B sont observées dans l'agammaglobulinémie liée à l'X, qui est provoquée par le dysfonctionnement d'une enzyme participant à la maturation des lymphocytes B (Btk). Des anomalies propres à la maturation des lymphocytes T sont observées dans le syndrome de Di George, dans lequel le thymus ne se développe pas normalement.
- Certaines immunodéficiences sont causées par des altérations de l'activation et des fonctions des lymphocytes, malgré leur maturation normale. Le syndrome hyper-IgM lié à l'X est dû à des mutations du ligand de CD40, entraînant un défaut de réponse des lymphocytes B dépendant des lymphocytes T auxiliaires (par exemple la commutation isotypique) et un défaut d'activation des macrophages dépendant des lymphocytes T. Le syndrome des lymphocytes nus est dû à un défaut d'expression des protéines de classe II du CMH, qui provoque une insuffisance de maturation et d'activation des lymphocytes T CD4⁺.
- Le sida est causé par le rétrovirus VIH. Celui-ci infecte les lymphocytes T CD4⁺, les macrophages et les cellules dendritiques en utilisant une protéine d'enveloppe (gp120) pour se lier à CD4 et aux récepteurs de chimiokines. L'ADN viral s'intègre dans le génome de l'hôte où son activation entraîne la production de virus infectieux. Les cellules infectées meurent au cours de ce processus de réplication virale ; cette mort des cellules du système immunitaire est le principal mécanisme par lequel le virus induit une déficience immunitaire.
- L'évolution clinique de l'infection par le VIH passe généralement par les phases suivantes : une virémie aiguë, une période de latence clinique au cours de laquelle les lymphocytes T CD4⁺ sont progressivement détruits avec déstructuration des tissus lymphoïdes et finalement le sida, qui se manifeste par des infections opportunistes, certains cancers, une perte de poids et, parfois, la démence. Le traitement de l'infection par le VIH vise à interférer avec le cycle viral. De nombreuses tentatives de développement d'un vaccin sont en cours.

Contrôle des connaissances

1. Quelles sont les manifestations cliniques et pathologiques les plus fréquentes des immunodéficiences ?
2. Citez quelques-unes des mutations qui peuvent bloquer la maturation des lymphocytes T et B.
3. Citez quelques-unes des mutations qui peuvent bloquer l'activation et les fonctions effectrices des lymphocytes T CD4⁺, et indiquez quelles sont les conséquences cliniques et pathologiques de ces mutations.
4. Comment le VIH infecte-t-il les cellules et se réplique-t-il à l'intérieur des cellules infectées ?
5. Quelles sont les principales manifestations cliniques de l'infection par le VIH, et quelle est la pathogénie de ces manifestations ?

© 2009 Elsevier Masson SAS. Tous droits réservés

Réviser

Bibliographie

Chapitre 1

Burnet FM. A modification of Jerne's theory of antibody production using the concept of clonal selection. Australian Journal of Science 20:67-69, 1957.

Cyster JG. Chemokines and cell migration in secondary lymphoid organs. Science 286:2098-2102, 1999.

Fu Y-X, and DD Chaplin. Development and maturation of secondary lymphoid tissues. Annual Review of Immunology 17:399-433, 1999.

Jerne NK. The natural-selection theory of antibody formation. Proceedings of the National Academy of Sciences USA 41:849-857, 1955.

Kunkel EJ, and EC Butcher. Chemokines and the tissue-specific migration of lymphocytes. Immunity 16:1-4, 2002.

Chapitre 2

Aderem A, and DM Underhill. Mechanisms of phagocytosis in macrophages. Annual Review of Immunology 17:593-623, 1999.

Biron CA, LP Coussens, KB Nguyen, GC Pien, and TP Salazar-Mather. Natural killer cells in antiviral defense: function and regulation by innate cytokines. Annual Review of Immunology 17:189-220, 1999.

Hack CE, LA Aarden, and LG Thijs. Role of cytokines in sepsis. Advances in Immunology 66:101-195, 1997.

Janeway C, and R Medzhitov. Innate immune recognition. Annual Review of Immunology 20:197-216, 2002.

Lieberman N, and O Mandelboim. The role of NK cells in innate immunity. Advances in Experimental Medicine and Biology 479: 137-145, 2000.

Takeda K, T Kaisho, and S Akira. Toll-like receptors. Annual Review of Immunology 21:335-376, 2003.

Chapitre 3

Guermonprez P, J Valladeau, L Zitvogel, C Théry, and S Amigorena. Antigen presentation and T cell stimulation by dendritic cells. Annual Review of Immunology 20:621-667, 2002.

Klein J, and A Sato. The HLA system. New England Journal of Medicine 343:702-709 and 782-786, 2000.

Kumánovics A, T Takada, and KF Lindahl. Genomic organization of the mammalian MHC. Annual Review of Immunology 21:629-657, 2003.

© 2009 Elsevier Masson SAS. Tous droits réservés

Rock KL, and AL Goldberg. Degradation of cell proteins and generation of MHC class I–presented peptides. Annual Review of Immunology 17:739-779, 1999.

The MHC Sequencing Consortium. Complete sequence and gene map of a human major histocompatibility complex. Nature 401: 921-923, 1999.

Tortorella D, BE Gewurz, MH Furman, DJ Schust, and HL Ploegh. Viral subversion of the immune system. Annual Review of Immunology 18:861-926, 2000.

Chapitre 4

Bassing CH, W Swat, and FW Alt. The mechanism and regulation of chromosomal V(D)J recombination. Cell 109(Suppl):S45-S55, 2002.

Bjorkman PJ. MHC restriction in three dimensions: a view of T cell receptor/ligand interactions. Cell 89:167-170, 1997.

Garcia KC, L Teyton, and IA Wilson. Structural basis of T cell recognition. Annual Review of Immunology 17:369-397, 1999.

Muljo SA, and MS Schlissel. Pre-B and pre-T-cell receptors: conservation of strategies in regulating early lymphocyte development. Immunological Review 175:80-93, 2000.

Nemazee D. Receptor selection in B and T lymphocytes. Annual Review of Immunology 18:19-51, 2000.

Niiro H, and EA Clark. Regulation of B-cell fate by antigen-receptor signals. Nature Reviews Immunology 2:945-956, 2002.

Starr TK, SC Jameson, and KA Hogquist. Positive and negative selection of T cells. Annual Review of Immunology 21:139-176, 2003.

Chapitre 5

Del Prete G. The concept of type-1 and type-2 helper T cells and their cytokines in humans. International Review of Immunology 16: 427-455, 1998.

Germain RN, and I Stefanova. The dynamics of T cell receptor signaling: complex orchestration and the key roles of tempo and cooperation. Annual Review of Immunology 19:467-522, 1999.

Lanzavecchia A, and F Sallusto. Dynamics of T lymphocyte responses: intermediates, effectors, and memory cells. Science 290:92-97, 2000.

Murphy KM, and SL Reiner. The lineage decisions of helper T cells. Nature Reviews Immunology 2:933-944, 2002.

Samelson LE. Signal transduction mediated by the T cell antigen receptor: the role of adapter proteins. Annual Review of Immunology 20:371-394, 2002.

Sharpe AH, and GJ Freeman. The B7-CD28 superfamily. Nature Reviews Immunology 2:116-126, 2002.

Sims TN, and ML Dustin. The immunological synapse: integrins take the stage. Immunological Reviews 186:100-117, 2002.

Chapitre 6

Grewal IS, and RA Flavell. CD40 and CD154 in cell-mediated immunity. Annual Review of Immunology 16:111-135, 1998.

Heath WR, and FR Carbone. Cross-presentation in viral immunity and self-tolerance. Nature Reviews Immunology 1:126-134, 2001.

Schaible UE, HL Collins, and SHE Kaufmann. Confrontation between intracellular bacteria and the immune system. Advances in Immunology 71:267-377, 1999.

Von Andrian UH, and CR Mackay. T-cell function and migration. New England Journal of Medicine 343:1020-1034, 2000.

Wong P, and EG Pamer. CD8 T cell responses to infectious pathogens. Annual Review of Immunology 21:29-70, 2003.

Chapitre 7

Clark EA, and JA Ledbetter. How B and T cells talk to each other. Nature 367:425-428, 1994.

Fagarasan S, and T Honjo. T-independent immune response: new aspects of B cell biology. Science 290:89-92, 2000.

Fearon DT, and MC Carroll. Regulation of B lymphocyte responses to foreign and self-antigens by the CD19/CD21 complex. Annual Review of Immunology 18:393-422, 2000.

Gold MR, and AL DeFranco. Biochemistry of B lymphocyte activation. Advances in Immunology 55:221-295, 1994.

Honjo T, K Kinoshita, and M Muramatsu. Molecular mechanism of class switch recombination: linkage with somatic hypermutation. Annual Review of Immunology 20:165-196, 2002.

Papavasiliou FN, and DG Schatz. Somatic hypermutation of immunoglobulin genes: merging mechanisms for genetic diversity. Cell 109(Suppl):S35-S44, 2002.

Przylepa J, C Himes, and G Kelsoe. Lymphocyte development and selection in germinal centers. Current Topics in Microbiology and Immunology 229:85-104, 1998.

Chapitre 8

Bachmann MF, and RM Zinkernagel. Neutralizing antiviral B cell responses. Annual Review of Immunology 15:235-270, 1997.

Barrington R, M Zhang, M Fischer, and MC Carroll. The role of complement in inflammation and adaptive immunity. Immunological Reviews 180:5-15, 2001.

Corthesy B, and JP Kraehenbuhl. Antibody-mediated protection of mucosal surfaces. Current Topics in Microbiology and Immunology 236:93-111, 1999.

Marshall-Clarke S, D Reen, L Tasker, and J Hassan. Neonatal immunity: how well has it grown up? Immunology Today 21:35-41, 2000.

Ravetch JV, and S Bolland. IgG Fc receptors. Annual Review of Immunology 19:275-290, 2001.

Chapitre 9

Anderton SM, and DC Wraith. Selection and fine-tuning of the autoimmune T-cell repertoire. Nature Review Immunology 2:487-498, 2002.

Goodnow CC, JG Cyster, SB Hartley, SE Bell, MP Cooke, JI Healy, S-Akkaraju, JC Rathmell, SL Pogue, and KP Shokat. Self-tolerance checkpoints in B lymphocyte development. Advances in Immunology 59:279-368, 1995.

Lenardo M, FK-M Chan, F Hornung, H McFarland, R Siegel, J Wang, and L Zheng. Mature T lymphocyte apoptosis—immune regulation in a dynamic and unpredictable antigenic environment. Annual Review of Immunology 17:221-253, 1999.

Matzinger P. Tolerance, danger, and the extended family. Annual Review of Immunology 12:991-1045, 1994.

Sakaguchi S. Regulatory T cells: key controllers of immunologic self-tolerance. Cell 101:455-458, 2000.

Shevach EM. $CD4^+$ $CD25^+$ suppressor T cells: more questions than answers. Nature Review Immunology 2:389-400, 2002.

Van Parijs L, and AK Abbas. Homeostasis and self-tolerance in the immune system: turning lymphocytes off. Science 280:243-248, 1998.

Von Herrath MG, Harrison LC. Regulatory lymphocytes: Antigen-induced regulatory T cells in autoimmunity. Nature Review Immunology 3:223-232, 2003.

Walker LS, and AK Abbas. The enemy within: keeping self-reactive T cells at bay in the periphery. Nature Review Immunology 2:11-19, 2002.

© 2009 Elsevier Masson SAS. Tous droits réservés

Chapitre 10

Burnet FM. The concept of immunological surveillance. Progress in Experimental Tumor Research 13:1-27, 1970.
Denton MD, CC Magee, and MH Sayegh. Immunosuppressive strategies in transplantation. Lancet 353:1083-1091, 1999.
Gould DS, and H Auchincloss Jr. Direct and indirect recognition: the role of MHC antigens in graft rejection. Immunology Today 20: 77-82, 1999.
Pardoll D. Does the immune system see tumors as foreign or self ? Annual Review of Immunology 21:807-839, 2003.
Rosenberg SA. A new era for cancer immunotherapy based on the genes that encode tumor antigens. Immunity 10:281-287, 1999.
Salama AD, G Remuzzi, WE Harmon, and MH Sayegh. Challenges to achieving clinical transplantation tolerance. Journal of Clinical Investigation 108:943-948, 2001.
Timmerman JM, and R Levy. Dendritic cell vaccines for cancer immunotherapy. Annual Review of Medicine 50:507-529, 1999.
Van Der Bruggen P, Y Zhang, P Chaux, V Stroobant, C Panichelli, ES-Schultz, J Chapiro, BJ Van Den Eynde, F Brasseur, and T Boon. Tumor-specific shared antigenic peptides recognized by human T cells. Immunological Reviews 188:51-64, 2002.
Yee C, and P Greenberg. Modulating T-cell immunity to tumours: new strategies for monitoring T-cell responses. Nature Review Cancer 2: 409-419, 2002.

Chapitre 11

Costa JJ, PF Weller, and SJ Galli. The cells of the allergic response. Journal of the American Medical Association 278:1815-1822, 1997.
Gould HJ, BJ Sutton, AJ Beavil, RL Beavil, N McCloskey, HA Coker, D-Fear, L Smurthwaite. The biology of IgE and the basis of allergic disease. Annual Review of Immunology 21:579-628, 2003.
Kalden JR, FC Breedveld, H Burkhardt, and GR Burmester. Immunological treatment of autoimmune diseases. Advances in Immunology 68:333-418, 1998.
Kay AB. Allergy and allergic diseases. New England Journal of Medicine 30-37, 109-113, 2001.
Kinet J-P. The high affinity IgE receptor: from physiology to pathology. Annual Review of Immunology 17:931-972, 1999.
Kohl J. Anaphylatoxins and infectious and non-infectious inflammatory diseases. Molecular Immunology 38175-187, 2001.
Metcalfe DD, D Baram, and YA Mekori. Mast cells. Physiologic Reviews 77:1033-1079, 1997.
Naparstek Y, and PH Poltz. The role of autoantibodies in autoimmune diseases. Annual Review of Immunology 11:79-104, 1993.
Ono SJ. Molecular genetics of allergic diseases. Annual Review of Immunology 18:347-366, 2000.
Wardlaw AJ, R Moqbel, and AB Kay. Eosinophils: biology and role in disease. Advances in Immunology 60:151-266, 1995.

Chapitre 12

Berger EA, PM Murphy, and JM Farber. Chemokine receptors as HIV-1 coreceptors: roles in viral entry, tropism, and disease. Annual Review of Immunology 17:657-700, 1999.
Blankson JN, D Persaud, and RF Siliciano. The challenge of viral reservoirs in HIV-1 infection. Annual Review of Medicine 53:557-593, 2002.
Buckley RH. Advances in Immunology: Primary immunodeficiency diseases due to defects in lymphocytes. New England Journal of Medicine 343:1313-1324, 2000.
Finzi D, and RF Siliciano. Viral dynamics in HIV-1 infection. Cell 93: 665-671, 1998.
Fischer A, and B Malissen. Natural and engineered disorders of lymphocyte development. Science 280:237-243, 1998.
Fisher A, M Cavazzana-Calvo, G DeSaint Basile, JP DeVollartay, JP DiSanto, C Hivroz, F Rieux-Laucant, and F LeDeist. Naturally occurring primary deficiencies of the immune system. Annual Review of Immunology 15:93-124, 1997.
Frankel AD, and JAT Young. HIV-1: fifteen proteins and an RNA. Annual Review of Biochemistry 67:1-25, 1998.
Grossman Z, M Meier-Schellersheim, AE Sousa, RM Victorino, WE Paul. $CD4^+$ T-cell depletion in HIV infection: are we closer to understanding the cause? Nature Medicine 8:319-323, 2002.
Hazenberg MD, D Harmann, H Schuitemaker, and F Miedema. T cell depletion in HIV-1 infection: $CD4^+$ T cells go out of stock. Nature Immunology 1:285-289, 2000.
Ho DD, and Y Huang. The HIV-1 vaccine race. Cell 110:135-138, 2002.
Peterlin BM, Trono D. Hide, shield and strike back how HIV-infected cells avoid immune eradication. Nature Review Immunology 3 97-107, 2003.

© 2009 Elsevier Masson SAS. Tous droits réservés

Annexe I

Principales caractéristiques des molécules CD

Le tableau suivant reprend une sélection de molécules CD, dont beaucoup sont mentionnées dans le texte. Nous n'avons pas inclus les récepteurs de cytokines ni les récepteurs de type Toll, dont la plupart ont reçu une dénomination CD. En effet, nous avons préféré désigner, dans l'ensemble de l'ouvrage, ces molécules par leur nom plus descriptif. De nombreuses autres molécules qui ont une appellation CD ne sont pas mentionnées dans le texte ; elles ne sont donc pas reprises dans le tableau. Une liste complète et mise régulièrement à jour des molécules CD peut être consultée en ligne à http://www.hcdm.org (*Human Cell Differentiation Molecules workshop*).

Les bases de l'immunologie fondamentale et clinique
© 2009 Elsevier Masson SAS. Tous droits réservés

Liste complète des abréviations utilisées dans ce tableau en page XV des préliminaires.

Numéro de CD	Synonymes courants	Structure moléculaire, famille	Distribution cellulaire principale	Fonctions connues ou supposées
CD1a-d	T6	43–49 kD ; famille du CMH de classe I ; associée à la β_2-microglobuline	Thymocytes, cellules dendritiques (y compris cellules de Langerhans)	Présentation d'antigènes non peptidiques (lipides et glycolipides) à des lymphocytes NK-T
CD2	T11 ; LFA-2	50 kD ; superfamille des Ig ; famille de CD2/CD48/CD58	Lymphocytes T, thymocytes cellules NK	Molécule d'adhérence (liaison à CD58) ; activation des lymphocytes T ; lyse cellulaire par les CTL et les cellules NK
CD3γ	T3 ; Leu-4	25–28 kD ; associée à CD3δ et CD3ε dans le complexe du TCR ; superfamille des Ig ; ITAM dans la queue cytoplasmique	Lymphocytes T, thymocytes	Expression à la surface cellulaire du récepteur d'antigène des lymphocytes T et transduction du signal
CD3δ	T3 ; Leu-4	20 kD ; associée à CD3δ et CD3ε dans le complexe du TCR ; superfamille des Ig ; ITAM dans la queue cytoplasmique	Lymphocytes T, thymocytes	Expression à la surface cellulaire du récepteur d'antigène des lymphocytes T et transduction du signal
CD3ε	T3 ; Leu-4	20 kD ; associée à CD3δ et CD3ε dans le complexe du TCR superfamille des Ig ; ITAM dans la queue cytoplasmique	Lymphocytes T, thymocytes	Nécessaire pour l'expression à la surface cellulaire du récepteur d'antigène des lymphocytes T et pour la transduction des signaux
CD4	T4 ; Leu-3 ; L3T4	55 kD ; superfamille des Ig ; famille de CD2/CD48/CD58	Lymphocytes T restreints par le CMH de classe II, sous-populations de thymocytes ; monocytes/ macrophages, cellules dendritiques	Corécepteur de signalisation dans l'activation antigénique des lymphocytes T restreints par le CMH de classe II (se lie aux molécules du CMH de classe II) et développement des thymocytes ; récepteur principal du VIH
CD5	T1 ; Ly-1	67 kD ; famille des récepteurs éboueurs	Lymphocytes T, thymocytes, sous-population de lymphocytes B	Molécule de signalisation ; liaison à CD72
CD8α	T8 ; Leu-2 ; Lyt2	34 kD ; exprimée sous forme d'homodimère ou d'hétérodimère avec CD8β	Lymphocytes T restreints par le CMH de classe I ; sous-populations de thymocytes	Corécepteur de signalisation dans l'activation antigénique des lymphocytes T restreints par le CMH de classe I (se lie aux molécules du CMH de classe I) ; développement des thymocytes
CD8β	T8 ; Leu-2 ; Lyt2	34 kD ; exprimée sous forme d'hétérodimère avec CD8α ; superfamille des Ig	Identique à CD8α	Identique à CD8α
CD10	Antigène de la leucémie aiguë lymphoblastique commune (CALLA) ; endopeptidase neutre ; métallo-endopeptidase ; enképhalinase	100 kD ; protéine membranaire de type II	Lymphocytes B immatures et certains lymphocytes B matures ; progéniteurs lymphoïdes, granulocytes	Rôle dans le développement des cellules B ?

© 2009 Elsevier Masson SAS. Tous droits réservés

Numéro de CD	Synonymes courants	Structure moléculaire, famille	Distribution cellulaire principale	Fonctions connues ou supposées
CD11a	Chaîne α de LFA-1 ; sous-unité α_L de l'intégrine LFA-1	180 kD ; liée de manière non covalente à CD18 pour former l'intégrine LFA-1	Leucocytes	Adhérence intercellulaire ; liaison à ICAM-1 (CD54), ICAM-2 (CD102) et ICAM-3 (CD50)
CD11b	Mac-1 ; Mo1 ; CR3 (récepteur de iC3b) ; chaîne αM de l'intégrine Mac-1	165 kD ; liée de manière non covalente à CD18 pour former l'intégrine Mac-1	Granulocytes, monocytes/macrophages, cellules NK, cellules dendritiques	Phagocytose de particules recouvertes de iC3b ; adhérence des neutrophiles et des monocytes à l'endothélium (liaison à CD54) et aux protéines de la matrice extracellulaire
CD11c	chaîne α de CR4 ; chaîne α_X de l'intégrine p150,95	145 kD ; liée de manière non covalente à CD18 pour former l'intégrine p150,95	Monocytes/macrophages, granulocytes, cellules NK	Fonctions similaires à celles de CD11b ; principale intégrine CD11CD18 sur les macrophages
CD14	Mo2 ; récepteur du LPS	53 kD ; ancre GPI	Monocytes, macrophages, granulocytes	Liaison au complexe du LPS et de la protéine de liaison du LPS ; nécessaire à l'activation des macrophages par le LPS
CD16a	FcγRIIIA	50–70 kD ; superfamille des Ig ; protéine transmembranaire	Cellules NK, macrophages	se lie à la région Fc des IgG ; phagocytose et ADCC
CD16b	FcγRIIIB	50 kD ; ancre GPI ; superfamille des Ig	Neutrophiles	se lie à la région Fc des IgG
CD18	Chaîne β de la famille LFA-1 ; sous-unité β_2 des intégrines β_2	95 kD ; liée de manière non covalente à CD11a, CD11b ou CD11c pour former les intégrines β_2	Leucocytes	voir CD11a, CD11b ou CD11c
CD19	B4	95 kD ; superfamille des Ig	La plupart des lymphocytes B	Activation des lymphocytes B ; forme un complexe de corécepteurs avec CD21 et CD81, qui délivre des signaux agissant en synergie avec ceux provenant du complexe du récepteur d'antigène des lymphocytes B
CD20	B1	35–37 kD ; famille des tétraspanines (TM4SF)	La plupart ou la totalité des lymphocytes B	Rôle dans l'activation ou la régulation des lymphocytes B ? canal calcique
CD21	CR2 ; récepteur de C3d ; B2	145 kD ; famille des régulateurs d'activation du complément	Lymphocytes B matures, cellules folliculaires dendritiques	Récepteur pour le fragment C3d du complément ; forme un complexe de corécepteurs avec CD19 et CD81, qui délivre des signaux d'activation dans les lymphocytes B ; récepteur du virus d'Epstein-Barr
CD23	FcεRIIb ; récepteur de faible affinité pour les IgE	45 kD ; lectine de type C	Lymphocytes B activés, monocytes, macrophages	Récepteur de Fcε à faible affinité, régulation de la synthèse des IgE ?

© 2009 Elsevier Masson SAS. Tous droits réservés

Numéro de CD	Synonymes courants	Structure moléculaire, famille	Distribution cellulaire principale	Fonctions connues ou supposées
CD25	Chaîne α du récepteur de l'IL-2 ; TAC ; p55	55 kD ; famille des régulateurs d'activation du complément ; associée de manière non covalente aux chaînes IL-2Rβ (CD122) et IL-2Rγ (CD132) pour former le récepteur de haute affinité de l'IL-2	Lymphocytes T et B activés, macrophages activés	Liaison à l'IL-2 ; sous-unité de l'IL-2R
CD28	Tp44	Homodimère de chaînes de 44 kD ; superfamille des Ig	Lymphocytes T (tous les $CD4^+$ et la plupart, des $CD8^+$)	Récepteur des lymphocytes T pour les molécules de costimulation CD80 (B7-1) et CD86 (B7-2)
CD29	Chaîne β des antigènes VLA ; sous-unité β1 des intégrines VLA ; GPIIa des plaquettes	130 kD ; liée de manière non covalente aux chaînes CD49a à d pour former les intégrines (β1) VLA	Lymphocytes T et B, monocytes, granulocytes	Adhérence leucocytaire aux protéines de la matrice extracellulaire et à l'endothélium (voir CD49)
CD30	Ki-1 ; antigène	120 kD ; famille du TNF-R	Lymphocytes T et B activés, cellules NK, monocytes, cellules de Reed-Sternberg dans la maladie de Hodgkin	Liaison à CD153 (CD30L) sur les neutrophiles, les lymphocytes T activés et les macrophages
CD31	PECAM-1 ; gpIIa des plaquettes	130–140 kD ; superfamille des Ig	Plaquettes, monocytes, granulocytes, lymphocytes B, cellules endothéliales	Molécule d'adhérence participant à la diapédèse des leucocytes
CD32	FcγRIIA ; FcγRIIB ; FcγRIIC	40 kD ; superfamille des Ig ; ITIM dans la queue cytoplasmique ; les formes A, B et C sont des produites de gènes différents mais homologues	Lymphocytes B, macrophages, granulocytes, cellules dendritiques, éosinophiles, plaquettes	Récepteur de Fc pour les IgG agrégées ; récepteur inhibiteur qui termine les signaux activateurs provenant du récepteur d'antigène des lymphocytes B, inhibe les cellules dendritiques ?
CD34	gp105–120	105–120 kD ; sialomucine	Précurseurs des cellules hématopoïétiques ; cellules endothéliales des veinules à endothélium élevé	Adhérence intercellulaire ; liaison à CD62L (sélectine L)
CD35	CR1 ; récepteur de C3b	190–285 kD (quatre produits d'allèles polymorphes) ; famille des régulateurs d'activation du complément	Granulocytes, monocytes, érythrocytes, lymphocytes B, cellules folliculaires dendritiques sous-populations de lymphocytes T	Liaison à C3b et C4b ; favorise la phagocytose des particules recouvertes de C3b et C4b et de complexes immuns ; régule l'activation du complément
CD36	GPIIIb des plaquettes ; GPIV	85–90 kD	Plaquettes, monocytes et macrophages, cellules endothéliales microvasculaires	Récepteur éboueur des phagocytes pour les lipoprotéines de basse densité oxydées ; adhérence plaquettaire ; phagocytose des cellules en apoptose
CD40	–	Homodimère de chaînes de 44 à 48 kD ; famille du TNF-R	Lymphocytes B, macrophages, cellules dendritiques, cellules endothéliales	Se lie à CD154 (ligand de CD40) ; rôle dans l'activation des lymphocytes B dépendant des lympho cytes T et dans l'activation des macrophages, des cellules dendritiques et des cellules endothéliales

© 2009 Elsevier Masson SAS. Tous droits réservés

Numéro de CD	Synonymes courants	Structure moléculaire, famille	Distribution cellulaire principale	Fonctions connues ou supposées
CD44	Pgp-1 ; Hermes	80 à plus de 100 kD, fortement glycosylée ; famille de protéines de liaison au cartilage	Leucocytes, érythrocytes	Liaison à l'hyaluronate ; participe à l'adhérence des leucocytes aux cellules endothéliales et la matrice extracellulaire
CD45	Antigène leucocytaire commun (LCA, *leukocyte common antigen*) ; T200 ; B220	Multiples isoformes, 180–220 kD (voir CD45R) ; famille de récepteurs à activité tyrosine phosphatase ; famille de la fibronectine de type III	Cellules hématopoïétiques	Tyrosine phosphatase ; joue un rôle essentiel dans la signalisation des récepteurs d'antigène des lymphocytes T et B
CD45R	Forme de CD45 à expression cellulaire restreinte	CD45RO : 180 kD ; CD45RA : 220 kD ; CD45RB : isoformes de 190, 205 et 220 kD	CD45RO : lymphocytes T mémoire, sous-populations de lymphocytes B, monocytes, macrophages ; CD45RA : lymphocytes T naïfs, lymphocytes B, monocytes ; CD45RB : lymphocytes B, sous-populations de lymphocytes T	Voir CD45
CD46	Protéine cofacteur de membrane (MCP, *membrane cofactor protein*)	52–58 kD ; famille des régulateurs de l'activation du complément	Leucocytes, cellules épithéliales, fibroblastes	Régulation de l'activation du complément
CD49d	Sous-unité α_4 de l'intégrine VLA-4	150 kD ; liée de manière non covalente à CD29 pour former VLA-4 (intégrine $\alpha_4\beta_1$)	Lymphocytes T, monocytes, lymphocytes B, cellules NK, éosinophiles, cellules dendritiques, thymocytes	Adhérence des leucocytes à l'endothélium et à la matrice extracellulaire ; liaison à VCAM-1 et à MAdCAM-1 ; liaison à la fibronectine et au collagène
CD54	ICAM-1	75–114 kD ; superfamille des Ig	Cellules endothéliales, lymphocytes T, lymphocytes B, monocytes, cellules endothéliales (inductible par les cytokines)	Adhérence intercellulaire ; ligand pour CD11aCD18 (LFA-1) et pour CD11bCD18 (Mac-1) ; récepteur des rhinovirus
CD55	Facteur accélérant la dissociation (DAF, *decay-accelerating factor*)	55–70 kD ; ancre GPI ; famille des régulateurs de l'activation du complément	Large	Régulation de l'activation du complément ; liaison à C3b, C4b
CD58	Antigène-3 associé à la fonction des lymphocytes (LFA-3, *lymphocyte function-associated antigen*-3)	55–70 kD ; ancre GPI ou protéine transmembranaire ; famille de CD2/CD48/CD58	Large	Adhérence des leucocytes ; liaison à CD2
CD59	Inhibiteur membranaire du CAM (MIRL, *membrane inhibitor of reactive lysis*)	18–20 kD ; ancre GPI ; superfamille de Ly-6	Large	Liaison à C9 ; inhibe la formation du complexe d'attaque membranaire du complément
CD62E	Sélectine E ; ELAM-1	115 kD ; famille des sélectines	Cellules endothéliales	Adhérence leucocytes/cellules endothéliales
CD62L	Sélectine L ; LAM-1 ; MEL-14	74–95 kD ; famille des sélectines	Lymphocytes B, lymphocytes T, monocytes, granulocytes, certaines cellules NK	Adhérence leucocytes/cellules endothéliales ; « homing » ou recirculation des lymphocytes naïfs vers les ganglions lymphatiques périphériques

© 2009 Elsevier Masson SAS. Tous droits réservés

Numéro de CD	Synonymes courants	Structure moléculaire, famille	Distribution cellulaire principale	Fonctions connues ou supposées
CD62P	Sélectine P ; gmp-140 ; PADGEM	140 kD ; famille des sélectines	Plaquettes, cellules endothéliales ; présente dans des granules, subit une translocation à la surface cellulaire lors de l'activation	Adhérence des leucocytes à l'endothélium, aux plaquettes ; liaison à CD162 (PSGL-1)
CD64	FCγRI	75 kD ; superfamille des Ig ; associée de manière non covalente avec la chaîne commune FcRγ	Monocytes, macrophages, neutrophiles activés	Récepteur de Fcγ de haute affinité ; Rôle dans la phagocytose, l'ADCC, l'activation des macrophages
CD66e	Antigène carcinoembryonnaire (CEA)	180–220 kD ; superfamille des Ig ; famille de l'antigène carcinoembryonnaire (CEA)	Cellules du colon et autres cellules épithéliales	Adhérence ? marqueur clinique de la présence d'un carcinome
CD74	Chaîne invariante (γ) des molécules de classe II du CMH ; I_i	Isoformes de 33–35 kD et de 41 kD	Lymphocytes B, monocytes, macrophages, autres cellules exprimant des molécules de classe II du CMH	S'associe aux molécules de classe II du CMH nouvellement synthétisées et dirige leur routage intracellulaire
CD79a	Igα ; MB1	33, 45 kD ; forme un dimère avec CD79b ; superfamille des Ig ; ITAM dans la queue cytoplasmique	Lymphocytes B matures	Nécessaire pour l'expression à la surface cellulaire du complexe du récepteur d'antigène des lymphocytes B et pour la transduction des signaux
CD79b	Igβ ; B29	37–39 kD ; forme un dimère avec CD79a ; superfamille des Ig ; ITAM dans la queue cytoplasmique	Lymphocytes B matures	Voir 79a
CD80	B7-1 ; BB1	60 kD ; superfamille des Ig	Cellules dendritiques, lymphocytes B et macrophages activés	Molécule de costimulation pour l'activation des lymphocytes T ; ligand pour CD28 et CD152 (CTLA-4)
CD81	Cible de l'anticorps antiprolifératif-1 (TAPA-1, *target for antiproliferative antibody-1*)	26 kD ; famille des tétraspanines (TM4SF)	Lymphocytes T et B, cellules NK, cellules dendritiques, thymocytes, endothélium	Activation des lymphocytes B ; forme un complexe de corécepteurs avec CD19 et CD21, qui délivre des signaux agissant en synergie avec ceux provenant du complexe du récepteur d'antigène des lymphocytes B
CD86	B7-2	80 kD ; superfamille des Ig	Lymphocytes B, monocytes, cellules dendritiques ; certains lymphocytes T	Molécule de costimulation pour l'activation des lymphocytes T ; ligand de CD28 et de CD152 (CTLA-4)
CD88	Récepteur de C5a	43 kD ; famille de récepteurs à 7 domaines transmembranaires couplés à une protéine G	Granulocytes, cellules dendritiques, mastocytes	Récepteur pour le fragment C5a du complément ; rôle dans l'inflammation induite par le complément
CD94	Kp43, KIR	43 kD ; lectine de type C ; sur les cellules NK, s'assemble de manière covalente avec d'autres lectines de type C (NKG2)	Cellules NK ; sous-populations de lymphocytes T CD8⁺	Le complexe CD94/NKG2 fonctionne comme un récepteur inhibiteur des cellules NK ; liaison aux molécules de classe I HLA-E du CMH

© 2009 Elsevier Masson SAS. Tous droits réservés

Numéro de CD	Synonymes courants	Structure moléculaire, famille	Distribution cellulaire principale	Fonctions connues ou supposées
CD95	Antigène Fas; APO-1	Homotrimère de chaînes de 45 kD; famille du récepteur au TNF	Nombreux types cellulaires	Liaison au ligand de Fas; transmet les signaux conduisant à la mort cellulaire induite par l'activation
CD106	VCAM-1; INCAM-110	100–110 kD; superfamille des Ig	Cellules endothéliales, macrophages, cellules folliculaires dendritiques, cellules stromales de la moelle	Adhérence; récepteur pour l'intégrine CD49dCD29 (VLA-4); rôle dans la circulation et l'activation des lymphocytes; rôle dans l'hématopoïèse
CD152	Protéine-4 associée aux lymphocytes T cytotoxiques (CTLA-4, *cytotoxic T lymphocyte-associated protein-4*)	33, 50 kD; superfamille des Ig	Lymphocytes T activés	Signalisation inhibitrice dans les lymphocytes T; liaison à CD80 (B7-1) et CD86 (B7-2) sur les cellules présentatrices d'antigène
CD154	Ligand de CD40 (CD40L); protéine d'activation apparentée au TNF (TRAP, *TNF-related activation protein*); gp39	Homotrimère de chaînes de 32 kD à 39 kD; famille du récepteur au TNF	Lymphocytes T $CD4^+$ activés	Active les lymphocytes B, les macrophages et les cellules endothéliales; ligand de CD40
CD273	B7DC, PD-L2	25kD; superfamille des Ig; famille du costimulateur B7	Cellules dendritiques, monocytes, macrophages	Se lie à PD-1; inhibe l'activation des lymphocytes T
CD274	B7-H1, PD-L1	33 kD; superfamille des Ig; famille du costimulateur B7	Leucocytes	Se lie à PD-1; inhibe l'activation des lymphocytes T
CD275	B7-H2, ligand d'ICOS, B7-RP1	60kD; superfamille des Ig; famille du costimulateur B7	Lymphocytes B, cellules dendritiques, monocytes	Lie ICOS (CD278); costimulation des lymphocytes T
CD278	ICOS	55–60kD; superfamille des Ig; famille du costimulateur CD28	Lymphocytes T activés	Lie ICOS-L (CD275); costimulation des T
CD279	PD1	55kD, superfamille des Ig; famille du costimulateur CD28	Lymphocytes T activés, lymphocytes B activés	Lie B7-H1 (CD274) et B7-DC (CD273); régulation de l'activation des cellules T

ADCC, *antibody-dependent cell-mediated cytotoxicity* ou cytotoxicité cellulaire dépendante des anticorps; CAM, complexe d'attaque membranaire; CMH, complexe majeur d'histocompatibilité; CTL, lymphocyte T cytotoxique; CTLA-4, cytotoxic T lymphocyte-associated protein-4 ou protéine-4 associée au lymphocyte T cytotoxique; ELAM-1, *endothelial-leukocyte adhesion molecule-1* ou molécule-1 d'adhérence leucocyte-endothélium; gp, glycoprotéine; GPI, glycophosphatidylinositol; HLA, *human leukocyte antigen* ou antigène leucocytaire humain; ICAM, *intercellular adhesion molecule* ou molécule d'adhérence intercellulaire; ICOS, *inducible costimulatory molecule* ou molécule costimulatrice induite; Ig, immunoglobuline; IL, interleukine; ITAM, *immunoreceptor tyrosine-based activation motif* ou motif d'activation à base de tyrosine des immunorécepteurs; ITIM, *immunoreceptor tyrosine-based inhibition motif* ou motif d'inhibition à base de tyrosine des immunorécepteurs; kD, kilodalton; LAM-1, *leukocyte adhesion molecule-1* ou molécule-1 d'adhérence leucocytaire; LFA, *lymphocyte function–associated antigen* ou antigène associé à la fonction lymphocytaire; LPS, lipopolysaccharide; NK, *natural killer* ou tueuse naturelle; TCR, *T cell receptor* ou récepteur des cellules T; TNF, *tumor necrosis factor* ou facteur de nécrose tumorale; VCAM, *vascular cell adhesion molecule* ou molécule d'adhérence des cellules vasculaires; VIH, virus d'immunodéficience humaine; VLA, *very late antigen* ou antigène très tardif.

*Les lettres minuscules ajoutées à certains CD désignent des molécules CD complexes qui sont codées par des gènes multiples ou qui appartiennent à des familles de protéines de structure apparentée. Par exemple, CD11a, CD11b et CD11c ont une structure semblable, mais sont des formes distinctes de chaîne α d'une famille d'intégrines.

© 2009 Elsevier Masson SAS. Tous droits réservés

Annexe II

Cas cliniques

Cette annexe présente cinq cas cliniques illustrant différentes pathologies impliquant le système immunitaire. Ces cas ne sont pas destinés à fournir un enseignement clinique, mais sont exposés pour montrer comment l'immunologie fondamentale contribue à notre compréhension des maladies humaines. Chaque cas illustre les symptômes typiques d'une maladie, décrit les tests qui sont utilisés pour le diagnostic et indique les modes de traitement fréquemment utilisés. Cette annexe a été réalisée avec l'aide des Dr Richard Mitchell (département d'anatomopathologie, Brigham and Women's Hospital, Boston, Massachusetts) et James Faix (département d'anatomopathologie, École de médecine de l'Université de Stanford, Palo Alto, Californie).

Les bases de l'immunologie fondamentale et clinique
© 2009 Elsevier Masson SAS. Tous droits réservés

Cas n° 1 : Lymphome

E. B. est un ingénieur chimiste de 38 ans, qui a toujours été en bonne santé. Un matin, il a senti une masse au niveau de l'aine gauche pendant qu'il prenait sa douche. Elle n'était pas douloureuse au toucher et la peau recouvrant la grosseur avait un aspect normal. Après quelques semaines, il a commencé à s'inquiéter car elle était toujours là, et a finalement pris rendez-vous chez le médecin deux mois plus tard. À l'examen clinique, le médecin a noté un nodule sous-cutané ferme et mobile, d'environ 3 cm de diamètre dans la région inguinale gauche. Le médecin a demandé à E. B. s'il avait récemment présenté une infection quelconque au niveau du pied ou de la jambe gauche, ce qui n'était pas le cas. Le médecin a également décelé des ganglions lymphatiques légèrement hypertrophiés dans la région droite du cou de E. B. L'examen clinique n'a pas montré d'autres anomalies. Le médecin a expliqué que le nodule était probablement un ganglion lymphatique hypertrophié ayant réagi à une infection. Cependant, il a conseillé à E. B. de consulter un chirurgien afin que celui-ci enlève le ganglion lymphatique, de telle sorte qu'un examen histopathologique puisse être effectué afin de s'assurer qu'il ne s'agissait pas d'une affection maligne.

Le ganglion lymphatique a été retiré, l'examen histologique a montré une dilatation du ganglion lymphatique par des structures folliculaires composées d'un ensemble homogène de cellules activées de grande taille (« lymphoblastoïdes ») (figure A.1). L'examen immunohistochimique a révélé que ces cellules exprimaient des molécules de surface de lymphocytes B. De plus, une analyse par réaction de polymérisation en chaîne (PCR) effectuée sur de l'ADN extrait du ganglion lymphatique a mis en évidence un réarrangement clonal des gènes codant pour la chaîne lourde des immunoglobulines. Ce résultat a conduit à poser le diagnostic de lymphome folliculaire.

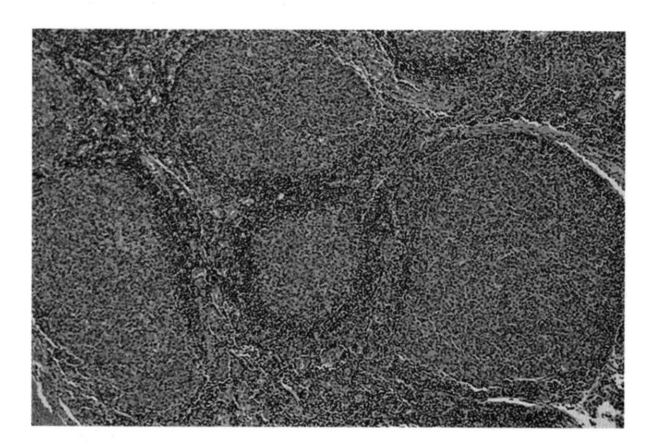

Figure A.1 Biopsie de ganglion lymphatique présentant un lymphome folliculaire. La figure présente l'aspect observé en microscopie optique du ganglion lymphatique inguinal du patient. Les structures folliculaires sont anormales, composées d'un ensemble uniforme de cellules néoplasiques. En revanche, un ganglion lymphatique présentant une hyperplasie réactive (comme observé au cours d'une réponse immunitaire) présenterait des follicules avec formation de centres germinatifs, contenant un mélange hétérogène de cellules.

- 1. Pourquoi la présence d'un réarrangement clonal des gènes codant pour la chaîne lourde des immunoglobulines dans le ganglion lymphatique indique-t-elle un développement tumoral plutôt qu'une réponse à une infection ?

E. B. a été traité par chimiothérapie. La lymphadénopathie du cou, due à son lymphome, a régressé, mais, malheureusement, un nouveau ganglion lymphatique hypertrophié est apparu dans la région cervicale gauche environ un an plus tard. Ce ganglion lymphatique a été retiré et il présentait les mêmes caractéristiques histologiques que le précédent.

- 2. Si un anticorps anti-idiotypique dirigé contre l'immunoglobuline de surface présente sur les cellules du lymphome initial de E. B. était mis au point, indiquez pourquoi cet anticorps pourrait ne pas reconnaître les cellules responsables de la récidive.

Le cancérologue responsable des soins de E. B. se propose d'administrer une chimiothérapie et une radiothérapie pour détruire toutes les cellules tumorales, et de réaliser ensuite une transplantation de moelle osseuse.

- 3. Pourquoi sera-t-il nécessaire d'effectuer une transplantation de moelle osseuse, et quel sera l'état du système immunitaire du patient après le traitement recommandé ?

Réponses aux questions relatives au cas n° 1

- 1. Dans une infection, de nombreux clones différents de lymphocytes sont activés. Plusieurs clones peuvent être spécifiques du même antigène microbien, et différents clones peuvent répondre aux différents antigènes produits par ce microbe. En outre, même dans un ganglion lymphatique drainant un site d'infection, il existe de nombreux clones de lymphocytes B normaux non spécifiques du microbe. Comme chaque clone de lymphocyte B présente un réarrangement unique des gènes codant pour les chaînes lourdes et légères des immunoglobulines (cf. chapitre 4), on observe dans le mélange polyclonal de lymphocytes B d'un ganglion lymphatique drainant un site d'infection de nombreux réarrangements différents (polyclonaux). En revanche, des lymphomes à cellules B se développent à partir d'un lymphocyte unique présentant un réarrangement spécifique des chaînes lourdes d'immunoglobulines, et après développement de la tumeur pendant une certaine période, celle-ci constitue la majorité des lymphocytes se trouvant dans le ganglion lymphatique. Par conséquent, dans un ganglion lymphatique atteint d'un lymphome à cellules B, l'analyse des gènes codant pour les chaînes

© 2009 Elsevier Masson SAS. Tous droits réservés

lourdes révèle un seul réarrangement de chaînes lourdes dominant. La réaction de polymérisation en chaîne (PCR, *polymerase chain reaction*) est souvent utilisée pour analyser le caractère clonal des tumeurs à lymphocytes B. Avec cette méthode, des séquences spécifiques de l'ADN tumoral sont amplifiées en utilisant des amorces d'ADN complémentaire et une ADN polymérase. La taille des produits amplifiés est analysée par électrophorèse sur gel. Deux amorces sont généralement utilisées, l'une correspondant à une séquence consensus commune à la plupart des segments V, l'autre à une séquence commune à la plupart des segments J. La longueur du produit amplifié par PCR est déterminée par la jonction VDJ unique générée durant le réarrangement dans chaque clone de lymphocytes B. Dans une population normale de lymphocytes B, de nombreux produits de PCR de différentes tailles sont obtenus, et ils apparaissent répartis sur le gel. Dans le cas d'un lymphome, tous les lymphocytes B ont le même réarrangement VDJ et le produit obtenu par PCR est de taille unique, il apparaît par conséquent sous forme de bande unique sur le gel.

▪ 2. Un anticorps anti-idiotypique reconnaîtrait les portions de l'immunoglobuline qui sont propres à la tumeur originale, c'est-à-dire, les portions hypervariables des récepteurs d'antigène de ce clone de lymphocytes B. Au cours de la vie des lymphocytes B, les gènes codant pour les immunoglobulines subissent souvent d'importantes mutations somatiques ; dans les réponses immunitaires humorales dirigées contre les antigènes protéiques, ce processus participe à la maturation d'affinité (cf. chapitre 7). Les mutations somatiques des gènes d'Ig peuvent se produire également dans les cellules tumorales, entraînant l'apparition de lymphocytes B exprimant une nouvelle Ig qui n'est pas reconnue par l'anticorps anti-idiotypique.

▪ 3. Le traitement par chimiothérapie et radiothérapie, qui tue les cellules tumorales, tuera également les cellules hématopoïétiques normales de la moelle osseuse. Cette situation peut menacer le pronostic vital, car le patient n'est plus alors en mesure de produire des globules rouges pour le transport de l'oxygène, des leucocytes pour l'immunité et des plaquettes pour le contrôle des hémorragies. L'hématopoïèse peut être restaurée par injection des cellules souches hématopoïétiques provenant d'un autre donneur. Les cellules souches peuvent être administrées sous forme de moelle osseuse complète ou de cellules souches purifiées provenant du sang périphérique d'un donneur. Parfois, la propre moelle du donneur est recueillie avant la chimiothérapie et la radiothérapie, traitée in vitro pour détruire les cellules tumorales de manière spécifique, puis transplantée chez le patient après les traitements antitumoraux. Peu de temps après la transplantation de moelle osseuse, les patients souffrent souvent de graves déficits immunitaires. Après transplantation de moelle osseuse, un certain temps peut-être nécessaire pour reconstituer le système immunitaire adaptatif car les progéniteurs des lymphocytes B et T se développent à partir des cellules souches de moelle osseuse.

Cas nº 2 : Transplantation cardiaque compliquée par un rejet de greffe

C. M., un vendeur de logiciels, était âgé de 48 ans lorsqu'il a consulté son médecin généraliste à cause d'une fatigue et d'un essoufflement. Il n'avait jamais consulté le médecin de manière régulière avant cette visite, et se sentait parfaitement bien jusqu'à ce que, il y a environ un an, des activités comme monter un escalier et jouer au basket-ball avec ses enfants sont devenues de plus en plus pénibles. Au cours des six derniers mois, il avait éprouvé des difficultés respiratoires lorsqu'il était couché. Il ne se rappelait pas avoir souffert de douleur thoracique et ne présentait aucun antécédent familial de pathologie cardiaque, mais il se souvenait que, 18 mois plus tôt, il avait dû arrêter de travailler pendant deux jours à cause d'un syndrome grippal sévère.

À l'examen clinique, son pouls était à 105, sa fréquence respiratoire à 32 et sa tension artérielle à 100/60 mmHg ; sa température était normale. Son médecin a décelé des râles (témoignant d'une accumulation anormale de liquide) à la base des deux poumons. Les pieds et les chevilles étaient gonflés. Une radiographie thoracique a montré un œdème pulmonaire et des épanchements pleuraux, ainsi qu'une hypertrophie significative du ventricule gauche. C. M. a été admis dans le service de cardiologie de l'hôpital universitaire. Des tests complémentaires, notamment une angiographie coronaire et une échocardiographie, ont permis de poser le diagnostic de cardiomyopathie dilatée. Les médecins ont expliqué au patient que son muscle cardiaque avait été endommagé. La cause de ces lésions pouvait être une complication inflammatoire d'une infection virale qui aurait été contractée quelque temps auparavant, mais ils ne pouvaient pas être affirmatifs. Le seul traitement permettant de le sauver était de réaliser une transplantation cardiaque.

Un test PRA (*panel-reactive antibody*, anticorps réactifs vis-à-vis du panel) a été effectué sur le sérum de C. M. afin de déterminer s'il avait été précédemment sensibilisé à des alloantigènes. Ce test a montré que le patient n'avait aucun anticorps circulant contre des antigènes HLA, et aucun autre test immunologique n'a été effectué. Deux semaines plus tard dans une ville voisine, le cœur d'une personne ayant succombé dans un accident de chantier a été prélevé. Le donneur présentait le même type de groupe sanguin ABO que C. M. La transplantation, effectuée quatre heures après le prélèvement du cœur du

© 2009 Elsevier Masson SAS. Tous droits réservés

donneur, s'est déroulée sans incident, et le greffon allogénique a correctement fonctionné après l'opération.

- 1. Quels problèmes pourraient survenir si le patient et le donneur présentaient des types sanguins différents, ou si le patient présentait des concentrations élevées d'anticorps anti-HLA ?

C. M. a été placé, le lendemain de la transplantation, sous traitement immunosuppresseur composé de doses quotidiennes de ciclosporine, de mycophénolate mofétil et de prednisone. Des biopsies d'endocarde et de myocarde ont été effectuées une semaine après la chirurgie, et n'ont montré aucun signe de lésion myocardique ou de cellules inflammatoires. C. M. est rentré chez lui 10 jours après l'intervention, et dans le mois qui a suivi, il a été en mesure d'effectuer sans problème des exercices légers. Les biopsies d'endomyocarde programmées en routine et effectuées au cours des trois premiers mois suivant la transplantation étaient normales, mais une biopsie effectuée 14 semaines après l'intervention a indiqué la présence de nombreux lymphocytes dans le myocarde et de quelques fibres musculaires apoptotiques (figure A.2). Les résultats ont été interprétés comme le signe d'un rejet aigu de l'allogreffe.

- 2. À quoi le système immunitaire du patient répondait-il, et quels ont été les mécanismes effecteurs de cet épisode de rejet aigu ?

Le taux de créatinine sérique de C. M., un indicateur de la fonction rénale, était élevé (2,2 mg/dl ; normale 1,5 mg/dl). Les médecins n'ont par conséquent pas voulu augmenter la dose de ciclosporine, car ce médicament peut être toxique pour les reins. Le patient a reçu trois doses supplémentaires d'un stéroïde pendant 18 heures, et une nouvelle biopsie d'endomyocarde effectuée une semaine plus tard n'a montré que quelques macrophages éparpillés et un petit foyer de tissu cicatriciel. C. M. est retourné chez lui en se sentant bien et il a pu retrouver une vie relativement normale, tout en conservant son traitement quotidien à base de ciclosporine, de mycophénolate mofétil et de prednisone.

- 3. Quel était l'objectif du traitement immunosuppresseur ? Des angiographies coronaires effectuées annuellement après la transplantation ont montré un rétrécissement progressif de la lumière des artères coronaires. Au cours de la sixième année suivant la transplantation, C. M. s'est mis à présenter des essoufflements après des exercices modérés, et un examen radiographique a révélé une dilatation ventriculaire gauche. Une échographie intravasculaire a mis en évidence un épaississement significatif de la paroi des artères coronaires et un rétrécissement de leur lumière (figure A.3). Une biopsie d'endomyocarde présentait des zones de nécrose ischémique. C. M. et ses médecins envisagent aujourd'hui la possibilité d'une seconde transplantation cardiaque.

- 4. Quel processus a conduit à un échec de la greffe après six années ?

Réponses aux questions relatives au cas n° 2

- 1. Si le patient et le donneur du cœur présentaient des types sanguins différents, ou si le patient présentait des concentrations élevées d'anticorps anti-HLA, une forme de rejet, dénommé rejet hyperaigu, aurait pu survenir après la transplantation (cf. chapitre 10). Les individus de groupes sanguins A, B ou O présentent des anticorps IgM circulants contre les antigènes qu'ils ne possèdent pas (respectivement B, A ou les deux). Les personnes ayant reçu précédemment des

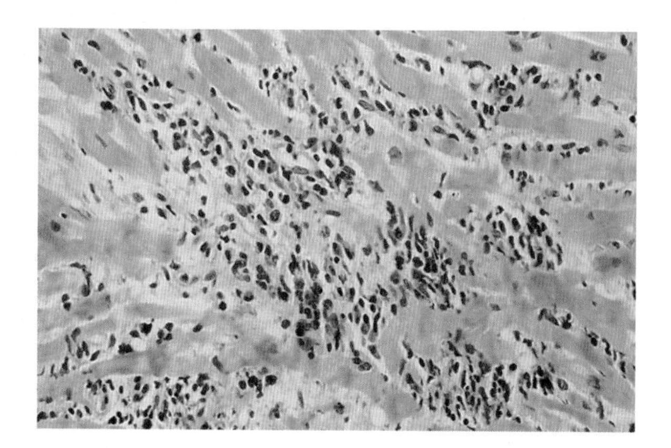

Figure A.2 Biopsie d'endomyocarde montrant un rejet cellulaire aigu. On observe que le muscle cardiaque est infiltré par des lymphocytes et que des fibres musculaires nécrotiques sont présentes. Avec l'autorisation du docteur Richard Mitchell, département d'anatomopathologie, Brigham and Women's Hospital, Boston, Massachusetts.

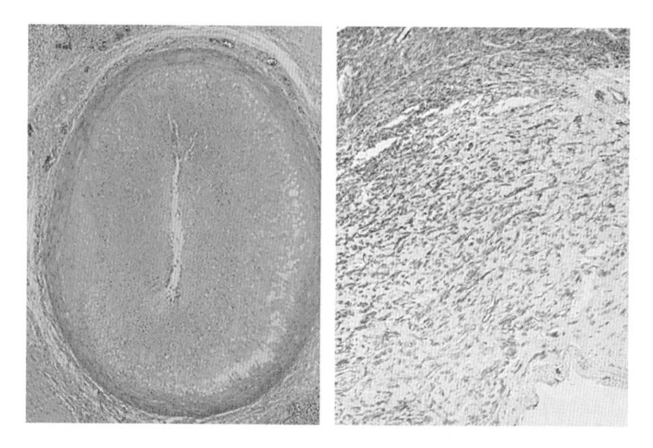

Figure A.3 Artère coronaire présentant une artériosclérose liée à la transplantation. Cette coupe histologique a été réalisée à partir d'une artère coronaire d'un greffon cardiaque allogénique, qui a été retiré d'un patient cinq ans après la transplantation en raison d'un rejet de greffe. La lumière du vaisseau est fortement rétrécie par la présence des cellules musculaires lisses de l'*intima*. Avec l'autorisation du docteur Richard Mitchell, département d'anatomopathologie, Brigham and Women's Hospital, Boston, Massachusetts.

© 2009 Elsevier Masson SAS. Tous droits réservés

transfusions sanguines, des transplantations ou ayant été enceintes au moins une fois peuvent présenter des anticorps anti-HLA circulants. Les antigènes de groupes sanguins et les antigènes HLA sont présents sur les cellules endothéliales. Des anticorps préformés, déjà présents chez le receveur au moment de la transplantation, peuvent se lier aux antigènes situés sur les cellules endothéliales du greffon, provoquant l'activation du complément, le recrutement des leucocytes et une thrombose. Il en résulte une altération de l'apport sanguin pour le greffon qui risque alors une nécrose ischémique rapide. Le test PRA est généralement effectué afin de déterminer si un patient devant recevoir une greffe présente des anticorps préexistants spécifiques d'antigènes HLA provenant d'un ensemble aléatoire d'individus. Le test est effectué en mélangeant le sérum du patient avec un ensemble de lymphocytes provenant de différents donneurs, en ajoutant des anticorps anti-immunoglobulines (pour amplifier la réaction) et du complément, et en examinant si les lymphocytes sont lysés. Les résultats sont exprimés en pourcentage de cellules de donneurs provenant d'un panel de donneurs avec lesquelles le sérum d'un receveur potentiel de greffe réagit. Plus le PRA est élevé, plus le risque que le receveur rejette une greffe est important.

▪ 2. Dans l'épisode de rejet aigu, le système immunitaire du patient répond aux alloantigènes du greffon (cf. chapitre 10). Ces antigènes comprennent vraisemblablement des molécules du complexe majeur d'histocompatibilité (CMH) du donneur codées par des allèles que ne possèdent pas le receveur, ainsi que des variants alléliques d'autres protéines que le donneur et le receveur ne partagent pas (antigènes mineurs d'histocompatibilité). Ces alloantigènes peuvent être exprimés sur les cellules endothéliales du greffon, les leucocytes et les cellules parenchymateuses se trouvant dans le cœur du donneur. Les mécanismes effecteurs de l'épisode de rejet aigu comprennent des réponses immunitaires de type cellulaire et humoral. Les lymphocytes T $CD4^+$ du receveur sécrètent des cytokines qui favorisent l'activation des macrophages et l'inflammation, entraînent des lésions et un dysfonctionnement des cellules myocardiques et endothéliales. Les lymphocytes T cytotoxiques $CD8^+$ détruisent directement les cellules du greffon. Les anticorps du receveur, synthétisés en réponse aux antigènes du greffon, se lient aux cellules du greffon, entraînant l'activation du complément et le recrutement de leucocytes.

▪ 3. L'objectif du traitement immunosuppresseur est de réduire la réponse immunitaire du receveur contre les alloantigènes présents dans le greffon, et ainsi de prévenir le rejet de greffe. Les médicaments agissent en bloquant l'activation des lymphocytes T (ciclosporine), la prolifération des lymphocytes (mycophénolate mofétil) et la production de cytokines inflammatoires (prednisone). Dans ce type de traitement, on cherche à préserver une partie des fonctions immunitaires afin de combattre les infections.

▪ 4. La greffe a échoué à la suite d'un rejet chronique se manifestant par l'épaississement des parois des artères du greffon et le rétrécissement de leur lumière (cf. chapitre 10). Ces changements vasculaires, désignés par le terme d'artériosclérose du greffon, entraînent des lésions ischémiques du cœur et constituent la cause la plus fréquente d'échec chronique de greffe. Ils peuvent être provoqués par une réaction d'hypersensibilité retardée chronique contre les alloantigènes des parois vasculaires, entraînant une migration dans l'intima des cellules musculaires lisses stimulées par les cytokines et la prolifération des cellules musculaires lisses.

Cas n° 3 : Asthme allergique

I. E., une fillette de 10 ans, a été présentée à la consultation de son pédiatre en novembre à cause d'une toux devenue fréquente au cours des deux derniers jours, une respiration sifflante et une sensation d'oppression dans la poitrine. Ces symptômes étaient particulièrement sévères la nuit. Outre des contrôles de routine, elle avait consulté par le passé son médecin pour des infections occasionnelles des oreilles et du tractus respiratoire supérieur, mais n'avait jamais eu auparavant de respiration sifflante ou d'oppression thoracique. À l'exception d'un eczéma, son état de santé était bon et son développement normal. Ses vaccinations étaient à jour. Elle vivait chez elle avec sa mère, son père et ses deux sœurs, âgées de 12 et 4 ans, et un chat. Ces deux parents fumaient des cigarettes, son père avait souffert de rhume des foins et sa sœur aînée avait présenté des antécédents de sinusite.

Au moment de l'examen, I. E. avait une température de 37 °C, une pression artérielle de 105/65 mm Hg, et une fréquence respiratoire de 28 respirations par minute. Elle ne semblait pas essoufflée. Elle ne présentait aucun signe d'otite ou de pharyngite. À l'auscultation, la respiration était sifflante dans les deux poumons, sans signe d'insuffisance cardiaque congestive (râles). Il n'a été décelé aucun signe de pneumonie. Le médecin a établi un diagnostic présomptif de bronchospasme et a adressé I. E. à un pédiatre allergologue qui était associé dans le même groupe médical. Parallèlement, un bronchodilatateur β2-mimétique (adrénergique) à action rapide et de courte durée a été prescrit à la patiente par voie inhalée, et l'enfant a reçu comme instruction de se l'administrer toutes les six heures afin de soulager les symptômes. Ce médicament se lie aux récepteurs β2-adrénergiques situés sur les cellules musculaires lisses bronchiques et entraîne leur relaxation, ce qui provoque une dilatation des bronchioles.

© 2009 Elsevier Masson SAS. Tous droits réservés

▪ 1. L'asthme est un exemple d'« atopie ». De quelle manière l'« atopie » peut-elle se manifester sur le plan clinique ?

Une semaine plus tard, I. E. a été reçue par l'allergologue. Il a ausculté ses poumons et a confirmé la présence d'une respiration sifflante. Il a été demandé à I. E. de souffler dans un débitmètre et le médecin a déterminé que le débit expiratoire maximal était à 65 % de la normale, indiquant une obstruction des voies respiratoires. Le médecin a ensuite administré un bronchodilatateur par aérosol et a répété le test 10 minutes plus tard. La nouvelle valeur du débit expiratoire maximal a atteint 85 % de la normale, indiquant une réversibilité de l'obstruction des voies respiratoires. Un échantillon sanguin a été prélevé et expédié au laboratoire pour numération et formule sanguine ainsi que dosage d'IgE. En outre, un test cutané a été effectué afin de déterminer une éventuelle hypersensibilité à différents antigènes. Ce test a montré un résultat positif pour les phanères de chat et la poussière domestique (figure A.4). Il a été demandé à la patiente d'utiliser des corticoïdes inhalés et de ne recourir à son bronchodilatateur que pour traiter les symptômes respiratoires en cas de besoin. Le médecin lui a demandé de revenir deux semaines plus tard pour réexaminer et pour discuter des résultats des analyses sanguines.

▪ 2. Quelle est la base immunologique d'un test cutané « positif » ?

Lorsque I. E. est retournée consulter l'allergologue, les analyses biologiques ont indiqué qu'elle présentait une concentration sérique d'IgE de 1 200 UI/ml (intervalle normal : 0–180) et une numération leucocytaire totale de 7 000/mm^3 avec 3 % d'éosinophiles (normale 0,5 %). Lorsqu'elle s'est de nouveau rendue au cabinet de l'allergologue une semaine plus tard, son état physique s'était significativement amélioré, sans respiration sifflante audible. Le débit expiratoire maximal d'I. E. s'était amélioré à 90 % de la normale. La famille a été informée qu'I. E. présentait une obstruction des voies respiratoires réversible, éventuellement déclenchée par une maladie virale et peut-être liée à des allergies aux phanères de chat et à la poussière. Le médecin a conseillé que le chat soit donné à un ami ou soit au moins exclu de la chambre d'I. E. Il a été indiqué à la mère que le tabagisme dans la maison était probablement un facteur contribuant aux symptômes d'I. E. Le médecin a recommandé qu'I. E. continue à utiliser l'inhalateur à action brève pour les épisodes aigus de respiration sifflante ou d'essoufflement. Il a été demandé à I. E. de revenir en consultation trois mois plus tard, ou plus rapidement si elle utilisait l'inhalateur plus de deux fois par mois.

▪ 3. Quel est le mécanisme conduisant à l'augmentation des concentrations d'IgE observée chez les patients qui souffrent de symptômes allergiques ?

Le chat de la famille a été donné à un voisin et, sous traitement, l'état d'I. E. a été satisfaisant pendant environ six mois, avec quelques épisodes légers de respiration sifflante. Le printemps suivant, elle a commencé à présenter des épisodes plus fréquents de toux et de respiration sifflante. Au cours d'une partie de football un samedi, elle a présenté d'importantes difficultés respiratoires et ses parents l'ont amené au service des urgences de l'hôpital local. Après avoir confirmé qu'elle présentait une importante constriction des voies respiratoires supérieures, le médecin des urgences l'a traitée à l'aide d'un bronchodilatateur β2-mimétique nébulisé (par aérosol) et d'un corticoïde par voie orale. Six heures plus tard, ses symptômes ont disparu et elle est rentrée chez elle. La semaine suivante, I. E. a été conduite chez l'allergologue qui a changé son traitement de fonds par un autre corticoïde à inhaler. Par la suite, son état a été satisfaisant, avec des « crises » modérées et occasionnelles qui ont été traitées grâce au bronchodilatateur nébulisé.

▪ Quelles sont les approches thérapeutiques d'un asthme allergique ?

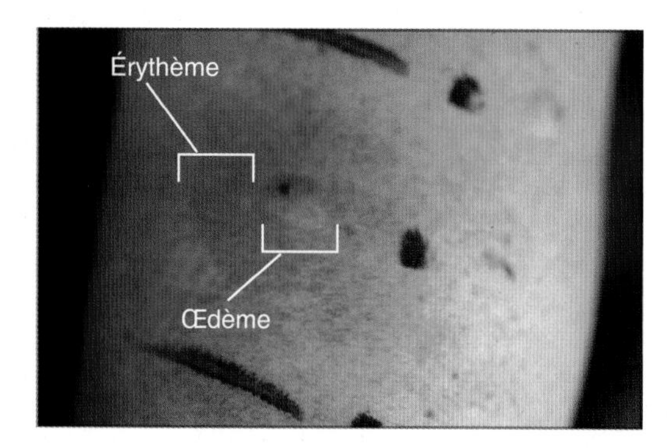

Figure A.4 Test cutané positif pour des antigènes environnementaux. De petites doses d'antigènes sont injectées par voie intradermique. Si des IgE spécifiques de l'antigène se lient aux mastocytes, l'antigène agrégera (pontage) les récepteurs de fragment Fc auxquels les IgE sont liées. Ce phénomène induira une dégranulation des mastocytes et la libération de médiateurs provoquant une réaction œdémateuse et érythémateuse.

Réponses aux questions relatives au cas n° 3

▪ 1. Les réactions « atopiques » à des antigènes globalement inoffensifs sont déclenchées par les IgE se trouvant sur les mastocytes, mais peuvent se traduire par des manifestations variées (cf. chapitre 11). Les symptômes reflètent généralement le lieu d'entrée de l'allergène. Le rhume des foins (rhinite allergique) et l'asthme surviennent généralement en réponse à des allergènes inhalés (pneumallergènes), tandis que l'urticaire et l'eczéma se déclenchent plus fréquemment à la suite d'une exposition cutanée. Bien que les allergies

© 2009 Elsevier Masson SAS. Tous droits réservés

alimentaires puissent provoquer des symptômes gastro-intestinaux chez les jeunes enfants, ils sont généralement à l'origine d'urticaire géante chez l'adulte. L'anaphylaxie est la manifestation clinique la plus dramatique des allergies aux venins d'insectes, à des aliments ou à des médicaments. Au cours de cette réaction allergique on observe une vasodilatation systémique, une augmentation de la perméabilité vasculaire et une bronchoconstriction. Ces symptômes peuvent conduire à l'asphyxie et à un collapsus cardiovasculaire.

▪ 2. La libération immédiate d'histamine à partir des mastocytes activés provoque un œdème central (dû à une fuite de plasma) et un érythème de congestion vasculaire (dû à la dilatation des vaisseaux). Cependant, c'est la phase tardive de la réaction, présentant une inflammation cellulaire, qui est la plus caractéristique des lésions des tissus affectés par les réactions d'allergie (cf. chapitre 11). Le test d'allergies cutanées ne doit pas être confondu avec le test cutané utilisé pour évaluer une sensibilisation antérieure à certains agents infectieux, comme *Mycobacterium tuberculosis*. Un test positif à la tuberculine est un exemple de réaction d'hypersensibilité retardée, provoquée par les lymphocytes T auxiliaires stimulés par l'antigène, qui libèrent des cytokines comme l'interféron-γ, entraînant l'activation des macrophages et l'inflammation (cf. chapitre 6).

▪ 3. Pour des raisons inconnues, chez ces patients, les réponses des lymphocytes T auxiliaires contre différents antigènes protéiques inoffensifs sont de type T_H2, les lymphocytes T_H2 produisent de l'IL-4 et de l'IL-5. L'IL-4 induit la synthèse d'IgE par les lymphocytes B, et l'IL-5 favorise la production et l'activation des éosinophiles (cf. chapitre 5 et chapitre 11). Puisque l'atopie est familiale, une sensibilité génétique est clairement en cause. L'attention s'est concentrée particulièrement sur des gènes situés sur le bras long du chromosome 5 (5q), qui code plusieurs cytokines T_H2, et sur le 11q, où se situe le gène d'une chaîne du recepteur de l'IgE.

▪ 4. L'une des approches thérapeutiques principales des allergies repose sur la prévention en évitant les allergènes qui les favorisent, s'ils sont connus. Bien que, dans le passé, les traitements aient principalement ciblé les symptômes de bronchoconstriction en augmentant les concentrations d'adénosine monophosphate cyclique (AMPc) intracellulaire (à l'aide d'agents β2-mimétiques et d'inhibiteurs de la dégradation de l'AMP cyclique), au cours des récentes années la tendance thérapeutique majeure s'est orientée vers les agents anti-inflammatoires. Ceux-ci comprennent les corticoïdes (qui bloquent la libération de cytokines) et le Cromolyn (qui pourrait inhiber la libération des médiateurs des mastocytes). De plus, ces approches comprennent les antagonistes des récepteurs des médiateurs lipidiques et les inhibiteurs de l'adhérence leucocytaire.

Cas n° 4 : Lupus érythémateux disséminé (LED)

N. Z. est une jeune femme célibataire, de 25 ans, qui s'est présentée à la consultation de son médecin généraliste deux ans auparavant, pour des douleurs articulaires touchant les poignets, les doigts et les chevilles. À l'examen clinique, la température, la fréquence cardiaque, la pression artérielle et la fréquence respiratoire étaient normales. Ses joues présentaient une rougeur cutanée, plus marquée autour du nez, qui s'aggravait après une exposition d'une à deux heures au soleil. Les articulations des doigts et les poignets étaient gonflées et douloureuses à la palpation. Le reste de l'examen clinique était normal.

Son médecin a prélevé un échantillon sanguin pour effectuer différentes analyses biologiques. L'hématocrite était de 35 % (normale 37 à 48 %). La numération totale des globules blancs était de 9 800/mm^3 (valeur normale) avec une formule sanguine normale. La vitesse de sédimentation érythrocytaire était de 40 mm/h (normale entre 1 et 20). Le dosage des anticorps antinucléaires s'est révélé positif à une dilution de 1 : 256 (normalement, négatif à une dilution de 1 : 8). Les autres analyses biologiques ne montraient pas d'anomalies. Sur base de ces résultats, un diagnostic de lupus érythémateux disséminé a été posé. N. Z. a été traitée, par voie orale, par de la prednisone, un corticoïde, et ses douleurs articulaires ont disparu.

▪ 1. Quelle est la signification d'un résultat positif au test des anticorps antinucléaires ?

Trois mois plus tard, N. Z. a commencé à se sentir inhabituellement fatiguée, et a pensé qu'elle avait attrapé une « grippe ». Pendant environ une semaine, elle a constaté que ces chevilles étaient gonflées et elle éprouvait des difficultés à mettre ses chaussures. Elle est retournée consulter son médecin généraliste. Ses chevilles et ses pieds présentaient un œdème important (un gonflement provenant d'une quantité excessive de liquide dans les tissus). Son abdomen était légèrement distendu et présentait une légère modification de la matité à la percussion (signe d'une quantité anormalement élevée de liquide dans la cavité péritonéale). Son médecin a prescrit plusieurs analyses biologiques. Le test des anticorps antinucléaires était toujours positif, avec un titre de 1 : 256, et sa vitesse de sédimentation érythrocytaire était de 120 mm/h. La concentration d'albumine sérique était de 0,8 g/dl (normale 3,5–5,0). Le dosage des protéines du complément dans le sérum a donné les résultats suivants : C3, 42 mg/dl (normale 80–180) et C4, 5 mg/dl (normale 15–45). L'analyse d'urine a montré une protéinurie 4$^+$, la présence de globules rouges et de globules blancs, et de nombreux

© 2009 Elsevier Masson SAS. Tous droits réservés

cylindres hyalins et granuleux. Un échantillon d'urine sur 24 heures contenait 4 g de protéines.

▪ 2. Quelle est la raison probable de la diminution des concentrations en protéines du complément et des anomalies des protéines sanguines et urinaires ?

Les anomalies de l'analyse d'urine ont incité le médecin à recommander la réalisation d'une biopsie rénale. Celle-ci a été faite une semaine plus tard dans le département de chirurgie ambulatoire de l'hôpital, voisin du cabinet du médecin. La biopsie a été examinée par des méthodes histologiques de routine, en immunofluorescence et au microscope électronique (figure A.5).

▪ 3. Quelle est l'explication de la pathologie observée dans le rein ?

Le médecin a établi un diagnostic de glomérulonéphrite lupique proliférative, et a traité N. Z. avec une dose de prednisone supérieure à celle qu'elle prenait précédemment. La protéinurie et l'œdème ont disparu en deux semaines et les concentrations sériques de C3 sont redevenues normales. Sa dose de corticoïde a été progressivement diminuée et maintenue à une posologie inférieure. Au cours des quelques années suivantes, elle a subi des poussées intermittentes de la maladie, avec des douleurs articulaires, des gonflements de tissus, les analyses biologiques indiquant une diminution des concentrations de C3 et une protéinurie. Ces manifestations pathologiques ont été traitées efficacement par des corticoïdes, et la patiente a pu mener une vie active.

▪ 4. Certaines maladies auto-immunes semblent être provoquées par des lymphocytes spécifiques de microbes qui ont été activés par une infection et réagissent de façon croisée avec les antigènes du soi. Pourquoi ce phénomène n'est-il vraisemblablement pas une explication valable de la manière dont le LED se développe ?

Réponses aux questions relatives au cas n° 4

▪ 1. Un test positif pour les anticorps antinucléaires révèle la présence d'anticorps sériques qui se lient aux composants des noyaux cellulaires. Ce test est effectué en incubant une monocouche de cellules humaines sur une lame de verre avec différentes dilutions du sérum du patient. Un anticorps anti-immunoglobuline marqué par une substance fluorescente est ensuite ajouté, puis les cellules sont observées au microscope de fluorescence afin de détecter si des anticorps sériques sont liés aux noyaux. Le titre d'anticorps antinucléaires est la dilution maximale de sérum qui produit encore un marquage nucléaire détectable. Les patients souffrant de LED présentent souvent des anticorps antinucléaires, qui peuvent être spécifiques des histones, d'autres protéines nucléaires ou de l'ADN double brin. Ce sont des auto-anticorps et leur production constituent une preuve de l'auto-immunité. Les autoanticorps peuvent être dirigés contre des protéines membranaires des globules rouges et de nombreux autres antigènes du soi.

▪ 2. Certains des autoanticorps forment des complexes immuns circulants en se liant aux antigènes du sang. Lorsque ces complexes immuns se déposent sur les membranes basales des parois vasculaires, ils peuvent déclencher la voie classique d'activation du complément, entraînant une déplétion des protéines du complément par le simple fait de leur consommation. L'inflammation provoquée par les complexes immuns dans le rein entraîne une fuite des protéines et de globules rouges dans l'urine. La perte des protéines dans l'urine entraîne une réduction de l'albumine plasmatique, une réduction de la pression osmotique du plasma et une perte de liquide dans

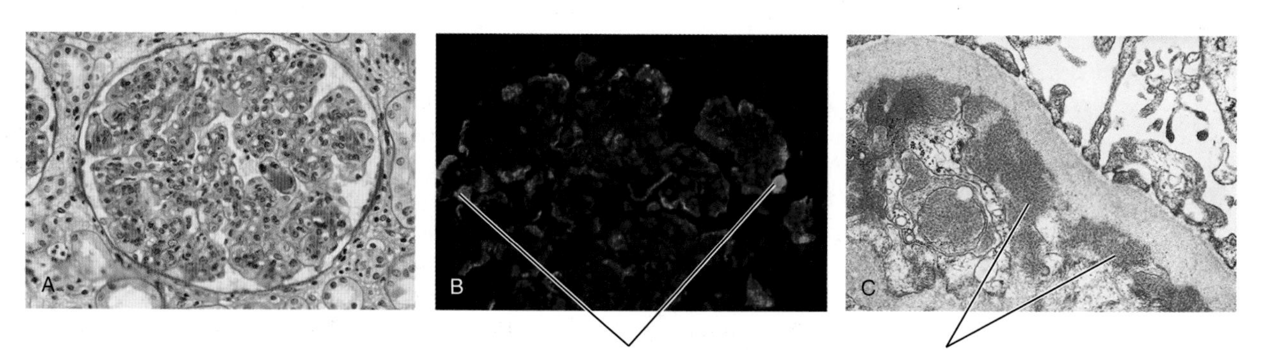

Figure A.5 Glomérulonéphrite avec dépôt de complexes immuns dans un cas de lupus érythémateux disséminé. A. Micrographie optique d'une biopsie rénale dans laquelle apparaît un infiltrat de neutrophiles dans un glomérule. B. Micrographie en immunofluorescence montrant des dépôts granulaires d'IgG le long de la membrane basale. Dans cette technique appelée microscopie de fluorescence, une section congelée du rein est incubée avec un anticorps conjugué à la fluorescéine et dirigé contre les IgG, le site du dépôt des IgG est défini par la localisation de la fluorescence. C, Micrographie électronique du même tissu révélant un dépôt de complexes immuns. Avec l'autorisation du Dr Helmut Rennke, Département d'anatomopathologie, Brigham and Women's Hospital, Boston, Massachusetts.

© 2009 Elsevier Masson SAS. Tous droits réservés

les tissus, provoquant un œdème des pieds et une dilatation abdominale.

▪ 3. La pathologie rénale est le résultat du dépôt des complexes immuns circulants dans la membrane basale des glomérules rénaux. Ces dépôts peuvent être observés en microscopie de fluorescence et en microscopie électronique. Les complexes immuns activent le complément, puis les leucocytes sont recrutés par les produits de dégradation du complément (C3a, C5a), et par la liaison des récepteurs de Fc des leucocytes aux anticorps des complexes immuns. Ces leucocytes sont activés et ils produisent des intermédiaires réactifs de l'oxygène et des enzymes lysosomiales qui endommagent la membrane basale des glomérules. Ces résultats sont caractéristiques des lésions tissulaires provoquées par les complexes immuns, qui peuvent se déposer dans les articulations et dans les petits vaisseaux sanguins de n'importe quel site de l'organisme, de la même manière que dans le rein. Le LED est un cas typique de maladie à complexes immuns (cf. chapitre 11).

▪ 4. Les auto-anticorps des patients souffrant de LED sont spécifiques d'une grande variété d'antigènes du soi structurellement non apparentés. Il est par conséquent peu probable que ce phénomène constitue une réaction croisée avec un ou plusieurs antigènes microbiens (phénomène désigné par le terme de mimétisme moléculaire), mais suppose plutôt un dérèglement profond des mécanismes de la tolérance au soi, qui affecte de nombreux clones différents de lymphocytes (cf. chapitre 9).

Cas n° 5 : Infection par le VIH et syndrome d'immunodéficience acquise (sida)

J. C. est un apprenti charpentier de 28 ans, présentant un antécédent d'infection par le VIH et qui s'est présenté aux services des urgences de l'hôpital local en se plaignant de difficultés respiratoires et de frissons. Ce patient présentait des antécédents de consommation d'héroïne par voie intraveineuse, avec notamment une admission dans ce même hôpital sept ans auparavant pour overdose. À cette époque, des examens avaient établi qu'il était positif pour les anticorps anti-VIH et anti-hépatite B par méthode immuno-enzymatique (ELISA). À sa sortie de l'hôpital, il avait été dirigé vers une clinique spécialisée dans le traitement de l'infection par le VIH, où des tests reposant sur des western blot avaient confirmé la présence d'anticorps anti-VIH. Une analyse par RT-PCR (réaction de transcription inverse suivie d'une PCR) utilisée pour révéler l'ARN viral se trouvant dans le sang avait détecté la présence de 15 000 copies de génome viral par ml. La numération des lymphocytes T $CD4^+$ était de 800/mm^3 (normale 500 à 1 500/mm^3). À cette époque, aucune infection opportuniste n'avait été mise en évidence.

▪ 1. Quel était le facteur de risque majeur de contracter une infection par le VIH que présentait ce patient ? Quels sont les autres facteurs de risque pour l'infection par le VIH ?

J. C. a pris comme médicaments, pour lutter contre l'infection par le VIH, deux inhibiteurs nucléosidiques de la transcriptase inverse et un inhibiteur de protéases virales. Il a également suivi un programme de réadaptation des toxicomanes (et n'a plus utilisé de drogues illégales depuis son overdose). Il a occupé un emploi stable et a pu bénéficier d'une assurance maladie. Après un an de trithérapie, la numération des lymphocytes T $CD4^+$ de J. C. est restée à une valeur d'environ 800/mm^3 et la charge virale présentait une valeur inférieure à 100 copies/ml. Cependant, au cours des cinq années suivantes, son nombre de lymphocytes T $CD4^+$ a progressivement diminué jusqu'à atteindre 300/mm^3. Il a affirmé à ses médecins qu'il n'oubliait que rarement de suivre son traitement, qui a été modifié à trois reprises pour changer les inhibiteurs de transcriptase inverse, et une fois pour changer d'inhibiteur de protéases, afin d'essayer d'interrompre la diminution de son nombre de $CD4^+$. Il se sentait bien et pouvait travailler régulièrement, les seuls symptômes étant une hypertrophie de plusieurs ganglions lymphatiques. Il a démarré une antibiothérapie prophylactique pour la pneumonie à *Pneumocystis jiroveci* trois ans après le diagnostic initial.

▪ 2. Quelle est la cause de la diminution progressive de la numération des lymphocytes T $CD4^+$?

Six ans après le diagnostic initial, J. C. s'est mis à perdre du poids. Lors d'une visite clinique six mois auparavant, il s'est plaint d'une douleur à la gorge et présentait des plaques blanches dans la bouche. Un examen par cytométrie en flux a indiqué que sa numération de CD4 avait chuté à 64/mm^3 (figure A.6) et la charge virale était supérieure à 500 000 copies/ml.

▪ 3. Quelle est la raison probable pour laquelle les médicaments anti-VIH chez ce patient deviennent inefficaces après une certaine période ?

Au service d'urgence, le patient avait une température de 39 °C, une pression artérielle de 160/55 mm Hg et une respiration superficielle à une fréquence de 40 respirations par minute. Il avait perdu dix kilos depuis sa dernière visite médicale. Plusieurs nodules cutanés rouges sont apparus sur sa poitrine et ses bras. Une radiographie thoracique a mis en évidence une pneumonie diffuse. Des antibiotiques ont été administrés par voie intraveineuse pour traiter une pneumonie qu'on pensait induite par *Pneumocystis jiroveci* et le patient a été admis dans ce service des maladies infectieuses.

La même nuit, un échantillon d'expectorations a été prélevé et des biopsies de peau de la poitrine ont été effectuées le lendemain. L'échantillon d'expectorations a

© 2009 Elsevier Masson SAS. Tous droits réservés

Individu normal

Patient infecté par le VIH

A

B

CD4-APC

CD8-PE

1 395 lymphocytes T CD4+ /mm3

Figure A.6 Analyse par cytométrie en flux des lymphocytes T CD4⁺ et CD8⁺ d'un patient infecté par le VIH. Une suspension de globules blancs du patient a été incubée avec des anticorps monoclonaux spécifiques de CD4 et CD8. L'anticorps anti-CD4 a été marqué avec un fluorochrome (fluorochrome), l'allophycocyanine (APC), et l'anticorps anti-CD8 a été marqué avec un autre colorant fluorescent, la phycoérythrine (PE). Ces deux fluorochromes émettent une lumière de couleur différente lorsqu'ils sont excités par les longueurs d'onde appropriées. Les suspensions cellulaires ont été analysées avec un cytomètre de flux, qui a pu dénombrer les cellules marquées par chacun des deux anticorps. De cette manière, le nombre des lymphocytes T $CD4^+$ et $CD8^+$ peut être déterminé. Les graphes correspondent aux double-marquages d'un échantillon sanguin témoin (A) ou à celui d'un patient (B). Les lymphocytes T $CD4^+$ sont représentés en orange (*quadrant supérieur gauche*) tandis que les lymphocytes T $CD8^+$ sont représentés en vert (*quadrant inférieur droit*). Ces couleurs ne sont pas celles de la lumière émise par les colorants fluorescents APC et PE.

été coloré afin de mettre en évidence des micro-organismes, cette coloration a révélé de nombreux *Pneumocystis jiroveci*. Les biopsies cutanées indiquaient la présence d'un sarcome de Kaposi. Malgré des soins intensifs, la pneumonie du patient a progressé et celui-ci est décédé trois jours plus tard.

▪ 4. Pourquoi les patients souffrant du sida présentent-ils des risques élevés de développer des infections opportunistes comme une pneumonie à *Pneumocystis jiroveci* ou des affections malignes comme le sarcome de Kaposi ?

Réponses aux questions relatives au cas n° 5

▪ 1. L'utilisation de drogues intraveineuses est le facteur de risque majeur pour l'infection par le VIH chez ce patient. L'échange d'aiguilles entre les toxicomanes provoque la transmission de particules virales transportées par le sang d'un individu infecté aux autres personnes. Les autres facteurs majeurs de risque pour l'infection par le VIH sont les rapports sexuels avec un individu infecté, la transfusion de produits sanguins contaminés et le fait de naître d'une mère infectée. (cf. chapitre 12).

▪ 2. Après l'infection initiale, le VIH pénètre rapidement dans différents types cellulaires de l'organisme, notamment les lymphocytes T $CD4^+$, les phagocytes mononucléés ainsi que d'autres cellules. Le virus est alors à l'abri de la neutralisation par les anticorps. La diminution progressive des lymphocytes T $CD4^+$ chez ce patient a été provoquée par des cycles répétitifs d'infections par le VIH et de mort des lymphocytes T $CD4^+$ dans les organes lymphoïdes. Les symptômes de sida n'apparaissent généralement pas avant que la numération des lymphocytes T $CD4^+$ ne chute en dessous de $200/mm^3$, ce qui correspond à une réduction drastique du nombre de lymphocytes T dans les organes lymphoïdes (cf. chapitre 12).

▪ 3. Le VIH présente un taux de mutations extrêmement élevé. Les mutations du gène de la transcriptase inverse qui rendent l'enzyme résistante aux inhibiteurs nucléosidiques surviennent fréquemment chez les patients traités. La résistance aux inhibiteurs de protéases pourrait survenir par des mécanismes similaires.

▪ 4. Les déficits de l'immunité assurée par les lymphocytes T qui apparaissent chez les patients souffrant de sida conduisent à une défaillance de l'immunité contre les virus, les champignons et les protozoaires, qui sont normalement contrôlés par le système immunitaire sain. *Pneumocystis jiroveci* est un parasite présentant des caractéristiques propres à la fois aux champignons et aux protozoaires, et qui est généralement éradiqué par l'action des lymphocytes T $CD4^+$ activés. Un grand nombre d'affections malignes qui sont fréquentes chez les sidéens sont associées à des virus oncogènes. Par exemple, le sarcome de Kaposi est associé à une infection par l'herpès virus 6 humain. De nombreux lymphomes se déclenchant chez les sidéens sont associés au virus d'Epstein-Barr, et un grand nombre des carcinomes de la peau et du col de l'utérus qui surviennent chez les sidéens sont associés au papillomavirus humain.

© 2009 Elsevier Masson SAS. Tous droits réservés

Annexe III

Glossaire

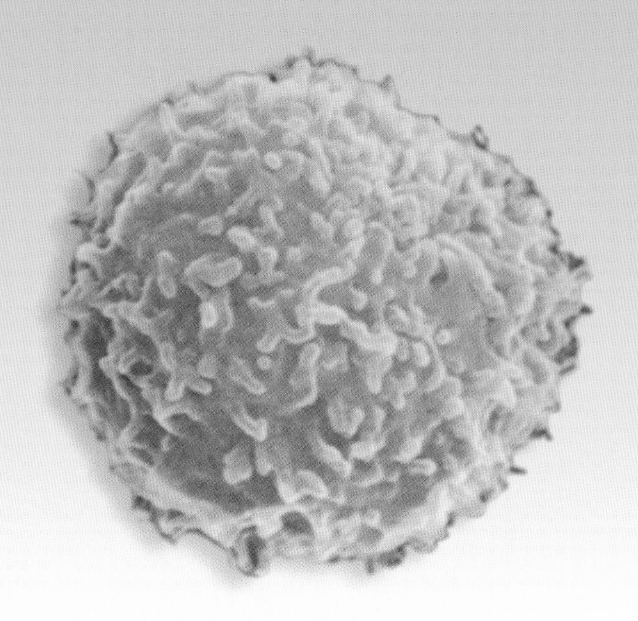

Activateurs polyclonaux. Agents capables d'activer de nombreux clones de lymphocytes, quelle que soit leur spécificité antigénique. Par exemple, les anticorps anti-IgM sont des activateurs polyclonaux pour les lymphocytes B, et les anticorps anti-CD3 et la phytohémagglutinine pour les lymphocytes T.

Les bases de l'immunologie fondamentale et clinique
© 2009 Elsevier Masson SAS. Tous droits réservés

Adjuvant. Substance, distincte des antigènes, qui augmente l'activation des lymphocytes T en favorisant l'accumulation des cellules présentatrices d'antigène au niveau du site d'entrée de l'antigène, et en augmentant l'expression de molécules de costimulation et de cytokines par les cellules présentatrices d'antigène.

Adressage. Voir **Écotaxie**.

Affinité. Force de la liaison entre un site unique d'une molécule (par exemple un anticorps) et un ligand (par exemple un antigène), caractérisée par la constante de dissociation (K_d). Plus la valeur de K_d est faible, plus l'interaction est forte ou élevée.

Agammaglobulinémie liée à l'X. Déficience immunitaire, également appelé maladie de Bruton, caractérisée par un blocage précoce de la maturation des lymphocytes B et une absence d'immunoglobulines sériques. Les patients souffrent d'infections à bactéries pyogènes. La maladie est provoquée par des mutations ou des délétions dans le gène codant la tyrosine kinase des lymphocytes B (Btk), une enzyme participant à la transduction des signaux dans les lymphocytes B en développement.

AIRE. Facteur de transcription codé par le gène *AIRE* (*autoimmune regulator*, régulateur de l'auto-immunité), qui permet l'expression d'antigènes de tissus périphériques par les cellules épithéliales thymiques et qui est essentiel à la délétion (sélection négative) des cellules T spécifiques de ces antigènes. Des mutations de *AIRE* entraînent le syndrome polyendocrine auto-immun de type 1 (APS-1, *autoimmune polyendocrine syndrome type 1*).

Allèle. L'une des différentes formes d'un gène présente à un locus chromosomique particulier. Un individu hétérozygote pour un locus porte deux allèles différents, chacun sur un chromosome différent, l'un hérité de la mère et l'autre du père. S'il existe plusieurs allèles différents pour un gène particulier dans une population, le gène ou le locus est dit **polymorphe**. Le locus du complexe majeur d'histocompatibilité est extrêmement polymorphe.

Allergène. Antigène déclenchant une réaction d'hypersensibilité immédiate (allergique). Les allergènes sont des protéines, ou des produits chimiques liés à des protéines, qui induisent la production d'anticorps IgE chez des individus atopiques.

Allergie. Forme d'hypersensibilité immédiate ou atopie, souvent définie par le type d'antigène déclenchant la réaction, par exemple allergie alimentaire, allergie aux piqûres d'abeille ou allergie à la pénicilline. Toutes ces affections sont liées à l'activation des mastocytes ou des basophiles par l'antigène.

Alloantigène. Antigène cellulaire ou tissulaire présent chez certains membres d'une espèce et pas chez les autres, qui est reconnu comme étranger sur une allogreffe. Les alloantigènes sont les produits de gènes polymorphes.

Allogreffe. Voir **Greffe allogénique**.

Alloréactif. Réactif aux alloantigènes; qualifie les lymphocytes T ou les anticorps d'un individu reconnaissant les antigènes présents sur les cellules ou les tissus d'un individu génétiquement différent.

Anaphylatoxines. Fragments C5a, C4a et C3a du complément produits au cours de l'activation du complément. Les anaphylatoxines se lient à des récepteurs spécifiques de la surface cellulaire et déclenchent une inflammation aiguë en stimulant le chimiotactisme des neutrophiles et en activant les mastocytes.

Anaphylaxie. Forme systémique extrême d'hypersensibilité immédiate, également appelée choc anaphylactique, au cours de laquelle les médiateurs des mastocytes et des basophiles provoquent une bronchoconstriction, un œdème tissulaire massif et un collapsus cardiovasculaire.

Anergie. Absence de réponse à une stimulation antigénique. L'anergie des lymphocytes (également appelée anergie clonale) est l'incapacité des clones de lymphocytes T ou B à réagir à un antigène. Ce phénomène pourrait constituer l'un des mécanismes de maintien de la tolérance immunitaire aux antigènes du soi. En pratique clinique, l'anergie fait référence à une déficience généralisée des réactions cutanées d'hypersensibilité retardée dépendant des lymphocytes T en réponse à des antigènes courants.

Anticorps humanisé. Anticorps monoclonal codé par un gène hybride recombinant et composé des sites de liaison à l'antigène d'un anticorps monoclonal murin et de la région constante d'un anticorps humain. Les anticorps humanisés ont une moindre tendance à induire une réponse anti-anticorps chez l'homme que les anticorps monoclonaux de souris; ils sont utilisés en clinique pour le traitement des tumeurs et de diverses maladies inflammatoires.

Anticorps monoclonal. Anticorps spécifique d'un antigène, qui est produit par un hybridome B (lignée cellulaire dérivée de la fusion d'un lymphocyte B normal unique et d'une lignée tumorale de lymphocytes B immortels). Les anticorps monoclonaux sont largement utilisés en recherche et en clinique à des fins diagnostiques et thérapeutiques.

Anticorps naturels. Anticorps IgM, produits principalement par les lymphocytes B-1 ou les lymphocytes B de la zone marginale spécifiques de bactéries fréquentes dans l'environnement. Les individus normaux possèdent des anticorps naturels sans que l'on puisse prouver qu'ils ont eu des infections antérieures. Ces anticorps servent de mécanisme de défense préformé contre des microbes qui réussissent à pénétrer à travers les barrières épithéliales. Certains de ces anticorps réagissent de manière croisée avec les antigènes de groupes sanguins ABO et sont responsables des réactions post-transfusionnelles.

© 2009 Elsevier Masson SAS. Tous droits réservés

Anticorps. Glycoprotéine, également appelé immunoglobuline (Ig), produite par les lymphocytes B, qui se lie aux antigènes, souvent avec un degré élevé de spécificité et une forte affinité. L'unité structurale de base d'un anticorps est composée de deux chaînes lourdes identiques et de deux chaînes légères identiques. Les régions variables aminoterminales des chaînes lourdes et légères forment les sites de liaison aux antigènes, tandis que les régions constantes carboxyterminales des chaînes lourdes interagissent de manière fonctionnelle avec d'autres molécules du système immunitaire. Chez tout individu, il existe des millions d'anticorps différents, chacun d'entre eux présentant un site de liaison à l'antigène unique. Les anticorps sécrétés assurent différentes fonctions effectrices, notamment la neutralisation des antigènes, l'activation du complément, la stimulation de la phagocytose et la destruction des microbes.

Antigène de transplantation spécifique de tumeurs (TSTA, *tumor-specific transplantation antigen*). Antigène exprimé sur des cellules tumorales de modèles animaux et qui peut être détecté par l'induction d'un rejet immunologique de tumeurs transplantées. Les antigènes TSTA ont été originellement mis en évidence sur des sarcomes de rongeurs induits chimiquement et il a été montré qu'ils stimulaient le rejet par les lymphocytes T cytotoxiques des tumeurs transplantées.

Antigène. Molécule qui se lie à un anticorps ou au récepteur d'antigène des lymphocytes T (TCR, *T cell receptor*). Les antigènes susceptibles de se lier aux anticorps appartiennent à toutes sortes de molécules. Les TCR ne se lient qu'à des fragments peptidiques de protéines associés aux molécules du complexe majeur d'histocompatibilité; le ligand peptidique et la protéine native dont il dérive sont appelés antigènes des lymphocytes T.

Antigènes de groupes sanguins ABO. Antigènes glycosphingolipidiques présents sur de nombreux types cellulaires, notamment les globules rouges et les cellules endothéliales. Ils diffèrent entre les individus en fonction des allèles du patrimoine génétique codant les enzymes nécessaires à la synthèse des antigènes. Les antigènes ABO agissent comme des alloantigènes responsables des réactions post-transfusionnelles et du rejet hyperaigu des allogreffes.

Antigènes leucocytaires humains (HLA). Molécules du complexe majeur d'histocompatibilité (CMH) exprimées à la surface des cellules humaines. Les molécules du CMH humain ont été identifiées à l'origine comme étant des alloantigènes de la surface des globules blancs (leucocytes) se liant à des anticorps sériques provenant d'individus précédemment exposés aux cellules d'autres individus (par exemple mères ou patients transfusés).

Antigènes oncofœtaux. Protéines exprimées à des concentrations élevées par certains types de cellules cancéreuses et au cours du développement normal (fœtal), mais pas dans les tissus adultes. Des anticorps spécifiques dirigés contre ces protéines sont souvent utilisés pour l'identification histopathologique de tumeurs, ou pour suivre la progression de la croissance tumorale chez des patients. L'antigène carcinoembryonnaire (CEA, CD66) et l'α-fœtoprotéine (AFP) sont deux antigènes oncofœtaux fréquemment exprimés par certains carcinomes.

Antigènes T-dépendants. Antigène nécessitant à la fois les lymphocytes B et les lymphocytes T auxiliaires pour stimuler une réponse anticorps. Les antigènes T-dépendants sont constitués par tous les antigènes protéiques qui contiennent certains épitopes reconnus par les lymphocytes T, et d'autres épitopes reconnus par les lymphocytes B. Les lymphocytes T auxiliaires produisent des cytokines et présentent des molécules à leur surface cellulaire qui stimulent la croissance et la différenciation des lymphocytes B en plasmocytes. Les réponses humorales aux antigènes T-dépendants se caractérisent par la commutation isotypique, la maturation d'affinité et l'effet mémoire.

Antigènes T-indépendants. Antigènes non protéiques, notamment des polysaccharides et des lipides, qui peuvent stimuler des réponses productrices d'anticorps sans nécessité de collaboration avec des lymphocytes T auxiliaires spécifiques de l'antigène. Les antigènes T-indépendants contiennent généralement de multiples épitopes identiques qui peuvent agréger (pontage) les récepteurs d'antigène des lymphocytes B, et par conséquent activer ces cellules. Les réponses immunitaires humorales aux antigènes T-indépendants présentent une commutation isotypique (chaîne lourde) ou une maturation d'affinité relativement faible, ces deux processus nécessitant des signaux provenant des lymphocytes T auxiliaires.

Antisérum. Sérum d'un individu précédemment immunisé contre un antigène et qui contient des anticorps spécifiques de cet antigène.

Apoptose. Processus de mort cellulaire, caractérisé par un clivage de l'ADN, une condensation et une fragmentation nucléaire, et un bourgeonnement de la membrane plasmique, entraînant la phagocytose de la cellule, sans induire de réponse inflammatoire. Ce type de mort cellulaire est important dans le développement des lymphocytes, la régulation des réponses des lymphocytes contre les antigènes étrangers et le maintien de la tolérance envers les antigènes du soi.

Apprêtement de l'antigène. Transformation intracellulaire d'antigènes protéiques provenant du compartiment extracellulaire ou du cytosol, en peptides, et chargement de ces peptides sur des molécules du complexe majeur d'histocompatibilité afin qu'ils soient présentés aux lymphocytes T.

© 2009 Elsevier Masson SAS. Tous droits réservés

Artériosclérose du greffon. Occlusion des artères du greffon due à la prolifération des cellules musculaires lisses de l'intima. Ce processus apparaît 6 mois à 1 an après une transplantation et est à l'origine du rejet chronique des greffons d'organes vascularisés. Le mécanisme semble provenir d'une réponse immunitaire chronique dirigée contre des alloantigènes de la paroi des vaisseaux. Ce phénomène est également désigné par le terme d'artériosclérose accélérée.

Arthus, réaction d'. Forme localisée de vascularite expérimentale déclenchée par les complexes immuns et qui est induite par l'injection d'un antigène par voie sous-cutanée à un animal précédemment immunisé, ou à un animal ayant reçu par voie intraveineuse des anticorps spécifiques de l'antigène. Les anticorps circulants se lient à l'antigène injecté, formant des complexes immuns qui se déposent sur les parois des petites artères au site de l'injection, donnant naissance à une vascularite cutanée locale accompagnée d'une nécrose.

Asthme bronchique. Maladie inflammatoire généralement provoquée par des réactions répétées d'hypersensibilité immédiate dans le poumon, entraînant une obstruction intermittente et réversible des voies respiratoires, une inflammation bronchique chronique avec éosinophilie, ainsi qu'une hypertrophie et une hyperréactivité des cellules musculaires lisses des bronches.

Atopie. Propension d'un individu à produire des anticorps IgE en réponse à différents antigènes environnementaux et à développer de fortes réactions d'hypersensibilité immédiate (allergie). Les personnes souffrant d'allergies aux antigènes environnementaux, comme les pollens ou les poussières domestiques, sont dites atopiques.

Autoanticorps. Anticorps spécifique d'un antigène du soi. Les autoanticorps peuvent provoquer des lésions cellulaires et tissulaires, et sont produits en excès dans différentes maladies auto-immunes, comme le lupus érythémateux disséminé.

Auto-immunité. Réponse du système immunitaire adaptatif aux antigènes du soi qui survient en cas de défaillance des mécanismes de tolérance au soi (voir **Maladie auto-immune**).

Avidité. Force globale de l'interaction entre deux molécules, par exemple un anticorps et un antigène. L'avidité dépend à la fois de l'affinité et de la valence des interactions. Par conséquent, pour un antigène multivalent, l'avidité d'un anticorps IgM pentamérique, présentant 10 sites de liaison à l'antigène, peut être largement supérieure à l'avidité d'une molécule IgG dimérique pour ce même antigène. Le terme « avidité » peut également être utilisé pour décrire la force des interactions intercellulaires assurées par des liaisons multiples entre molécules de la surface cellulaire.

β_2-microglobuline. Chaîne légère d'une molécule de classe I du complexe majeur d'histocompatibilité (CMH). La β_2-microglobuline est une protéine extracellulaire codée par un gène non polymorphe situé à l'extérieur du complexe du CMH, qui est homologue à un domaine d'Ig et qui est invariante dans toutes les molécules de classe I.

Bactérie intracellulaire. Bactérie qui survit et se réplique à l'intérieur des cellules, généralement dans des phagolysosomes. Le principal mécanisme de défense contre les bactéries intracellulaires, par exemple *Mycobacterium tuberculosis*, est l'immunité cellulaire.

Bactéries pyogènes. Bactéries, comme les staphylocoques et les streptocoques à Gram positif, qui induisent des réponses inflammatoires riches en polynucléaires (responsables de la formation du pus). La formation d'anticorps dirigés contre ces bactéries augmente considérablement la capacité des mécanismes effecteurs de l'immunité innée à éliminer ces infections.

Basophile. Type de granulocyte circulant issu de la moelle osseuse présentant des similitudes structurelles et fonctionnelles avec les mastocytes. Il possède des granules contenant de nombreux médiateurs inflammatoires identiques à ceux des mastocytes, et ils expriment un récepteur de Fc de haute affinité pour les IgE. Les basophiles qui sont recrutés dans les sites tissulaires où l'antigène est présent pourraient contribuer aux réactions d'hypersensibilité immédiate.

Buvardage de western (*Western blot*). Technique permettant de déterminer la présence d'une protéine dans un échantillon biologique. La méthode comprend la séparation des protéines de l'échantillon par électrophorèse, le transfert des différentes protéines séparées sur le gel d'électrophorèse sur un support membranaire par capillarité (buvardage ou *blotting*), et enfin la détection de la protéine par liaison d'un anticorps spécifique de cette protéine et marqué par une enzyme ou un radiomarqueur.

C3 convertase. Complexe enzymatique protéique généré lors des premières étapes de l'activation du complément, qui clive C3, donnant naissance à deux produits protéolytiques appelés C3a et C3b.

C5 convertase. Complexe enzymatique protéique généré par la liaison de C3b à la C3 convertase, qui clive C5 et initie les dernières étapes de l'activation du complément.

Cascade des MAP-kinases (MAP, *mitogen-activated protein*). Cascade de transduction des signaux initiée par la forme active de la protéine Ras et faisant intervenir l'activation séquentielle de trois sérine/thréonine kinases, la dernière étant la kinase MAP. À son tour, la kinase MAP phosphoryle et active d'autres enzymes ou facteurs

© 2009 Elsevier Masson SAS. Tous droits réservés

de transcription. La voie des MAP-kinases est l'une des nombreuses voies de signalisation activées par la liaison de l'antigène aux récepteurs des lymphocytes T.

Caspases. Protéases intracellulaires à cystéine qui clivent les substrats du côté carboxyterminal des résidus acide aspartique. Elles interviennent dans les cascades enzymatiques aboutissant à la mort apoptotique des cellules. Les caspases lymphocytaires peuvent être activées par deux voies distinctes, l'une d'entre elles étant associée à des changements de la perméabilité mitochondriale dans les cellules privées de facteurs de croissance, l'autre à des signaux provenant des récepteurs à domaines de mort exprimés à la membrane plasmique.

Cellules de Langerhans. Cellules dendritiques immatures formant un réseau continu dans l'épiderme et dont la fonction principale est de piéger et de transporter les antigènes protéiques vers les ganglions lymphatiques locorégionaux. Au cours de leur migration vers les ganglions lymphatiques, les cellules de Langerhans subissent une maturation en cellules dendritiques des ganglions lymphatiques ayant la capacité d'apprêter et de présenter efficacement les antigènes aux lymphocytes T naïfs.

Cellules dendritiques. Cellules issues de la moelle osseuse, présentes dans les épithéliums et la plupart des organes, caractérisées sur le plan morphologique par de fines projections de la membrane. Les cellules dendritiques sont des cellules présentatrices d'antigène pour les lymphocytes T naïfs et elles jouent un rôle important dans l'induction des réponses immunitaires adaptatives contre des antigènes protéiques.

Cellules dendritiques folliculaires. Cellules des follicules lymphoïdes qui expriment des récepteurs du complément, des récepteurs de Fc et le ligand de CD40, et présentent de longs prolongements cytoplasmiques qui forment un réseau faisant partie intégrante de l'architecture des follicules lymphoïdes. Les cellules folliculaires dendritiques présentent les antigènes à leur surface afin qu'ils soient reconnus par les lymphocytes B, et participent à l'activation et à la sélection des lymphocytes B exprimant des Ig membranaires de haute affinité au cours du processus de maturation d'affinité.

Cellules effectrices. Cellules exerçant des fonctions effectrices au cours d'une réponse immunitaire comme la sécrétion de cytokines (par exemple, les lymphocytes T auxiliaires), la destruction de microbes (par exemple, les macrophages, les neutrophiles et les éosinophiles), la destruction de cellules hôtes infectées par des germes (par exemple les CTL), ou la sécrétion d'anticorps (par exemple, les lymphocytes B différenciés en plasmocytes).

Cellules NK (*natural killer*). Sous-population de lymphocytes dérivés de la moelle osseuse. Différentes des lymphocytes B et T, les cellules NK interviennent dans les réponses immunitaires innées pour détruire les cellules infectées par les microbes et activer les phagocytes par la sécrétion d'interféron γ. Les cellules NK n'expriment pas de récepteurs d'antigène de manière clonale comme les immunoglobulines ou les récepteurs des lymphocytes T. Leur activation est régulée par une combinaison de récepteurs stimulateurs et inhibiteurs présents à la surface cellulaire, ces derniers reconnaissant les molécules du CMH du soi.

Cellules présentatrices d'antigènes (APC, *antigen-presenting cell*). Cellules présentant à leur surface des fragments peptidiques d'antigènes protéiques, en association avec des molécules du complexe majeur d'histocompatibilité (CMH), et qui activent les lymphocytes T spécifiques de l'antigène. Outre la présentation de complexes peptide-molécule du CMH, les APC doivent également exprimer des molécules de costimulation afin d'activer les lymphocytes T de manière optimale.

Cellules présentatrices d'antigène professionnelles. Cellules présentatrices d'antigène (APC, *antigen-presenting cells*) pour les lymphocytes T capables de présenter des peptides liés aux molécules du complexe majeur d'histocompatibilité et exprimant des molécules de costimulation. Les APC professionnelles les plus importantes pour l'induction des réponses primaires des lymphocytes T sont les cellules dendritiques.

Cellules sécrétrices d'anticorps. Lymphocytes B qui, après différenciation, produisent la forme sécrétoire des immunoglobulines (Ig). Les cellules sécrétrices d'anticorps se développent en réponse à un antigène et résident dans les follicules lymphoïdes, dans la rate et les ganglions lymphatiques, ainsi que dans la moelle osseuse. Les plasmocytes sont les représentants typiques des cellules sécrétrices d'anticorps.

Cellules souches. Cellules indifférenciées qui se divisent continuellement et donnent naissance à des cellules souches supplémentaires et à des cellules de différentes lignées. Par exemple, toutes les cellules sanguines proviennent d'une cellule souche hématopoïétique commune située dans la moelle osseuse.

Cellules souches pluripotentes. Cellules indifférenciées de la moelle osseuse qui se divisent continuellement, et donnent naissance à de nouvelles cellules souches et à des cellules de plusieurs lignées différentes. Une cellule souche hématopoïétique de la moelle osseuse donnera naissance à des cellules des lignées lymphoïde, myéloïde et érythrocytaire.

Centre germinatif. Région centrale faiblement colorée se trouvant à l'intérieur d'un follicule lymphoïde de la rate, de ganglions lymphatiques ou de tissus lymphoïdes associés aux muqueuses, qui se forme au cours des réponses immunitaires humorales dépendant des

© 2009 Elsevier Masson SAS. Tous droits réservés

lymphocytes T, et constitue le site de maturation d'affinité des lymphocytes B.

Chaîne invariante (Ii). Protéine non polymorphe qui se lie, dans le réticulum endoplasmique, aux molécules de classe II du complexe majeur d'histocompatibilité (CMH) nouvellement synthétisées La chaîne invariante empêche le chargement du sillon de liaison aux peptides des molécules de classe II du CMH par les peptides présents dans le réticulum endoplasmique (RE), laissant ces peptides se lier aux molécules de classe I. La chaîne invariante favorise également le repliement et l'assemblage des molécules de classe II et dirige les molécules de classe II nouvellement formées vers le compartiment endosomial spécialisé MIIC, où a lieu le chargement des peptides.

Chaîne J. Protéine produite par les lymphocytes B matures qui se lie aux formes sécrétées des molécules IgM et IgA, et qui regroupe respectivement cinq ou deux de ces molécules. Ne pas confondre avec le segment J des gènes codant pour le récepteur d'antigène.

Chaîne légère d'immunoglobuline (Ig). L'un des deux types de chaînes polypeptidiques composant une molécule d'anticorps. L'unité structurale de base d'un anticorps comporte deux chaînes légères identiques, chacune liée par des ponts disulfures à l'une des deux chaînes lourdes identiques. Chaque chaîne légère est composée d'un domaine d'Ig variable (V) et d'un domaine d'Ig constant (C). Il existe deux isotypes de chaînes légères, appelés κ et λ, les deux étant identiques sur le plan fonctionnel. Chez l'homme, environ 60 % des anticorps comprennent des chaînes légères κ et 40 % des chaînes légères λ.

Chaîne lourde d'immunoglobuline (Ig). L'un des deux types de chaînes polypeptidiques composant une molécule d'anticorps. L'unité structurale de base d'un anticorps comprend deux chaînes lourdes identiques liées par des ponts disulfures et deux chaînes légères identiques. Chaque chaîne lourde est composée d'un domaine d'Ig variable (V) et de trois ou quatre domaines d'Ig constants (C). Les différents isotypes d'anticorps, IgM, IgD, IgG, IgA et IgE, se distinguent par des différences structurales dans les régions constantes de leurs chaînes lourdes. Les régions constantes des chaînes lourdes assurent également les fonctions effectrices, comme l'activation du complément et l'interaction avec les phagocytes.

Chaîne lourde. Voir **Chaîne lourde d'immunoglobuline (Ig)**.

Chaîne ζ. Protéine transmembranaire exprimée dans les lymphocytes T, faisant partie du complexe du récepteur des lymphocytes T, qui contient les motifs d'activation à base de tyrosines des immunorécepteurs (ITAM, *immunoreceptor tyrosine-based activation motifs*) dans sa portion intracytoplasmique, et qui se lie à la tyrosine kinase ZAP-70 au cours de l'activation des lymphocytes T.

Chimiokines. Grande famille de cytokines structurellement homologues et de faible poids moléculaire stimulant le déplacement des leucocytes et régulant la migration des leucocytes du sang vers les tissus.

Chimiotactisme. Migration d'une cellule le long d'un gradient de concentration chimique. Le déplacement des lymphocytes, des polynucléaires, des monocytes et des autres leucocytes dans différents tissus est souvent dirigé par des gradients de chimiokines.

Choc endotoxinique. Voir **Choc septique**.

Choc septique. Complication souvent létale d'une infection sévère à bactéries à Gram négatif avec dissémination des germes dans la circulation sanguine (septicémie), qui est caractérisée par un collapsus vasculaire, une coagulation intravasculaire disséminée et des troubles métaboliques. Ce syndrome est dû aux effets du lipopolysaccharide (LPS) des bactéries et aux cytokines, notamment le TNF, l'interleukine-12 (IL-12) et l'interleukine-1 (IL-1). Le choc septique est également appelé choc endotoxinique.

Choc toxique, syndrome de. Pathologie aiguë caractérisée par un choc, une desquamation de l'épiderme, une conjonctivite et une diarrhée, associée à l'utilisation de tampons périodiques et provoquée par un superantigène de *Staphylococcus aureus.*

Ciclosporine. Médicament immunosuppresseur, utilisé pour prévenir le rejet des allogreffes, qui agit en bloquant la transcription de gènes codant pour des cytokines de lymphocytes T. La ciclosporine se lie à une protéine cytosolique appelée cyclophiline, puis les complexes ciclosporine-cyclophiline se lient à la calcineurine (une phosphatase), inhibant ainsi l'activation et la translocation nucléaire du facteur de transcription NFAT.

CLIP (*class II-associated invariant chain peptide*). Résidu peptidique de la chaîne invariante se trouvant dans l'encoche de liaison aux peptides des molécules de classe II du CMH, et qui en est retiré par l'action de la molécule HLA-DM avant que l'encoche ne devienne accessible aux peptides dérivés d'antigènes protéiques ingérés par endocytose.

Collectines. Famille de protéines, comprenant les lectines liant le mannose, qui sont caractérisées par la présence d'un domaine analogue au collagène et d'un domaine lectine (c'est-à-dire de liaison aux hydrates de carbone). Les collectines jouent un rôle dans le système immunitaire inné en agissant comme récepteurs de reconnaissance des motifs moléculaires microbiens. Par ailleurs, elles peuvent activer le système du complément en se liant à C1q.

© 2009 Elsevier Masson SAS. Tous droits réservés

Commutation isotypique (ou commutation de classe). Processus par lequel un lymphocyte B change l'isotype de l'anticorps qu'il produit, passant de l'IgM à l'IgG, à l'IgE ou à l'IgA, sans changer la spécificité de l'anticorps. La commutation isotypique est régulée par les cytokines des lymphocytes T auxiliaires et le ligand de CD40, et comprend la recombinaison des segments VDJ des chaînes lourdes avec les segments géniques situés en aval codant les régions constantes.

Complément. Système de protéines du sérum et de la surface cellulaire qui interagissent les unes avec les autres, ainsi qu'avec d'autres molécules du système immunitaire pour générer des effecteurs importants des réponses immunitaires innées et adaptatives. Il existe trois voies d'activation du complément qui diffèrent par la manière dont elles sont initiées. La voie classique est activée par les complexes antigène-anticorps, la voie alternative par les surfaces microbiennes et la voie des lectines par les lectines plasmatiques qui se lient aux microbes. Chaque voie d'activation du complément est composée d'une cascade d'enzymes protéolytiques qui produit des médiateurs inflammatoires et des opsonines, et entraîne la formation d'un complexe lytique qui s'insère dans les membranes cellulaires.

Complexe d'attaque membranaire (CAM). Complexe lytique formé des composants finaux de la cascade du complément, comprenant de nombreuses copies de C9, qui se forme dans les membranes des cellules cibles sur lesquelles le complément est activé. Le CAM provoque des changements ioniques et osmotiques mortels pour les cellules.

Complexe du récepteur d'antigène des lymphocytes B (BCR, *B cell receptor*). Complexe multiprotéique exprimé à la surface des lymphocytes B qui reconnaît l'antigène et transduit des signaux d'activation. Le complexe du BCR comprend une Ig membranaire, qui est responsable de la liaison à l'antigène, et des protéines Igα et Igβ associées qui déclenchent la signalisation.

Complexe du récepteur des lymphocytes T (complexe du TCR, *T cell receptor*). Complexe multiprotéique présent dans la membrane plasmique des lymphocytes T composé de l'hétérodimère hautement variable qu'est le TCR, qui se lie à l'antigène, et des protéines de signalisation invariantes CD3γ, δ et ε ainsi que de la chaîne ζ.

Complexe immun. Complexe formé d'une ou plusieurs molécules d'anticorps liées à un antigène. Comme chaque molécule d'anticorps porte un minimum de deux sites de liaison à l'antigène et que de nombreux antigènes contiennent de multiples épitopes, la taille des complexes immuns peut être extrêmement variable. Les complexes immuns activent les mécanismes effecteurs de l'immunité humorale, notamment la voie classique du complément et l'activation des phagocytes par les récepteurs de Fc. Le dépôt de complexes immuns circulants sur la paroi des vaisseaux sanguins, dans les glomérules rénaux et dans les synoviales articulaires peut conduire à une inflammation et déclencher des pathologies.

Complexe majeur d'histocompatibilité (CMH). Locus génique de grande taille (situé sur les chromosomes 6 chez l'homme et 17 chez la souris) qui comprend des gènes hautement polymorphes codant des molécules liant des peptides et reconnues par les lymphocytes T. Le locus du CMH comprend également des gènes codant des cytokines, des molécules participant à l'apprêtement des antigènes et des protéines du complément.

Corécepteur. Récepteur de la surface des lymphocytes qui se lie à une partie d'un antigène en même temps qu'une immunoglobuline membranaire (Ig) ou un récepteur de lymphocytes T (TCR) se lie à l'antigène, et qui délivre des signaux nécessaires à une activation optimale des lymphocytes. CD4 et CD8 sont des corécepteurs des lymphocytes T qui se lient à des régions non polymorphes d'une molécule du complexe majeur d'histocompatibilité parallèlement à la liaison du TCR à des résidus polymorphes et au peptide présenté. Le récepteur du complément de type 2 (CR2) est un corécepteur des lymphocytes B qui se lie aux antigènes recouverts de complément, au moment même où une Ig membranaire se lie à un épitope de l'antigène.

CSF (*colony-stimulating factors, facteur stimulant la formation de colonies*). Cytokines favorisant l'expansion et la différenciation des cellules progénitrices de la moelle osseuse. Les CSF sont essentiels pour la maturation des globules rouges, des granulocytes, des monocytes et des lymphocytes. Des exemples de CSF sont le GM-CSF (facteur stimulant la formation des colonies de granulocytes et de monocytes), le ligand de c-kit et l'interleukine-3.

Cytokines. Protéines sécrétées agissant comme des médiateurs des réactions immunitaires et inflammatoires. Dans les réponses immunitaires innées, les cytokines sont produites par les macrophages et les cellules NK, tandis que dans les réponses immunitaires adaptatives, elles sont principalement produites par les lymphocytes T.

Cytométrie de flux. Méthode d'analyse du phénotype de populations cellulaires nécessitant un instrument spécialisé (cytofluorimètre) qui peut détecter la fluorescence de cellules individuelles en suspension et ainsi déterminer le nombre de cellules exprimant la molécule à laquelle une sonde fluorescente est liée. Les suspensions de cellules sont incubées avec des anticorps, ou d'autres sondes, marqués par des fluorochromes. L'intensité du marquage de chaque cellule est mesurée lors du passage des cellules une à une à travers un fluorimètre où elles sont exposées à un rayon incident généré par un laser.

© 2009 Elsevier Masson SAS. Tous droits réservés

Cytotoxicité cellulaire dépendant des anticorps (ADCC, *antibody-dependent cell-mediated cytotoxicity*). Processus au cours duquel les cellules NK (*natural killer*) s'attaquent à des cellules cibles recouvertes d'IgG, entraînant la lyse des cellules recouvertes d'anticorps. Un récepteur spécifique pour la région constante des IgG, appelé FcγRIII (CD16), est exprimé à la membrane des cellules NK et permet la liaison aux IgG.

Défensines. Peptides riches en cystéine produits dans les épithéliums et les granules des neutrophiles, qui agissent comme des antibiotiques à large spectre capables de détruire une grande variété de bactéries et de champignons.

Déficience des molécules d'adhérence des leucocytes (LAD, *leucocyte adhesion deficiency*). Groupe de déficiences immunitaires rares provoquées par un défaut d'expression des molécules d'adhérence des leucocytes nécessaires au recrutement tissulaire des phagocytes et des lymphocytes. Le déficit d'expression des protéines d'adhérence leucocytaire de type 1 est dû à des mutations du gène codant la protéine CD18, qui entre dans la composition des intégrines β2. Le syndrome LAD de type 2 est dû à des mutations d'un gène codant une enzyme impliquée dans la synthèse des ligands leucocytaires des sélectines endothéliales.

Déficience immunitaire acquise. Déficience du système immunitaire qui survient après la naissance à la suite d'infections, de malnutrition ou de traitements responsables d'une déplétion des cellules immunitaires, et qui ne relève pas d'un défaut génétique.

Déficience immunitaire primaire. Anomalie génétique qui entraîne une déficience en certains composants des systèmes immunitaires inné ou adaptatif, conduisant à une plus grande sensibilité aux infections qui se manifeste fréquemment à un stade précoce de la petite enfance et de l'enfance, mais qui peut parfois être détectée sur le plan clinique plus tardivement dans la vie de l'individu.

Déficiences immunitaires combinées sévères (DICS). Immunodéficiences dans lesquelles ni les lymphocytes B ni les lymphocytes T ne se développent ni ne fonctionnent correctement ; par conséquent, aussi bien l'immunité humorale que l'immunité cellulaire sont altérées. Les enfants souffrant de DICS présentent généralement au cours de leur première année de vie des infections, qui peuvent être fatales si la déficience immunitaire n'est pas traitée. Il existe plusieurs causes génétiques différentes de DICS.

Désensibilisation. Méthode de traitement de l'hypersensibilité immédiate (par exemple les allergies) qui consiste à administrer de façon répétée de faibles doses d'antigènes auxquels des individus sont allergiques. Ce processus empêche souvent le déclenchement de réactions allergiques sévères lors d'une exposition environnementale ultérieure à un antigène, mais les mécanismes ne sont pas parfaitement compris.

Déterminant (ou épitope). Portion d'un antigène macromoléculaire à laquelle se lie un anticorps ou un récepteur des lymphocytes T. Pour un lymphocyte T, un déterminant est la portion peptidique d'un antigène protéique qui se lie à une molécule du complexe majeur d'histocompatibilité, puis est reconnue par le récepteur des lymphocytes T.

Di George, syndrome de. Déficience en lymphocytes T due à une malformation congénitale affectant les troisième et quatrième arcs branchiaux, entraînant une altération du développement du thymus, des glandes parathyroïdes et d'autres structures.

Diabète insulinodépendant ou diabète de type I. Maladie caractérisée par une absence d'insuline qui conduit à différentes anomalies métaboliques et vasculaires. La déficience en insuline résulte de la destruction des cellules β productrices d'insuline dans les îlots de Langerhans du pancréas, généralement suite à une auto-immunité impliquant les lymphocytes T.

Diversité. Existence d'un grand nombre de lymphocytes présentant différentes spécificités antigéniques chez un individu particulier (le répertoire des lymphocytes est large et varié). La diversité est une propriété fondamentale du système immunitaire adaptatif. Elle est le résultat de la variabilité des structures des sites de liaison aux antigènes des récepteurs d'antigène des lymphocytes (anticorps et récepteurs des lymphocytes T).

Diversité combinatoire. Décrit les nombreuses combinaisons possibles de segments variables, de diversité et de jonction suite à la recombinaison somatique de l'ADN dans les locus des immunoglobulines et des récepteurs des lymphocytes T au cours du développement des lymphocytes B ou des lymphocytes T. C'est un mécanisme permettant de générer un grand nombre de gènes codant pour différents récepteurs d'antigène à partir d'un nombre limité de segments géniques.

Diversité jonctionnelle. Diversité des répertoires d'anticorps et de récepteurs des lymphocytes T due à l'addition ou au retrait aléatoire de séquences de nucléotides à la jonction des segments géniques V, D et J.

DM. Voir **HLA-DM**.

Domaine d'immunoglobuline (Ig). Motif structural globulaire se trouvant dans de nombreuses protéines du système immunitaire, notamment les immunoglobulines, les récepteurs des lymphocytes T et les molécules du complexe majeur d'histocompatibilité. Les domaines d'Ig ont une longueur d'environ 110 acides aminés, comprennent un pont disulfure interne, et contiennent deux couches de

© 2009 Elsevier Masson SAS. Tous droits réservés

feuillets plissés β, chaque couche étant composée de trois à cinq brins d'une chaîne polypeptidique antiparallèle.

Dosage radio-immunologique (RIA, *radioimmunoassay*). Méthode immunologique spécifique et très sensible permettant de quantifier la concentration d'un antigène dans une solution, et qui repose sur l'utilisation d'un anticorps radiomarqué spécifique de l'antigène. Généralement, deux anticorps spécifiques de l'antigène sont utilisés. Le premier anticorps qui n'est pas marqué est fixé à un support solide sur lequel il immobilise l'antigène dont la concentration est à déterminer. La quantité de second anticorps marqué qui se lie à l'antigène immobilisé, déterminée par des détecteurs (compteurs de radioactivité) de la désintégration radioactive, est proportionnelle à la concentration de l'antigène dans la solution à examiner.

Écotaxie des lymphocytes (*homing*). Migration dirigée de sous-populations de lymphocytes circulants vers des sites tissulaires particuliers. L'écotaxie des lymphocytes est régulée par l'expression sélective de molécules d'adhérence, appelées récepteurs d'écotaxie, sur les lymphocytes ainsi que l'expression spécifique endothéliale des ligands correspondants, appelés adressines, dans différents lits vasculaires. Par exemple, certains lymphocytes T se dirigent préférentiellement vers les tissus lymphoïdes intestinaux (comme les plaques de Peyer). Cette écotaxie est régulée par la liaison de l'intégrine $\alpha4\beta1$ des lymphocytes T à l'adressine MAdCAM (*mucosal addressin cell adhesion molecule*, molécule d'adhérence cellulaire muqueuse de type adressine) sur l'endothélium des plaques de Peyer.

Elisa (*enzyme-linked immunosorbent assay*). Méthode de quantification d'un antigène immobilisé sur une surface solide; elle requiert un anticorps spécifique couplé de manière covalente à une enzyme. La quantité d'anticorps qui se lie à l'antigène est proportionnelle à la quantité d'antigène présent. Cette quantité est déterminée par spectrophotométrie qui mesure la conversion d'un substrat incolore en un produit coloré par l'enzyme couplée à l'anticorps.

Endosome. Vésicule intracellulaire délimitée par une membrane dans laquelle des protéines extracellulaires sont internalisées au cours de l'apprêtement des antigènes. Les endosomes ont un pH acide et contiennent des enzymes protéolytiques qui dégradent les protéines en peptides qui se lient aux molécules du complexe majeur d'histocompatibilité (CMH) de classe II. Une sous-population d'endosomes riches en CMH de classe II, appelé MIIC, joue un rôle particulier dans l'apprêtement et la présentation des antigènes par la voie des classe II.

Endotoxine. Composant de la paroi cellulaire des bactéries à Gram négatif, également appelé lipopolysaccharide, qui est libéré par les bactéries mourantes et qui stimule de nombreuses réponses immunitaires innées, notamment la sécrétion de cytokines et l'induction des activités microbicides des macrophages, ainsi que l'expression des molécules d'adhérence pour les leucocytes sur l'endothélium. L'endotoxine contient des composants lipidiques et des parties glucidiques (polysaccharides).

Éosinophile. Granulocyte issu de la moelle osseuse, abondant dans les infiltrats inflammatoires des réactions de la phase tardive de l'hypersensibilité immédiate, qui contribue à de nombreux processus pathologiques dans les allergies. Les éosinophiles jouent un rôle important dans la défense contre les parasites extracellulaires, notamment les helminthes.

Épitope (ou déterminant). Portion spécifique d'un antigène macromoléculaire auquel se lie l'anticorps. Dans le cas d'un antigène protéique reconnu par un lymphocyte T, un épitope est la portion peptidique qui se lie à une molécule du complexe majeur d'histocompatibilité pour être reconnue par le récepteur des lymphocytes T.

Épitope immunodominant. Dans un antigène, partie qui est reconnue par la majorité des lymphocytes spécifiques de cet antigène. Pour les lymphocytes T, les épitopes immunodominants correspondent aux peptides générés à l'intérieur des cellules présentatrices d'antigène qui se lient avec la meilleure avidité aux molécules du CMH, et qui présentent la plus grande capacité à stimuler les lymphocytes T.

Épreuve de compatibilité croisée (cross-match). Test de dépistage effectué pour réduire les risques d'un rejet de greffe, au cours duquel on recherche dans le sang du patient devant recevoir une allogreffe la présence d'anticorps préformés contre les antigènes de surface cellulaire du donneur (généralement des antigènes du complexe majeur d'histocompatibilité). Le test consiste à mélanger le sérum du receveur avec des leucocytes provenant des donneurs potentiels, à ajouter du complément et à examiner si une lyse cellulaire se produit.

Exclusion allélique. Expression de l'un des deux allèles codant pour les chaînes lourdes et légères des immunoglobulines et pour les chaînes α et β du récepteur des lymphocytes T. L'exclusion allélique survient lorsque la protéine codée par un locus recombiné du récepteur d'antigène de l'un des chromosomes bloque le réarrangement du locus correspondant sur l'autre chromosome.

Facteur de nécrose tumorale (TNF, *tumor necrosis factor*). Cytokine produite principalement par les phagocytes mononucléaires activés dont la fonction est de stimuler le recrutement des neutrophiles et des monocytes aux sites d'infection et d'activer ces cellules afin qu'elles éradiquent les microbes. Le TNF stimule les cellules endothéliales vasculaires afin qu'elles expriment des molécules

© 2009 Elsevier Masson SAS. Tous droits réservés

d'adhérence; il induit la sécrétion de chimiokines par les macrophages et les cellules endothéliales. Dans les infections sévères, le TNF est produit en grandes quantités et exerce des effets systémiques, notamment l'induction de fièvre, la synthèse des protéines de la phase aiguë de la réponse inflammatoire par le foie et la cachexie. La production de très grandes quantités de TNF peut entraîner une thrombose intravasculaire et un choc (les manifestations cliniques du syndrome du choc septique).

Facteur nucléaire des lymphocytes T activés (NFAT, *nuclear factor of activated T cells*). Facteur de transcription nécessaire pour l'expression des gènes codant pour l'IL-2, l'IL-4, le TNF et d'autres cytokines. Il existe quatre NFAT différents, chacun codé par un gène différent; NFAT1 et NFAT4 sont exprimés dans les lymphocytes T. Le NFAT cytoplasmique, après déphosphorylation par la calcineurine en présence de Ca^{2+}-calmoduline, peut gagner le noyau et se lier aux séquences consensus des régions régulatrices des gènes codant l'IL-2, l'IL-4 et d'autres cytokines, généralement en association avec d'autres facteurs de transcription, comme AP-1.

Facteur nucléaire κB (NF-κB, *nuclear factor-κB*). Famille de facteurs de transcription composée d'homodimères ou d'hétérodimères de protéines homologues à la protéine c-Rel. Les protéines NF-κB jouent un rôle important dans la transcription de nombreux gènes intervenant dans les réponses immunitaires innées et adaptatives.

Facteur stimulant la formation de colonies de granulocytes (G-CSF, *granulocyte colony-stimulating factor*). Cytokine produite dans les foyers infectieux par les lymphocytes T activés, les macrophages et les cellules endothéliales. Elle augmente la production de neutrophiles par la moelle osseuse, et les mobilise afin qu'ils remplacent ceux que la réaction inflammatoire a déjà consommés.

Facteur stimulant la formation de colonies de granulocytes et de monocytes (GM-CSF, *granulocyte-monocyte colony-stimulating factor*). Cytokine produite par les lymphocytes T activés, les macrophages, les cellules endothéliales et les fibroblastes du stroma de la moelle osseuse qui agit sur les progéniteurs de la moelle osseuse afin d'augmenter la production de neutrophiles et de monocytes.

Fas (CD95). Membre de la famille du récepteur du TNF (*tumor necrosis factor*) qui est exprimé à la surface de nombreux types cellulaires dont les lymphocytes T. Il initie une cascade de signalisation conduisant à la mort apoptotique de la cellule. L'apoptose est initiée lorsque que Fas se lie au ligand de Fas exprimé sur les lymphocytes T activés. On pense que la mort des lymphocytes T et B autoréactifs dépendant de Fas, appelée mort cellulaire induite par activation (AICD, *activation-induced cell death*), joue un rôle important dans le maintien de la tolérance au soi. Des mutations du gène *Fas* entraînent une maladie auto-immune systémique, appelée syndrome lymphoprolifératif auto-immun (SLPA), chez la souris et chez l'homme.

Fas ligand. Voir **Ligand de Fas**.

Fc (fragment cristallisable). Fragment protéolytique d'une molécule d'anticorps contenant uniquement les régions carboxyterminales des deux chaînes lourdes liées par des ponts disulfures. Le fragment Fc est responsable des fonctions effectrices en se liant à des récepteurs de la surface cellulaire des phagocytes et des cellules NK ou à la protéine C1 du complément. Les fragments Fc sont appelés ainsi parce qu'ils tendent à cristalliser hors solution.

FcεRI. Récepteur de haute affinité pour la région constante carboxyterminale des molécules d'IgE, qui est exprimé sur les mastocytes et les basophiles. Les molécules de RFcεI sur les mastocytes sont généralement occupées par des IgE, et l'agrégation induite par l'antigène de ces complexes IgE-RFcεI active les mastocytes et déclenche des réactions d'hypersensibilité immédiate.

Follicule lymphoïde. Région riche en lymphocytes B d'un organe lymphoïde périphérique, comme un ganglion lymphatique ou la rate, qui est le site d'une prolifération et d'une différenciation des lymphocytes B induites par l'antigène. Un centre germinatif se forme à l'intérieur des follicules lorsque les lymphocytes B répondent à des antigènes protéiques avec l'intervention (coopération) nécessaire des lymphocytes T.

Foxp3. Un facteur de transcription de la famille Forkhead qui est exprimé dans les lymphocytes T régulateurs, et qui est requis pour leur développement. Des déficiences génétiques de Foxp3 entraînent une maladie auto-immune grave.

Fragment $F(ab')_2$. Fragment protéolytique d'une molécule d'IgG qui comprend les deux chaînes légères complètes, mais seulement le domaine variable, le premier domaine constant et la région charnière des deux chaînes lourdes. Les fragments $F(ab')_2$ conservent les deux régions de liaison à l'antigène d'une IgG intacte, mais ne peuvent pas se lier au complément ni aux récepteurs de Fc des IgG. Ils sont utilisés en recherche et dans des applications thérapeutiques lorsque la liaison de l'antigène est souhaitée sans les fonctions effectrices des anticorps.

Fragment Fab. Fragment protéolytique d'une molécule d'anticorps IgG qui comprend une chaîne légère complète appariée avec un fragment de chaîne lourde contenant le domaine variable et seulement le premier domaine constant. Un fragment Fab garde la capa-

© 2009 Elsevier Masson SAS. Tous droits réservés

cité à se lier à un antigène, mais ne peut interagir ni avec les récepteurs de Fc des IgG sur les cellules, ni avec le complément. Par conséquent, les préparations Fab sont utilisées en recherche et dans des applications thérapeutiques lorsque la liaison à l'antigène est souhaitée sans l'activation des fonctions effectrices. Un fragment Fab' conserve la région charnière de la chaîne lourde.

Ganglion lymphatique. Petits agrégats nodulaires et encapsulés formant un tissu riche en lymphocytes, distribués sur le parcours des vaisseaux lymphatiques dans tout l'organisme. C'est là que se développent les réponses immunitaires adaptatives contre les antigènes transportés par la lymphe.

GATA3. Facteur de transcription qui induit la différenciation des lymphocytes T naïfs en lymphocytes T_H2.

Gènes RAG 1 et 2 (*recombination activating genes*). Gènes codant les protéines RAG-1 et RAG-2 qui sont les composants de la recombinase V(D)J propre aux lymphocytes, et qui jouent un rôle essentiel dans les étapes de recombinaison de l'ADN permettant la formation de gènes fonctionnels codant les immunoglobulines et les récepteurs des lymphocytes T. Les protéines RAG sont exprimées dans les lymphocytes B et T en développement et se lient à des séquences signal de recombinaison. Celles-ci sont composées d'une série hautement conservée de 7 nucléotides, portant le nom d'heptamère, située en position adjacente aux séquences codant V, D et J, suivie d'un espaceur de 12 ou 23 nucléotides non conservés, lui-même suivi d'une série hautement conservée de 9 nucléotides (un nonamère). Par conséquent, les protéines RAG sont nécessaires à l'expression des récepteurs pour l'antigène et à la maturation des lymphocytes B et T.

Glomérulonéphrite. Inflammation des glomérules rénaux, souvent déclenchée par des mécanismes immunopathologiques, comme le dépôt de complexes antigène-anticorps circulants dans la membrane basale glomérulaire ou la liaison d'anticorps à des antigènes exprimés dans le glomérule. Les anticorps peuvent activer le complément et les phagocytes, et la réponse inflammatoire qui en résulte peut provoquer une insuffisance rénale.

Glycoprotéine d'enveloppe (Env). Glycoprotéine membranaire codée par un rétrovirus qui est exprimée sur la membrane plasmique des cellules infectées et sur la membrane d'origine cellulaire qui couvre les particules virales. Les protéines Env sont souvent nécessaires à l'infectivité virale. Les protéines Env du virus de l'immunodéficience humaine, notamment gp41 et gp120, se lient au récepteur CD4 et aux récepteurs de chimiokines sur les lymphocytes T humains, et permettent la fusion de la membrane virale avec celle des lymphocytes T.

Grand lymphocyte granuleux. Autre nom pour les cellules NK (*natural killer*), basé sur l'aspect morphologique de ce type de cellule sanguine.

Granulomatose chronique. Déficience immunitaire héréditaire rare due à une altération du gène codant pour un composant du système des oxydases phagocytaires, une enzyme nécessaire à la destruction des microbes par les polynucléaires et les macrophages. Cette maladie est caractérisée par des infections bactériennes et fongiques intracellulaires récurrentes, souvent accompagnées de réponses immunitaires cellulaires chroniques et par la formation de granulomes.

Granulome. Nodule de tissu inflammatoire composé de groupes de macrophages et de lymphocytes T activés, souvent associé à une nécrose et une fibrose. L'inflammation granulomateuse est une forme d'hypersensibilité retardée chronique, intervenant fréquemment en réponse à des microbes persistants, comme *Mycobacterium tuberculosis* et certains champignons, ou en réponse à des antigènes particulaires difficiles à phagocyter.

Granzyme. Sérine protéase, présente dans les granules des lymphocytes T cytotoxiques et des cellules NK (*natural killer*) ; elle est libérée par exocytose, pénètre dans les cellules cibles, principalement par des « pores » formés par la perforine, et clive par protéolyse les caspases. Ces caspases activées clivent à leur tour plusieurs substrats et induisent l'apoptose de la cellule cible.

Greffe allogénique. Greffe d'organe ou de tissu provenant d'un donneur de la même espèce, mais génétiquement différent du receveur.

Greffe autologue. Greffe de tissus ou d'organes dans laquelle le donneur et le receveur sont le même individu. Des greffes autologues de moelle osseuse ou de peau sont couramment effectuées en médecine clinique.

Greffe syngénique. Greffe à partir d'un donneur génétiquement identique au receveur. Les greffons syngéniques ne sont pas rejetés.

Greffe xénogénique. Greffe d'organe ou de tissu provenant d'une espèce différente de celle du receveur. La transplantation de greffons xénogéniques (par exemple de porc) à l'homme n'est actuellement pas mise en pratique à cause de problèmes spécifiques liés au rejet immunologique.

Greffon. Tissu ou organe qui a été retiré d'un site et placé dans un autre, généralement chez un individu différent.

H-2, molécule. Molécule du complexe majeur d'histocompatibilité (CMH) de la souris. Le CMH de la souris était originellement appelé locus H-2.

Haplotype. Ensemble d'allèles du complexe majeur d'histocompatibilité hérité d'un parent et se trouvant par conséquent sur un chromosome.

© 2009 Elsevier Masson SAS. Tous droits réservés

Haptène. Petite substance chimique qui peut se lier à un anticorps, mais doit être fixée à une macromolécule (protéine porteuse ou *carrier*) pour stimuler une réponse immunitaire adaptative spécifique de cette substance chimique. Par exemple, l'immunisation par le dinitrophénol (DNP) seul ne stimule pas de production d'anticorps anti-DNP, mais l'immunisation par l'haptène DNP fixé à une protéine stimule la production d'anticorps anti-DNP.

Helminthe. Ver parasite. Les helminthiases déclenchent souvent des réponses impliquant les lymphocytes T_H2 avec des infiltrats inflammatoires riches en éosinophiles et une production d'IgE.

Hématopoïèse. Développement des cellules sanguines matures, notamment les érythrocytes, les leucocytes et les plaquettes, à partir de cellules souches pluripotentes de la moelle osseuse et du foie fœtal. L'hématopoïèse est régulée par les différentes cytokines produites par les cellules souches de la moelle osseuse, les lymphocytes T et d'autres types cellulaires.

HEV. Voir **Veinules à endothélium élevé**.

Histamine. Amine vasoactive, stockée dans les granules des mastocytes, qui est l'un des médiateurs les plus importants de l'hypersensibilité immédiate. L'histamine se lie à des récepteurs spécifiques se trouvant sur différents tissus, et entraîne une augmentation de la perméabilité vasculaire et une contraction des muscles lisses bronchiques et intestinaux.

HLA (*human leukocyte antigen*). Voir **Antigènes leucocytaires humains (HLA)**.

HLA-DM (également appelée DM). Molécule d'échange peptidique qui joue un rôle essentiel dans la voie de présentation de l'antigène par les molécules du complexe majeur d'histocompatibilité (CMH) de classe II. La molécule HLA-DM se trouve dans le compartiment endosomial spécialisé, MIIC. Elle facilite le retrait du peptide CLIP dérivé de la chaîne invariante et la liaison d'autres peptides aux molécules de classe II du CMH. La molécule HLA-DM est codée par un gène du locus CMH, et présente une structure similaire aux molécules de classe II du CMH, mais elle n'est pas polymorphe. HLA-DM est appelé H-2M chez la souris.

Homéostasie. Maintien dans le système immunitaire adaptatif d'un nombre constant et d'un répertoire varié de lymphocytes, malgré l'émergence de nouveaux lymphocytes et l'expansion considérable de clones individuels pouvant survenir au cours des réponses dirigées contre des antigènes microbiens. L'homéostasie est obtenue grâce à des voies régulées de mort et d'inactivation des lymphocytes.

Hybridome. Lignée cellulaire dérivée d'une fusion cellulaire ou d'une hybridation de cellules somatiques, entre un lymphocyte normal et une lignée tumorale de lymphocytes immortalisés. Les hybridomes de lymphocytes B, créés par fusion de lymphocytes B normaux de spécificité antigénique définie avec une lignée cellulaire de myélome, sont utilisés pour produire des anticorps monoclonaux. Les hybridomes de lymphocytes T, créés par fusion d'un lymphocyte T normal de spécificité définie avec une lignée tumorale de lymphocytes T, sont fréquemment utilisés en recherche.

Hypermutation somatique. Mutations ponctuelles des chaînes lourdes et légères des immunoglobulines, se produisant à fréquence élevée, dans les lymphocytes B des centres germinatifs. Les mutations qui conduisent à une augmentation de l'affinité des anticorps pour les antigènes confèrent un avantage sélectif de survie aux lymphocytes B produisant ces anticorps, ce qui entraîne une maturation d'affinité de la réponse immunitaire humorale.

Hypersensibilité de contact. Propension à développer dans la peau une réaction d'hypersensibilité retardée assurée par les lymphocytes T après un contact avec un agent chimique particulier. Les substances chimiques provoquant une hypersensibilité de contact se lient aux protéines du soi ou aux molécules se trouvant à la surface des cellules présentatrices d'antigène et les modifient. Les cellules présentatrices d'antigène sont ensuite reconnues par les lymphocytes T $CD4^+$ ou $CD8^+$.

Hypersensibilité immédiate, réaction d'. Type de réaction immunitaire responsable des allergies et dépendant des IgE ainsi que d'une stimulation par l'antigène des mastocytes et des basophiles tissulaires. Les mastocytes et les basophiles libèrent des médiateurs qui provoquent une augmentation de la perméabilité vasculaire, une vasodilatation, une contraction des muscles lisses bronchiques et viscéraux, et une inflammation.

Hypersensibilité retardée (HSR). Réaction immunitaire au cours de laquelle l'activation des macrophages par les lymphocytes T et l'inflammation provoquent des lésions tissulaires. Une réaction d'HSR à une injection sous-cutanée d'antigène est souvent utilisée comme test de l'immunité cellulaire (par exemple le test cutané utilisant le dérivé protéique purifié ou tuberculine pour déceler une immunité contre *Mycobacterium tuberculosis*).

Hypersensibilités. Maladies provoquées par des réponses immunitaires. Les hypersensibilités comprennent les maladies auto-immunes, dans lesquelles les réponses immunitaires sont dirigées contre les antigènes du soi, et les maladies résultant de réponses incontrôlées ou excessives contre des antigènes étrangers, comme des microbes ou des allergènes. Les lésions tissulaires apparaissant dans les hypersensibilités résultent des mêmes mécanismes effecteurs que ceux utilisés par le système immunitaire pour protéger contre les microbes.

© 2009 Elsevier Masson SAS. Tous droits réservés

Hypothèse des deux signaux. Hypothèse désormais confirmée selon laquelle l'activation des lymphocytes nécessite deux signaux distincts, le premier étant l'antigène, et le second soit des produits microbiens soit des composants des réponses immunitaires innées dirigées contre les microbes. La nécessité de la présence de l'antigène (correspondant au signal 1) assure que la réponse immunitaire est déclenchée de manière spécifique. La nécessité de stimulus complémentaires déclenchés par les microbes ou les réactions immunitaires innées (signal 2) assure que les réponses immunitaires ne sont induites que lorsqu'elles sont nécessaires (c'est-à-dire contre des microbes ou d'autres substances nocives), et non contre des substances inoffensives, notamment les antigènes du soi. Le signal 2 est souvent désigné par le terme de costimulation.

Idiotope. Déterminant unique d'une molécule d'anticorps ou de récepteur des lymphocytes T, généralement formé d'une ou plusieurs régions hypervariables. Les idiotopes peuvent être reconnus comme « étrangers » chez un individu car ils sont généralement présents en quantités trop faibles pour induire une tolérance au soi.

Idiotype. Structures spécifiques présentes dans les régions de liaison à l'antigène des anticorps ou des récepteurs des lymphocytes T, produites par un clone unique de lymphocytes. Une théorie, appelée *hypothèse du réseau idiotypique*, propose qu'un réseau d'interactions complémentaires englobant les idiotypes et les anti-idiotypes atteint un état d'équilibre, dans lequel le système immunitaire se trouve en homéostasie, et que la présence d'un antigène perturbe cet équilibre. L'importance d'un tel réseau n'a pas été établie.

Ignorance clonale. Forme d'absence de réponse des lymphocytes dans laquelle les antigènes du soi sont ignorés par le système immunitaire, même si les lymphocytes spécifiques de ces antigènes restent viables et fonctionnels.

Igα et Igβ. Protéines nécessaires à l'expression en surface des immunoglobulines (Ig) membranaires des lymphocytes B et à leurs fonctions de signalisation. Les paires Igα et Igβ sont liées l'une à l'autre par des ponts disulfures et associées de manière non covalente à la portion intracytoplasmique de l'Ig membranaire, formant le complexe du récepteur des lymphocytes B. Les domaines intracytoplasmiques de l'Igα et de l'Igβ contiennent des motifs d'activation à base de tyrosine (ITAM, *immunoreceptor tyrosine-based activation motifs*) qui sont impliqués dans les étapes précoces de signalisation au cours de l'activation induite par l'antigène des lymphocytes B.

Immunité active. Immunité adaptative induite par l'exposition à un antigène étranger et par l'activation des lymphocytes au cours de laquelle l'individu immunisé joue un rôle actif dans la réponse dirigée contre l'antigène. À comparer à l'**immunité passive**.

Immunité adaptative. Immunité déclenchée par les lymphocytes et stimulée par l'exposition à des agents infectieux. Contrairement à l'immunité innée, l'immunité adaptative est caractérisée par une spécificité fine pour des macromolécules distinctes et une « mémoire », qui est la capacité à répondre plus fortement à des expositions répétées au même germe.

Immunité antitumorale. Protection contre le développement de tumeurs assurée par le système immunitaire. De fortes réponses immunitaires sont induites par des tumeurs exprimant des antigènes immunogènes (par exemple des tumeurs provoquées par des virus oncogènes et par conséquent exprimant des antigènes viraux).

Immunité cellulaire. Immunité adaptative assurée par les lymphocytes T qui constitue le mécanisme de défense contre les germes qui survivent à l'intérieur des phagocytes ou qui infectent des cellules non phagocytaires. Les réponses immunitaires cellulaires comprennent l'activation par les lymphocytes T $CD4^+$ des macrophages ayant phagocyté des microbes et la destruction par les lymphocytes T cytotoxiques $CD8^+$ des cellules infectées.

Immunité des muqueuses. Immunité protectrice des muqueuses des tractus gastro-intestinal et respiratoire afin de prévenir la colonisation par des microbes ingérés ou inhalés. La sécrétion d'anticorps IgA est une composante importante de l'immunité des muqueuses.

Immunité humorale. Type de réponse immunitaire adaptative assurée par les anticorps qui sont produits par les lymphocytes B. L'immunité humorale est le principal mécanisme de défense contre les microbes extracellulaires et leurs toxines.

Immunité innée. Protection anti-infectieuse par des mécanismes existant déjà au moment de la survenue de l'infection, capable de réponses rapides contre les microbes et réagissant d'une façon pratiquement identique en cas d'infections répétées. Le système immunitaire inné comprend les barrières épithéliales, les cellules phagocytaires (neutrophiles, macrophages), les cellules NK (*natural killer*), le système du complément et les cytokines, essentiellement produites par les phagocytes mononucléaires, qui régulent et coordonnent les nombreuses activités des cellules de l'immunité innée.

Immunité néonatale. Immunité humorale passive contre les infections, observée chez les mammifères dans les premiers mois de la vie, avant le complet développement du système immunitaire. Elle est assurée par des anticorps maternels qui sont transportés à travers le

© 2009 Elsevier Masson SAS. Tous droits réservés

placenta dans la circulation fœtale avant la naissance, ou qui proviennent du lait ingéré et qui sont transportés à travers l'épithélium intestinal.

Immunité passive. Immunité contre un antigène qui est établie chez un individu par le transfert d'anticorps ou de lymphocytes provenant d'un autre individu immunisé contre cet antigène. Le receveur de ce type de transfert peut alors devenir immunisé contre cet antigène sans jamais avoir été exposé à cet antigène, ni y avoir répondu. Un exemple d'immunité passive est le transfert, à un individu précédemment non immunisé, de sérum humain contenant des anticorps spécifiques de certaines toxines microbiennes ou de venins de serpents.

Immunofluorescence. Technique permettant la détection d'une molécule au moyen d'un anticorps marqué par une sonde fluorescente. Par exemple, en microscopie de fluorescence, les cellules qui expriment un antigène de surface particulier peuvent être colorées à l'aide d'un anticorps conjugué à la fluorescéine et spécifique de l'antigène, puis visualisées au microscope à fluorescence.

Immunogène. Antigène induisant une réponse immunitaire. Tous les antigènes ne sont pas immunogènes. Par exemple, des composés de faible poids moléculaire (haptènes) ne peuvent pas stimuler une réponse immunitaire s'ils ne sont pas liés à une macromolécule.

Immunoglobulines. Synonyme d'**anticorps**.

Immunohistochimie. Technique utilisée pour détecter la présence d'un antigène dans des coupes histologiques en utilisant un anticorps spécifique de l'antigène et couplé à une enzyme. L'enzyme convertit un substrat incolore en une substance insoluble colorée qui précipite au niveau du site où se trouve l'anticorps, et ainsi repère l'antigène. La position du précipité coloré, et par conséquent celle de l'antigène, dans la coupe histologique est observée par microscopie optique conventionnelle. L'immunohistochimie est une technique de routine dans le diagnostic de certaines maladies, qui est également utilisée couramment dans différents domaines de recherche.

Immunoperoxydase. Technique immunohistochimique courante dans laquelle un anticorps couplé à la peroxydase du raifort est utilisé pour identifier la présence d'un antigène dans une coupe de tissu (coupe histologique). L'enzyme peroxydase convertit un substrat incolore en un produit brun insoluble qui est observable par microscopie optique.

Immunoprécipitation. Technique d'isolement d'une molécule présente dans une solution consistant à la lier à un anticorps puis à rendre le complexe antigène-anticorps insoluble, soit par précipitation avec un second anti-anticorps, soit en couplant le premier anticorps à une particule insoluble ou à une bille.

Immunosuppression. Inhibition d'un ou plusieurs composants des systèmes immunitaires adaptatif ou inné, provoquée par une maladie ou induite intentionnellement par des médicaments pour empêcher ou traiter le rejet des greffes ou une maladie auto-immune. Un médicament immunosuppresseur fréquemment utilisé est la ciclosporine, qui bloque la production de cytokines par les lymphocytes T.

Immunothérapie. Traitement d'une maladie en utilisant des agents thérapeutiques favorisant les réponses immunitaires. L'immunothérapie anticancéreuse, par exemple, consiste à favoriser les réponses immunitaires actives contre les antigènes tumoraux ou à administrer des anticorps antitumoraux ou des lymphocytes T afin d'établir une immunité passive.

Immunotoxines. Réactifs pouvant être utilisés dans le traitement de cancers, composés d'anticorps spécifiques d'antigènes exprimés à la surface de cellules tumorales et conjugués de façon covalente à une toxine cellulaire puissante comme la ricine ou la toxine diphtérique. L'objectif du traitement est de viser et détruire spécifiquement les cellules tumorales sans léser les cellules normales, mais des immunotoxines sûres et efficaces n'ont pas encore été développées.

Inflammation. Réaction complexe du système immunitaire inné dans les tissus vascularisés comportant une accumulation et une activation des leucocytes et des protéines plasmatiques dans un foyer infectieux, lors d'un contact avec une toxine ou de lésions cellulaires. L'inflammation commence par des changements vasculaires qui favorisent le recrutement des leucocytes et le mouvement du liquide et des protéines plasmatiques. Les réponses immunitaires adaptatives locales peuvent favoriser l'inflammation. Alors que l'inflammation présente une fonction protectrice en contrôlant les infections et en favorisant la cicatrisation des tissus, elle peut également être à l'origine de lésions tissulaires et de pathologies.

Intégrines. Protéines hétérodimériques de la surface cellulaire dont les fonctions principales sont d'assurer l'adhérence des leucocytes aux autres leucocytes, aux cellules endothéliales et aux protéines de la matrice extracellulaire. Les intégrines jouent un rôle important dans les interactions des lymphocytes T avec les cellules présentatrices d'antigène et dans la migration des leucocytes du sang vers les tissus. L'affinité de la liaison des intégrines à leurs ligands peut être régulée par différents stimulus. Les domaines intracytoplasmiques des intégrines se lient au cytosquelette. Il existe deux sous-familles d'intégrines, et les membres de chaque famille expriment une chaîne β conservée (β1 ou CD18, et β2 ou CD29) associée à différentes chaînes α. VLA-4 est une intégrine β1 exprimée sur les lymphocytes T et LFA-1 est une intégrine β2 exprimée sur les lymphocytes T et les phagocytes.

© 2009 Elsevier Masson SAS. Tous droits réservés

Interférons de type I (IFN-α, IFN-β). Famille de cytokines, comprenant plusieurs protéines appelées interféron-α (IFN-α) et apparentées, sur le plan structural ainsi qu'une protéine unique, l'IFN-β. Ces cytokines exercent toutes une puissante activité antivirale. La source principale d'IFN-α est constituée par les phagocytes mononucléaires, et surtout les cellules dendritiques plasmacytoïdes *(N.d.T.)*, tandis que l'IFN-β est produit par de nombreux types cellulaires, notamment les fibroblastes. L'IFN-α et l'IFN-β se lient tous les deux aux mêmes récepteurs de la surface cellulaire et induisent des réponses biologiques similaires. Les IFN de type I inhibent la réplication virale, augmentent la capacité lytique des cellules NK (*natural killer*), augmentent l'expression des molécules de classe I du complexe majeur d'histocompatibilité sur les cellules infectées par des virus et stimulent le développement des lymphocytes T_H1, en particulier chez l'homme.

Interféron-γ (IFN-γ). Cytokine produite par les lymphocytes T et les cellules NK (*natural killer*) dont la principale fonction est d'activer les macrophages dans les réponses immunitaires innées et dans les réponses immunitaires adaptatives cellulaires. L'IFN-γ était auparavant appelé interféron immun ou de type II.

Interleukine. Autre nom pour cytokine, originellement utilisé pour décrire une cytokine produite par les leucocytes et qui agit sur les leucocytes. Ce terme est aujourd'hui utilisé avec un suffixe numérique pour désigner une cytokine de structure définie, quelle que soit sa source ou sa cible.

Interleukine-1 (IL-1). Cytokine produite principalement par les phagocytes mononucléaires activés, dont la principale fonction est d'assurer les réponses inflammatoires de l'hôte dans l'immunité innée. Il existe deux formes d'IL-1 (α et β) qui se lient aux mêmes récepteurs et possèdent des effets biologiques identiques, notamment l'induction des molécules d'adhérence des cellules endothéliales, la stimulation de la production de chimiokines par les cellules endothéliales et les macrophages, la stimulation de la synthèse hépatique des protéines de phase aiguë de la réponse inflammatoire, et la fièvre.

Interleukine-2 (IL-2). Cytokine produite par les lymphocytes T activés par l'antigène qui agit de manière autocrine pour stimuler la prolifération des lymphocytes T effecteurs, et favorise aussi la croissance et la survie des T régulateurs. Par conséquent, l'IL-2 est nécessaire à la fois à l'induction et à la régulation des réponses immunitaires assurées par les lymphocytes T. L'IL-2 stimule également la prolifération et la différenciation des cellules NK (*natural killer*) et des lymphocytes B.

Interleukine-3 (IL-3). Cytokine produite par les lymphocytes T $CD4^+$ qui favorise l'expansion, dans la moelle osseuse, des progéniteurs immatures de toutes les cellules sanguines. L'IL-3 est également un facteur stimulant la formation de colonies pour de nombreuses lignées sanguines (multi-CSF).

Interleukine-4 (IL-4). Cytokine produite principalement par la sous-population T_H2 des lymphocytes T auxiliaires $CD4^+$ dont la fonction comprend l'induction de la différenciation des lymphocytes T_H2 à partir de précurseurs $CD4^+$ naïfs, la stimulation de la production d'IgE par les lymphocytes B et la suppression des fonctions macrophagiques induites par l'interféron-γ.

Interleukine-5 (IL-5). Cytokine produite par les lymphocytes T $CD4^+$ de type T_H2 et les mastocytes activés, qui stimule la croissance et la différenciation des éosinophiles et active les éosinophiles matures.

Interleukine-6 (IL-6). Cytokine produite par de nombreux types cellulaires dont les phagocytes mononucléaires activés, les cellules endothéliales et les fibroblastes, et qui intervient dans l'immunité innée et adaptative. L'IL-6 stimule la synthèse hépatique des protéines de la phase aiguë de la réaction inflammatoire et stimule la croissance des lymphocytes B producteurs d'anticorps (plasmocytes).

Interleukine-7 (IL-7). Cytokine sécrétée par les cellules stromales de la moelle osseuse qui stimule la survie et l'expansion des précurseurs immatures des lymphocytes B et T.

Interleukine-10 (IL-10). Cytokine produite par les macrophages activés et certains lymphocytes T auxiliaires dont la fonction principale est d'inhiber les macrophages activés et par conséquent de maintenir un contrôle homéostatique des réactions immunitaires innées et adaptatives de type cellulaire.

Interleukine-12 (IL-12). Cytokine produite par les phagocytes mononucléaires et les cellules dendritiques qui sert de médiateur dans la réponse immunitaire innée contre les microbes intracellulaires et constitue un inducteur essentiel des réponses immunitaires cellulaires contre ces microbes. L'IL-12 active les cellules NK (*natural killer*), favorise la production d'interféron-γ par les cellules NK et les lymphocytes T, augmente l'activité cytolytique des cellules NK et des lymphocytes T cytotoxiques, et stimule le développement des lymphocytes T_H1.

Interleukine-15 (IL-15). Cytokine produite par les phagocytes mononucléaires et d'autres cellules en réponse aux infections virales dont la principale fonction est de stimuler la prolifération des cellules NK (*natural killer*). Elle est structurellement similaire à l'interleukine-2.

Interleukine-17 (IL-17). Cytokine produite surtout par la sous-population T_H17 des cellules T auxiliaires

© 2009 Elsevier Masson SAS. Tous droits réservés

CD4+ favorisant les réactions inflammatoires qui protègent contre certaines infections bactériennes et sont impliquées dans la pathogénie de plusieurs maladies auto-immunes.

Interleukine-18 (IL-18). Cytokine produite par les macrophages en réponse au LPS et à d'autres produits microbiens, qui agit conjointement avec l'IL-12 comme un inducteur de l'immunité cellulaire. L'IL-18 agit en synergie avec l'IL-12 pour stimuler la production d'IFN-γ par les cellules NK (*natural killer*) et les lymphocytes T. L'IL-18 est structurellement homologue à l'IL-1, mais très différente de l'IL-1 sur le plan fonctionnel.

Intermédiaires réactifs de l'oxygène (ROI, *reactive oxygen intermediates ou ROS, reactive oxygen species*). Métabolites hautement réactifs de l'oxygène produits par les phagocytes activés, comprenant l'anion superoxyde, le radical hydroxyle et le peroxyde d'hydrogène. Les ROI sont utilisés par les phagocytes pour former des oxyhalogénures qui altèrent les bactéries ingérées. Les ROI peuvent également être libérés à partir des cellules et favoriser les réponses inflammatoires ou provoquer des lésions tissulaires.

Isotype. Un type d'anticorps déterminé par l'une des cinq classes de chaîne lourde. On distingue les anticorps IgM, IgD, IgG, IgA et IgE. Chaque isotype assure un ensemble différent de fonctions effectrices. D'autres formes structurales caractérisent des sous-classes distinctes d'IgG et d'IgA.

Kinase (protéine kinase). Enzyme qui ajoute des groupements phosphates aux chaînes latérales de certains résidus d'acides aminés des protéines. Les protéine kinases des lymphocytes, comme Lck, participent à la transduction des signaux et à l'activation des facteurs de transcription. La plupart des protéine kinases sont spécifiques des résidus tyrosine.

LAK, cellule (*lymphokine activated killer*). Cellule NK (*natural killer*) dotée d'une activité cytolytique renforcée contre les cellules tumorales suite à leur exposition à des taux élevés d'interleukine-2. Les cellules LAK générées in vitro ont été transférées de manière adoptive chez des cancéreux pour traiter leurs tumeurs.

Lck. Tyrosine kinase ne servant pas de récepteur, membre de la famille Src, qui s'associe de manière non covalente avec les parties intracytoplasmiques des molécules CD4 et CD8 des lymphocytes T et qui participe aux étapes précoces de signalisation de l'activation par l'antigène des lymphocytes T. La kinase Lck assure la phosphorylation de tyrosines présentes dans les parties intracytoplasmiques des protéines CD3 et ζ du complexe du récepteur des lymphocytes T.

Leishmanie. Protozoaire parasite intracellulaire obligé qui infecte les macrophages et peut provoquer une maladie inflammatoire chronique affectant de nombreux tissus. L'infection par *Leishmania* (leishmaniose) chez la souris a servi de modèle pour l'étude des fonctions effectrices de plusieurs cytokines et des sous-populations de lymphocytes auxiliaires qui les produisent. Les réponses des lymphocytes T_H1 contre *Leishmania major* et la production associée d'interféron-γ contrôlent l'infection, tandis que les réponses des lymphocytes T_H2 avec production d'IL-4 conduisent à une maladie généralisée létale.

Leucémie. Affection maligne des précurseurs des cellules sanguines dans la moelle osseuse. De nombreuses cellules leucémiques occupent généralement la moelle osseuse et circulent souvent dans le courant sanguin. Les leucémies lymphoïdes dérivent des précurseurs des lymphocytes B ou T, les leucémies myéloïdes des précurseurs des granulocytes ou des monocytes et les leucémies érythroïdes des précurseurs des globules rouges.

Leucotriènes. Classe de médiateurs inflammatoires lipidiques dérivés de l'acide arachidonique produits par la voie de la lipo-oxygénase dans de nombreux types cellulaires. Les mastocytes synthétisent des quantités importantes de leucotriène C_4 (LTC_4) et de ses produits de dégradation LTD_4 et LTE_4, qui se lient à des récepteurs spécifiques situés sur les cellules musculaires lisses et provoquent une bronchoconstriction prolongée. Les leucotriènes contribuent à la pathologie de l'asthme bronchique. LTC_4, LTD_4 et LTE_4 constituent les substances actives du SRS-A (*slow-reacting substance of anaphylaxis*).

Ligand de Fas. Protéine membranaire membre de la famille du TNF (TNF, *tumor necrosis factor*) qui est exprimée sur les lymphocytes T activés. Le ligand de Fas se lie au récepteur Fas, stimulant ainsi une voie de signalisation conduisant à la mort apoptotique de la cellule exprimant Fas. Les mutations du gène codant pour le ligand de Fas, comme les mutations de Fas, provoquent une maladie auto-immune systémique chez la souris.

Ligands peptidiques altérés. Peptides dont les résidus de contact avec le récepteur des lymphocytes T sont altérés et qui donc déclenchent des réponses différentes de celles du peptide natif. Les ligands peptidiques altérés peuvent être importants dans la régulation de l'activation des lymphocytes T dans des situations physiologiques, pathologiques ou thérapeutiques.

Lipopolysaccharide (LPS). Synonyme d'**endotoxine**.

Lupus érythémateux disséminé (LED). Maladie auto-immune systémique chronique affectant principalement les femmes et caractérisée par des éruptions cutanées, une arthrite, une glomérulonéphrite, une anémie hémolytique, une thrombocytopénie et une atteinte du système nerveux central. De nombreux autoanticorps différents peuvent être détectés chez les patients souffrant de LED,

© 2009 Elsevier Masson SAS. Tous droits réservés

en particulier des anticorps anti-ADN. Une grande partie des manifestations du LED sont dues à la formation de complexes immuns composés d'autoanticorps et de leurs antigènes, suivie du dépôt de ces complexes dans les petits vaisseaux sanguins de différents tissus. Le mécanisme conduisant à l'altération de la tolérance au soi responsable du LED n'est pas connu.

Lymphocyte. Type de cellule présente dans le sang, les tissus lymphoïdes et presque tous les organes. Il exprime des récepteurs d'antigènes et assure les réponses immunitaires. Les lymphocytes comprennent les lymphocytes B et T (les cellules de l'immunité adaptative) et les cellules NK (*natural killer*), qui assurent certaines réponses immunitaires innées.

Lymphocyte B. Seul type de cellule capable de produire des anticorps, et constituant, par conséquent, l'élément cellulaire central des réponses immunitaires humorales. Les lymphocytes B se développent dans la moelle osseuse, puis les lymphocytes B matures se retrouvent principalement dans les follicules lymphoïdes des tissus lymphoïdes secondaires, dans la moelle osseuse et en petit nombre dans la circulation sanguine.

Lymphocytes infiltrant les tumeurs (TIL, *tumor infiltrating lymphocytes*). Lymphocytes isolés d'infiltrats inflammatoires présents à l'intérieur et autour d'échantillons de résection chirurgicale de tumeurs solides, qui sont riches en lymphocytes T cytotoxiques spécifiques des tumeurs et en cellules NK (*natural killer*). Dans une approche expérimentale du traitement du cancer, les lymphocytes TIL isolés de patients souffrant de tumeurs sont multipliés in vitro par culture avec de fortes concentrations d'interleukine-2, puis sont réinjectés aux patients.

Lymphocyte intra-épidermique. Voir **Lymphocytes T intraépithéliaux.** Lymphocytes T se trouvant dans l'épiderme. Chez la souris, la plupart des lymphocytes T intra-épidermaux expriment la forme $\gamma\delta$ du récepteur des lymphocytes T.

Lymphocyte mémoire. Lymphocyte B ou T assurant des réponses rapides et renforcées (mémoire) lors d'une seconde exposition et d'expositions ultérieures aux antigènes. Les lymphocytes B et T mémoire sont produits suite à la stimulation par l'antigène des lymphocytes naïfs, et survivent à l'état fonctionnellement quiescent pendant de nombreuses années après élimination de l'antigène.

Lymphocyte naïf. Lymphocyte B ou T mature qui n'a pas encore rencontré d'antigène et qui n'est pas un descendant d'un lymphocyte mature stimulé par un antigène. Lorsque les lymphocytes naïfs sont stimulés par un antigène, ils se différencient en lymphocytes effecteurs, comme les lymphocytes B sécrétant des anticorps (plasmocytes) ou les lymphocytes T effecteurs. Les lymphocytes naïfs portent des marqueurs de surface et présentent des modes de recirculation distincts de ceux des lymphocytes activés.

Lymphocyte pré-B. Lymphocyte B en développement présent uniquement dans les tissus hématopoïétiques au cours d'une étape de maturation caractérisée par l'expression cytoplasmique de chaînes lourdes μ d'immunoglobulines (Ig), mais pas par celle de chaînes légères d'Ig. Les récepteurs des lymphocytes pré-B (pré-BCR) composés de chaînes μ et de pseudo-chaînes légères délivrent des signaux qui stimulent la poursuite de la maturation du lymphocyte pré-B en lymphocyte B immature.

Lymphocyte pré-T. Lymphocyte T en développement dans le thymus à un stade de maturation caractérisé par l'expression de la chaîne β du récepteur des lymphocytes T (TCR), mais pas par celle de la chaîne α, ni par celle des molécules CD4 et CD8. Dans les lymphocytes pré-T, la chaîne β du TCR se trouve à la surface cellulaire et fait partie du récepteur du lymphocyte pré-T (pré-TCR).

Lymphocyte pro-B. Lymphocyte B en développement dans la moelle osseuse qui est la première cellule engagée dans la lignée B. Les lymphocytes pro-B ne produisent pas d'immunoglobulines, mais peuvent être distingués des autres lymphocytes immatures par l'expression de molécules de surface propres à la lignée B, comme CD19 et CD10.

Lymphocyte pro-T. Lymphocyte T en développement dans le cortex du thymus, ayant récemment migré de la moelle osseuse, et qui n'exprime ni les récepteurs des lymphocytes T, ni les chaînes CD3 ou ζ, ni les molécules CD4 ou CD8. Les lymphocytes pro-T sont également désignés par le terme de « thymocytes double-négatifs ».

Lymphocyte B de type B-1. Sous-population de lymphocytes B qui se développe plus tôt au cours de l'ontogénie que les lymphocytes B conventionnels. Elle exprime un répertoire limité de gènes V avec peu de diversité jonctionnelle et sécrète des anticorps IgM qui lient des antigènes T indépendants. De nombreuses cellules B-1 expriment la molécule CD5 (Ly-1).

Lymphocyte B immature. Lymphocyte B, récemment issu de précurseurs de la moelle, qui exprime à la membrane un BCR de type IgM mais pas IgD, qui ne prolifère pas et ne se différencie pas en réponse à la présence d'antigènes, mais subit plutôt une mort apoptotique ou acquiert un état de non-réponse fonctionnelle. Les lymphocytes B immatures spécifiques des antigènes du soi subissent dans la moelle osseuse une sélection négative lors de la rencontre avec ces antigènes et n'achèvent pas leur maturation.

Lymphocyte B mature. Lymphocytes B naïfs exprimant des IgM et des IgD, compétents sur le plan fonctionnel, qui représentent le stade final de la maturation des

© 2009 Elsevier Masson SAS. Tous droits réservés

lymphocytes B dans la moelle osseuse et qui peuplent les organes lymphoïdes périphériques.

Lymphocyte T. Type cellulaire assurant les réponses immunitaires cellulaires dans le système immunitaire adaptatif. Les lymphocytes T atteignent leur maturation dans le thymus, circulent dans le sang, peuplent les tissus lymphoïdes secondaires et sont recrutés dans les sites périphériques d'exposition aux antigènes. Ils expriment des récepteurs d'antigène (récepteur des lymphocytes T) qui reconnaissent des fragments peptidiques de protéines étrangères liés aux molécules du complexe majeur d'histocompatibilité du soi. Les sous-populations fonctionnelles de lymphocytes T comprennent les lymphocytes T auxiliaires $CD4^+$ et les lymphocytes T cytotoxiques $CD8^+$.

Lymphocyte T auxiliaire (*helper*). Sous-population fonctionnelle de lymphocytes T dont les principales fonctions effectrices consistent à activer les macrophages au cours des réponses immunitaires cellulaires et à favoriser la production d'anticorps par les lymphocytes B au cours des réponses immunitaires humorales. Ces fonctions effectrices sont assurées par les cytokines sécrétées et par la liaison du ligand de CD40 des lymphocytes T au récepteur CD40 des macrophages ou des lymphocytes B. La plupart des lymphocytes T auxiliaires expriment la molécule CD4.

Lymphocyte T cytotoxique (CTL, *cytotoxic ou cytolytic T lymphocyte*). Type de lymphocyte T dont la fonction effectrice principale est de reconnaître et de détruire les cellules infectées par des virus ou d'autres germes intracellulaires. Les CTL expriment généralement CD8 et reconnaissent les peptides microbiens présentés par les molécules de classe I du complexe majeur d'histocompatibilité. La destruction par les CTL des cellules infectées repose sur la libération de granules cytoplasmiques dont le contenu comprend des protéines formant des pores membranaires et des enzymes.

Lymphocyte T intraépithélial. Lymphocytes T présents dans l'épiderme de la peau et dans les épithéliums muqueux présentant généralement une diversité très limitée de récepteurs d'antigène. Certains de ces lymphocytes peuvent reconnaître des produits microbiens, comme les glycolipides, associés à des molécules non polymorphes analogues aux molécules du complexe majeur d'histocompatibilité de classe I. Les lymphocytes T intraépithéliaux peuvent être considérés comme des cellules effectrices de l'immunité innée. Ils exercent des fonctions de défense de l'hôte en sécrétant des cytokines, en activant les phagocytes et en détruisant les cellules infectées.

Lymphocyte T régulateur. Population de lymphocytes T qui régulent l'activation ou les fonctions effectrices des autres lymphocytes T, et qui peut être nécessaire au maintien de la tolérance envers les antigènes du soi. Les lymphocytes T régulateurs expriment CD4, CD25 et FoxP3. Les lymphocytes T régulateurs qui se développent dans le thymus en raison de la reconnaissance d'autoantigène sont parfois qualifiés de « naturels ».

Lymphocyte T suppresseur. Lymphocyte T qui bloque l'activation et les fonctions des autres lymphocytes T effecteurs. Certains lymphocytes suppresseurs peuvent agir en produisant des cytokines qui inhibent les réponses immunitaires.

Lymphocyte T γδ. Sous-population de lymphocytes T qui exprime une forme de récepteur d'antigène (TCR), qui est distincte du TCR αβ, plus fréquent, se trouvant sur les lymphocytes T $CD4^+$ et $CD8^+$. Ces lymphocytes T sont abondants dans les épithéliums. Ils reconnaissent des antigènes lipidiques et d'autres antigènes non protéiques des microbes.

Lymphocyte T_H1. Sous-population fonctionnelle de lymphocytes T auxiliaires qui sécrètent un ensemble particulier de cytokines, notamment l'interféron-γ, et dont la fonction principale est de stimuler les défenses assurées par les phagocytes contre les infections, en particulier les microbes intracellulaires.

Lymphocyte T_H2. Sous-population fonctionnelle de lymphocytes T auxiliaires qui sécrètent un ensemble particulier de cytokines, notamment l'IL-4 et l'IL-5, et dont les fonctions principales sont de stimuler les réactions immunitaires assurées par les IgE, les éosinophiles et les mastocytes et d'inhiber les réponses des lymphocytes T_H1.

Lymphocyte T_H17. Sous-population fonctionnelle de lymphocytes T auxiliaires $CD4^+$ qui sécrète un ensemble particulier de cytokines inflammatoires, entre autres l'interleukine-17, qui protègent contre certaines infections bactériennes et contribuent aussi à des réactions pathogènes dans des maladies auto-immunes.

Lymphokine. Ancien nom des cytokines produites par les lymphocytes T. Il a été désormais établi que les mêmes cytokines peuvent être produites par d'autres types cellulaires.

Lymphome. Tumeur maligne des lymphocytes B ou T, survenant à l'intérieur des tissus lymphoïdes et disséminant entre les tissus lymphoïdes. Les lymphomes expriment souvent les caractéristiques phénotypiques des lymphocytes normaux dont ils dérivent.

Lymphotoxine (LT, TNF-β). Cytokine produite par les lymphocytes T, qui est homologue au facteur de nécrose tumorale (TNF), et se lie aux mêmes récepteurs que lui. Comme le TNF, la LTα présente des effets pro-inflammatoires, comprenant une activation de l'endothélium et des neutrophiles. La LT est également essentielle pour le développement normal des organes lymphoïdes.

© 2009 Elsevier Masson SAS. Tous droits réservés

Lysosome. Organite de pH acide, limité par une membrane, abondant dans les cellules phagocytaires; il contient des enzymes protéolytiques dégradant les protéines dérivées principalement de l'environnement extracellulaire. Les lysosomes participent à l'apprêtement des antigènes de la voie du complexe majeur d'histocompatibilité (CMH) de classe II.

Macrophage. Cellule phagocytaire tissulaire dérivée des monocytes sanguins, qui joue des rôles importants dans les réponses immunitaires innées et adaptatives. Les macrophages sont activés par les produits microbiens, comme l'endotoxine (LPS), par des molécules comme le ligand de CD40 et par des cytokines des lymphocytes T comme l'interféron-γ. Les macrophages activés phagocytent et détruisent les micro-organismes, sécrètent des cytokines pro-inflammatoires et présentent les antigènes aux lymphocytes T auxiliaires. Les macrophages peuvent adopter différentes morphologies dans différents tissus, notamment la microglie dans le système nerveux central, les cellules de Kupffer dans le foie, les macrophages alvéolaires dans les poumons et les ostéoclastes dans les os.

Maladie à complexes immuns. Maladie inflammatoire provoquée par le dépôt de complexes antigène-anticorps sur la paroi des vaisseaux sanguins, entraînant l'activation locale du complément et le recrutement des phagocytes. Les complexes immuns peuvent se former à cause d'une hyperproduction d'anticorps dirigés contre des antigènes microbiens, ou à cause de la production d'autoanticorps dans le cadre d'une maladie auto-immune comme le lupus érythémateux disséminé. Le dépôt d'immuns complexes dans les artères, les glomérules rénaux et les synoviales articulaires peut entraîner respectivement une vascularite, une glomérulonéphrite et une arthrite.

Maladie auto-immune. Maladie provoquée par une rupture de la tolérance au soi, entraînant une réponse du système immunitaire adaptatif contre les antigènes du soi, qui déclenche des lésions cellulaires et tissulaires. Les maladies auto-immunes peuvent être spécifiques d'organes (par exemple, la thyroïdite ou le diabète) ou systémiques (par exemple, le lupus érythémateux disséminé).

Maladie sérique. Maladie provoquée par l'injection de doses importantes d'un antigène protéique dans le sang et caractérisée par le dépôt de complexes antigène-anticorps (complexes immuns) dans les parois des vaisseaux sanguins, en particulier dans les reins et les articulations. Le dépôt de complexes immuns conduit à l'activation du complément et au recrutement de leucocytes, provoquant une glomérulonéphrite et une arthrite. La maladie sérique a été décrite à l'origine chez des patients recevant des injections de sérum de cheval contenant des anticorps dirigés contre l'anatoxine diphtérique afin de prévenir cette maladie; ces patients avaient produit des anticorps contre les protéines de cheval avec ensuite formation de complexes immuns composés de ces anticorps et des antigènes injectés.

Maladies inflammatoires chroniques de l'intestin (IBD, *inflammatory bowel disease*). Groupe de maladies, comprenant la rectocolite hémorragique et la maladie de Crohn, caractérisées par une inflammation chronique du tractus gastro-intestinal. L'étiologie des maladies inflammatoires chroniques de l'intestin n'est pas connue, mais certaines preuves montrent que des mécanismes immunitaires seraient impliqués. Des souris *knock-out*, déficientes en IL-2, en IL-10 ou en chaîne α du récepteur des lymphocytes T, développent des maladies inflammatoires chroniques de l'intestin.

Manchon lymphoïde périartériolaire (PALS, *periarteriolar lymphoid sheath*). Manchon de lymphocytes entourant les petites artérioles de la rate, qui contient principalement des lymphocytes T, dont environ deux tiers sont des $CD4^+$ et un tiers des $CD8^+$.

Mastocyte. Principale cellule effectrice des réactions d'hypersensibilité immédiate (allergies). Les mastocytes sont dérivés de précurseurs de la moelle osseuse, résident dans les tissus adjacents aux vaisseaux sanguins, expriment un récepteur de Fc de haute affinité pour les IgE et contiennent de nombreux granules remplis de médiateurs. L'agrégation induite par l'antigène des IgE liées aux récepteurs de Fc des mastocytes provoque la libération du contenu de ces granules, ainsi que la synthèse et la sécrétion d'autres médiateurs, ce qui déclenche la réaction d'hypersensibilité immédiate.

Maturation d'affinité. Processus conduisant à l'augmentation de l'affinité des anticorps pour un antigène protéique au fur et à mesure que la réponse humorale progresse. La maturation d'affinité résulte de mutations somatiques des gènes codant les Ig suivies par une survie sélective des lymphocytes B produisant les anticorps dont l'affinité est la plus élevée.

Maturation des lymphocytes. Processus par lequel des précurseurs pluripotents de la moelle osseuse se développent en lymphocytes B ou T matures naïfs qui expriment des récepteurs d'antigène et qui peuplent les tissus lymphoïdes périphériques. Ce processus se déroule dans les environnements spécialisés de la moelle osseuse (pour les lymphocytes B) et du thymus (pour les lymphocytes T).

M-CSF (*monocyte colony-stimulating factor, facteur stimulant la formation de colonies de monocytes*). Cytokine produite par les lymphocytes T activés, les macrophages, les cellules endothéliales et les fibroblastes du stroma de la moelle osseuse qui stimule la production de monocytes à partir de précurseurs de la moelle osseuse.

Mémoire. Capacité du système immunitaire adaptatif de répondre plus rapidement et de manière plus intense

© 2009 Elsevier Masson SAS. Tous droits réservés

et plus efficace lors de rencontres répétées avec le même antigène.

Migration du lymphocyte. Déplacement des lymphocytes de la circulation sanguine vers les tissus.

Mimétisme moléculaire. Mécanisme inducteur d'auto-immunité qui est déclenché par un agent microbien contenant des antigènes imitant des antigènes du soi, en manière telle que les réponses immunitaires contre ce microbe entraînent des réactions contre les tissus du soi.

Moelle osseuse. Cavité centrale des os qui constitue le site de production de toutes les cellules sanguines circulantes chez l'adulte, notamment les lymphocytes immatures, et le site de maturation des lymphocytes B.

Molécule accessoire. Molécule de la surface du lymphocyte distincte du complexe du récepteur de l'antigène assurant les fonctions d'adhérence ou de signalisation et jouant un rôle important dans l'activation ou la migration du lymphocyte.

Molécules CD. Molécules de la surface cellulaire qui sont exprimées sur différents types cellulaires du système immunitaire ; elles sont désignées selon une nomenclature CD (*cluster of differentiation* ou classe de différenciation). Voir l'Annexe II pour la liste des molécules CD.

Molécule d'adhérence. Molécule de la surface cellulaire favorisant les interactions d'adhérence avec d'autres cellules ou la matrice extracellulaire. Les leucocytes expriment différents types de molécules d'adhérence, comme les sélectines et les intégrines, qui assurent des fonctions importantes dans la migration et l'activation cellulaire dans les réponses immunitaires innées et adaptatives.

Molécule du CMH de classe I. L'une des deux formes de protéines membranaires polymorphes et hétérodimériques qui se lie aux fragments peptidiques des antigènes protéiques et les présente à la surface des cellules présentatrices d'antigène afin qu'ils soient reconnus par les lymphocytes T. Les molécules de classe I du CMH présentent des peptides provenant du cytoplasme de la cellule.

Molécule du CMH de classe II. L'une des deux formes de protéines membranaires polymorphes et hétérodimériques qui se lie aux fragments peptidiques des antigènes protéiques et les présente à la surface des cellules présentatrices d'antigène afin qu'ils soient reconnus par les lymphocytes T. Les molécules du CMH de classe II présentent des peptides provenant de protéines qui sont internalisées dans les vacuoles de phagocytose et d'endocytose.

Molécule du complexe majeur d'histocompatibilité (CMH). Protéine membranaire hétérodimérique codée dans le locus du complexe majeur d'histocompatibilité (CMH) qui présente des peptides aux lymphocytes T. Deux types de molécules du CMH se distinguent par leur structure. Les molécules du CMH de classe I sont présentes sur les cellules nucléées, se lient aux peptides provenant des protéines cytosoliques et sont reconnues par les lymphocytes T CD8$^+$. Les molécules du CMH de classe II sont présentes principalement sur les cellules présentatrices d'antigène professionnelles, les macrophages et les lymphocytes B, elles se lient aux peptides provenant de protéines ingérées par endocytose et sont reconnues par les lymphocytes T CD4$^+$.

Molécules de costimulation. Molécules à la surface d'une cellule présentatrice d'antigène qui fournit un stimulus (« second signal ») nécessaire, en plus de la présence de l'antigène (« premier signal »), à l'activation des lymphocytes T naïfs. Les molécules de costimulation les mieux définies sont les molécules CD80 et CD86 sur les cellules présentatrices d'antigène ; elles se lient à CD28 à la surface des lymphocytes T.

Monocyte. Type de cellule sanguine circulante dérivée de la moelle osseuse qui est le précurseur des macrophages tissulaires. Les monocytes sont recrutés activement dans les sites inflammatoires, où ils se différencient en macrophages.

Monokines. Ancien nom des cytokines produites par les phagocytes mononucléaires. Il est désormais établi que les mêmes cytokines sont produites par de nombreux types cellulaires.

Monoxyde d'azote (NO). Molécule biologique effectrice possédant une large gamme d'activités qui, dans les macrophages, agit comme un agent microbicide puissant qui détruit les micro-organismes ingérés. La production de NO dépend d'une enzyme appelée NO synthase, qui convertit la L-arginine en NO. Les macrophages expriment une forme inductible de NO synthase après activation par différents stimulus microbiens ou par des cytokines.

Mort cellulaire programmée. Voie de mort cellulaire par apoptose, qui survient dans les lymphocytes privés des stimulus nécessaires à la survie, comme les facteurs de croissance ou les molécules de costimulation. La mort cellulaire programmée, encore appelée « mort par négligence », est caractérisée par la libération du cytochrome c mitochondrial dans le cytoplasme, l'activation de la caspase 9, et le déclenchement de la voie apoptotique.

Motif d'activation à base de tyrosine des immunorécepteurs (ITAM, *immunoreceptor tyrosine-based activation motif*). Motif conservé composé de deux copies d'une séquence tyrosine-X-X-leucine (où X est un acide aminé quelconque) se trouvant dans les parties intracytoplasmiques de différentes protéines membranaires du système immunitaire participant à la transduction des

© 2009 Elsevier Masson SAS. Tous droits réservés

signaux. Les motifs ITAM sont présents dans les protéines ζ et CD3 du complexe du récepteur des lymphocytes T, dans les protéines Igα et Igβ du complexe du récepteur des lymphocytes B et dans les sous-unités de signalisation de différents récepteurs. Lorsque ces récepteurs se lient à leurs ligands, les résidus tyrosine des motifs ITAM sont phosphorylés, formant des sites d'arrimage pour d'autres molécules participant à la propagation des voies de transduction des signaux activant les cellules.

Motif d'inhibition à base de tyrosine des immunorécepteurs (ITIM, *immunoreceptor tyrosine-based inhibition motif*). Motif de 6 acides aminés (isoleucine-X-tyrosine-X-X-leucine, X étant un acide aminé quelconque) se trouvant dans les parties intracytoplasmiques de différents récepteurs inhibiteurs du système immunitaire, notamment FcγRIIB sur les lymphocytes B et le récepteur KIR (*killer inhibitory receptor*) sur les cellules NK (*natural killer*). Lorsque ces récepteurs se lient à leurs ligands, les structures ITIM sont phosphorylées sur leurs résidus tyrosine, formant un site d'arrimage pour des protéines tyrosine phosphatases, qui à leur tour agissent en inhibant d'autres voies de transduction des signaux.

Multivalence. Présence de plusieurs copies d'un épitope sur une molécule d'antigène, une surface cellulaire ou une particule. Des antigènes multivalents, comme les polysaccharides de la capsule bactérienne, sont souvent capables d'activer les lymphocytes B indépendamment des lymphocytes T auxiliaires.

Mycobactéries. Genre de bactéries dont de nombreuses espèces peuvent survivre à l'intérieur des phagocytes et provoquer des pathologies. La principale défense de l'hôte contre les mycobactéries, comme *Mycobacterium tuberculosis*, est l'immunité cellulaire.

Myélome multiple. Tumeur maligne à lymphocytes B producteurs d'anticorps qui sécrètent souvent une immunoglobuline ou une partie de molécule d'immunoglobuline. Les anticorps monoclonaux produits par les myélomes multiples ont été essentiels pour les premières analyses biochimiques de la structure des anticorps.

Neutrophile (ou polynucléaire neutrophile). Le plus abondant des globules blancs circulants, également appelé granulocyte, qui est recruté dans les sites inflammatoires, et a la capacité de phagocyter et de digérer les microbes par voie enzymatique.

N-nucléotides. Nom donné aux nucléotides ajoutés aléatoirement entre les segments géniques V, D et J dans les gènes codant les immunoglobulines ou les récepteurs des lymphocytes T (TCR) au cours du développement des lymphocytes. L'addition de ces nucléotides (jusqu'à 20), qui est assurée par une enzyme, la désoxyribonucléotidyl transférase terminale, contribue à la diversité des répertoires d'anticorps et de TCR.

Opsonine. Macromolécule qui se fixe à la surface des microbes, qui peut être reconnue par les récepteurs de surface des neutrophiles et des macrophages, et qui augmente l'efficacité de la phagocytose du microbe. Les opsonines comprennent des anticorps IgG, qui sont reconnus par des récepteurs Fcγ sur les phagocytes, et des fragments de protéines du complément, qui sont reconnus par le récepteur du complément de type 1 (CR1, CD35) et par l'intégrine Mac-1 (CD11b/CD18) des leucocytes.

Opsonisation. Processus de fixation des opsonines, notamment des IgG ou des fragments du complément, à la surface des microbes afin d'en améliorer la phagocytose.

Organes lymphoïdes primaires (ou centraux). Organes dans lesquels les lymphocytes se développent à partir de précurseurs immatures. La moelle osseuse et le thymus sont les principaux organes lymphoïdes primaires dans lesquels se développent respectivement les lymphocytes B et les lymphocytes T.

Organes ou tissus lymphoïdes périphériques. Ensemble organisé de lymphocytes et de cellules accessoires, comprenant la rate, les ganglions lymphatiques et les tissus lymphoïdes associés aux muqueuses, dans lesquels les réponses immunitaires adaptatives sont induites.

Pathogénicité. Capacité d'un micro-organisme de provoquer une pathologie. De multiples mécanismes peuvent contribuer à la pathogénicité (ou pouvoir pathogène), notamment la production de toxines, la stimulation des réponses inflammatoires et la perturbation du métabolisme cellulaire.

Pentraxines. Famille de protéines plasmatiques qui contiennent cinq sous-unités globulaires identiques; cette famille comprend la protéine C réactive de la phase aiguë de la réaction inflammatoire.

Perforine. Protéine formant des pores, homologue à la protéine C9 du complément, qui est présente sous forme de monomère dans les granules des lymphocytes T cytotoxiques (CTL) et des cellules NK (*natural killer*). Lorsque les monomères de perforine sont libérés des granules des CTL ou des cellules NK activées, ils se polymérisent dans la bicouche lipidique de la membrane plasmique de la cellule cible, formant un canal aqueux qui permet l'entrée, dans la cellule, d'enzymes des granules des CTL.

Phagocytes mononucléaires. Cellules appartenant à une lignée commune de la moelle osseuse dont la fonction principale est la phagocytose. Ces cellules fonctionnent comme des cellules présentatrices d'antigène dans

© 2009 Elsevier Masson SAS. Tous droits réservés

les phases de reconnaissance et d'activation des réponses immunitaires adaptatives, et comme des cellules effectrices dans l'immunité innée et adaptative. Les phagocytes mononucléaires circulent dans le sang sous une forme incomplètement différenciée appelée monocyte. Puis, lorsqu'ils se fixent dans les tissus, ils subissent une maturation en une forme cellulaire appelée macrophage.

Phagocytose. Processus par lequel certaines cellules du système immunitaire inné, notamment les macrophages et les neutrophiles, absorbent de larges particules (> 0,5 μm de diamètre), comme des microbes intacts. La cellule entoure la particule avec des extensions de sa membrane plasmique par un processus qui repose sur des phénomènes énergétiques et des remaniements du cytosquelette, ce qui entraîne la formation d'une vésicule intracellulaire appelée phagosome, qui contient la particule ingérée.

Phagosome. Vésicule intracellulaire limitée par une membrane qui contient des microbes ou des matériaux particulaires provenant de l'environnement extracellulaire. Les phagosomes sont formés au cours du processus de phagocytose et fusionnent avec d'autres structures vésiculaires comme les lysosomes, conduisant à la dégradation enzymatique du matériel ingéré.

Phase tardive de la réaction d'hypersensibilité. Composante de la réaction d'hypersensibilité immédiate qui survient plusieurs heures après la dégranulation des mastocytes et des basophiles, et qui se caractérise par un infiltrat inflammatoire d'éosinophiles, de basophiles, de neutrophiles et de lymphocytes. Des poussées répétées de réactions de phase tardive peuvent provoquer des lésions tissulaires.

Phosphatase (protéine phosphatase). Enzyme éliminant des groupements phosphates des chaînes latérales de certains acides aminés des protéines. Les protéines phosphatases des lymphocytes, comme CD45 et la calcineurine, régulent l'activité de différentes molécules de transduction des signaux et de facteurs de transcription. Certaines protéines phosphatases peuvent être spécifiques de résidus phosphotyrosine, tandis que d'autres peuvent être spécifiques de résidus phosphosérine et phosphothréonine.

Phospholipase C (PLCγ1). Enzyme catalysant l'hydrolyse d'un phospholipide de la membrane plasmique, le phosphatidyl inositol 4,5-bisphosphate (PIP 2), générant des molécules de signalisation, l'inositol 1,4,5 triphosphate (IP 3) et le diacylglycérol (DAG). La PLCγ1 est activée dans les lymphocytes par la liaison de l'antigène au récepteur d'antigène.

Phytohémagglutinine (PHA). Protéine polymérique d'origine végétale liant les hydrates de carbone (lectine) et qui agrège les molécules de la surface des lymphocytes T chez l'homme, notamment le récepteur des lymphocytes T, induisant ainsi l'activation et l'agglutination des lymphocytes T. Dans la mesure où la PHA active tous les lymphocytes T, quelle que soit la spécificité antigénique, elle est appelée **activateur polyclonal**. En médecine, la PHA est utilisée pour évaluer si les lymphocytes d'un patient sont fonctionnels ou pour induire la mitose des lymphocytes T dans le but de produire des étalements chromosomiques permettant d'établir des caryotypes.

Pièce sécrétoire. Portion du domaine extracellulaire du récepteur poly-Ig clivé par protéolyse ; elle reste liée aux molécules d'IgA sécrétées dans la lumière intestinale.

Plaques de Peyer. Tissus lymphoïdes de la lamina propria de l'intestin grêle dans lesquels les réponses immunitaires aux antigènes ingérés peuvent être induites. Les plaques de Peyer sont composées principalement de lymphocytes B, avec un faible nombre de lymphocytes T et de cellules présentatrices d'antigène. L'ensemble de ces cellules est regroupé dans des follicules similaires à ceux des ganglions lymphatiques, contenant souvent des centres germinatifs.

Plasmocyte. Lymphocyte B différencié sécréteur d'anticorps. Il se distingue par une forme ovale, un noyau excentré et un halo périnucléaire.

Polyarthrite rhumatoïde. Maladie auto-immune caractérisée principalement par des lésions inflammatoires des articulations et parfois par une inflammation des vaisseaux sanguins, des poumons et d'autres tissus. Des lymphocytes T $CD4^+$, des lymphocytes B activés et des plasmocytes sont retrouvés dans la synoviale (membrane autour de l'articulation) enflammée, et de nombreuses cytokines pro-inflammatoires, notamment l'interleukine-1 et le TNF, sont présentes dans le liquide synovial (articulaire).

Polymorphisme. Existence de deux ou plusieurs formes variables d'un gène particulier, qui sont présentes à des fréquences stables dans une population. Chaque variant fréquent d'un gène polymorphe est appelé **allèle**, et un individu peut porter deux allèles différents d'un gène, hérités de chacun des deux parents. Les gènes du complexe majeur d'histocompatibilité sont les gènes les plus polymorphes du génome des mammifères.

Polynucléaire (ou granulocyte). Cellule phagocytaire, appelée également **neutrophile**, caractérisée par un noyau segmenté polylobé et des granules cytoplasmiques contenant des enzymes de dégradation. Les polynucléaires neutrophiles constituent le type le plus abondant de globules blancs circulants et sont les principales cellules assurant les réponses inflammatoires aiguës aux infections bactériennes.

Polyvalence. Voir **Multivalence**.

Présentation croisée (*cross-priming*). Mécanisme par lequel une cellule présentatrice d'antigène profession-

© 2009 Elsevier Masson SAS. Tous droits réservés

nelle (APC, *antigen-presenting cell*) présente les antigènes d'une autre cellule (par exemple une cellule infectée par un virus ou une cellule tumorale) et active (ou sensibilise) un lymphocyte T cytotoxique $CD8^+$ naïf. Ce phénomène se produit par exemple lorsqu'une cellule infectée (et souvent altérée) est ingérée par une APC professionnelle, les antigènes microbiens étant apprêtés et présentés par des molécules du complexe majeur d'histocompatibilité, comme n'importe quel autre antigène phagocyté. L'APC professionnelle fournit également une costimulation pour les lymphocytes T.

Présentation de l'antigène. Présentation des peptides liés à des molécules du complexe majeur d'histocompatibilité à la surface d'une cellule présentatrice d'antigène, permettant la reconnaissance spécifique par les récepteurs des lymphocytes T et l'activation des lymphocytes T.

Présentation directe de l'antigène. Présentation à la surface cellulaire des molécules du complexe majeur d'histocompatibilité (CMH) allogéniques par des cellules présentatrices d'antigène du greffon aux lymphocytes T du receveur, entraînant l'activation des lymphocytes T, sans nécessiter un apprêtement. La reconnaissance directe des molécules étrangères du CMH est une réaction croisée d'un récepteur normal des lymphocytes T, qui a été sélectionné afin de reconnaître un complexe associant une molécule du soi du CMH plus un peptide étranger, avec un complexe associant une molécule du CMH allogénique plus un peptide. À opposer à la « **présentation indirecte** » **des alloantigènes**.

Présentation indirecte de l'antigène. En immunologie de transplantation, voie de présentation des molécules allogéniques du complexe majeur d'histocompatibilité (CMH) du donneur par des cellules présentatrices d'antigène (APC, *antigen-presenting cell*) du receveur, faisant appel aux mêmes mécanismes que ceux qui sont utilisés pour présenter les protéines microbiennes. Les protéines du CMH allogéniques sont transformées par les APC professionnelles du receveur, et les peptides dérivés des molécules allogéniques du CMH sont présentés par les molécules du CMH du receveur aux lymphocytes T de l'hôte. Ce procédé s'oppose à la présentation directe des antigènes, qui fait intervenir la reconnaissance de molécules allogéniques du CMH à la surface des cellules du greffon par les lymphocytes T du receveur.

Prostaglandines. Classe de médiateurs inflammatoires lipidiques dérivés, dans de nombreux types cellulaires, de l'acide arachidonique par la voie de la cyclo-oxygénase. Les mastocytes activés synthétisent la prostaglandine D2 (PGD_2), qui se lie à des récepteurs présents sur les cellules musculaires lisses et induit une vasodilatation et une bronchoconstriction. La PGD_2 favorise également l'attraction (chimiotactisme) et l'accumulation des neutrophiles dans les sites inflammatoires.

Protéasome. Grand complexe enzymatique multiprotéique présentant un large spectre d'activités protéolytiques, qui se trouve dans le cytoplasme de la plupart des cellules, et qui génère, à partir des protéines cytosoliques, les peptides qui se lient aux molécules du complexe majeur d'histocompatibilité de classe I. Les protéines deviennent la cible de la dégradation par le protéasome après liaison covalente à des molécules d'ubiquitine.

Protéine adaptatrice. Protéines participant aux voies de transduction des signaux des lymphocytes ; elles agissent comme des intermédiaires ou des ponts moléculaires assurant le recrutement d'autres molécules de signalisation. Les molécules adaptatrices participant à l'activation des lymphocytes T sont les suivantes : LAT, SLP-76 et Grb-2.

Protéine kinase C (PKC). L'une des nombreuses isoformes d'une enzyme assurant la phosphorylation des résidus sérine et thréonine de nombreux substrats protéiques différents. Elle contribue à la propagation, dans diverses voies de transduction, des signaux conduisant à l'activation de facteurs de transcription. Dans les lymphocytes T et B, la PKC est activée par le diacylglycérol, qui est généré en réponse à la liaison des récepteurs d'antigène.

Protéine tyrosine kinase (PTK). Voir **Kinase**.

Protéines G. Protéines qui se lient à des nucléotides guanyliques et agissent comme des molécules d'échange, catalysant le remplacement d'un GDP lié par un GTP. Les protéines G porteuses d'un GTP activent diverses enzymes cellulaires dans différentes cascades de signalisation. Les protéines trimériques liant le GTP sont associées aux parties intracytoplasmiques de nombreux récepteurs de la surface cellulaire, notamment les récepteurs de chimiokines. D'autres protéines G solubles de petite taille, comme Ras et Raf, sont recrutées dans les voies de signalisation par des protéines adaptatrices.

Protozoaires. Organismes eucaryotes unicellulaires complexes, parmi lesquels un grand nombre sont des parasites de l'homme et responsables de pathologies. On peut citer parmi les protozoaires pathogènes : *Entamoeba histolytica*, responsable de la dysenterie amibienne ; *Plasmodium*, responsable du paludisme ; et *Leishmania*, responsable de la leishmaniose. Les protozoaires stimulent les réponses immunitaires innées et adaptatives.

Provirus. Copie ADN du génome d'un rétrovirus qui est intégrée dans le génome des cellules de l'hôte, et à partir de laquelle les gènes viraux sont transcrits et le génome viral est reproduit. Le provirus du virus de l'immunodéficience humaine (VIH) peut rester inactif pendant des périodes prolongées et constitue par conséquent une forme latente d'infection par le VIH, qui n'est pas accessible aux défenses immunitaires.

© 2009 Elsevier Masson SAS. Tous droits réservés

Pseudo-chaîne légère. Complexe de deux protéines non variables qui s'associent à des chaînes lourdes μ d'immunoglobulines dans les lymphocytes pré-B pour former le pré-récepteur des lymphocytes B (pré-BCR). La pseudo-chaîne légère comprend deux protéines : la protéine V pré-B, qui est homologue au domaine V d'une chaîne légère, et la protéine λ5, qui est liée de manière covalente à la chaîne lourde μ par un pont disulfure.

Pulpe blanche. Partie de la rate composée principalement de lymphocyte organisés en manchons lymphoïdes périartériolaires (PALS, *periarteriolar lymphoid sheaths*) et en follicules. Le reste de la rate contient des sinusoïdes vasculaires bordés de cellules phagocytaires et remplis de sang, constituant la **pulpe rouge**.

Pulpe rouge. Compartiment anatomique et fonctionnel de la rate composé de sinusoïdes vasculaires, dans lesquels sont dispersés de nombreux macrophages, des cellules dendritiques, de rares lymphocytes et des plasmocytes. Les macrophages de la pulpe rouge éliminent du sang les microbes, d'autres particules étrangères et les globules rouges altérés.

Rate. Organe lymphoïde périphérique situé dans la partie supérieure gauche de l'abdomen. La rate est le site principal des réponses immunitaires adaptatives dirigées contre les antigènes transportés par le sang. La pulpe rouge de la rate est composée de sinusoïdes vasculaires remplies de sang, bordées par des phagocytes qui ingèrent les microbes opsonisés et les globules rouges altérés. La pulpe blanche de la rate contient des lymphocytes et des follicules lymphoïdes.

Réaction du greffon contre l'hôte (GVHD, *graft-versus-host disease*). Pathologie survenant chez les receveurs en cas de transplantation de moelle osseuse. La maladie est provoquée par la réaction des lymphocytes T matures de la moelle greffée contre les alloantigènes des cellules du receveur. La maladie affecte le plus souvent la peau, le foie et les intestins.

Réaction lymphocytaire mixte (MLR, *mixed leukocyte reaction*). Réaction in vitro de lymphocytes T alloréactifs d'un individu contre des antigènes du complexe majeur d'histocompatibilité se trouvant sur les cellules sanguines provenant d'un autre individu. La réaction lymphocytaire mixte comprend la prolifération de lymphocytes T $CD4^+$ et $CD8^+$ et la sécrétion de cytokines par ces cellules. Elle est utilisée comme test de dépistage pour évaluer la compatibilité d'un receveur de greffes avec un donneur potentiel.

Réaction papulo-érythémateuse. Gonflement et rougeur au site cutané d'une réaction d'hypersensibilité immédiate. La réaction papuleuse reflète l'augmentation de la perméabilité vasculaire, tandis que la réaction érythémateuse résulte de l'augmentation du débit sanguin local, ces deux changements étant provoqués par des médiateurs, comme l'histamine, libérés à partir de mastocytes activés du derme.

Réactions post-transfusionnelles. Réaction immunologique contre les produits sanguins transfusés ; elle est généralement due à des anticorps préformés chez le receveur qui se lient aux antigènes des cellules sanguines du donneur, notamment les antigènes de groupes sanguins ABO ou les antigènes d'histocompatibilité. Les réactions post-transfusionnelles peuvent entraîner une lyse intravasculaire des globules rouges, et dans les cas graves, des lésions rénales, une fièvre, un choc et une coagulation intravasculaire disséminée.

Récepteur d'écotaxie ou de *homing*. Molécule d'adhérence exprimée à la surface des lymphocytes qui est responsable des différentes voies de recirculation des lymphocytes et d'adressage tissulaire. Les récepteurs d'écotaxie se lient à des ligands (appelés adressines) exprimés sur les cellules endothéliales de lits vasculaires particuliers.

Récepteur de chimiokine. Récepteur de surface cellulaire qui, en interagissant avec une chimiokine, transmet des signaux qui déclenchent la migration des leucocytes. Ces récepteurs appartiennent à la famille des récepteurs à sept domaines transmembranaires en hélice α, couplés à des protéines G.

Récepteur de Fc (FcR, *Fc receptor*). Récepteur de la surface cellulaire spécifique de la région constante carboxyterminale d'une molécule d'immunoglobuline (Ig). Les récepteurs de Fc sont généralement des complexes protéiques à plusieurs chaînes qui comprennent des composants de liaison aux Ig et des composants de signalisation. Il existe différents types de récepteurs de Fc, notamment ceux qui sont spécifiques des différents isotypes IgG, IgE et IgA. Les récepteurs de Fc assurent un grand nombre de fonctions effectrices des anticorps, notamment la phagocytose des germes couverts (opsonisés) d'anticorps, l'activation mastocytaire induite par l'antigène et l'activation des cellules NK (*natural killer*).

Récepteur de Fcγ (FcγR, *Fcγ receptor*). Récepteur spécifique de la surface cellulaire pour la région constante carboxyterminale des molécules d'IgG. Il existe différents types de récepteurs Fcγ, notamment le FcγRI (CD64) de haute affinité qui permet la phagocytose par les macrophages et les neutrophiles, le récepteur FcγRIIb (CD32) de faible affinité qui transduit des signaux inhibiteurs dans les lymphocytes B, et le récepteur FcγRIIIB (CD16b) de faible affinité qui lie les cellules NK (*natural killer*) à leur cible et les active.

Récepteur de type Toll (TLR, *Toll-like receptors*). Récepteur de la surface cellulaire et des endosomes exprimé par de nombreux types cellulaires ; ce sont des

© 2009 Elsevier Masson SAS. Tous droits réservés

récepteurs de reconnaissance de motifs microbiens (PRR, *pattern recognition receptors*), comme les lipopolysaccharides et les acides nucléiques microbiens. Les TLR sont connectés à des voies de transduction de signaux, qui activent des gènes dont les produits sont impliqués dans l'inflammation et la résistance aux infections virales.

Récepteur des lymphocytes T (TCR, *T cell receptor*). Récepteur d'antigène, distribué de manière clonale sur les lymphocytes T $CD4^+$ et $CD8^+$, qui reconnaît des complexes formés de peptides étrangers liés aux molécules du complexe majeur d'histocompatibilité du soi à la surface des cellules présentatrices d'antigène. La forme la plus commune de TCR est constituée d'un hétérodimère de deux chaînes polypeptidiques transmembranaires liées par un pont disulfure, désignées par les lettres α et β, chacune contenant un domaine variable (V) amino-terminal analogue aux Ig, un domaine constant (C) analogue aux Ig, une région transmembranaire hydrophobe, et une courte région intracytoplasmique. Un autre type moins fréquent de TCR, composé de chaînes γ et δ, se trouve dans une petite sous-population de lymphocytes T et reconnaît des formes différentes d'antigènes.

Récepteur du complément de type 2 (CR2). Récepteur exprimé sur les lymphocytes B et les cellules folliculaires dendritiques qui se lie aux fragments protéolytiques de la protéine du complément C3, notamment C3d, C3dg et iC3b. La fonction du CR2 est de stimuler les réponses immunitaires humorales en augmentant l'activation des lymphocytes B par l'antigène et en favorisant la capture des complexes antigène-anticorps dans les centres germinatifs. Le CR2 est également le récepteur du virus d'Epstein-Barr.

Récepteur du lymphocyte pré-B (pré-BCR). Récepteur exprimé sur les lymphocytes B en maturation au stade de lymphocyte pré-B, composé d'une chaîne lourde μ d'immunoglobuline (Ig) et d'une pseudo-chaîne légère invariante. La pseudo-chaîne légère est composée de deux protéines, la protéine $\lambda 5$ qui est homologue au domaine C de la chaîne légère λ et la protéine V pré-B qui est homologue à un domaine V. Le récepteur du lymphocyte pré-B s'associe aux protéines de transduction de signaux Igα et Igβ pour former le complexe du récepteur du lymphocyte pré-B. Les récepteurs des lymphocytes pré-B sont nécessaires pour stimuler la prolifération et la poursuite de la maturation du lymphocyte B en développement. On ne sait pas si le récepteur du lymphocyte pré-B se lie à un ligand spécifique.

Récepteur du lymphocyte pré-T (pré-TCR). Récepteur exprimé sur les lymphocytes pré-T, composé de la chaîne β du récepteur d'antigène des lymphocytes T (TCR) et d'une protéine invariante pré-Tα. Ce récepteur, associé aux molécules CD3 et ζ, forme le complexe du pré-TCR. La fonction de ce complexe est similaire à celle du pré-BCR des lymphocytes B en développement, à savoir la transmission de signaux qui stimulent la prolifération, le réarrangement des gènes du récepteur d'antigène et la maturation. On ignore si le pré-TCR se lie à un ligand spécifique.

Récepteur du mannose. Récepteur (lectine) liant les hydrates de carbone; il est exprimé par les macrophages et se lie aux résidus de mannose et de fucose situés sur les parois cellulaires microbiennes, permettant la phagocytose de ces micro-organismes.

Récepteur KIR (*killer inhibitory receptor, récepteur inhibiteur des cellules NK*). Récepteurs se trouvant sur les cellules NK (natural killer) qui reconnaissent les molécules de classe I du CMH du soi et délivrent des signaux inhibiteurs empêchant l'activation des mécanismes cytolytiques des cellules NK. Ces récepteurs permettent que les cellules NK ne détruisent pas les cellules normales de l'hôte, qui expriment des molécules de classe I du CMH, mais lysent les cellules infectées par des virus dans lesquelles l'expression des molécules de classe I du CMH est inhibée.

Récepteur poly-Ig. Récepteur de fragment Fc exprimé par les cellules épithéliales muqueuses qui assure le transport des IgA et des IgM à travers les cellules épithéliales vers la lumière intestinale. Également appelé « composant (ou pièce) sécrétoire ».

Récepteurs de reconnaissance des motifs moléculaires (PRR, *pattern recognition receptors*). Récepteurs du système immunitaire inné qui reconnaissent des structures fréquemment rencontrées, appelées « motifs moléculaires », produites par des micro-organismes, et qui facilitent les réponses de l'immunité innée contre les micro-organismes. Les phagocytes ont des récepteurs de reconnaissance de motifs comme, par exemple, les récepteurs de type Toll, qui lient entre autres l'endotoxine bactérienne, ou le récepteur du mannose, qui lie des glycoprotéines ou glycolipides microbiens dotés de résidus de mannose terminaux.

Récepteurs éboueurs (*scavenger receptors*). Famille des récepteurs de la surface cellulaire exprimés sur les macrophages, originellement définis comme des récepteurs assurant l'endocytose de particules de lipoprotéines de basse densité oxydées ou acétylées, mais qui se lient également à de nombreux microbes et en assurent la phagocytose.

Recirculation des lymphocytes. Déplacement continu des lymphocytes par la circulation sanguine et les vaisseaux lymphatiques, entre les ganglions lymphatiques et la rate et, s'ils sont activés, vers les sites inflammatoires périphériques.

Recombinaison de commutation. Mécanisme moléculaire à la base de la commutation isotypique (ou de

© 2009 Elsevier Masson SAS. Tous droits réservés

classe) des immunoglobulines dans lequel un segment de gène VDJ réarrangé dans un lymphocyte B producteur d'anticorps recombine avec un gène C en aval, les gènes C intermédiaires étant éliminés. Les étapes de la recombinaison de l'ADN au cours de la recombinaison de commutation sont déclenchées par la liaison de CD40 et par des cytokines, et font intervenir des séquences appelées « régions de commutation » (ou régions *switch*), situées dans les introns se trouvant à l'extrémité 5' de chaque locus C_H.

Recombinaison somatique. Processus de recombinaison de l'ADN par lequel les gènes codant pour les régions variables des récepteurs d'antigène sont formés au cours du développement des lymphocytes. Un ensemble relativement limité de séquences d'ADN du patrimoine génétique, qui sont initialement séparées les unes des autres (configuration germinale), est réuni par délétion enzymatique de séquences intermédiaires puis réuni. Ce processus se produit uniquement dans les lymphocytes B et T en développement.

Recombinase V(D)J. Ensemble d'enzymes assurant conjointement les étapes de la recombinaison somatique aboutissant à la formation de gènes codant pour des récepteurs d'antigènes fonctionnels, au cours du développement des lymphocytes B et T. Certaines de ces enzymes, notamment RAG-1 et RAG-2, se trouvent uniquement dans les lymphocytes en développement, tandis que d'autres sont des enzymes de réparation de l'ADN que l'on trouve dans la plupart des types cellulaires.

Région charnière. Région des chaînes lourdes des immunoglobulines situées entre les deux premiers domaines constants ; elle peut adopter de multiples conformations, et par conséquent confère une flexibilité à l'orientation des deux sites de liaison à l'antigène. La présence de la région charnière permet à une molécule d'anticorps de se lier simultanément à deux épitopes se situant à portée de l'un et de l'autre.

Région constante (C). Portion des chaînes polypeptidiques des immunoglobulines (Ig) ou du récepteur des lymphocytes T (TCR) dont la séquence ne varie pas entre les différents clones de lymphocytes B ou T, et qui ne participe pas à la liaison à l'antigène. Les régions C sont codées par des séquences d'ADN situées dans les locus des gènes des Ig ou des TCR à distance des séquences codant les régions variables (V).

Région hypervariable. Segments courts d'environ 10 résidus d'acides aminés des régions variables des protéines d'anticorps ou de récepteurs des lymphocytes T (TCR), qui forment des structures en boucle entrant en contact avec l'antigène. Il existe trois régions hypervariables, également appelées **régions CDR (*complementary determining regions*, régions déterminant la complémentarité)**, dans chaque chaîne lourde et chaque chaîne légère d'un anticorps et dans chaque chaîne α et β du TCR. La plus grande part de la variabilité entre différents anticorps ou TCR réside dans ces régions.

Région variable. Région aminoterminale extracellulaire d'une chaîne lourde ou légère d'immunoglobuline ou d'une chaîne α, β, γ ou δ du récepteur des lymphocytes T, qui contient des séquences variables d'acides aminés qui diffèrent entre chaque clone de lymphocytes, et qui sont responsables de la spécificité antigénique. Les séquences variables qui interagissent avec l'antigène correspondent aux segments hypervariables.

Régions déterminant la complémentarité (CDR, *complementarity-determining regions*). Segments courts d'immunoglobulines ou de récepteurs des lymphocytes T (TCR) qui portent la plupart des différences de séquence parmi les différents anticorps ou TCR et qui entrent en contact avec l'antigène. Il existe trois CDR dans le domaine variable de chaque chaîne polypeptidique du récepteur pour l'antigène et donc six CDR dans une molécule de TCR et 12 CDR dans une molécule d'Ig. Ces régions « hypervariables » adoptent des structures en boucle qui, lorsqu'elles sont réunies, forment une surface complémentaire à la structure tridimensionnelle de l'antigène lié.

Rejet aigu. Forme de rejet des greffes se traduisant par des lésions vasculaires et parenchymateuses provoquées par les lymphocytes T, les macrophages et les anticorps ; il commence généralement la première semaine qui suit la transplantation. La différenciation des lymphocytes effecteurs et la production d'anticorps responsables du rejet aigu sont déclenchées en réponse aux antigènes du greffon.

Rejet chronique. Forme de rejet des allogreffes caractérisée par une fibrose avec perte lente mais progressive des structures normales des organes. Le plus souvent, la conséquence principale du rejet chronique est l'occlusion artérielle du greffon à la suite de la prolifération des cellules musculaires lisses de l'intima. C'est ce que l'on appelle l'artériosclérose du greffon.

Rejet de greffe. Réponse immunitaire spécifique contre un organe ou tissu greffé, ce qui aboutit à une inflammation, à des lésions et éventuellement au rejet du greffon.

Rejet hyperaigu. Forme de rejet d'allogreffe ou de xénogreffe débutant quelques minutes à quelques heures après la transplantation, et caractérisée par une occlusion thrombotique des vaisseaux du greffon. Le rejet hyperaigu est provoqué par les anticorps préexistants dans la circulation de l'hôte qui se lient aux antigènes endothéliaux du donneur, par exemple des antigènes de groupe sanguin ou les molécules du complexe majeur d'histocompatibilité (CMH).

© 2009 Elsevier Masson SAS. Tous droits réservés

Répertoire d'anticorps. Ensemble des différentes spécificités des anticorps exprimées chez un individu.

Répertoire. Ensemble complet des récepteurs d'antigènes, et par conséquent des spécificités antigéniques, exprimés par l'ensemble des lymphocytes B et T d'un individu.

Réponse de phase aiguë. Augmentation des concentrations plasmatiques de plusieurs protéines, appelées protéines de phase aiguë, qui se produit dans le cadre de la réponse immunitaire innée contre les infections. Ces protéines, notamment la protéine C réactive, le fibrinogène et la protéine amyloïde A sérique, sont synthétisées par le foie en réponse à des cytokines inflammatoires, en particulier l'IL-6 et le TNF.

Réponse immunitaire. Réponse collective et coordonnée à l'introduction de substances étrangères dans un organisme, assurée par les cellules et les molécules du système immunitaire.

Réponse immunitaire primaire. Réponse immunitaire adaptative qui survient après la première exposition d'un individu à un antigène étranger. Les réponses primaires sont caractérisées par une cinétique relativement lente et une amplitude faible, comparées aux réponses déclenchées par une seconde exposition ou des expositions ultérieures.

Réponse immunitaire secondaire. Réponse immunitaire adaptative qui survient lors de la seconde exposition à un antigène. Une réponse secondaire est caractérisée par une cinétique plus rapide et une amplitude supérieure par rapport à la réponse immunitaire primaire qui se déclenche à la première exposition.

Restriction par le CMH. Capacité des lymphocytes T à ne reconnaître un antigène peptidique étranger que lorsqu'il est lié à une forme allélique particulière d'une molécule du complexe majeur d'histocompatibilité (CMH).

Restriction par le complexe majeur d'histocompatibilité (CMH) du soi. Limitation (ou restriction) imposée aux lymphocytes T matures, qui ne peuvent reconnaître que des antigènes dont des peptides sont associés à des molécules du CMH du soi présentes dans le thymus lors de la maturation de ces lymphocytes. Le répertoire des lymphocytes T est restreint par le CMH du soi suite au processus de sélection positive.

Rétroaction des anticorps. Inhibition de la production d'anticorps par des anticorps IgG sécrétés; elle survient lorsque des complexes antigène-anticorps se lient simultanément aux immunoglobulines membranaires des cellules B et à leurs récepteurs de Fcγ. Dans ces conditions, les queues cytoplasmiques des récepteurs de Fcγ transmettent des signaux inhibiteurs dans la cellule B.

Révision des récepteurs (*receptor editing*). Processus par lequel certains lymphocytes B immatures qui reconnaissent les antigènes du soi dans la moelle osseuse changent leur spécificité d'immunoglobulines (Ig). La révision des récepteurs comprend la réactivation des gènes RAG, des recombinaisons V-J supplémentaires des chaînes légères et la production d'une nouvelle chaîne légère d'Ig, permettant aux lymphocytes d'exprimer un récepteur pour l'antigène différent et qui n'est pas autoréactif.

Segments de diversité (D). Courtes séquences codantes situées entre les segments géniques des régions variables (V) et constantes (C) dans les locus des chaînes lourdes des immunoglobulines et les locus β et δ du TCR, qui, conjointement avec les segments J, subissent des recombinaisons somatiques avec les segments V au cours du développement des lymphocytes. L'ADN V-D-J recombinant qui en résulte code la région V du récepteur de l'antigène.

Segments de jonction (J). Courtes séquences codantes, situées entre les segments géniques variables (V) et constants (C) dans tous les locus des immunoglobulines et des récepteurs des lymphocytes T, qui, conjointement avec les segments D, sont recombinés somatiquement avec les segments V au cours du développement des lymphocytes. L'ADN V(D)J recombiné résultant code les régions V du récepteur d'antigène.

Segments géniques V. Séquence d'ADN codant pour le domaine variable d'une chaîne lourde ou d'une chaîne légère d'immunoglobuline, ou d'une chaîne α, β, γ ou δ du récepteur des lymphocytes T. Chaque locus codant pour un récepteur d'antigène contient plusieurs segments géniques V différents, chacun d'entre eux pouvant recombiner avec des segments D ou J situés en aval, au cours de la maturation des lymphocytes, afin de former des gènes codant pour des récepteurs d'antigènes fonctionnels.

Sélectine. Trois protéines étroitement apparentées, mais distinctes, qui lient les hydrates de carbone et assurent ainsi l'adhérence des leucocytes aux cellules endothéliales. Chacune des molécules de sélectine est une glycoprotéine transmembranaire à chaîne unique présentant une structure modulaire similaire, comprenant un domaine lectine extracellulaire dépendant du calcium. Les sélectines comprennent la sélectine L (CD62L) exprimée par les leucocytes, la sélectine P (CD62P) par les plaquettes activées et l'endothélium activé, et la sélectine E (CD62E) par l'endothélium activé.

Sélection clonale. Propriété fondamentale du système immunitaire qui consiste en l'existence chez chaque individu de nombreux clones de lymphocytes, chaque clone provenant d'un précurseur unique et étant capable de reconnaître et de répondre à un déterminant antigénique

© 2009 Elsevier Masson SAS. Tous droits réservés

distinct. Lorsqu'un antigène pénètre dans l'organisme, il sélectionne un clone spécifique préexistant et l'active.

Sélection négative. Processus par lequel les lymphocytes en développement qui expriment des récepteurs d'antigène spécifiques d'antigènes du soi sont éliminés, contribuant ainsi au maintien de la tolérance au soi. La sélection négative des lymphocytes T au cours de leur développement (thymocytes) est la mieux comprise. Elle repose sur la liaison à haute avidité d'un lymphocyte T immature avec des molécules du CMH du soi liées à des peptides du soi se trouvant sur des cellules présentatrices d'antigène dans le thymus, entraînant la mort apoptotique du lymphocyte T.

Sélection positive. Processus par lequel les lymphocytes T en développement dans le thymus (thymocytes), dont les récepteurs d'antigène se lient aux molécules du complexe majeur d'histocompatibilité (CMH) du soi, échappent à la mort cellulaire programmée, tandis que les thymocytes dont les récepteurs ne reconnaissent pas les molécules du CMH du soi meurent. La sélection positive fait que les lymphocytes T matures sont restreints par les molécules du CMH du soi, que les lymphocytes T $CD8^+$ sont spécifiques des complexes associant les peptides et les molécules du CMH de classe I, et que les lymphocytes T $CD4^+$ sont spécifiques des complexes formés de peptides et de molécules du CMH de classe II.

Séroconversion. Production détectable d'anticorps spécifiques d'un micro-organisme dans le sérum, au cours de l'évolution d'une infection ou en réponse à une immunisation.

Sérologie. Étude des anticorps sanguins (sériques) et de leur réaction avec les antigènes. Le terme « sérologie » est souvent utilisé pour faire référence au diagnostic des maladies infectieuses par la détection des anticorps spécifiques d'un microbe dans le sérum.

Sérotype. Sous-ensemble distinct sur le plan antigénique d'une espèce de micro-organisme infectieux qui se distingue des autres sous-ensembles par des analyses sérologiques (c'est-à-dire les anticorps sériques). Les réponses immunitaires humorales à un sérotype de microbe peuvent ne pas protéger contre les autres sérotypes.

Sérum. Liquide exempt de cellules qui reste après la coagulation du sang. Le plasma contient en plus les facteurs de la coagulation. Les anticorps sanguins se trouvent dans le sérum.

Sillon de liaison aux peptides. Portion d'une molécule du complexe majeur d'histocompatibilité (CMH) liant les peptides afin de les présenter aux lymphocytes T. La gouttière est composée d'hélices α appariées reposant sur un plancher constitué d'un feuillet plissé β à huit brins. Les résidus polymorphes, qui sont les acides aminés qui varient selon les différents allèles du CMH, sont situés à l'intérieur et autour de ce sillon.

Site immunitaire privilégié. Site de l'organisme qui est inaccessible aux réponses immunitaires ou qui les inhibe de manière active. La chambre antérieure de l'œil, les testicules et le cerveau sont des exemples de sites immunitaires privilégiés.

Souche de souris consanguines. Souche de souris créée par le croisement répétitif de membres de mêmes fratries, caractérisée par une homozygotie de chaque locus génique. Les souris d'une souche consanguine sont génétiquement identiques (syngéniques).

Souris *knock-out*. Souris dont un ou plusieurs gènes ont été inactivés au moyen de techniques de recombinaison homologue. Les souris chez qui l'on avait inactivé les gènes codant des cytokines, des récepteurs de surface cellulaire, des molécules de signalisation et des facteurs de transcription ont permis de recueillir de nombreuses informations sur les rôles de ces molécules dans le système immunitaire.

Souris SCID (*severe combined immunodeficiency ou DICS, déficience combinée sévère*). Souche de souris dans laquelle les lymphocytes B et T sont absents en raison d'un blocage précoce dans la maturation des précurseurs dans la moelle osseuse. Les souris SCID sont atteintes d'une mutation dans un composant de l'enzyme, la DNA-PK (*DNA-dependent protein kinase* ou protéine kinase dépendante de l'ADN), qui est requise pour la réparation des ruptures de l'ADN double brin. La déficience de cette enzyme a pour conséquence une jonction anormale des segments géniques des immunoglobulines et des récepteurs des lymphocytes T au cours de la recombinaison, et dès lors une absence d'expression des récepteurs d'antigène.

Souris transgénique. Souris exprimant un gène exogène qui a été introduit dans le génome par l'injection d'une séquence d'ADN dans les pronucléus d'œufs fécondés de souris. Les transgènes s'insèrent de manière aléatoire au niveau de cassures chromosomiques et sont ensuite transmis dans le patrimoine génétique comme de simples caractères mendéliens. En construisant des transgènes avec des séquences régulatrices spécifiques de certains tissus, il est possible de produire des souris exprimant un gène particulier uniquement dans certains tissus. Les souris transgéniques sont très utilisées en recherche immunologique afin d'étudier les fonctions de différentes cytokines, de molécules de la surface cellulaire et de molécules de signalisation intracellulaire.

Spécificité. Caractéristique essentielle du système immunitaire adaptatif, désignant la capacité des réponses immunitaires à distinguer les différents antigènes ou de petites parties d'antigènes macromoléculaires. Cette

© 2009 Elsevier Masson SAS. Tous droits réservés

spécificité fine est attribuée aux récepteurs d'antigène des lymphocytes qui peuvent se lier à une molécule, mais non à une autre, même si elle ne présente que des différences structurales mineures par rapport à la première.

Superantigène. Protéines liant et activant tous les lymphocytes T d'un individu qui expriment un ensemble ou une famille particulière de gènes codant pour la partie Vβ des récepteurs des lymphocytes T (TCR). Les superantigènes sont présentés aux lymphocytes T par liaison à des régions non polymorphes des molécules de classe II du complexe majeur d'histocompatibilité sur les cellules présentatrices d'antigène et ils interagissent avec les régions conservées des domaines Vβ des TCR. Plusieurs entérotoxines staphylococciques sont des superantigènes. Leur importance repose sur leur capacité à activer de nombreux lymphocytes T, entraînant la production de grandes quantités de cytokines et un syndrome clinique appelé **syndrome du choc toxique**, similaire au choc septique.

Superfamille des immunoglobulines (Ig). Large famille de protéines contenant un motif structural globulaire appelé domaine d'immunoglobuline (Ig), originellement décrit dans les anticorps. De nombreuses protéines importantes du système immunitaire sont membres de cette superfamille, notamment les anticorps, les récepteurs des lymphocytes T, les molécules du complexe majeur d'histocompatibilité, CD4 et CD8.

Surveillance immunitaire. Concept selon lequel l'une des fonctions physiologiques du système immunitaire est de reconnaître et de détruire les clones de cellules transformées avant qu'ils ne se développent en tumeur, et de détruire les tumeurs après leur formation. Ce terme est parfois utilisé dans un sens général pour décrire la fonction des lymphocytes T consistant à détecter et à détruire toute cellule, pas nécessairement une cellule tumorale, qui exprime un antigène étranger (par exemple, si cette cellule est infectée par un microbe intracellulaire).

Syndrome d'immunodéficience acquise (sida). Maladie provoquée par une infection par le virus de l'immunodéficience humaine (VIH) qui est caractérisée par une déplétion en lymphocytes T $CD4^+$, conduisant à une déficience profonde de l'immunité cellulaire. Sur le plan clinique, le sida se manifeste par des infections opportunistes, des affections malignes, un syndrome de dépérissement et une encéphalopathie.

Syndrome de Chediak-Higashi. Déficience immunitaire rare à transmission autosomique récessive due à un dysfonctionnement des granules cytoplasmiques de différents types cellulaires affectant les lysosomes des neutrophiles et des macrophages, ainsi que les granules des lymphocytes T cytotoxiques et des cellules NK (*natural killer*). Les patients résistent plus faiblement aux infections par les bactéries pyogènes.

Syndrome des lymphocytes nus. Déficience immunitaire caractérisée par une absence d'expression des molécules du complexe majeur d'histocompatibilité (CMH) de classe II entraînant des dysfonctionnements dans la présentation des antigènes et l'immunité cellulaire. La maladie est provoquée par des mutations des gènes codant les facteurs régulant la transcription des gènes codant les molécules du CMH de classe II.

Syndrome du choc toxique. Voir **Choc toxique**.

Syndrome hyper-IgM lié à l'X. Déficience immunitaire rare provoquée par des mutations du gène codant pour le ligand de CD40 et caractérisée par un défaut de commutation isotypique des lymphocytes B et un dysfonctionnement de l'immunité cellulaire. Les patients souffrent d'infections à la fois à bactéries pyogènes et à microbes intracellulaires.

Syngénique. Identique sur le plan génétique. Tous les animaux de souches consanguines ou les jumeaux homozygotes sont syngéniques.

Système immunitaire. Molécules, cellules, tissus et organes qui agissent collectivement pour fournir une immunité, ou une protection, contre des germes pathogènes infectieux.

Système immunitaire cutané. Composants du système immunitaire inné et adaptatif se trouvant dans la peau et fonctionnant ensemble de façon spécialisée, afin de détecter les antigènes qui pénètrent à travers la peau et d'y répondre. Les composants du système immunitaire cutané comprennent les kératinocytes, les cellules de Langerhans, les lymphocytes intraépithéliaux et les lymphocytes dermiques.

Système immunitaire des muqueuses. Partie du système immunitaire qui répond et protège contre les microbes qui pénètrent dans l'organisme à travers les surfaces des muqueuses, notamment les tractus gastro-intestinal et respiratoire. Le système immunitaire associé aux muqueuses est composé de groupes de lymphocytes et de cellules présentatrices d'antigène dans les épithéliums et la lamina propria des muqueuses. Le système immunitaire associé aux muqueuses comprend les lymphocytes intraépithéliaux, principalement des lymphocytes T, et des groupes organisés de lymphocytes, souvent riches en lymphocytes B, sous les épithéliums muqueux, comme les plaques de Peyer dans l'intestin ou les amygdales dans le pharynx.

Système lymphatique. Système de vaisseaux parcourant tout l'organisme dont la fonction est de collecter les fluides tissulaires (ou lymphe) dérivés du sang et de les ramener dans le canal thoracique et, de là, dans la circulation sanguine. Les ganglions lymphatiques sont disséminés le long de ces vaisseaux lymphatiques, et ils piègent et retiennent les antigènes présents dans la lymphe.

© 2009 Elsevier Masson SAS. Tous droits réservés

T-bet. Facteur de transcription de la famille T-box (boîte T) qui induit la différenciation des lymphocytes T_H1 à partir des lymphocytes T naïfs.

TGF-β (*transforming growth factor-β, facteur de croissance transformant β*). Cytokine produite par les lymphocytes T activés, les phagocytes mononucléaires, et d'autres cellules, dont les actions principales sont d'inhiber la prolifération et la différenciation des lymphocytes T, d'inhiber l'activation des macrophages, et d'entraver les effets des cytokines pro-inflammatoires.

Thymocyte. Précurseur des lymphocytes T matures présents dans le thymus.

Thymocyte double-négatif. Sous-population de lymphocytes T en développement dans le thymus; ils n'expriment ni CD4 ni CD8. La plupart des thymocytes double-négatifs sont à un stade précoce de développement, et n'expriment pas de récepteurs pour l'antigène. Ils exprimeront ultérieurement à la fois CD4 et CD8 au cours de l'étape intermédiaire où ils sont « double positifs », avant une maturation plus complète en lymphocytes T simple-positifs exprimant uniquement CD4 ou uniquement CD8.

Thymocyte double-positif. Sous-population de lymphocytes T en développement dans le thymus se trouvant dans un état intermédiaire de développement, qui expriment à la fois CD4 et CD8. Les thymocytes double-positifs expriment également les récepteurs des lymphocytes T, et sont soumis à des processus de sélection, les cellules survivantes subissant une maturation en lymphocytes T simple-positifs exprimant uniquement CD4 ou uniquement CD8.

Thymocyte simple-positif. Précurseur des lymphocytes T en maturation se trouvant dans le thymus et exprimant la molécule CD4 ou la molécule CD8 mais non les deux. Les thymocytes simple-positifs se trouvent principalement dans la médullaire, et ils ont subi une maturation à partir du stade double positif, stade durant lequel les thymocytes expriment à la fois la molécule CD4 et la molécule CD8.

Thymus. Organe bilobé situé dans le médiastin antérieur, qui est le site de la maturation des lymphocytes T à partir de précurseurs issus de la moelle osseuse. Le thymus est divisé en un cortex externe et une médullaire interne. Il contient des cellules épithéliales, des macrophages, des cellules dendritiques, et de nombreux précurseurs des lymphocytes T (thymocytes) à différents stades de maturation.

Tolérance au soi. Absence de réponse du système immunitaire adaptatif aux antigènes du soi, provenant principalement de l'inactivation ou de la mort des lymphocytes autoréactifs suite à leur exposition à ces antigènes du soi. La tolérance au soi est une caractéristique essentielle du système immunitaire normal, et l'altération de la tolérance au soi provoque les maladies auto-immunes.

Tolérance centrale. Forme de tolérance au soi induite dans les organes lymphoïdes primaires (« centraux ») se produisant à la suite de la reconnaissance des antigènes du soi par les lymphocytes autoréactifs, conduisant à leur mort ou à leur inactivation. La tolérance centrale empêche l'émergence de lymphocytes possédant des récepteurs de haute affinité pour les autoantigènes ubiquitaires présents dans la moelle osseuse ou le thymus, mais aussi vraisemblablement dans tout l'organisme. La tolérance centrale des cellules T à certaines protéines des tissus périphériques est également liée à l'expression de ces protéines dans le thymus, un processus qui dépend du facteur de transcription AIRE.

Tolérance orale. Inhibition des réponses immunitaires systémiques humorale et cellulaire contre un antigène après administration orale de cet antigène, suite à une anergie des lymphocytes T spécifiques de l'antigène ou à la production de cytokines immunosuppressives, comme le facteur de croissance transformant β (TGF-β, *transforming growth factor-β*). La tolérance orale est un mécanisme potentiel de prévention des réponses immunitaires contre les antigènes alimentaires et les bactéries qui résident normalement à l'état commensal dans la lumière intestinale.

Tolérance périphérique. État de non-réponse physiologique à des antigènes du soi qui sont présents dans les tissus périphériques, mais généralement absents des organes lymphoïdes primaires (ou centraux). La tolérance périphérique est induite soit par la reconnaissance des antigènes en absence de niveaux adéquats de molécules de costimulation qui sont nécessaires à l'activation des lymphocytes, soit par une stimulation persistante et répétée par ces antigènes du soi.

Tolérogène. Antigène induisant une tolérance immunitaire, contrairement à un immunogène, qui induit une réponse immunitaire. De nombreux antigènes peuvent être soit tolérogènes soit immunogènes, en fonction de leur mode d'administration. Des formes tolérogènes d'antigènes sont par exemple constituées par des doses importantes de protéines administrées sans adjuvant, des ligands peptidiques altérés et des antigènes administrés par voie orale.

Transcriptase inverse. Enzyme codée par les rétrovirus, comme le virus de l'immunodéficience humaine (VIH), qui synthétise une copie ADN du génome viral à partir de la matrice ARN du virus. La transcriptase inverse purifiée est largement utilisée dans la recherche en biologie moléculaire afin de cloner des ADN complémentaires codant pour un gène d'intérêt à partir des ARN

© 2009 Elsevier Masson SAS. Tous droits réservés

messagers. Les inhibiteurs de la transcriptase inverse sont des médicaments utilisés pour traiter l'infection par le VIH-1.

Transducteur de signaux et activateur de transcription (STAT, *signal transducer and activator of transcription*). Membre d'une famille de protéines qui agissent comme molécules de signalisation et facteurs de transcription en réponse à la liaison de cytokines à des récepteurs de cytokines de type I et de type II. Les STAT sont présents sous forme de monomères inactifs dans le cytoplasme des cellules et sont recrutés vers les parties intracytoplasmiques des récepteurs agrégés par des cytokines, où certains de leurs résidus tyrosine sont phosphorylés par les JAK (Janus kinases). Les protéines STAT phosphorylées dimérisent et migrent vers le noyau, où elles se lient à des séquences spécifiques sur les promoteurs de différents gènes et stimulent leur transcription. Différents STAT sont activés par différentes cytokines.

Transfusion. Transplantation de cellules sanguines circulantes, de plaquettes ou de plasma d'un individu à un autre. Les transfusions sont effectuées pour traiter les pertes sanguines d'une hémorragie, ou traiter la déficience d'un ou plusieurs types de cellules sanguines due à une production inadéquate ou à une destruction excessive.

Transplantation de moelle osseuse. Transplantation de cellules souches de moelle osseuse qui donnent naissance à toutes les cellules sanguines matures et aux lymphocytes, effectuée en clinique pour traiter les troubles et les affections malignes hématopoïétiques et/ou lymphopoïétiques, également utilisée dans différentes expérimentations immunologiques chez l'animal.

Transporteur associé à l'apprêtement des antigènes (TAP, *transporter associated with antigen processing*). Transporteur de peptides dépendant de l'ATP assurant le transport actif de peptides à partir du cytosol vers le site d'assemblage des molécules de type I du complexe majeur d'histocompatibilité (CMH) à l'intérieur du réticulum endoplasmique. Le transporteur TAP est une molécule hétérodimérique composée des polypeptides TAP-1 et TAP-2, tous deux codés par des gènes du locus CMH. Dans la mesure où les peptides sont nécessaires à un assemblage stable des molécules de classe I du CMH, les animaux présentant une déficience en TAP expriment très peu de molécules de classe I du CMH à la surface des cellules, entraînant une réduction du développement et de l'activation des lymphocytes T $CD8^{+}$.

Trieur de cellules par fluorescence (FACS, flurorescence activated cell sorter). Adaptation de la cytométrie en flux utilisée pour la purification des cellules provenant d'une population hétérogène selon le type et la quantité de sonde fluorescente liée aux cellules. Les cellules sont marquées en premier lieu par une sonde fluorescente, par exemple un anticorps spécifique d'antigène de surface d'une population cellulaire. Les cellules sont ensuite passées une à une à travers un fluorimètre avec un rayon incident généré par un laser, et sont déviées de manière différentielle par des champs électromagnétiques dont la force et la direction sont modifiées en fonction de l'intensité mesurée du signal fluorescent.

Typage tissulaire. Détermination des allèles particuliers du CMH exprimés par un individu afin d'établir la compatibilité entre des donneurs et des receveurs d'allogreffes. Le typage tissulaire, ou « typage HLA », est généralement effectué au moyen de sérums qui réagissent avec certains produits des gènes CMH et provoquent la lyse dépendante du complément des lymphocytes d'un individu. Les techniques d'amplification en chaîne à l'aide d'une polymérase (PCR, *polymerase chain reaction*) sont désormais utilisées pour déterminer si un individu porte un allèle CMH particulier.

Urticaire. Gonflement et rougeur transitoires cutanés dus à un épanchement de liquide et de protéines plasmatiques provenant des petits vaisseaux sanguins du derme au cours d'une réaction d'hypersensibilité immédiate.

Vaccin à antigène purifié. Vaccin composé d'antigènes ou de composants purifiés de microbes. Ces types de vaccin comprennent les anatoxines diphtérique et tétanique, les vaccins polysaccharidiques contre *Pneumococcus* et *Haemophilus influenzae*, et les vaccins polypeptidiques purifiés contre les virus de l'hépatite B et de la grippe. Les vaccins à antigènes purifiés peuvent stimuler la production d'anticorps et les réponses des lymphocytes T auxiliaires, mais ils ne peuvent pas induire de lymphocytes T cytotoxiques.

Vaccin. Préparation d'antigènes microbiens, souvent combinés avec des adjuvants, qui est administrée afin d'induire une immunité protectrice contre des infections. L'antigène peut se trouver sous forme de micro-organismes vivants mais non virulents, de micro-organismes tués ou de composants macromoléculaires purifiés issus de micro-organismes.

Vaccins à ADN. Méthode de vaccination dans laquelle on inocule à un individu un plasmide bactérien contenant un ADN complémentaire codant un antigène protéique. Les vaccins à ADN agissent probablement parce que des cellules présentatrices d'antigène professionnelles sont transfectées in vivo par le plasmide et expriment des peptides immunogènes qui déclenchent des réponses spécifiques. En outre, l'ADN plasmidique comprend des nucléotides CpG non méthylés (typiques de l'ADN bactérien) qui agissent comme adjuvants.

Variole. Maladie provoquée par le virus de la variole. La variole a été la première maladie infectieuse contre laquelle une prévention par la vaccination a été possible,

© 2009 Elsevier Masson SAS. Tous droits réservés

et la première maladie à être complètement éradiquée par un programme de vaccination mondiale.

Veinule à endothélium élevé (HEV, *high endothelial venule*). Veinules spécialisées constituant le site de l'extravasation des lymphocytes du sang vers le stroma d'un ganglion lymphatique périphérique ou d'un tissu lymphoïde associé aux muqueuses. Les HEV sont bordées par des cellules endothéliales cuboïdes qui font saillie dans la lumière du vaisseau et expriment des molécules d'adhérence particulières intervenant dans la liaison des lymphocytes T naïfs.

Virus d'Epstein-Barr (EBV). Virus à ADN double brin de la famille des herpès virus, qui est l'agent étiologique de la mononucléose infectieuse et qui est associé à certaines affections malignes des lymphocytes B et au carcinome du nasopharynx. L'EBV infecte les lymphocytes B et certaines cellules épithéliales en se liant de manière spécifique aux récepteurs du complément de type 2 (CR2 ou CD21).

Virus de l'immunodéficience humaine (VIH). Agent étiologique du syndrome d'immunodéficience acquise (sida). Le VIH est un rétrovirus qui infecte différents types cellulaires, notamment les lymphocytes T auxiliaires exprimant CD4, les macrophages et les cellules dendritiques, et qui détruit progressivement et de manière chronique le système immunitaire.

Virus. Parasite primitif intracellulaire obligatoire, composé d'un génome constitué d'un acide nucléique simple enveloppé d'une capside protéique, parfois entouré d'une enveloppe lipidique. Il existe de nombreux virus pathogènes pour les animaux responsables de pathologies très diverses. Les réponses immunitaires humorales contre les virus peuvent être efficaces pour bloquer l'infection des cellules, tandis que les cellules NK (*natural killer*) et les lymphocytes T cytotoxiques sont nécessaires pour tuer les cellules déjà infectées.

Voie alternative d'activation du complément. Dans le système du complément, voie d'activation indépendante des anticorps qui se déroule lorsque la protéine C3b se lie à la surface des microbes. La voie alternative est une composante du système immunitaire inné, et assure des réponses inflammatoires à une infection, ainsi que la lyse directe des microbes.

Voie classique d'activation du complément. Voie d'activation du système du complément qui est déclenchée par la liaison de complexes antigène-anticorps à la molécule C1, induisant une cascade protéolytique à laquelle participent plusieurs autres protéines du complément. La voie classique est une branche effectrice du système immunitaire humoral qui génère des médiateurs inflammatoires, des opsonines, qui favorisent la phagocytose des antigènes, et des complexes lytiques qui détruisent les cellules.

Voie des lectines d'activation du complément. Voie d'activation du complément déclenchée, en l'absence d'anticorps, par la liaison des polysaccharides microbiens aux lectines circulantes, par exemple la lectine plasmatique liant le mannose (MBL, *mannose-binding lectin*). La MBL est structurellement similaire à la protéine C1q et active le complexe enzymatique C1r-C1s (comme C1q), ou active une autre sérine estérase, désignée par le terme « sérine estérase associée à la protéine liant le mannose ». Les étapes suivantes de la voie des lectines, qui commencent par le clivage de C4, sont les mêmes que celles de la voie classique.

Western blot. Voir **Buvardage de western**.

Wiskott-Aldrich, syndrome de. Maladie liée au chromosome X caractérisée par un eczéma, une thrombocytopénie (réduction du nombre de plaquettes sanguines) et une déficience immunitaire se manifestant par une sensibilité aux infections bactériennes. Le gène défectueux code une protéine cytosolique participant aux cascades de signalisation et à la régulation du cytosquelette d'actine.

Xénoantigène. Antigène situé sur un greffon provenant d'une autre espèce.

ZAP-70 (*zeta-associated protein of 70 kD, protéine de 70 kD associée à zêta*). Tyrosine kinase cytoplasmique de la famille Src jouant un rôle essentiel dans les étapes précoces de la signalisation au cours de l'activation du lymphocyte T par l'antigène. La protéine ZAP-70 se lie aux tyrosines phosphorylées dans les parties intracytoplasmiques de la chaîne ζ du complexe du récepteur pour l'antigène des lymphocytes T et, à son tour, phosphoryle des protéines adaptatrices qui recrutent d'autres composants de la cascade de signalisation.

Zone marginale. Région périphérique des follicules lymphoïdes de la rate qui contient des macrophages particulièrement efficaces pour piéger les antigènes polysaccharidiques. Ces antigènes peuvent soit persister pendant des périodes prolongées à la surface des macrophages de la zone marginale, où ils sont reconnus par des lymphocytes B spécifiques, soit être transportés dans les follicules.

© 2009 Elsevier Masson SAS. Tous droits réservés

Index

A

Les bases de l'immunologie fondamentale et clinique
© 2009 Elsevier Masson SAS. Tous droits réservés

B

C

© 2009 Elsevier Masson SAS. Tous droits réservés

D

© 2009 Elsevier Masson SAS. Tous droits réservés

E

F

G

H

© 2009 Elsevier Masson SAS. Tous droits réservés

I

© 2009 Elsevier Masson SAS. Tous droits réservés

J

K

L

© 2009 Elsevier Masson SAS. Tous droits réservés

M

© 2009 Elsevier Masson SAS. Tous droits réservés

N

O

P

R

© 2009 Elsevier Masson SAS. Tous droits réservés

S

© 2009 Elsevier Masson SAS. Tous droits réservés

T

U

V

© 2009 Elsevier Masson SAS. Tous droits réservés

X

Z

© 2009 Elsevier Masson SAS. Tous droits réservés